DE NAVIGATOR

Clive Cussler

met Paul Kemprecos

DE NAVIGATOR

the house of books

Oorspronkelijke titel
The Navigator
Uitgave
G.P. Putnam's Sons, New York

Vertaling
Pieter Cramer
Omslagontwerp
Jan Weijman
Omslagillustratie
Craig White
Foto auteur
John DeBry
Opmaak binnenwerk
ZetSpiegel, Best

ISBN 978 90 443 2268 2
D/2009/8899/47
NUR 332

www.thehouseofbooks.com

PROLOOG

Een verafgelegen landstreek, omstreeks 900 v. Chr.

Het monster dook op uit de in het licht van de opkomende zon parelende ochtendnevel. De reusachtige kop met een langwerpige snuit en opengesperde neusgaten naderde de oever, waar een jager knielde, de pees van zijn boog strak tegen zijn wang en zijn ogen gericht op een in het moeras grazend hert. De jager ving het geluid van rimpelend water op en keek opzij. Hij slaakte een kreet van angst, gooide de boog van zich af en sprong overeind. Het opgeschrokken hert schoot het bos in met de doodsbange jager op zijn hielen.

De uiteenwaaierende mistsluiers onthulden een gigantisch zeilschip. Langs de roodbruine, ruim zestig meter lange houten romp hing een rafelig gordijn van zeewier. Achter de gebeeldhouwde kop van een snuivende hengst op de omhoog gebogen voorsteven stond een man met zijn blik op een houten kistje gericht. Toen de spookachtige kustlijn voor hem opdoemde, richtte hij zijn hoofd op en wees naar links.

De roerganger aan de dubbele stuurriemen draaide het schip met een gracieuze boog in een nieuwe koers parallel aan de dicht beboste oever. Met een paar ervaren handelingen pasten dekknechten de stand van het vierkante verticaal rood-wit gestreepte zeil aan de gewijzigde vaarrichting aan.

De kapitein was rond de vijfentwintig jaar, maar de ernstige trek op zijn knappe gezicht maakte hem een stuk ouder. Zijn zwarte baard lag in dikke krullen rond een brede mond en bedekte een hoekige kin. Zijn huid was door de inwerking van zon en zee kastanjebruin gekleurd en de ondoorgrondelijke ogen, die de kustlijn afspeurden, waren zo donkerbruin dat de pupillen er haast in verdwenen.

De hoge positie die hij als kapitein bekleedde, gaf hem het recht zich in een gewaad te hullen dat met het kostbare extract van de purperslak fel paars was geverfd. Maar hij gaf de voorkeur aan een bloot bovenlijf en droeg de katoenen kilt van een gewoon bemanningslid. Een slappe, spits toelopende gebreide muts bedekte zijn zwarte kortgeknipte golvende haardos.

De zilte geur van de zee was geleidelijk verdwenen toen ze van de open zee een brede baai in voeren. De kapitein zoog zijn longen vol met lucht die zwanger was van de geur van bloemen en een weelderige groene begroeiing. Hij verheugde zich op de smaak van fris zoet water en stond te popelen om voet aan land te zetten.

Hoewel het een lange reis was geweest, was alles goed verlopen dankzij de zorgvuldig geselecteerde Fenicische bemanning. Het waren stuk voor stuk uiterst ervaren zeelieden afkomstig uit Egypte, Libië en andere landen in het Middellandse Zeegebied. Een contingent Scythen zorgde voor de beveiliging van het schip.

De Feniciërs waren de eerste zeelieden die de wereldzeeën bevoeren en handelaren in een rijk dat zich van de Middellandse Zee tot ver voorbij de zuilen van Hercules en de Rode Zee uitstrekte. In tegenstelling tot de Grieken en Egyptenaren, die met hun schepen angstvallig de kustlijn volgden en voor anker gingen zodra het donker werd, voeren de onverschrokken Feniciërs ook uit het zicht van de kust dag en nacht door. Met een fikse bries in de rug overbrugden hun grote handelsschepen afstanden van meer dan honderdvijftig kilometer per dag.

De kapitein was geen geboren Feniciër, maar zijn kundig optreden getuigde van groot zeemanschap. Met zijn weloverwogen navigatiekennis en koele beslissingen gedurende barre weersomstandigheden had hij al snel bij de bemanning respect afgedwongen.

De boot waarover hij het bevel voerde, was een van de zogenaamde 'schepen van Tarsis', die speciaal voor lange handelstochten over open zee waren ontworpen. In tegenstelling tot de meer tonvormige kustvaarders had het schip een lange, rechte romp. De balken voor het dek en de romp waren van taai Libanees cederhout en de dikke mast was hoog en sterk. Het vierkante, met ingenaaide leren riemen verstevigde zeil van Egyptisch doek maakte deel uit van een tuigage die qua efficiëntie uniek was voor die tijd. De ronde kiel en omhoog gerichte voor- en achtersteven maakten het schip tot een voorloper van de vaartuigen die de Vikingen pas eeuwen later zouden bouwen.

Het geheim achter de Fenicische zeemanskunst behelsde meer dan de technologie alleen. De organisatie aan boord van hun schepen was legendarisch. Ieder bemanningslid kende zijn plaats in de goed geoliede machinerie waarop de Fenicische zeevaart was gestoeld. Zeilen en touwwerk lagen keurig opgeslagen in een gemakkelijk bereikbare ruimte en vielen onder de directe verantwoordelijkheid van de assistent van de kapitein. De man die op de uitkijk stond kende de exacte locatie van alle onderdelen van de takelage en hij hield voortdurend een controlerend oog op het scheepstuig om er zeker van te zijn dat het in geval van nood perfect zou functioneren.

De kapitein voelde iets zachts langs zijn blote been strijken. Met een van zijn spaarzame glimlachjes om zijn lippen zette hij het houten kistje in de houder terug, bukte zich en pakte de scheepskat op. De Fenicische katten kwamen oorspronkelijk uit Egypte, waar ze als goden werden vereerd. Fenicische schepen hadden katten aan boord als handelswaar en voor de rattenbestrijding. De kapitein aaide de oranje-geel gestreepte kat, waarna hij het snorrende dier behoedzaam op het dek terugzette. Het schip naderde de brede monding van een rivier.

De kapitein riep een bevel naar de wacht die op de uitkijk stond.

'Zeg de takelaars dat ze zich gereedmaken om het zeil te laten zakken en roep de roeiers.'

De wacht gaf het eerste bevel door aan twee bemanningsleden, die als apen langs de mast naar de ranok klauterden. Twee andere mannen wierpen de touwen die aan de onderste hoeken van het zeil vastzaten, naar de takelaars, waarna die het zeil vervolgens met behulp van de touwen reefden.

De gespierde roeiers zaten al in twee rijen van twintig op hun bankjes. In tegenstelling tot de slaven op veel andere boten waren de roeiers die het schip met snelle, exacte slagen voortstuwden, getrainde professionals. De roerganger stuurde het schip de rivier op. Hoewel het water in de rivier ook dit voorjaar weer extra hoog stond door de smeltende sneeuw in de heuvels en bergen zou het door ondiepe passages en stroomversnellingen voor het schip onmogelijk zijn om ver landinwaarts te varen.

De Scythische huurlingen hadden zich met hun wapens in de aanslag langs de reling opgesteld. De kapitein stond op de boeg en speurde de oevers af. Daar ontdekte hij een in de rivier uitstekend, met gras begroeid schiereiland en beval de roeiers het schip tegen de stroom in stil te leggen, terwijl de dekknechten het anker lieten zakken.

Er stapte een forse kerel met vooruitstekende jukbeenderen en een gezicht zo verweerd als een oude lap zadelleer op de kapitein af. Tarsa was de leider van de Scythische zeesoldaten die het schip en de lading bewaakten. De aan de Mongoliërs verwante Scythen stonden bekend als uitzonderlijk vaardige ruiters en boogschutters, maar waren ook berucht vanwege hun merkwaardige gewoontes.

Bij veldslagen dronken ze het bloed van hun overwonnen vijanden, die ze scalpeerden waarna ze de scalp als drinkbeker gebruikten. Tarsa en hun mannen verfden hun lichamen rood en blauw, wasten zich met stoombaden en droegen leren hemden en broeken, waarvan ze de pijpen in zachtlederen laarzen staken. Zelfs de armste Scyth versierde zijn kleren met gouden decoraties. Om zijn hals droeg Tarsa een van de kapitein gekregen hanger in de vorm van een paard.

'Ik ga met een verkenningsploeg aan land,' zei Tarsa.

De kapitein knikte. 'Ik ga met je mee.'

Er verscheen een glimlach op het stalen Scythische gezicht. Als landrot had hij er aanvankelijk weinig vertrouwen in gehad dat de jonge kapitein het schip zelfs maar drijvende zou kunnen houden. Maar hij had gezien hoe de kapitein het bevel over het enorme schip voerde en gemerkt dat er een ijzeren vuist achter de patricische gelaatstrekken en vriendelijke uitstraling van de jongeman school.

De brede sloep die normaal aan de achtersteven van het schip lag vastgemaakt, werd langszij gebracht. De Scyth en drie van zijn ruigste soldaten stapten met de kapitein en twee sterke roeiers in de boot.

Een paar minuten later botste de boot met een luide, krakende klap tegen de oever van het schiereilandje. Onder de grasachtige begroeiing ging een stenen kade verborgen. De kapitein maakte de boot aan een meerpaal vast die volledig door struikgewas was overwoekerd.

Tarsa beval een van zijn mannen bij de roeiers te blijven. Daarna volgde hij met de kapitein en de overige Scythen een onder het gras verborgen pad dat van de kade landinwaarts liep. Na de lange weken op het schommelende dek liepen ze met een ietwat onvaste tred, maar al vrij spoedig hervonden ze hun landbenen. Op zo'n zestig meter van de rivier kwamen ze op een wederom overwoekerd en aan alle vier zijden door vervallen gebouwen omgeven plein. Alle deuropeningen en tussenliggende steegjes waren met hoog opgeschoten planten dichtgegroeid.

De kapitein dacht terug aan de nederzetting zoals die er tijdens zijn eerste bezoek had uitgezien. Op het plein was het een drukte van belang geweest van de honderden arbeiders, die in de met platte daken afgedekte slaapzalen woonden en zich in de voorraadschuren in het zweet werkten.

De landingsploeg doorzocht systematisch alle gebouwen. Nadat ze zich ervan hadden vergewist dat de nederzetting geheel verlaten was, leidde de kapitein de groep terug naar de rivier. Hij liep naar de rand van de kade en zwaaide. Terwijl de bemanning het anker ophaalde en de roeiers het schip naar de kade brachten, richtte de kapitein zich tot de Scythische commandant.

'Zijn je mannen klaar voor de belangrijke taak die hen wacht?'

Die vraag ontlokte een minachtend gebrom aan de Scyth. 'Mijn mannen zijn klaar voor álles.'

Dit antwoord verbaasde de kapitein absoluut niet. Tijdens de lange reis had hij urenlange gesprekken met Tarsa gevoerd. Zijn onlesbare dorst naar kennis over mensen van alle mogelijke rassen had hem ertoe gebracht Tarsa over zijn geboorteland en volk uit te horen. Geleidelijk was hij de oude, geharde krijger, ondanks zijn blauw en rood geverfde lijf en zijn merkwaardige gewoontes, steeds aardiger gaan vinden.

Het schip meerde af langs de kade en de bemanning liet een brede loopplank zakken. Op het dek klonk hoefgekletter toen twee paarden vanuit hun stal onder het achterdek naar de loopplank werden geleid. De dieren reageerden nerveus op de buitenlucht, maar de Scythen kalmeerden hen snel met zachte woordjes en een paar handen met in honing gedrenkte graankorrels.

De kapitein formeerde een werkploeg die de opdracht kreeg naar zoet water en voedsel te gaan zoeken. Vervolgens daalde hij af in het ruim, waar hij naar een van stevig Libanees cederhout gemaakte kist liep. In het licht dat door het openstaande dekluik scheen, leek het hout te stralen. Hij verzocht de bemanning extra voorzichtig te zijn bij het uit het ruim omhoogtakelen van de kist.

Er werden dikke touwen aan de kist vastgebonden die vervolgens aan de haak van de laadboom werden bevestigd. De laadboom kraakte onder het zware gewicht. Langzaam werd de kist uit het ruim gehesen en op het dek gezet. Nadat de touwen waren losgemaakt, werden er roeispanen in gaten aan de zijkanten van het krat gestoken om ze zo als draagstokken te gebruiken. Een aantal mannen tilde de stokken op hun schouders en droeg de kist over de loopplank de kade op.

Daar werd het krat op een langwerpige wagen geplaatst die op een viertal met ijzer beslagen houten wielen rustte. Vervolgens werden de paarden voor de wagen gespannen. De soldaten hingen hun schilden en bogen om hun schouders en stelden zich met speren in de hand aan beide kanten van de wagen in een beschermende rij op. De kapitein en de Scythische hoofdman zetten zich aan het hoofd van de stoet, die met luid gekletter van de wapenrustingen in beweging kwam.

Ze trokken door de verlaten nederzetting naar een weg die langs de loop van de rivier door het bos was uitgehakt. Het spoor was door gras overwoekerd, maar het pad maakte nog altijd een snelle voortgang door het dichte bos mogelijk. Iedere avond stopte de stoet zodra het donker werd om een kamp voor de nacht op te slaan. Op de ochtend van de derde dag bereikten ze een dal tussen twee lage bergruggen.

De kapitein stopte de colonne en haalde uit zijn plunjezak hetzelfde kistje tevoorschijn dat hij op het schip had geraadpleegd. Terwijl de soldaten een rustpauze inlasten en de paarden verzorgden, tilde hij het deksel van het kistje op en goot er wat water in. Na even in het kistje te hebben getuurd, richtte hij zijn blik op een stuk velijnpapier dat hij opgerold in een linnen tas bij zich droeg. Daarna vervolgde hij met het onverzettelijke zelfvertrouwen van een trekvogel zijn weg.

De stoet bleef beneden in het dal en kwam ten slotte bij een veld waar de overblijfselen van ronde molenstenen tussen het hoge gras uitstaken. De kapitein herkende het veld uit een tijd dat er ploegen zwoegende mannen de stenen wielen ronddraaiden. Arbeiders hadden er manden vol stenen de malerijen binnengedragen, waar het zachte steen tot een poeder werd vermalen dat vervolgens naar vuurplaatsen werd gebracht. Met blaasbalgen werden de vlammen tot een witgloeiende vuurzee aangewakkerd, waarboven de arbeiders aardewerken smeltkroezen verhitten tot ze de geel glanzend gesmolten inhoud in rechthoekige gietvormen konden gieten.

De expeditie liep door tot ze bij twee stenen afgodsbeelden kwamen. Beide standbeelden waren twee keer zo hoog als een mens en hadden vanaf de nek een min of meer menselijke vorm. De afgodsbeelden waren daar uitgehakt om de inboorlingen af te schrikken. De afstotelijke koppen hadden half menselijke, half dierlijke trekken en het leek alsof de beeldhouwer zijn best had gedaan het meest weerzinwekkende en angstaanjagende gezicht te maken dat je je maar kon voorstellen. Zelfs de geharde huurlingen voelden zich er ongemakkelijk bij. Zenuwachtig namen ze hun speren van de ene in de andere hand en hielden de zo kwaadaardig ogende afgodsbeelden met schuinse blikken angstvallig in de gaten.

De kapitein raadpleegde opnieuw zijn toverkistje en zijn perkamentrol, waarna hij zelfbewust het bos inliep. De stoet volgde hem de door het dichte bladerdek kunstmatig gecreëerde schemering in. De dikke boomwortels vormden herhaaldelijk lastige obstakels, maar na ongeveer een uur liepen ze het bos weer uit en naderden het gladde oppervlak van een lage rotswand aan de voet van de berghelling. Ook hier stonden twee, aan het eerste stel identieke afgodsbeelden die de weg versperden.

Uitgaande van een driehoek, waarvan de afgodsbeelden de basis markeerden, bepaalde de kapitein een punt op de rotswand. Als een blinde die op een onverwachte barrière was gestoten, tastte hij het verticale vlak af. Zijn zoekende vingers vonden twee nauwelijks zichtbare handgrepen, waaraan hij zich langs de gladde wand omhoog hees.

Zo'n drieënhalve meter boven de grond draaide hij zich om en nestelde zich in een holte in de rotswand. Hij leende een speer, die hij bij wijze van hefboom in een spleet stak. De soldaten gooiden een touw omhoog dat hij aan de schacht van de speer bevestigde. Het andere uiteinde van het touw werd aan een paard vastgemaakt. Op een teken van de kapitein begon het paard te trekken, terwijl de kapitein met zijn voet tegen een uitstekend randje duwde. Er maakte zich een ongeveer dertig centimeter dik rotsblok los en viel met een luide dreun naar voren. In de rotswand bevond zich nu een grotopening van een kleine twee meter breed en ruim drie meter hoog.

Nadat hij weer naar beneden was geklommen, maakte de kapitein een vuur van een paar pollen droog gras en stak vervolgens met de smeulende halmen een bundeltje kreupelhout aan. Zich met deze fakkel bijlichtend leidde hij de groep door de opening. De Scythen hadden zichzelf aan het paardentuig vastgemaakt en trokken de wagen door een tunnel met gladde wanden die na een meter of vijftien in een grote ruimte uitkwam.

De kapitein stak een aantal olielampen aan die in houders aan de wand van het vertrek hingen. In de cirkel van flakkerend licht was een grote ronde galerij zichtbaar, waar vanuit diverse richtingen gangen op uitkwamen. In het midden van de ruimte stond een cirkelvormig rotsblok van een meter hoog en een doorsnede van bijna twee meter. De kapitein zei tegen de Scythen dat ze het krat op deze verhoging moesten neerzetten. Op zijn aanwijzingen verwijderden ze vervolgens de bovenkant van het krat en stapten naar achteren.

De kapitein boog zich over het krat en tilde het deksel van een iets kleinere, uitbundiger versierde en met goud beslagen kist van een donkere houtsoort. Met bonzend hart schoof hij verschillende lagen blauwe stof terzijde. Hij keek in de kist en staarde gebiologeerd naar de inhoud; zijn gezicht weerspiegelde de gloed die uit de kist straalde. Even later legde de kapitein de blauwe stof en het deksel behoedzaam terug, waarna Tarsa's mannen ook het krat weer afsloten.

'Onze missie is volbracht,' zei hij met een luide, door het vertrek galmende stem.

Hij ging de anderen weer voor naar buiten. De koele lucht voelde verfrissend aan tegen zijn bezwete gezicht en verdreef het stof uit zijn longen. Op aanwijzingen van de kapitein plaatsten de Scythen het rotsblok in de opening terug. Daarna bekeek hij de rotswand en concludeerde dat niemand zou vermoeden dat daar een doorgang verborgen zat.

De colonne vertrok in de richting vanwaar ze gekomen waren. Zonder de zware last op de wagen vorderde de stoet in een vlot tempo en ze liepen nu linea recta naar de rivier. Aan de schuin aflopende oever stond een houten gebouw met grote deuren aan de rivierzijde. De kapitein inspecteerde het interieur van het gebouw. Toen hij weer naar buiten kwam, leek hij tevreden met wat hij had gezien. Hij vroeg Tarsa en zijn mannen een stevige maaltijd te bereiden en daarna vroeg te gaan slapen.

Bij het eerste ochtendgloren werden ze door de onvermoeibare kapitein gewekt. De paarden sleepten een houten boot uit de opslagloods naar de rivier. Het geheel open vaartuig was zo'n vijftien meter lang en een meter of drieënhalf breed en was met een diepgang van nog geen halve meter meer vlot dan boot. Het roer was van een lange helmstok voorzien.

Nadat ze de paarden op de boot hadden geleid, duwden ze het vlot met stokken af tot het op de rivier door de stroming werd meegenomen. De tocht stroomafwaarts was heel wat spannender dan hun zeereis. De boot stuitte op zandbanken, stroomversnellingen, drijvende boomstammen, kolken en verraderlijke rotsformaties. De Scythen juichten toen de boot de monding van de rivier bereikte en ze daar hun schip afgemeerd zagen liggen.

Ze werden enthousiast door de scheepsbemanning begroet, die hen vervolgens hielp om het vlot aan land te trekken. Terwijl de kapitein in zijn logboek schreef, vierde de bemanning tot diep in de nacht de goede afloop van hun missie. Voor zonsopkomst waren ze alweer op de been en toen de zon net over de boomtoppen scheen, gooiden ze de trossen los. Voortgestuwd door de twee rijen roeiers en een krachtige bries schoot het schip de baai op, waarbij de roeiers zich van hun energiekste kant lieten zien. Want net als alle anderen aan boord wilden ook zij niets liever dan zo snel mogelijk naar huis.

De uitbundige stemming aan boord van het schip werd echter door een onverwachte gebeurtenis in de kiem gesmoord. Toen het schip een eiland passeerde, dook er een ander schip op, dat hen de weg versperde.

Met een paar luide commando's gaf de kapitein bevel de riemen in te halen en het zeil te strijken. Om het andere schip beter te kunnen zien, klom hij op een groot, in de boeg opgeslagen watervat. Er was geen teken van leven aan boord, maar het dek werd aan het oog onttrokken door een rieten verschansing die ter bescherming van de lading langs de zeeglijn, ofwel de bovenste plank van de romp, was aangebracht.

Ook dit was een schip van Tarsis.

Het had dezelfde elegante en functioneel gestroomlijnde vorm als het schip van de kapitein. Het dek was langgerekt en recht, terwijl de gebogen achtersteven en de tot een paardenhoofd gebeeldhouwde boeg hoog boven de waterspiegel uittorenden. Maar met zijn haarscherpe ogen ontdekte de kapitein onmiddellijk een aantal significante verschillen tussen de beide schepen. Het onbekende vaartuig was oorspronkelijk voor het transport van handelswaar ontworpen, maar later tot oorlogsschip omgebouwd.

De boeg was versterkt met brons en niet zoals gebruikelijk met hout en functioneerde als een sneb waarmee zelfs de sterkste schepen aan barrels kon worden geramd. De forse wrik- en roeiriemen die langs de romp waren bevestigd, konden als extra stormrammen worden ingezet.

De Scythische hoofdman kwam naast de kapitein staan. 'Zullen we een ploeg aan boord laten gaan?'

De kapitein dacht hier even over na. Een Fenicisch schip zou voor hen op zich geen gevaar inhouden, maar er was geen enkele reden voor de aanwezigheid van het schip nu op deze plek. Als het geen vijandige bedoelingen had, zouden die in ieder geval ook niet direct vriendschappelijk zijn.

'Nee,' antwoordde de kapitein. 'We wachten af.'

Er verstreken vijf minuten. Daarna tien. Na twintig minuten zagen ze een paar lieden langs een ladder naar de sloep van het oorlogsschip afdalen. Even later was de roeiboot tot binnen gehoorsafstand genaderd. Er zaten vier mannen aan de riemen. Een vijfde stond wijdbeens in de boeg. Hij was in een paarse cape gehuld, die als een loshangend zeil om zijn lichaam wapperde. Met zijn handen vormde hij een trechter voor zijn mond.

'Gegroet, mijn broeder,' schreeuwde hij over het water.

'Jij ook gegroet, broeder,' riep de kapitein verrast terug. 'Hoe ben jij hier verzeild geraakt?'

Er verscheen een trek van geveinsd ongeloof op zijn gezicht. Hij wees naar het oorlogsschip. 'Ik ben hier net als jij gekomen, Menelik, in een schip van Tarsis.'

'Maar waarom dan, Melqart?'

'Om de krachten weer te bundelen, lief broertje van me.'

Het gezicht van de kapitein verried geen enkele emotie, maar zijn donkere ogen gloeiden van woede. 'Wist je dan wat ik hier moest doen?'

'We zijn toch familie? Dan heb je geen geheimen voor elkaar.'

'Maak dan ook geen geheim van wat je van me wilt.'

'Nee, natuurlijk niet. Kom bij me aan boord, dan zal ik het je vertellen.'

‘Op mijn schip ben jij ook van harte welkom.’

De man in het paars schoot in de lach. ‘Als broers hebben we duidelijk weinig vertrouwen in elkaar.’

‘Waarschijnlijk omdat we ook maar halfbroers zijn.’

‘Toch hebben we hetzelfde bloed in de aderen.’ Melqart wees naar het eiland. ‘Laten we deze kinderlijke discussie beëindigen en op neutraal terrein verder praten.’

De kapitein bekeek het eiland. In tegenstelling tot de vrijwel overal dicht beboste kustlijn, was deze zandbank over een afstand van een kleine honderd meter volkomen vlak tot aan een lage, met gras begroeide duinrand.

‘Goed,’ riep hij terug.

De kapitein zei Tarsa een landingsploeg bijeen te roepen, waarop Tarsa vier van zijn meest geharde mannen selecteerde. Een paar minuten later schoof de sloep het strand op. De Scythen bleven bij de boot, terwijl de kapitein de zandbank opliep.

Zijn halfbroer stond hem op zo’n dertig meter van de waterlijn met over elkaar geslagen armen op te wachten. Hij droeg het volle Fenicische staatsieornaat met onder de paarse cape een tweedelige tuniek van een bontgekleurde stof en op zijn hoofd een spits toelopende muts. Om zijn hals hing een gouden ketting en om zijn armen en vingers glommen talrijke gouden sierraden.

Hij was even groot als de kapitein en zijn knappe gezicht met een grote neus en een donkere huid, omkranst met een baard en golvende haren, leek sprekend op dat van zijn broer. Maar er waren ook kenmerkende verschillen. Het statige voorkomen van de kapitein gaf hem een dwingende, ietwat arrogante uitstraling, terwijl de houding van zijn halfbroer eerder iets wreeds had dan dat hij als krachtig overkwam. In zijn donkere ogen lag geen diepte of vriendelijkheid. Zijn geprononceerde kin duidde meer op een koppig dan een vastberaden karakter.

‘Wat goed om jou na al die jaren weer eens te zien, broertje van me,’ zei Melqart met een gekunstelde glimlach die eerder sluw was dan charmant.

De kapitein was niet in de stemming voor onoprechte mooipraterij. ‘Wat doe je hier?’ vroeg hij.

‘Misschien vond pa wel dat ik je bij je missie moest gaan helpen.’

‘Hij zou jou nooit hebben vertrouwd.’

‘Hij mag jou dan vertrouwd hebben, maar je bent wel een dief.’

De kapitein liep rood aan bij deze belediging, maar hij hield zijn woede in. ‘Je hebt mijn vraag niet beantwoord.’

Zijn halfbroer haalde zijn schouders op. 'Ik hoorde dat je op weg was gegaan. Ik heb geprobeerd je in te halen, maar je schip was te snel en we zijn achter geraakt.'

'Waarom is je schip tot oorlogsschip omgebouwd?'

'Het is gevaarlijk in deze streken.'

'Je hebt je tegen vader verzet door hier naartoe te komen. Dit heeft hij niet gewild.'

'Váder!' Hij spuugde de lettergrepen uit. 'Vader was een rokkenjager die met zo'n slet als jouw moeder sliep.'

'En met een slet als jouw moeder!'

Melqart sloeg zijn paarse cape naar achteren. Zijn hand bewoog zich naar het gevest van zijn zwaard, maar hij bedacht zich en trok zijn hand terug. 'Wat maken we ons nou toch druk over familiezaken,' zei hij sussend. 'Laten we naar mijn schip gaan. Dan drinken we wat en kunnen we rustig praten.'

'We hebben niets te bepraten. Je draait om met je schip en ik vaar achter je aan.'

De kapitein draaide zich op zijn hakken om en liep terug naar de rivier. Hij hield zijn oren gespitst op voetstappen voor het onwaarschijnlijke geval dat zijn broer de moed had om hem aan te vallen. Maar het enige wat hij hoorde was de stem van Tarsa die riep:

'Kapitein! Achter je!'

De Scyth had een stuk of tien figuren van achter de met helmgras begroeide duinenrij zien opduiken.

De kapitein keerde zich om en zag de mannen op zich afkomen. Op borst en schouders blonken felgekleurde tatoeages.

Thraciërs.

Nog zo'n woest ogend volk dat zich als bedreven zwaard- en speervechters aan de Fenicische zeevaart had verpand. De Thraciërs stormden langs zijn halfbroer, die hen aanvuurde:

'Dood hem! Dood hem!'

De kapitein trok zijn korte slagzwaard, terwijl de schreeuwende Thraciërs hem in een oogwenk hadden omsingeld.

Hij tolde om zijn as om zijn aanvallers voor zich te houden, maar zijn rug kon hij niet dekken. Een van de Thraciërs deed een stap naar voren om zijn speer te werpen, maar hij stokte en liet zijn speer vallen. Met beide handen om de gevederde pijlschacht geklemd die uit zijn hals stak kuchte hij rochelend, zakte op zijn knieën en sloeg met zijn gezicht naar voren tegen het zand.

Koeltjes legde Tarsa een nieuwe pijl tegen de pees van zijn boog. Met niet meer dan de inspanning van een ademtocht doodde hij een tweede Thraciër. De anderen verspreidden zich.

Tarsa's boogschutters schoten een regen van pijlen af die doel troffen in de ruggen van de wegvluchtende Thraciërs.

De kapitein slaakte een indringende oorlogskreet en rende over het strand. Hij haalde uit voor een krachtige slag met zijn zwaard, waarmee hij zijn halfbroer had onthoofd als die niet met een wanhoopssprong op het nippertje was weggedoken. Vluchtend voor het maaiende zwaard struikelde Melqart over zijn cape en viel in het zachte zand.

Hij rolde op zijn rug en wierp zijn zwaard van zich af. 'Dood me niet, broertje van me.'

De kapitein aarzelde. Hoe slecht hij ook was, Melqart was een bloedverwant.

Tarsa riep een nieuwe waarschuwing.

Vanachter de duinenrij was ter versterking van de eerste groep aanvallers een tweede golf van Thraciërs opgedoken. De kapitein stapte naar achteren en rende over de lijken van de aanvallers springend naar de boot. De Scythen beantwoordden de nieuwe aanval met hun laatste pijlen. De haastig gemikte schoten remde de aanstormende Thraciërs wel af, maar hield ze niet tegen.

Tarsa gooide zijn boog weg, greep de kapitein met zijn sterke armen beet en tilde hem in de boot. De roeiers trokken aan de riemen en stuwden de boot snel buiten het bereik van de speren, die zonder nog een gevaar te vormen in het water plonsden.

De kapitein klom aan dek van zijn schip. De wacht deelde speren en zwaarden uit, die hij uit een keurig opgeslagen voorraad in een op het dek gesitueerde wapenkamer haalde.

De sloep van Melqart voer met de overgebleven Thraciërs weg van het strand. De rieten verschansing aan boord van het oorlogsschip zakte omlaag en onthulde een verhoogd gevechtsdek waarop minstens honderd mannen stonden.

De speerpunten glinsterden in het zonlicht. Ze hadden hun schilden als een verdedigingsmuur over de reling gehangen. De kapitein zag rookwolkjes van het dek opstijgen en beval overal kruiken met water klaar te zetten.

Het volgende moment daalde er in een spoor van dunne rooksliertjes een helse stortvloed van brandende, in pek gedoopte pijlen op hen neer. Geen van zijn mensen werd geraakt, maar sommige pijlen bleven in het hout van de romp en het dek steken. De vlammen werden met het water uit de kruiken gedoofd, maar er volgde een tweede salvo en een aantal brandende pijlen kwam op het opgedoekte zeil terecht.

Een deel van de bemanningsleden trok het zeil over het dek en stampte op het brandende doek zonder zich om de gloeiende as te bekommeren waaraan ze hun blote voeten en benen verbrandden.

De kapitein gaf met bulderende stem bevel om het anker te lichten. Terwijl de Scythen ter dekking een dodelijke pijlenregen afvuurden, stuwden de roeiers het schip achterwaarts uit het bereik van de brandende pijlen. Maar door deze noodmanoeuvre kwamen de schepen dwars op elkaar te liggen.

De vlammen van het brandende zeil laaiden steeds hoger op. De kapitein begreep dat het schip verloren was. Schepen bestonden uit hout, hennep, pek en zeildoek. Binnen een paar minuten zou het schip één grote brandende fakkel zijn.

Het oorlogsschip maakte zich op om dichterbij te komen voor de genadeslag.

Met behulp van de grote roerriemen aan de voor- en achtersteven maakte het schip een snelle draai van honderdtachtig graden om de bronzen stormram in stelling te brengen.

Met de ram zouden ze een gat in het brandende schip boren. Zodra het schip begon te zinken, zouden ze er een nieuw salvo van brandende pijlen op afvuren en het vanaf de boeg met brandende, in olie gedrenkte werpprojectielen bestoken.

De kapitein beval de roerganger het schip te draaien. Zodra de boeg stroomafwaarts wees, schreeuwde hij naar de roeiers: 'Volle kracht vooruit!'

Het schip kwam als een lome walvis op gang, maar won al meteen aan snelheid. Het vijandige schip was nog aan het draaien en zou niet snel meer in een dergelijke kwetsbare positie verkeren. Hoewel de boeg van het schip van de kapitein niet met metaal was versterkt, konden de dikke Libanese balken wel degelijk een dodelijk wapen zijn.

Temidden van het geschreeuw klonk hoefgetrappel. De paarden waren uit hun stal losgebroken en het dek opgestormd. De Scythen lieten hun bogen vallen en probeerden de paarden terug te drijven. De dieren steigerden en rolden met hun ogen. Ze waren banger van de vlammen en de rook dan van de luidruchtige bemanning.

De schepen waren elkaar tot op een paar meter genaderd. De kapitein zag een in paars geklede figuur over het dek heen en weer rennen en herkende Melqart die zijn mannen aanspoorde.

Het brandende schip boorde zich in het oorlogsschip. De kapitein verloor zijn evenwicht en viel op zijn knieën, maar krabbelde onmiddellijk weer overeind. Het als paardenhoofd gebeeldhouwde boegbeeld hing schuin omlaag. Het schip was teruggekaatst en zodanig weggedraaid dat de romp langszij het andere schip kwam te liggen. De vijandelijke schutters konden hem nu zonder meer te grazen nemen. De met speren bewapende krijgers zouden zich over zijn schip verspreiden om het karwei af te maken.

Van de discipline op zijn schip was weinig meer over. In paniek renden de mannen over het dek in een poging aan de vlammen of de hoeven van de op hol geslagen paarden te ontkomen.

De schepen sloegen krakend tegen elkaar. Heel even verdreef een windvlaag de rook. In een flits zag de kapitein op een paar meter afstand het grijnzende gezicht van zijn halfbroer voor zich opdoemen. Als door een wesp gestoken walste de kapitein door de rookwolken over het dek in een poging zijn in paniek geraakte mannen weer in het gareel te krijgen.

Een van de paarden dook steigerend voor hem op. Terugdeinzend wist hij te voorkomen dat het dier hem vermorzelde. Door een plotselinge ingeving gedreven graaide hij een lap brandend zeildoek van het dek en zwaaide ermee naar het paard. Het dier steigerde en maaide wild met zijn hoeven door de lucht. De kapitein gilde naar de Scythen dat ze hem moesten volgen.

In een onregelmatige linie optrekkend dreven ze de paarden schreeuwend en woest met brandende lappen zeildoek of leren hemden zwaaiend naar de lage scheepsreling.

Langs de reling van het andere schip stonden getatoeëerde Thraciërs opgesteld. Met glinsterende ogen verheugden ze zich op de slachting die ze zouden gaan aanrichten. Maar het volgende moment worstelden de opgejaagde paarden zich half springend, half klauterend over de reling naar het dek van het oorlogsschip. De dieren braken door de rij krijgers heen en draafden als furies over het dek heen en weer, daarbij iedereen onder de voet lopend die ze op hun weg tegenkwamen.

Ook de kapitein sprong over de reling en de Scythen volgden zijn voorbeeld. Met een flitsende zwaardslag sloeg hij de eerste man op wie hij stuitte, tegen de vlakte, waarna zijn volledige bemanning over het oorlogsschip uitzwermde. De Thraciërs deinsden overdonderd door de felle aanval geschrokken terug.

Het gezicht van de kapitein was zwart van het roet. Hij bloedde uit verschillende, niet al te ernstige snij- en steekwonden, maar onverbiddelijk naderde hij Melqart, die het verloop van de strijd zag kenteren en op de verhoogde achtersteven van het schip een veilig heenkomen zocht. Menelik beklom een korte ladder naar het achterdek waarop zijn halfbroer zat weggedoken.

Ditmaal zou hij niet aarzelen om toe te slaan.

Maar op het moment dat zijn zwaard in het zachte mensenvlees drong, voelde de kapitein een harde dreun tegen zijn schedel, waarop hij in een diepe duisternis wegzinkend op het dek in elkaar zakte.

Enige tijd later, toen de laatste sporen van de strijd naar het wateroppervlak waren geborreld, waagde de zwijgende getuige, die zich in het hoge gras verborgen had gehouden, zich niet ver van de plek waar hij het monster met het paardenhoofd had gezien, voorzichtig op het strand.

Het was doodstil. Het wapengekletter en de kreten van pijn en angst waren weggestorven. Het enige geluid was het zachte kabbelen van het water langs de oever, die bezaaid lag met lijken. Hij liep van lichaam naar lichaam, waarbij hij de gouden sieraden negeerde en vooral naar nuttiger voorwerpen zocht.

Terwijl hij zich bukte om iets van zijn gading op te pakken, hoorde hij een zielig miauwend gepiep. Hij zag een kletsnat oranjegelig bontballetje met klauwen die een half verkoolde plank omklemden. De jager had nog nooit een kat gezien en heel even overwoog hij om hem te doden. Maar hij bedacht zich en wikkelde het dier in een zachte leren doek.

Nadat hij alles had verzameld wat hij dragen kon, sloop hij weg en liet alleen zijn voetsporen in het zand achter als stille getuigen van zijn aanwezigheid.

Het Witte Huis, 1809

Het landgoedachtige regeringsgebouw aan Pennsylvania Avenue was geheel in het duister gehuld, afgezien van de werkkamer, waar een knappend vuur in de open haard de winterse kou op afstand hield. Het flakkerende licht van de gele vlammen bescheen het door een forse neus gedomineerde profiel van de man die zachtjes neuriënd aan een bureau zat te werken.

Met zijn levendige blauwgrijze ogen, die zo indringend waren dat mensen die hem voor het eerst ontmoetten er vaak van schrokken, keek Thomas Jefferson op de klok aan de muur. Het was twee uur in de ochtend; normaal gesproken hield hij het om tien uur voor gezien. Hij had sinds zes uur 's avonds in de studeerkamer zitten werken, nadat hij die dag bij het eerste ochtendgloren was opgestaan.

De president had zijn dagelijkse middagrit door Washington op zijn favoriete paard Eagle gereden en had nog altijd zijn rijkleding aan: een gemakkelijk zittend, bruin versleten colbertje, een rood vest, een corduroy broek en wollen sokken. Zijn rijlaarzen had hij verwisseld voor sloffen zonder hakken. Dit tot verbazing van buitenlandse diplomaten die aan de presidentiële voeten toch een wat statiger schoeisel hadden verwacht.

De lange arm van de president strekte zich uit naar een glazenkast. De deurtjes klapten open op de lichte druk van zijn vinger, een aspect dat typerend was voor Jeffersons passie voor snuisterijen. In de vitrinekast stonden keurig naast elkaar een geslepen glas op een voet, een karaf met Franse rode wijn, een schaal met koekjes en een nachtkaars voor de wandeling door de donkere gangen terug naar zijn slaapkamer. Hij schonk een half glas wijn in, hield het dromerig tegen het licht en nam een slok die prettige herinneringen aan Parijs in hem opriep.

Wat hem betrof kon het niet snel genoeg ochtend worden. Over een paar uur zou de drukkende last van zijn ambt op de smalle, maar capabele schouders van zijn vriend James Madison overgaan.

Genietend nam hij een tweede slok en richtte zich weer op de papieren die op zijn bureau uitgespreid lagen. Ze waren beschreven met hetzelfde vloeiende handschrift waarmee ook de Onafhankelijkheidsverklaring was opgesteld. Het waren afschriften van de woordenschat van meer dan vijftig, in kolommen gerangschikte, Indiaanse talen die hij in een periode van dertig jaar had verzameld.

Jefferson was al heel lang geobsedeerd door de vraag hoe de indianen naar Noord-Amerika waren gekomen en had jaren gewerkt aan het opstellen van lijsten van in de Indiaanse talen en dialecten veelgebruikte woorden. Hij huldigde de theorie dat overeenkomsten tussen woorden van de Oude en de Nieuwe Wereld wellicht een inzicht konden brengen in de oorsprong van de indianen.

Bij het najagen van zijn obsessie had Jefferson zijn presidentiële macht schaamteloos ingezet. Op een keer had hij vijf Cherokee-opperhoofden voor een ontvangst in het Witte Huis uitgenodigd en hen over hun taal uitgehoord. Hij had Meriwether Lewis opdracht gegeven de woordenschat van de indianen te noteren die de ontdekkingsreiziger op zijn historische reis naar de Grote Oceaan zou tegenkomen.

Het boek dat Jefferson over de oorsprong van de indianen wilde gaan schrijven, zou het hoofdwerk van zijn intellectuele carrière worden. Door het tumultueuze verloop van zijn tweede termijn was het project tijdelijk in de ijskast gezet en had hij het naar de drukker sturen van de lijsten uitgesteld tot hij samenvattingen kon maken van de stapels aan nieuw materiaal dat Lewis en Clark van hun tocht hadden meegebracht.

Nadat hij zich heilig had voorgenomen dit werk weer op te nemen zodra hij in Monticello terug was, sorteerde hij de papieren tot een keurige stapel, bond ze met een touwtje bijeen en legde de bundel met de andere woordenboeken en het schrijfmateriaal in een stevige hutkoffer. Die zou met zijn overige bezittingen naar de rivier de James worden vervoerd, alwaar zijn bagage op een boot zou worden geladen die alles naar Monticello bracht. Nadat hij een laatste pak documenten in de kist had gelegd, sloot hij het deksel.

Zijn bureau was nu leeg op een tinnen doos na, waarop in het deksel zijn naam stond gegraveerd. De president opende de doos en pakte er een vierkant stuk vellum van ongeveer vijfentwintig bij dertig centimeter uit. Hij hield de zachte dierenhuid vlak bij een olielamp. Het gekreukte vel was bedekt met vreemde schrifttekens, golvende lijnen en diverse X'en. Eén zijrand was gerafeld.

Hij had het vellum in 1791 verkregen. Samen met 'Jemmy' Madison, zijn buurman in Virginia, was hij naar Long Island bij New York gereden voor een bezoek aan de laatste verarmde leden van de Unkechaug-stam. Jefferson had gehoopt iemand te treffen die de oude taal van de Algonquin-stam kende en inderdaad waren er drie oudere vrouwen die deze oude taal nog spraken. Jefferson had uit hun mond een verklarende woordenlijst opgetekend die hem, naar hij hoopte, aan een nieuw bewijs voor zijn theorie over de Europese oorsprong van de indianen zou helpen.

Het opperhoofd van de stam had Jefferson het vellum als geschenk overhandigd met de woorden dat het van generatie op generatie was overgegeven. Ontroerd door dit gebaar had Jefferson een rijke landeigenaar en medeondertekenaar van de Onafhankelijkheidsverklaring gevraagd zich over de indianen te ontfermen.

Nu hij naar het vellum keek, kreeg hij een idee. Hij liep ermee naar een tafel, waarop een houten horizontale schildersezel lag met een stellage waaraan twee potloden bevestigd waren die zo gelijktijdig bewogen konden worden. Voor zijn omvangrijke correspondentie maakte Jefferson regelmatig gebruik van deze kopieermachine ofwel polygraaf.

Hij kopieerde de tekens die op het vellum stonden en voegde er een paar aantekeningen aan toe met onder andere het verzoek aan de ontvanger om de taal te identificeren waarin de tekst geschreven was. Nadat hij de envelop had geadresseerd en verzegeld legde hij hem in het mandje voor de uitgaande post.

De woordenlijsten van de Unkechaug lagen tussen de andere papieren in de grote hutkoffer. Jefferson wilde het vellum bij zich houden en legde het terug in de doos. Hij zou de doos zelf in zijn zadeltassen meenemen naar Monticello. Hij keek weer op de klok aan de muur, leegde zijn wijnglas en stond op uit zijn stoel.

Voor een man van vijfenzestig had Jefferson net iets te veel vet aan zijn boerenlijf. Zijn dikke haardos was van roodachtig blond in de loop der jaren zandkleurig grijs geworden. Met zijn breedgeschouderde tonvormige postuur en een lengte van een meter zevenentachtig was hij in alle gevallen een imposante figuur. Ondanks een vervelend opspelende artritis bewoog hij zich, nadat hij de stijfheid uit zijn ledematen had verdreven, nog soepel en vlot en straalde de vitaliteit uit van een jongeman.

Hij stak de nachtkaars aan en liep door de stille gangen van het Witte Huis naar zijn slaapkamer.

Nadat hij bij zonsopgang was opgestaan, reed hij met het voor hem zo kenmerkende gemis aan gevoel voor decorum naar de inauguratie van de nieuwe president. Met een tikje tegen zijn pet galoppeerde hij doodleuk langs het wachtende cavalerie-escorte en steeg bij het Capitool van zijn paard, dat hij vervolgens aan een paal van het hek bond. Tijdens de inauguratie zat hij in het publiek. Later bracht hij een afscheidsbezoek aan het Witte Huis en op het inaugurele bal danste hij met Dolley Madison.

De volgende dag pakte hij de laatste spullen in en zag erop toe dat de hutkoffer met het Indiaanse studiemateriaal op de wagen werd geladen die de spullen naar de rivier de James zou brengen. Daarna vertrok hij op zijn paard naar Monticello en gedreven door een onstuitbaar verlangen zijn leven als herenboer weer op te nemen trotseerde hij acht uur lang zonder onderbreking een teisterende sneeuwstorm.

De bespieder stond in de schaduw van een met sneeuw bedekte eik aan de oever van de rivier de James, waar een aantal vrachtschepen voor de nacht lag afgemeerd. Vanuit een nabijgelegen herberg klonk schor gelach. De stemming werd luidruchtiger en uit eigen ervaring wist hij dat de scheepslui in de laatste fase verkeerden voordat ze zich bewusteloos hadden gedronken.

Hij stapte uit de bescherming van de duisternis en liep over het met sneeuw bedekte terrein naar een boot waarvan de omtrekken vaag zichtbaar waren in het flakkerende schijnsel van de heklantaarn. Het vijftien meter lange platboomde rivierschip was voor het vervoer van tabak vrij smal gebouwd.

Hij bleef aan de oever staan en riep, maar er kwam geen antwoord. Weggelokt door het vooruitzicht van drank, een warm vuur en vrouwelijk gezelschap was de kapitein met de beide boomknechten die op de rivierboot werkten, aan land gegaan. Diefstal en berovingen kwamen zo goed als niet voor in dit afgelegen deel van de rivier en niemand van de boten had de behoefte gevoeld om op deze koude nacht een bemanningslid aan boord achter te laten.

De bespieder liep de loopplank op en gebruikte de lamp die aan de achtersteven hing om hem bij te lichten toen hij onder een gewelfde overkapping van zeildoek in het middendeel van het schip wegdook. Onder de overkapping stonden ruim vijfentwintig met de initialen TJ bedrukte koffers. Hij zette de lamp neer en begon tussen de koffers en kisten te snuffelen.

Met een mes wrikte hij een hutkoffer open en diepte er een handvol van de keurig opgestapelde papieren uit op. Zoals hem was opgedragen, propte hij de papieren in een grote zak en wierp een handvol op de ri-

vieroever. Daarna gooide hij nog een stapeltje papieren in de rivier, waar ze, meegevoerd door de sterke stroming, vrijwel onmiddellijk uit het zicht verdwenen.

De man bekeek grinnikend wat hij had aangericht. Met een snelle blik op de luidruchtige herberg sloop hij stilletjes over de loopplank naar de oever en loste als een spook op in de duisternis.

Toen Jefferson niet lang daarna met vrienden in Monticello terugkeerde, zag hij dat zijn huisslaven druk bezig waren met het uitladen van koffers en kisten van een wagen die dicht bij de met zuilen omgeven ingang van het landhuis stond. Toen hij dichterbij kwam, herkende hij een gedrongen man met baard als de kapitein van de boot die zijn spullen uit Washington over de rivier had vervoerd.

Hij steeg van zijn paard en liep naar de wagen, maar in zijn enthousiasme over het feit dat zijn bagage al werd afgeleverd, sloeg hij geen acht op het sombere gezicht van de schipper. Hij klopte met zijn knokkels op de zijkant van de wagen. 'Goed gedaan, kapitein. Alles is veilig en wel aangekomen, zo te zien.'

Het ronde gezicht van de kapitein verschrompelde als een overrijpe pompoen. 'Niet alles, moet ik u tot mijn spijt meedelen,' mompelde hij.

'Hoe bedoelt u?'

De kapitein leek in zichzelf weg te kruipen. Jefferson torende zeker een centimeter of tien boven de schipper uit en had ook als hij niet de voormalige president van de Verenigde Staten was geweest een intimiderende indruk gemaakt. De arme kapitein zag een stel dwars door hem heen borende ogen op zich gericht die een haast tastbare kracht uitstraalden.

Terwijl de schipper vertelde wat er was gebeurd, kneep hij zo hard in zijn pet dat het een wonder mocht heten dat hij hem niet aan stukken scheurde.

Jeffersons hutkoffer was tijdens de laatste etappe van de tocht over de rivier net voorbij Richmond opengebroken. De dief was aan boord gekomen toen de boot afgemeerd lag en de bemanning op de oever lag te slapen, vertelde de kapitein. De hutkoffer was helemaal leeggehaald. De kapitein overhandigde Jefferson een paar met modder besmeurde papieren met de verklaring dat ze die nog op de rivieroever hadden teruggevonden.

Jefferson staarde naar de vochtige prop in zijn handen.

Met moeite de juiste woorden vindend zei hij: 'Verder niets gestolen?'

'Nee.' Opgelucht nam de kapitein de kans waar om ook de goede kant van de zaak te benadrukken. 'Alleen die ene hutkoffer.'

Alleen die ene hutkoffer.

De woorden galmden in Jeffersons oren alsof ze in een grot werden uitgesproken.

'Zeg me waar u deze papieren hebt gevonden,' beval hij.

Even later galoppeerden Jefferson en zijn vrienden weg en reden in één ruk door tot ze bij de rivier kwamen, waar ze zich over beide oevers verspreidden. Na een intensieve zoektocht visten ze nog een aantal papieren op die aan land waren gespoeld. Afgezien van een enkel vel waren de door water en modder verminkte uittreksels van Indiaanse vocabulaires volslagen onbruikbaar.

Later die zomer werd er een kruimeldief en dronkaard gearresteerd die van de inbraak werd verdacht. De man beweerde dat een vreemdeling hem had betaald om de papieren te stelen en dat die ze vervolgens had vernietigd.

Jefferson was blij dat de boef was gepakt en waarschijnlijk werd opgehangen. Het lot van die man liet hem verder koud. De schoft had voor hem onherstelbare schade aangericht. Jefferson zag zich voor dringender problemen geplaatst, zoals de zorg over zijn te lang verwaarloosde landerijen en de aflossing van de schulden die zich almaar hoger opstapelden.

Dit alles veranderde een paar maanden later drastisch toen hij een brief ontving.

Jefferson had diverse reacties ontvangen op de aantekeningen die hij nog vanuit het Witte Huis naar leden van het Filosofisch Genootschap had gestuurd. Ze uitten allemaal hun verwondering over de ook voor hen onbekende woordenlijsten die hij van het vellum had gekopieerd. Op één man na.

Professor Holmberg was taalkundige aan de universiteit van Oxford. Hij verontschuldigde zich voor het feit dat hij niet eerder had gereageerd, maar hij had een reis door Noord-Afrika gemaakt. Hij wist uit welke taal deze woorden stamden en had een vertaling bijgesloten.

Met opengesperde ogen las Jefferson het resultaat van Holmbergs werk. Met de brief in zijn hand doorzocht hij zijn bibliotheek en plukte her en der boeken van de planken. Geschiedenis. Taalwetenschap. Religie.

Hierna zat hij een aantal uren te lezen, waarbij hij herhaaldelijk aantekeningen maakte. Toen hij het laatste boek had weggelegd, leunde hij achterover in zijn stoel, drukte de topjes van zijn vingers tegen elkaar en staarde in de leegte voor zich uit. Nadat hij een moment had nagedacht, sprak Jefferson zachtjes een vertrouwde naam uit.

Meriwether Lewis.

Het lot was de man die de expeditie had geleid, waarmee hij de sluizen naar een uitbreiding van de Verenigde Staten met het Amerikaanse Westen had opengezet, niet gunstig gezind geweest.

Lewis was een uitzonderlijk begaafd man en Jefferson kende de kwaliteiten van zijn eveneens uit Virginia afkomstige vriend, toen hij hem in 1803 vroeg de ontdekkingsreis naar de westkust te leiden.

De hoog ontwikkelde, onverschrokken, fysiek oersterke en ervaren wetenschapper was een echt buitenmens die, behept met een oprecht karakter, vertrouwd was met de gebruiken van de indianen. Hij had al een carrière als gerespecteerd legerkapitein achter de rug toen hij voor Jefferson in het Witte Huis kwam werken, waar bleek dat ook politieke tact en staatsmanschap tot zijn scala aan talenten behoorden.

De expeditie was een onvoorstelbaar succes geworden. Nadat Lewis in 1806 met collega-expeditieleider William Clark naar Washington was teruggekeerd, benoemde Jefferson hem tot gouverneur van het Louisianaterritorium. Maar Lewis begon zich al spoedig af te vragen of deze aanstelling niet zozeer als een beloning, maar veel meer als een straf voor hem uitpakte. Zelfs met al zijn talenten en energie had Lewis het hard te verduren in zijn pogingen de gemoederen aan de woeste kolonisatiegrens te beteugelen. De politieke vijanden van de ontdekkingsreiziger waren meedogenloos.

Op een avond zag Lewis, nadat hij zich weer eens een vermoeiende dag lang had verdedigd tegen aantijgingen dat hij overheidsgeld had besteed aan een bontfirma waarin hij zelf een belang had, een verzegeld pakje op zijn bureau liggen. Hij herkende onmiddellijk het handschrift van Jefferson. Met een glimlach op zijn door een haviksneus gedomineerde gezicht sneed hij met een briefopener de zegels los en wikkelde het stugge papier van het pakketje, dat een stapel documenten bevatte. Op het bijgevoegde briefje stond:

Beste Lewis. Van deze informatie zou je tuin wel eens veel profijt kunnen hebben. TJ.

De eerste pagina was getiteld: Het telen van artisjokken. Er volgde een uitvoerige verhandeling compleet met planttabellen en een tuinplattegrond.

Met een van verwondering gefronst voorhoofd spreidde hij de inhoud van het pakket over het bureaublad uit. Lewis kende Jeffersons liefde voor tuinieren, maar het kwam hem toch merkwaardig voor dat hij de moeite nam om hem vanaf de andere kant van het continent deze informatie over het telen van artisjokken toe te zenden. Hij had toch moeten weten dat Lewis met zijn slopende verantwoordelijkheden geen tijd voor tuinieren had.

Maar toen verscheen er plotseling een oplichtende trek van begrip op het langgerekte gelaat van Lewis en zijn hartslag versnelde. Haastig doorwroette hij de lades van een kast waarin hij de verslagen van de Lewis en Clark-expeditie had opgeborgen en vond binnen enkele minuten wat hij zocht.

Ingeklemd tussen twee pakketjes documenten lag een tamelijk dik vel papier, dat hij tevoorschijn trok en tegen het licht hield. Het blad was met tientallen rechthoekige gaatjes geperforeerd en met trillende vingers legde hij de matrijs over de eerste beschreven pagina van het artisjokkenverhaal en noteerde de letters die door de gaatjes zichtbaar waren op een apart vel papier.

Bij het uitwerken van zijn idee voor een expeditie naar de Grote Oceaan, wist Jefferson dat Lewis zich in een diplomatiek wespennest begaf omdat zijn exploratie zich over territoria uitstrekte waar Frankrijk en Spanje aanspraak op maakten. Achter Jeffersons sfinxachtige onverstoorbaarheid ging een slinkse geest schuil die niet onderdeed voor de knapste koppen aan de Europese hoven en paleizen. Bij zijn correspondentie met zijn afgezant in Frankrijk had hij vaak van een geheimschrift gebruikgemaakt dat hij omschreef als 'een masker voor als het nodig is'.

Toen Lewis zich in Philadelphia met vooraanstaande wetenschappers van het Filosofisch Genootschap op zijn reis voorbereidde, had Jefferson hem een geheimschrift gestuurd dat hij voor de expeditie had uitgedacht. De versleuteling was gebaseerd op de Vigenèrecode die in Europa in zwang was. Het systeem berustte op een alfanumerieke tabel die zich liet lezen met behulp van een sleutelwoord.

Artisjokken.

Tijdens de expeditie was het niet nodig geweest om de code te gebruiken en dat was de reden waarom Lewis zo verrast reageerde dat dat nu wel gebeurde. De vragen die dit bij hem opriep, wierp hij van zich af en concentreerde zich met het enthousiasme waarmee hij alle uitdagingen te lijf ging op het ontcijferen van de boodschap. Terwijl hij de letters een voor een uit het gebazel isoleerde, zag hij geleidelijk een leesbare tekst ontstaan.

Beste Lewis: ik hoop dat dit bericht je bereikt. Ik ben zo vrij geweest om je dit rapport te doen toekomen in het geheimschrift dat we overeen waren gekomen voor het geval een mededeling uitsluitend voor jouw ogen bestemd zou zijn. Ik vrees dat de hierbij ingesloten informatie, of die nu waar is of niet, bepaalde hartstochten kan aanwakkeren die mensen ertoe zou kunnen brengen territoria te betreden zonder voldoende voorbereiding om het te overleven en daarmee problemen met de indianen veroorzaken. Ik begreep dat jij je handen meer dan vol hebt aan de gigantische taak de Louisiana-hengst in het gareel te krijgen, maar ik verzoek je toch om hulp bij het oplossen van deze kwestie.

Je tr'we d'n'r, TJ

Lewis ontcijferde ook de rest van het versleutelde bericht. Daarna richtte hij zich weer op de tuinplattegrond. De lijnen, X'en, cirkels en in een oude taal geschreven woorden kregen een steeds duidelijkere betekenis. Hij zag een kaart voor zich die hem op de een of andere manier bekend voorkwam. Hij bladerde tientallen landkaarten en documenten door tot hij vond wat hij zocht.

Hij nam een potlood en papier, en schreef een kort briefje. Hij bedankte Jefferson voor zijn tuinadviezen en benadrukte dat hij een ideale plek had gevonden waar de planten goed zouden gedijen. Vervolgens liet hij Jefferson weten dat ze het uitgebreid over tuinieren zouden hebben wanneer hij naar Washington kwam om zijn naam te zuiveren. Lewis was van plan om begin september 1809 de Mississippi af te zakken. Zodra hij in Washington was aangekomen, zou hij dat Jefferson laten weten.

Maar zover zou het niet komen. Aan het einde van de herfst ontving Jefferson een brief van een zekere majoor Neelly, die hem mededeelde dat Lewis aan schotwonden was overleden die hij op de Natchez Traceroute door de wildernis had opgelopen. Hij was pas vijfendertig.

Het verlies van de getalenteerde jongeman was voor Jefferson een niet te bevatten klap in het gezicht. Het leek wel of er een oude vloek op de Indiaanse woordenlijsten rustte. Een paar weken later arriveerde majoor Neelly met de jonge slaaf van Lewis in Monticello. Terwijl Neelly het vuil van de rit van zich afspoelde, overhandigde de slaaf Jefferson verlegen een pakje en bracht hem fluisterend een boodschap over.

Nadat hij zijn personeel had geïnstrueerd hem niet te storen, sloot Jefferson zich op in zijn werkkamer en bestudeerde de inhoud van het pakje. Vervolgens stelde hij een uitvoerig rapport op over de gebeurtenissen die tot de dood van Lewis hadden geleid. De eerste stralen van de opkomende zon spatten door de vensters toen hij de conclusie van het verslag in één, dik onderstreept woord samenvatte:

Samenzwering.

Stel dat zijn Indiaanse woordenlijsten inderdaad waren gestólen, zoals de dief had beweerd. Stel dat iemand wist dat Jeffersons onderzoek de sleutel tot een eeuwenoud geheim bevatte. Stel dat de dood van Lewis niet het gevolg van een overval, maar een moord met voorbedachten rade was geweest. Wat dan?

Jefferson zat nog verscheidene dagen aan één stuk door in zijn studeerkamer te werken. Toen hij ten slotte zwaaiend met een lijst instructies voor zijn personeel tevoorschijn kwam, gedroeg hij zich als een bezetene. Op een avond reed hij onder dekking van de duisternis op zijn paard weg, gevolgd door een wagen die door zijn trouwste slaven werd gemend. Na een paar weken keerden ze verfomfaaid en dodelijk vermoeid terug, maar er lag een triomfantelijke schittering in Jeffersons ogen.

Hij dacht na over wat zijn ontdekking teweeg zou kunnen brengen. Hij had alles wat in zijn macht lag in het werk gesteld om te voorkomen dat de Verenigde Staten ten prooi zouden vallen aan de dodelijke alliantie van kerk en staat die dreigde toen het continent door steeds weer oplaaiende godsdienstoorlogen werd geteisterd. Hij vreesde dat wanneer deze informatie publiekelijk bekend werd, zij de jonge natie op haar grondvesten zou doen schudden en zelfs fataal zou kunnen zijn voor de nieuwe republiek die hij mee had helpen opbouwen.

Zonder de tijd te nemen zich om te kleden of zich zelfs maar op te frissen dook Jefferson zijn werkkamer in, waar hij een lange brief schreef aan zijn oude vriend en soms ook onverslaanbare tegenstander John Adams. Toen hij de envelop verzegelde, krulde er een vermoeide glimlach om zijn lippen.

Als het om een samenzwering ging, dan kon hij dat ook.

1

Bagdad, Irak, 2003

Carina Mechadi was witheet van woede. De ogen van de jonge Italiaanse vrouw vonkten als een Romeinse kaars toen ze de puinhopen zag in de kantoren van de administratieve afdeling van het Nationale Museum van Irak. Er waren kasten omgegooid. Overal lagen dossiermappen verspreid alsof ze door een wervelwind waren opgezogen. Stoelen en bureaus waren aan gruzelementen geslagen. Er sprak een enorme wraakzucht uit de heftigheid waarmee deze verwoesting was aangericht.

Carina barstte in een furieuze scheldkanonnade uit waarin ze haar twijfels over een fatsoenlijke afkomst, de seksuele geaardheid en de moed van de vandalen die hier in zo'n zinloze geweldsuitbarsting tekeer waren gegaan, de vrije loop liet.

De jonge korporaal van het Amerikaanse korps mariniers die voor haar veiligheid met een M4-karabijn in de aanslag in haar directe omgeving rondscharrelde, liet de stortvloed aan schuttingtaal gelaten over zich heengaan. De enige twee woorden in het Italiaans die hij kende waren 'pepperoni' en 'pizza'. Maar hij had er geen woordenboek voor nodig om te concluderen dat hij hier getuige was van een onvervalst staaltje krachttermengebruik waar een dokwerker met rugpijn nog een puntje aan kon zuigen.

De gespierde taal was des te verbazingwekkender als je de bron ervan in ogenschouw nam. Carina was ruim een hoofd kleiner dan de marinier. De legerkleding die ze van het militaire gezag moest dragen, maakte de slanke vrouw nog kleiner dan ze was. In het geleende kogelvrije vest zag ze eruit als een schildpad onder een te groot schild. Het woestijnkleurige camouflagepak was voor een kleine man bedoeld. De helm, waaronder haar lange donkere haar verborgen zat, hing zo diep over haar voorhoofd dat haar korenbloemblauwe ogen er maar net onderuit tuurden.

Carina zag de verbaasde grijns op het gezicht van de marinier. Ze bloosde van schaamte en stokte in haar tirade. 'Neem me niet kwalijk.'

'Geeft niks, hoor, mevrouwtje,' zei de korporaal. 'Als u ooit nog eens drilmeester wilt worden, kunt u bij het korps mariniers zo aan de slag.'

De woede gleed van haar donkere gezicht. De volle lippen die meer voor verleiding dan voor schelden geschapen leken, verbreedden zich tot een glimlach waarbij ze een rij glanzend witte tanden toonde. Nu de felheid uit haar taalgebruik was verdwenen, klonk haar stem laag en koel. Met een licht accent zei ze: 'Bedankt voor het aanbod, korporaal O'Leary.' Ze keek naar de rotzooi voor haar voeten. 'Zoals u ziet, ben ik nogal emotioneel als het om dit soort zaken gaat.'

'Ik begrijp het wel dat u hier pissig...' De marinier bloosde en keek verlegen weg. 'Neem me niet kwalijk, ik bedoel natuurlijk dat u kwaad bent, mevrouw. Vanwege die bende hier.'

De Republikeinse Garde van Saddam Hoessein had zich verschanst op het ruim vier hectare grote museumcomplex in het centrum van Bagdad aan de westoever van de Tigris. Geïntimideerd door de onstuitbare Amerikaanse opmars waren de Iraakse troepen op de vlucht geslagen, waarna het museum zesendertig uur lang onbewaakt was geweest. Honderden plunderaars waren als bezetenen in het complex tekeergegaan voordat ze door het hogere personeel waren verjaagd.

De soldaten van de Republikeinse Garde hadden in hun haast om in het burgerbestaan onder te duiken hun uniformen uitgetrokken en hele stapels identiteitsbewijzen verbrand. In een laatste uiting van verzet had een van hen DOOD AAN ALLE AMERIKANEN op een muur van de binnenplaats gekalkt.

'We hebben het hier nu wel gezien,' zei Carina met een van walging vertrokken gezicht.

Met korporaal O'Leary op een paar passen afstand in haar spoor waadde ze door de troep naar de uitgang van de kantoorafdeling. Haar zware tred was maar voor een deel het gevolg van de legerlaarzen aan haar voeten. Ze werd tegengehouden door een angstig voorgevoel voor wat ze zou aantreffen, of juist niet zou aantreffen, in de openbare ruimtes waar de topstukken van het museum in meer dan vijfhonderd vitrinekasten tentoongesteld stonden.

En die angst nam alleen nog maar toe toen ze door de lange centrale gang liepen. Een aantal sarcofagen was opengebroken en standbeelden waren onthoofd.

Toen Carina de eerste hal inliep, ontsnapte haar onwillekeurig een diepe zucht. Als in een roes liep ze van het ene vertrek naar het volgende. Alle uitstalkasten leken als door een stofzuiger leeggezogen.

Ten slotte liep ze de ruimte in waar de Babylonische voorwerpen uitgestald hadden gestaan. Een gezette man van middelbare leeftijd boog zich over een kapotgeslagen kast. Naast hem stond een jonge Irakees, die bij hun binnenkomst zijn AK-47 op hen richtte.

De marinier bracht de karabijn naar zijn schouder.

De corpulente man keek op en keek de marinier door een bril met dikke glazen aan. Er lag niet zozeer angst als wel minachting in zijn ogen. Zijn blik verschoof naar Carina, waarna er een veertienkaraats glimlach op zijn gezicht verscheen.

'Mijn dierbare miss Mechadi,' zei hij oprecht hartelijk.

'Hallo, dr. Nasir. Ik ben blij dat ik u hier heelhuids tref.' Carina wendde zich tot de marinier. 'Korporaal, dit is Mohammed Jassim Nasir. Hij is de hoofdconservator van het museum.'

De marinier liet zijn wapen zakken. Na nog even te hebben gewacht om te laten merken dat hij zich niet door de Amerikaan liet intimideren, volgde de Irakees zijn voorbeeld. Maar ze bleven elkaar angstvallig in de gaten houden.

Nasir liep op Carina af en klemde zijn handen om de hare. 'U had niet zo snel moeten komen. Het is hier nog gevaarlijk.'

'Maar u bent hier ook, professor.'

'Natúúrlijk. Dit hier is mijn levenswerk.'

'Dat begrijp ik volkomen,' zei Carina. 'Maar het gebied rond het museum is veilig.' Ze knikte naar de marinier die haar vergezelde. 'Bovendien houdt korporaal O'Leary een oogje in het zeil.'

Nasir fronste zorgelijk zijn voorhoofd. 'Dan hoop ik maar dat die meneer een betere bescherming biedt dan waartoe zijn vriendjes in staat waren. Als mijn dappere collega's niet hadden ingegrepen was de ramp compleet geweest.'

Carina begreep de woede van Nasir. De Amerikaanse troepen arriveerden pas vier dagen nadat de museumbeheerders de plunderingen bij de commandanten hadden gemeld. Carina had hemel en aarde bewogen om hen eerder in actie te laten komen. Ze had de Amerikaanse officieren de identiteitskaart van de UNESCO die om haar hals hing voor hun neus gehouden, met als enig resultaat de mededeling dat de situatie nog te instabiel en te gevaarlijk was.

Een discussie over de schuldvraag leek Carina nu zinloos. Het was gebeurd, er was niets meer aan te doen. 'Ik heb met de Amerikanen gesproken,' zei ze. 'Ze beweren dat het een bloedige veldslag was geworden als ze eerder waren gekomen.'

Nasir wierp een ijzige blik in de richting van de marinier. 'Ik begrijp het wel. Ze hadden het te druk met het bewaken van de oliebronnen.' De onvriendelijke uitdrukking op zijn roodbruine gezicht liet er geen twijfel over bestaan dat hij liever een bloedbad had gezien dan de plunderingen.

'Ik ben hier net zo ziek van als u,' zei ze. 'Dit is verschrikkelijk.'

'Nou ja, het is niet zo erg als het hier lijkt,' zei Nasir op een onverwacht optimistische toon. 'De voorwerpen die uit deze kasten zijn gehaald, waren niet zo belangrijk. Gelukkig heeft het museum na de invasie van 1991 een rampenplan ontwikkeld. De conservatoren hebben de meeste voorwerpen in veiligheid gebracht op plaatsen waarvan alleen de vijf belangrijkste museumbeheerders weten waar ze zijn.'

'Dat is fantastisch, professor!'

Nasirs opgewektheid was van korte duur. Geïrriteerd plukte hij aan zijn baard. 'Ik wou dat het overige nieuws net zo goed was,' zei hij met een sombere klank in zijn stem. 'Andere delen van het museum zijn er niet zo goed van af gekomen. De dieven hebben de belangrijkste schatten uit Mesopotamië geroofd. Ze hebben de heilige vaas en het masker van Warka, het Bassetki-beeld, het ivoren tableau met de door leeuwen aangevallen Nubiërs, en de beide roodkoperen stieren meegenomen.'

'Die zijn onvervangbaar!'

'In tegenstelling tot de kruimeldieven die wij uit het museum hebben verjaagd, waren de lieden die de echt waardevolle antiquiteiten hebben meegenomen, behoorlijk goed op de hoogte. Ze hebben de Zwarte Obelisk bijvoorbeeld laten staan.'

'Dan hebben ze geweten dat het origineel zich in het Louvre bevindt.'

Nasirs lippen vernauwden zich tot een strak glimlachje. 'Ze hebben geen énkele kopie zelfs maar aangeraakt. Ze zijn goed georganiseerd en selectief te werk gegaan. Kom, ik zal het u laten zien.'

Nasir ging hen voor naar de bovengrondse opslagruimtes. De planken langs de muren waren leeg. De vloer lag bezaaid met tientallen kruiken, vazen en potscherven. Carina schopte een legeruniform opzij.

'Zo te zien heeft de Republikeinse Garde hier ook gehuisd,' zei ze. 'Hebt u enig idee hoeveel er wordt vermist?'

'Het gaat jaren duren om dat te inventariseren. Ik schat dat er zo'n drieduizend objecten verdwenen zijn. Maar dat is nog niet het ergste.'

Ze liepen door naar een ruimte die bestemd was voor voorwerpen uit de Romeinse oudheid. De professor duwde een hoekkast opzij, waarachter een geheime deur zichtbaar werd, waarvan de glazen ruitjes waren ingeslagen en de stalen tralies open gebogen. Uit zijn zak diepte hij een kaars en een aansteker op. Ze daalden een smalle trap af naar een stalen deur die wijd openstond zonder dat hij geforceerd leek. De toegang werd achter de deur door een muur versperd, waaruit een deel van de betonnen stenen was gewrikt, zodat er een grote opening was ontstaan.

Door het gat betraden ze een warme, ongeventileerde ruimte. Er hing een penetrante stank. Op de stoffige vloer waren een paar voetafdrukken door rechercheurs met geel plakband gemarkeerd.

Carina keek om zich heen. 'Wat is dit hier?'

'Het ondergrondse magazijn. Het bestaat uit vijf ruimtes. Er zijn in het museum maar een paar mensen die van het bestaan wisten. Daarom dachten we dat de collectie hier veilig was. Maar we hebben ons vergist, zoals u ziet.'

Hij bewoog de kaars in een boog door het vertrek. Het gelige licht viel op tientallen in het wilde weg op de grond gesmeten plastic opbergdozen.

'Ik heb zelden zo'n chaos gezien,' fluisterde Carina.

'In de vakjes van die dozen zaten cilindrische zegels, kralen, munten, glazen flesjes, amuletten en sieraden. Alleen hier al worden duizenden objecten vermist.' Hij hield de kaars bij een hele reeks grotere plastic dozen die langs de muren opgestapeld stonden. 'Hier waren ze niet in geïnteresseerd. Kennelijk wisten ze dat ze leeg waren.'

Korporaal O'Leary bekeek de ravage met een straatvechtersoog op zoek naar in- en uitgangen. 'Als ik zo vrij mag zijn, sir, maar hoe hebben ze deze ruimte kunnen vinden?'

Nasirs bedrukte gezicht versomberde nog meer en hij antwoordde met een mistroostig knikje. 'Jullie Amerikanen zijn niet de enigen die reden hebben om te mekkeren. We vermoeden dat iemand van ons eigen personeel die hiervan op de hoogte was, de dieven hier naartoe heeft gebracht. We hebben van al het personeel vingerafdrukken afgenomen, alleen niet van het hoofd van de beveiliging, want die is niet teruggekomen om zijn werk weer op te nemen.'

'Ik vroeg me al af waarom ik bij de deur geen sporen van braak zag,' zei Carina.

'De dieven zijn langs dezelfde weg in de kelder gekomen als wij, maar zij waren vergeten om lampen mee te nemen of hebben niet verwacht dat ze die nodig zouden hebben.' Hij pakte een stukje half verbrand schuimrubber op. 'Dit spul van boven hebben ze als fakkel gebruikt. Het fikt als een tierelier en de stank moet niet te harden zijn geweest. We hebben een sleutelbos op de grond gevonden. Die hebben ze waarschijnlijk laten vallen en niet meer terug kunnen vinden. Ze hebben dertig kasten met onze mooiste cilindrische zegels en vele duizenden gouden en zilveren munten overgeslagen. Ik schat dat er ongeveer tienduizend opgegraven artefacten weg zijn. Ze hebben honderden dozen ongemoeid gelaten. Allah zij geloofd!'

Na elkaar liepen ze door een deur naar een grotere ruimte die vol stond met de qua vorm en omvang meest uiteenlopende oude voorwerpen. 'Dit zijn objecten die hier na een eerste globale identificatie zijn opgeslagen om later, als ze ervoor in aanmerking komen, in de hoofdcollectie te worden opgenomen. Sommige liggen hier al jaren.'

'De voetafdrukken lopen ook in deze richting,' merkte Carina op.

'De dieven hebben kennelijk gedacht dat ze hier iets van waarde konden vinden. Wij hebben daar geen zicht op zolang we de stukken nog niet volledig geïnventariseerd hebben. We hebben het veel te druk met onze pogingen om de meest waardevolle objecten terug te krijgen.'

'Ik hoorde dat er een amnestieregeling is,' zei ze.

'Dat klopt. Dat heeft mijn vertrouwen in de mens weer wat gesterkt. De mensen hebben duizenden voorwerpen teruggebracht, inclusief het masker van Warka. Ik verwacht dat er nog meer terugkomt, maar zoals u weet zijn de meest waardevolle stukken hoogstwaarschijnlijk in het bezit van rijke verzamelaars in New York of Londen.'

Carina zuchtte instemmend. De diefstal was zorgvuldig voorbereid. De voorbereidingen voor de militaire invasie hadden weken geduurd. Gewetenloze handelaren in Europa en de Verenigde Staten hadden alle gelegenheid om van tevoren van rijke cliënten bestellingen voor specifieke voorwerpen op te nemen.

De handel in antiek is vrijwel even lucratief geworden als de drugshandel. Londen en New York zijn de belangrijkste markten. De gestolen artefacten uit illegale opgravingen in Griekenland, Italië en Zuid-Amerika worden veelal witgewassen in Zwitserland, waar de voorwerpen als ze eenmaal in het land zijn al na vijf jaar een legale status krijgen.

Carina stond zwijgend tussen de lege dozen, kennelijk diep in gedachten verzonken. Na een poosje zei ze: 'Misschien kan ik het amnestieproces wel wat versnellen.'

'Maar hoe dan? We hebben het overal luid en duidelijk bekendgemaakt.'

Ze wendde zich tot de marinier. 'Ik heb uw hulp nodig, korporaal O'Leary.'

'Ik heb de opdracht om te doen wat u van me vraagt, mevrouw.'

Om Carina's lippen speelde een mysterieus glimlachje. 'Daar ging ik ook van uit, ja.'

2

Het plaveisel schudde onder de rupsbanden van de vijfentwintig ton zware Bradley, waarmee het gepantserde personeelsvoertuig zijn komst al lang voordat hij in zicht kwam, aankondigde. Tegen de tijd dat het voertuig de hoek om was en de boulevard opreed, was de man die langs de verlaten etalagegevels voortsnelde, al lang een steegje ingeglipt. Hij dook weg in een deuropening, waar hij onzichtbaar was voor de nachtkijker op het pantservoertuig.

De man keek de wagen na tot hij om een volgende hoek was verdwenen, alvorens hij zich weer op straat waagde. Het donderend geraas van inslaande bommen dat aan de opmars van de door Amerikanen geleide troepen was voorafgegaan, was opgehouden. Het geratel van mitrailleurvuur bleef doorgaan, maar was her en der verspreid. Afgezien van de vuurgevechten die losbarstten wanneer de indringers verzetshaarden opruimden, was er sprake van een gevechtspauze, waarin zowel de coalitietroepen als de overgebleven verdedigers overwogen wat hun volgende stap zou zijn.

Hij passeerde een gehavend standbeeld van Saddam Hoessein en liep nog tien minuten door tot hij bij een zijstraat kwam. Bij het licht van de smalle rode lichtstraal uit een zaklampje bestudeerde hij een plattegrond van de stad, waarna hij de kaart en het zaklampje weer opborg en de zijstraat inliep.

Hoewel hij groot van stuk was, ruim een meter negentig, bewoog de man zich zo geruisloos als een schaduw door de pikdonkere stad. Dat onopvallend zijn was iets wat hij had geleerd gedurende een wekenlange training in een door voormalige leden van het Franse Vreemdelingenlegioen, de Amerikaanse Delta Force en de Britse Speciale Eenheid geleid kamp. Voor het uitvoeren van speciale missies kon hij tot in de best beveiligde installaties doordringen. Hoewel hij gespecialiseerd was in een tiental sluipmoordtechnieken was zijn lievelingswapen nog altijd de verbrijzelende kracht van zijn forse handen.

Afkomstig uit een arm gezin had hij een lange carrière achter de rug. Hij woonde met zijn familie in een provinciestadje in het zuiden van Spanje toen hij zijn weldoener ontmoette. Hij was bijna twintig en werkte in een slachthuis. Hij was tevreden met zijn werk, waarbij hij alle mogelijke dieren – van kippen tot koeien – doodde, en deed zijn best die taak met enige creativiteit uit te voeren, maar iets in hem verlangde toch een grotere bevrediging.

Daar was het bijna niet van gekomen. Bij een ruzie over een kleinigheid had hij een irritante collega door wurging om het leven gebracht. Met een aanklacht wegens moord was hij in de gevangenis beland, terwijl de media hem met opgeklopte sensatieverhalen uitvoerig portretteerden als de zoon van de Spaanse staatsbeul uit de periode dat de doodstraf van overheidswege door middel van wurging ten uitvoer werd gebracht.

Op een dag arriveerde de man die zijn weldoener zou worden, in een auto met chauffeur bij de gevangenis. Hij zocht hem op in zijn cel en zei tegen de jongeman: 'Met zo'n prachtig verleden waar je trots op kunt zijn, heb je een schitterende toekomst voor je.'

De jongeling luisterde met stijgende interesse naar de verhalen van de vreemdeling over de verdiensten van zijn familie voor het land. Hij wist dat zijn vader zijn werk kwijt was geraakt toen de wurgpaal in 1974 werd afgeschaft. En dat hij daarna een andere naam had aangenomen en zich op een kleine boerderij had teruggetrokken, waar het gezin een armzalig bestaan leidde tot zijn vader ten slotte straatarm en met een gebroken hart stierf met achterlating van vrouw en kind.

Zijn weldoener wilde dat de jongen voor hem zou gaan werken. Hij kocht de gevangenisbewaarders en de rechter om en gaf de rouwende familie meer geld dan de dode kippenplukker in honderd jaar had kunnen verdienen, waarna de aanklacht tegen de jongen in de prullenmand verdween. Hij werd naar een particuliere school gestuurd, waar hij meerdere talen leerde en, na zijn eindexamen, een militaire opleiding kreeg. De beroepsmoordenaars die hem onder hun hoede namen, herkenden net als zijn weldoener al snel dat hij een getalenteerde leerling was. Het duurde niet lang of hij werd op solomissies gestuurd om lieden uit de weg te ruimen die zijn weldoener daarvoor had uitgekozen. Hij werd gebeld en kreeg instructies, waarna de missie werd uitgevoerd en de beloning op een Zwitserse bankrekening werd gestort.

Voor zijn komst naar Bagdad had hij een militante priester vermoord die de oppositie tegen de exploitatie van een mijn van de weldoener in Peru organiseerde. Hij was onderweg naar Spanje voor een ontmoeting met zijn weldoener toen hij de opdracht ontving om nog voor de Amerikaanse invasie Irak binnen te dringen. Daar had hij zich in een hotelletje geïnstalleerd en de noodzakelijke contacten gelegd.

Tot zijn teleurstelling kreeg hij te horen dat het deze keer niet om een moord zou gaan, maar om het verwijderen van een object uit het museum van Bagdad. Daar stond dan wel tegenover dat hij de invasie nu van heel dichtbij meemaakte en praktisch op de eerste rij zat bij een spektakel dat met veel bloedvergieten en verwoestingen gepaard ging.

Hij bestudeerde de plattegrond opnieuw en gromde vergenoegd. Hij was op een paar minuten van zijn bestemming.

3

Doordat de stroom in de stad was uitgevallen, kostte het Carina de grootste moeite om het plompe betonnen gebouw in het oudere gedeelte van Bagdad te vinden. Ze was er al eens geweest, bij daglicht, en niet midden in een oorlog. De ramen van het gebouw waren dichtgetimmerd, waardoor het op een vesting leek. Terwijl ze op de dikke houten deur afstevende, hoorde ze in de verte het knallen van geweervuur.

Ze drukte op de zware smeedijzeren klink. De deur bleek niet op slot. Ze duwde hem open en stapte naar binnen. In het wazige schijnsel van olielampen zaten mannen over backgammonborden en glazen thee gebogen. De dikke verstikkende rook van tientallen sigaretten en waterpijpen verdreef nauwelijks de penetrante zweetgeur van ongewassen lichamen.

Het zachte geroezemoes van mannenstemmen stokte alsof er een schakelaar was omgedraaid. Hoewel de meeste ongeschoren gezichten in duisternis waren gehuld, wist ze dat ze met vijandige ogen werd opgenomen.

Uit een donkere hoek doken als morsige moerasgeesten twee figuren op. Een van beide mannen glipte achter haar langs, sloot de deur en maakte een eventuele vlucht onmogelijk. De andere kwam recht op haar af. In het Arabisch snauwde hij: 'Wie bent u?'

Zijn adem stonk naar tabak en knoflook. Terwijl ze de neiging om te kokhalzen onderdrukte, zette ze zich met haar volle een meter vijfenzestig schrap. 'Zeg tegen Ali dat Mechadi hem wil spreken.'

Vrouwelijke assertiviteit had voor Arabische mannen duidelijke grenzen. Van achteren gleed er een arm om haar hals die haar stevig omklemde. De man die voor haar stond, trok een mes tevoorschijn en hield het zo dicht voor haar linkeroog dat ze de punt onscherp zag.

Met een toegeknepen stem riep ze zwakjes om hulp.

Met een klap werd de deur opengerukt. De armgreep om haar nek verslapte. In de deuropening verscheen korporaal O'Leary en drukte de loop van zijn karabijn tegen de onderkant van de schedel van de man die met zijn rug naar de deur stond. De marinier had Carina gehoord door de walkietalkie waarvan de microfoon aan haar kogelvrije vest was bevestigd.

Aan de overkant van de straat stond een Humvee geparkeerd. De koplampen van de auto brandden en voor de mannen in het theehuis was de loop van de M2-mitrailleur die op het dak van de wagen stond, duidelijk zichtbaar. Het wapen was op de deur gericht. In de straat stond een ploeg mariniers met hun geweren in de aanslag.

De marinier verloor de man met het mes geen seconde uit het oog. 'Alles oké, mevrouw?'

'Ja, dank u,' zei ze in haar hals wrijvend.

'In de spoedcursus Arabisch die ik heb gevolgd, heb ik niet geleerd hoe ik dit ventje vertel dat ik zijn hersens uit zijn kop knal als hij er niet onmiddellijk voor zorgt dat zijn vriend dat mes laat vallen.'

Carina vertaalde de essentie van zijn mededeling. Het mes viel kletterend op de grond, waarop de marinier het buiten bereik schopte. Haast over elkaar struikelend trokken de beide schurken zich ijlings terug in de duisternis waaruit ze waren opgerezen.

Van achter een gordijn aan de achterkant van het theehuis riep een stem in het Engels: 'Vrede zij met u.'

Carina beantwoordde de traditionele Arabische groet. 'Vrede zij met u, Ali.'

Tussen de groezelige lappen katoen die als gordijnen dienden, dook een man op, die zich vervolgens tussen de drukbezette tafeltjes door een weg naar voren baande. Het schijnsel van de koplampen van de Humvee viel op zijn mollige gezicht en stevige neus. Op zijn kaalgeschoren hoofd droeg hij een rond gebreid mutsje. Zijn T-shirt met de opdruk NEW YORK YANKEES was te kort voor zijn gezette lijf en liet zijn harige navel vrij.

'Welkom, signorina Mechadi,' zei hij. Hij klapte zijn handpalmen tegen elkaar. 'En ook uw vrienden natuurlijk.'

'Die vriend van u stond op het punt mijn oog uit te steken,' reageerde Carina. 'Is dat uw manier om gasten te begroeten?'

Ali nam Carina's lichaam met zijn kleine sluwe ogen op en liet zijn blik op haar gezicht rusten. 'U draagt een militair uniform,' zei hij met een vette glimlach. 'Hij heeft waarschijnlijk gedacht dat u een vijand was.'

Carina negeerde Ali's opmerking. 'Ik wil met u praten.'

De Irakees krabde aan een onverzorgde baard waarin nog etensresten kleefden. 'Natuurlijk. Laten we naar achteren gaan en een glaasje thee drinken.'

De marinier kwam tussenbeide. 'Wilt u dat ik met u meega?'

'Met mij gebeurt niets.' Carina keek om zich heen. 'Maar tegen een beetje bescherming heb ik geen bezwaar. Zoals u ziet, trekt Ali's café niet bepaald de meest chique clientèle.'

De korporaal grinnikte. Hij stak zijn hoofd door de deuropening naar buiten en gaf een teken met zijn hand. Hierop banjerde er een stel mariniers naar binnen, die zich langs de muren posteerden.

Ali hield de gore gordijnen opzij, opende een ijzeren deur en ging Carina voor naar een vertrek dat baadde in het licht van elektrische lampen. In een ander deel van het gebouw ronkte een generator. De vloer en muren waren bedekt met bontgekleurde tapijten. Op een tv-scherm, dat met een beveiligingscamera was verbonden, waren beelden te zien van de straat voor het gebouw. De Humvee was duidelijk zichtbaar.

Ali gebaarde Carina dat ze op een met grote fluwelen kussens beklede verhoging plaats moest nemen. Hij bood haar thee aan, wat ze afsloeg. Daarop schonk hij een glas voor zichzelf in.

'Waar heb ik uw bezoek aan te danken, zo midden in een inval?'

Ze keek hem met een kille blik strak aan. 'Ik kom van het nationale museum. Het is geplunderd en er zijn duizenden voorwerpen verdwenen.'

Hij liet zijn glas halverwege een slok zakken. 'Wat afschuwelijk! Het nationale museum is het hart én de ziel van het Iraakse culturele erfgoed.'

Carina moest lachen om deze geveinsde ontsteltenis van Ali. 'U had acteur moeten worden. Alleen al voor deze scène had u zo een Oscar gekregen.'

Ali had zijn acteertalent als professionele worstelaar aangescherpt. Onder de naam Ali Babbas had hij zelfs in de Verenigde Staten gevochten.

'Hoe krijgt u het voor elkaar om te denken dat ik ook maar iets met deze kraak te maken zou hebben?' Het was duidelijk dat hij in zijn worsteltijd in Amerika de nodige woorden bargoens had aangeleerd.

'Het is uitgesloten dat er oude voorwerpen van enige waarde Irak in- of uitgaan zonder dat u daar weet van heeft of toestemming voor heeft gegeven.'

Ali had een wereldwijd netwerk van helers, handelaren en verzamelaars opgebouwd. Hij had de culturele kennis van de familie van Saddam Hoessein ontwikkeld en naar verluid had hij veel artefacten voor de collectie van Saddams psychopathische zonen Uday en Qusay geleverd.

'Ik handel uitsluitend in legále voorwerpen. U kunt de tent hier doorzoeken als u wilt.'

'U belazert de boel, maar u bent niet dom, Ali. Ik vraag u niet om de teruggave van wat klein spul. Zonder betrouwbare bewijzen van herkomst kan het museum daar toch niks mee.' Ze diepte een stuk papier uit haar jaszak op en overhandigde het aan Ali. 'Deze voorwerpen wil ik terug. Er is een amnestieregeling. Er worden geen vragen gesteld.'

Met zijn dikke vingers vouwde hij het papier open. Zijn lippen verbreedden zich tot een glimlach.

'Zo, zo, had de Brooklyn Bridge er ook niet bij gemoeten?'

'Die heb ik al,' zei Carina. 'Nou?'

Hij gaf het papier terug. 'Ik kan u niet helpen.'

Carina stak het terug in haar zak en kwam overeind uit de kussens. 'Goed.'

'Goed, meer niet? U stelt me teleur, signorina. Ik had wel iets meer pitbullgedrag van u verwacht.'

'Daar heb ik geen tijd voor. Ik moet met de Amerikanen gaan praten.' Ze liep naar de deur.

'De Amerikanen,' riep hij haar na, 'hebben hun handen meer dan vol aan het herstellen van de water- en stroomvoorziening.' Carina liep rustig door. 'Ze hebben het museum ook niet bewaakt. Dacht u echt dat ze in zo'n kruimeldief als ik geïnteresseerd zijn?'

Ze legde haar hand op de deurknop. 'Ik denk dat ze behóórlijk geïnteresseerd zijn als ze weten dat u contacten met Saddam Hoessein had.'

'Iedereen had contacten met Saddam Hoessein,' reageerde Ali bulderend van het lachen. 'Ik ben wel zo voorzichtig geweest dat er van mijn handel niets zwart op wit staat.'

'Dat maakt niet uit. De Amerikanen zijn sinds elf september nogal heetgebakerd. Ik raad u aan dit gebouw snel te ontruimen voordat een van hun zogenaamd slimme bommen het heeft gevonden.'

Ali sprong van zijn kussens overeind en spurtte op haar af. Zijn hoonlach was in schrik gesmoord. Hij hield zijn hand naar het papier op. 'Ik zal zien wat ik kan doen.'

Carina hield het lijstje buiten zijn bereik. 'Sorry, ik heb de inzet verhoogd. Nu meteen bellen. En ga me niet vertellen dat de telefoon het ook niet doet. Ik weet heel goed dat jullie een eigen communicatienet hebben. Ik wacht wel tot u uw mensen bij elkaar hebt.'

Ali fronste zijn voorhoofd en rukte de lijst uit haar hand. Hij liep terug naar de verhoging en haalde een zender van onder de kussens tevoorschijn. Hij sprak met diverse mensen op een neutrale toon waaruit niet viel af te leiden wat hij precies zei. Na het laatste gesprek klikte hij de zender uit en zette hem op de theetafel.

'Binnen achtenveertig uur hebt u alles wat u hebben wilt.'

'Maak er maar vierentwintig uur van,' reageerde Carina. 'Ik kom er zelf wel uit.' Ze opende de deur en gaf hem over haar schouder nog een laatste sneer. 'Ik zou maar eens een voorraadje batterijen voor uw zaklampen aanleggen, als ik u was.'

'Wat bedoelt u?'

'Toen dat stelletje door u ingehuurde idioten daar in het donker hun vingers aan geïmproviseerde fakkels brandden, hebben ze wel mooi dertig kasten met de belangrijkste cilindrische zegels en duizenden gouden en zilveren munten gemist. *Ciao*.' Met een vrolijk lachje glipte ze tussen de gordijnen door.

Terwijl Ali de deur achter haar dichtsloeg, zwaaide een van de wandtapijten opzij en stapte er een man de kamer binnen. De man was lang en krachtig gebouwd. Zijn engelachtige gezicht leek misplaatst op het onbehouwen bewegende lijf, alsof het kaalgeschoren hoofd op een verkeerd lichaam stond. Hoewel er ruimte genoeg was op zijn brede gezicht, lagen ogen, neus en mond zo dicht opeengedrukt dat het hem op een groteske manier een kinderlijke uitstraling gaf.

'Wat een fantastisch wijf,' zei de man.

'Carina Mechadi?' Ali spuugde de woorden haast uit. 'Een verschrikkelijke bemoeial van de UNESCO die denkt dat ze me de wet kan voorschrijven.'

De vreemdeling keek naar de monitor en zag schalks glimlachend de Humvee met Carina en de mariniers wegrijden. 'Van wat ik daarnet hoorde, deed ze dat nou net wel, dacht ik.'

'Ik heb Saddam overleefd, dan red ik het met de Amerikanen ook wel,' zei Ali met een trotse grijns.

De man liet zijn blik weer zakken en keek de Arabier strak aan. 'Ik ga er wel van uit dat jouw problemen de kwestie waar wij het over hadden toen zij ons in onze onderhandelingen stoorde, niet in gevaar brengen.'

'Niet echt.'

'Wat bedoel je?'

'Er is een probleempje.'

De man kwam dichterbij tot hij boven de Irakees uittorende. 'Hoezo, probleempje?'

'De *Navigator* is aan een andere koper verkocht.'

'Wij hebben hem besteld en er een voorschot voor betaald. Ik ben speciaal naar Bagdad gekomen om de zaak af te ronden.'

'Er is een koper gekomen met een hoger bod. Het voorschot krijg je terug. Ik zal kijken of ik de koper nog kan overhalen ervan af te zien, maar je begrijpt dat de prijs dan wel hoger ligt dan we hebben afgesproken.'

De ogen van de man leken dwars door Ali's schedel te priemen, maar hij bleef glimlachen. 'Probeer je me nu meer geld af te troggelen?'

'Wil je dat ding hebben of niet?'

Ali was nog buiten zichzelf van woede over de confrontatie met Carina. Zijn kwaadheid verblindde zijn normale beoordelingsvermogen, anders was hem de dreigende ondertoon niet ontgaan in de rustige manier waarop de man fluisterde: 'Ik moet dat beeld hebben.'

Voor het eerst zag Ali wat voor onevenredig grote handen er aan de lange, oersterke armen bungelden.

'Ik ging daarnet wel erg kort door de bocht,' zei Ali met een tandenblikkerende glimlach. 'Dat komt door die Italiaanse heks. Ik zal het magazijn via de zender oproepen en zeggen dat ze het beeld hiernaartoe sturen.' Hij liep naar de zithoek.

'Wacht,' zei de man. Ali bleef midden in een stap stokstijf staan. De grijns van de man verbreedde zich nog iets toen hij de zender van het tafeltje pakte waarop Ali hem had laten staan. 'Zocht je dit?'

Ali sprong naar de zithoek en tastte met zijn hand onder een kussen. Zijn vingers kromden zich om de kolf van zijn Beretta en trokken het pistool tevoorschijn.

De man bewoog zich met de soepele snelheid van een jagende panter. Hij gooide de zender van zich af, greep Ali van achteren onder zijn kin en draaide zijn arm om. Het pistool gleed uit Ali's hand en zijn lichaam boog als een hoefijzer op een aambeeld naar achteren.

'Als je zegt waar ik de *Navigator* kan vinden laat ik je gaan. Zo niet dan breek ik je rug.'

Ali mocht dan fysiek gestaald zijn, erg moedig was hij niet. Een paar seconden felle pijn waren voldoende om hem te doen beseffen dat geen enkel kunstwerk hem zijn leven waard was. 'Oké, oké, ik zal het je vertellen,' zei hij naar adem happend, waarna hij een adres noemde.

De greep om zijn arm verslapte en de pijn trok weg. Ali's hand zakte omlaag naar zijn dolk in een om zijn enkel gebonden houder. Zodra de man hem helemaal losliet, zou hij hem als een varken aan zijn mes rijgen. Maar die kans kreeg hij niet. De vrije hand van de man voegde zich bij de andere onder zijn kin, waarna de vingers zich om zijn kaak klemden. Op hetzelfde moment voelde hij een knie in de holte van zijn rug priemen.

'Wat doe je nou? Ik dacht dat we een afspraak hadden,' zei Ali met moeite articulerend.

Hij stond op het punt om het bewustzijn te verliezen toen hij iets voelde knappen. De greep om zijn kin verslapte. Ali's hoofd klapte als dat van een lappenpop op zijn borst en hij zakte in elkaar op de grond. De man stapte over het nog kronkelende lichaam en duwde het tapijt dat de achterdeur aan het zicht onttrok opzij. Een paar minuten later was hij in het web van zijstraatjes verdwenen. Het werd al bijna licht toen hij bij zijn hotel terugkwam. In zijn kamer keek hij door het raam naar de rookwalmen boven de aangeslagen stad en toetste een nummer in op zijn satelliettelefoon.

Vrijwel onmiddellijk klonk de zoetgevooisde stem van zijn weldoener door het toetstel.

'Ik heb op je zitten wachten, Adriano,' zei hij.

'Sorry voor het oponthoud. Er waren wat onverwachte problemen.'

Adriano beschreef zijn ontmoeting met Ali tot in de kleinste details. Zijn weldoener zou er altijd achter komen als hij loog of de waarheid verdraaide.

'Dit valt me erg van je tegen, Adriano.'

'Ik weet het. Maar ik had de opdracht ervoor te zorgen dat de *Navigator* niet in andere handen zou vallen. Dit leek de enige manier.'

'Het was zonder meer goed dat je conform de opdracht hebt gehandeld. Maar het is belangrijk dat we eerst het beeld vinden. We wachten er nu al bijna drieduizend jaar op. Die paar dagen kunnen er ook nog wel bij.'

Adriano slaakte een zucht van verlichting. Hij was erop getraind geen pijn of angst te voelen, maar hij was zich heel goed bewust van het lot dat degene te wachten stond die de onvrede van zijn weldoener wekte. 'Wilt u dat ik nog achter het beeld aanga?'

'Nee. Ik ga proberen of ik dat via mijn internationale contacten kan regelen. Voor jou wordt het daar te gevaarlijk.'

'Ik heb voorbereidingen getroffen om hier via Syrië weg te komen.'

'Prima.' Aan de andere kant van de lijn bleef het even stil. 'Die vrouw, die Carina Mechadi, die zou wel eens bruikbaar kunnen zijn.'

'In welk opzicht?'

'Dat zien we nog wel, Adriano.'

De verbinding werd verbroken. Hij pakte zijn tas op en sloot de deur van zijn kamer achter zich. Hij was van plan een oliesmokkelaar op te zoeken die had toegezegd dat hij hem uit Irak kon smokkelen. In overeenstemming met de vaste opdracht nooit sporen van zijn verblijf achter te laten, zou hij uiteraard ook deze man naar Allah bevorderen zodra hij veilig over de grens was.

Glimlachend verheugde hij zich er nu al op.

4

Fairfax County, Virginia, anno nu

Met luide uit de luidsprekers schallende salsamuziek draaide de rode Corvette-cabrio als een rijdende Tijuana-jukebox de weg af en reed over een oprijlaan langs een victoriaans landhuis en een gazon dat eruitzag alsof het met een nagelschaartje was bijgeknipt. Joe Zavala parkeerde zijn auto voor een sierlijk botenhuis aan de oever van de rivier de Potomac en wilde net uitstappen toen hij een schot hoorde.

Joe Zavala was een briljant ontwerper van onderwatervaartuigen, verbonden aan de National Underwater & Marine Agency en over het algemeen was een laptop het gevaarlijkste wapen dat hij bij zich had. Maar in de vele jaren dat hij voor de Speciale Eenheid van de NUMA werkte, had hij zich de eeuwige padvinderswijsheid eigengemaakt altijd op alles voorbereid te zijn. Zavala tastte onder de autostoel tot zijn vingers de snelgesp van een holster vonden, waarna zijn hand een Walther PPK-pistool tevoorschijn trok.

Hij stapte uit en liep met de onopvallende sluipgang van een hertenjager om het botenhuis heen. Met zijn rug tegen de buitenmuur gedrukt schoof hij naar de hoek, waar hij met zijn wapen in beide handen gestrekt voor zich omheen stapte, klaar om de loop onmiddellijk op een eventueel doelwit te richten.

Aan de rivieroever stond een breedgeschouderde man in een geelbruine korte broek en een wit T-shirt met zijn rug naar Zavala toe. Hij hield een pistool ter hoogte van zijn heup en bekeek een papieren, in een boomstam geprikte schietschijf. Er hing een wolk paarse rook in de lucht. Net toen de man zijn oorbeschermers van zijn hoofd schoof, trapte Zavala op een takje. Op dat krakende geluid draaide hij zich vliegensvlug om en zag Zavala met zijn pistool in beide handen om de hoek komen.

Kurt Austin, de baas van Zavala bij de Speciale Eenheid van de NUMA, grinnikte en zei: ‘Op zoek naar een kalkoen, Joe?’

Zavala liet het pistool zakken en liep naar de boom om het gaatje te inspecteren dat net buiten de binnenste ring van de schietschijf zat.

'Ik geloof dat jij kalkoenen moet gaan schieten, meneer de scherpschutter.'

Austin zette zijn gele veiligheidsbril af en keek Zavala met een paar koraalblauwe ogen aan. 'Ik hou het voorlopig even bij een stilstaand doel.' Zijn blik dwaalde naar Zavala's pistool. 'Vanwaar die heldhaftige commando-imitatie?'

Zavala stak het wapen terug in de holster. 'Je had me niet verteld dat je van je dure lap grond aan de rivier een schietbaan had gemaakt.'

Austin blies de rook van zijn pistoolloop als een schutter die zojuist zijn tegenstander in een duel had geveld.

'Ik moest per se mijn nieuwe speelgoed even uitproberen.'

Hij overhandigde Zavala het duelleerpistool met vuursteenslot en Zavala bewonderde de walnoothouten kolf en de gegraveerde achthoekige loop.

'Ligt lekker in de hand,' zei hij, terwijl hij wapen ophield. 'Hoe oud is-ie?'

'Hij is in 1785 gemaakt door Robert Wogdon, een Londense wapensmid. Die man was een van de beste makers van duelleerpistolen van zijn tijd. Een duelleerpistool test je door hem met je arm omlaag aan je hand te laten bungelen. Dan hef je hem heel snel op en hou je hem net lang genoeg omhoog om te richten, waarna je de trekker overhaalt. Recht in de roos, als het goed is.'

Zavala richtte op een andere boom en bootste met zijn tong klakkend een schot na.

'In de roos,' zei Austin.

Zavala gaf hem het pistool terug. 'Had je me niet verteld dat je pistolenverzameling compleet was?'

'Dat komt door Rudi,' zei Austin schouderophalend. Rudi Gunn was de onderdirecteur van de NUMA.

'Hij heeft alleen gezegd dat we na onze vorige missie maar eens even goed op adem moesten komen,' reageerde Zavala.

'Precies wat ik zeg. Vrije tijd is een gevaarlijke toestand voor een verzamelaar.' Austin scheurde de schietschijf van de boomstam en stak hem in zijn zak. 'Wat brengt je naar Virginia? Zijn de vrouwen op in Washington?'

Met zijn kalme charmante uitstraling en zijn knappe donkere uiterlijk was Zavala een gewilde partij in de vrijgezellenscene van Washington. Zijn mondhoeken krulden zich tot het hem zo typerende glimlachje.

'Ik ga nu niet zeggen dat ik als een monnik heb geleefd, want je gelooft me toch niet. Ik kom langs om je een project te laten zien waaraan ik al een paar maanden werk.'

'Project S? Daar moet je me alles over vertellen, maar laat ik eerst een paar biertjes gaan halen,' zei Austin.

Hij stopte de schietuitrusting in een tas, wikkelde het pistool in een zachte doek en ging Zavala voor een trap op naar een groot terras met uitzicht over de rivier.

Austin had dit botenhuis in de buurt van Langley gekocht toen hij nog bij een geheime onderwatereenheid van de CIA werkte. De vraagprijs lag ver boven zijn budget, maar door de panoramische ligging aan de rivier was hij onmiddellijk verkocht. Hij wist de prijs aanzienlijk omlaag te halen omdat het botenhuis aantoonbaar een bouwval was. Hij had er vele duizenden dollars en onnoemlijk veel tijd ingestoken en was erin geslaagd het vervallen botenonderkomen om te toveren tot een comfortabel verblijf waar hij kon bijkomen van zijn inspannende werkzaamheden als directeur van de Speciale Eenheid van de NUMA.

Austin haalde een paar flesjes koud Tecate-bier uit de koelkast, liep terug naar het terras en gaf een flesje aan Zavala. Ze klonken met de flesjes en namen een slok van het Mexicaanse gerstenat. Zavala diepte een computeruitdraai uit zijn zak op, spreidde het vel op een tafel uit en streek met zijn hand de vouwen glad.

'Wat vind je van m'n nieuwe natte duikboot?'

In een natte duikboot dragen de stuurman en de passagier een duikuitrusting. Ze bevinden zich buiten het vaartuig en niet in een gesloten cockpit. Natte duikboten lijken over het algemeen sterk op hun droge tegenhangers met schroeven aan het ene uiteinde van een torpedoachtige romp en de plaats voor de stuurman aan het andere uiteinde.

Het vaartuig dat Zavala had ontworpen had een langgerekte, gebogen kap, een taps toelopende romp en een sluitende, geheel ronde ruit. Het had twee koplampen, witte aërodynamische gleuven aan de zijkanten en een in twee tinten uitgevoerd interieur. Aan de onderkant zaten in plaats van wielen vier stuwschroeven.

Austin schraapte zijn keel. 'Als ik niet wist dat dit een duikboot is, zou ik zweren dat het een Corvette uit 1961 is. Of wel jouw 'Vette, ja toch?'

Zavala drukte zijn kin op zijn duim en wijsvinger. 'Deze is turkoois. Mijn auto is rood.'

'Ze ziet er snel uit,' zei Austin goedkeurend.

‘Mijn auto haalt de honderd kilometer in zes seconden. Deze is iets trager. Maar op en onder water komt ze goed vooruit en voor een bocht draait ze haar hand niet om. Behalve met piepende banden wegscheuren kan ze alles wat een auto kan.’

‘Waarom dit afscheid van de meer, eh... conventionele duikbootmodellen in schotel-, torpedo- of kogelvorm?’

‘Afgezien van de uitdaging wilde ik iets maken dat we bij missies van de NUMA kunnen gebruiken en ook nog leuk is om in te varen.’

‘Doet-ie het ook?’

‘De veldproeven waren heel bevredigend. Ik heb er een heel transport-, lanceer- en oppiksysteem bij ontworpen. Het prototype is onderweg naar Turkije. Ik ga daar over een week naartoe om te assisteren bij een archeologische opgraving van een oude haven die ze bij Istanbul hebben ontdekt.

‘Een week, dan hebben we nog tijd zat.’

‘Waarvoor?’ vroeg Zavala plotseling gealarmeerd.

Austin overhandigde Zavala een wetenschappelijk tijdschrift dat was opengeslagen bij een artikel over de werkzaamheden van een schip dat de ijsbergen ving en wegsleepte die de olie- en gasplatforms voor de kust van Newfoundland bedreigden.

‘Wat dacht je van een gezamenlijk uitstapje naar de Iceberg Alley?’

Zavala las snel het artikel door.

‘Ik weet het niet, Kurt. Dat klinkt allemachtig koud. Dan is Cabo toch een beter oord voor mijn warmbloedige Mexicaans-Amerikaanse aard.’

Austin keek Zavala met een blik van diepe walging aan. ‘Kom op, Joe. Wat moet jij nou in Cabo? Op het strand aan margarita’s liggen lurken? Met je arm om een mooie señorita naar de ondergaande zon kijken? Altijd weer het oude liedje. Waar is je lust naar avontuur gebleven?’

‘Eigenlijk, beste vriend, wilde ik de zon zien ópkomen, terwijl ik liefdesliedjes voor mijn señorita zing.’

‘Dat lijkt me behoorlijk riskant,’ zei Austin pesterig. ‘Vergeet niet dat ik dat zingen van jou ken.’

Zavala maakte zich geen illusies over zijn zangtalent, hij wist dat hij over het algemeen vals zong. ‘Daar heb je een punt,’ zei hij zuchtend.

Austin pakte het tijdschrift op. ‘Ik wil je dit niet opdringen, Joe.’

Zavala wist uit ervaring dat zijn collega niet zozeer *drong* als wel *doordrukte*. ‘Dat moest er nog eens bijkomen.’

Austin glimlachte en zei: ‘Als je geïnteresseerd bent, moet ik het wel snel weten. We vertrekken morgen. Ik heb zojuist gehoord dat het oké is. Wat denk je ervan?’

Zavala stond op uit zijn stoel en vouwde zijn duikboottekeningen op. 'Bedankt voor het bier.'

'Waar ga je heen?'

Zavala liep naar de deur.

'Naar huis! Om mijn flanellen ondergoed en een fles tequila te halen.'

5

In de omgeving van Ma'arib, Jemen

'Hiernaartoe, meneer, hier is het graf van de koningin.'

De gerimpelde bedoeïen strekte zijn arm uit en wees met een knokige vinger naar een spleet van ongeveer een meter breed en zestig centimeter hoog in de pokdalige helling van een kalkstenen heuvel. De ruw gekartelde gesteentelagen boven en onder de opening leken op een mond met ernstig door herpes aangetaste lippen.

Anthony Saxon liet zich op handen en knieën zakken en tuurde in het gat. Hij schudde de gedachte aan giftige slangen en spinnen van zich af, wikkelde de tulband van zijn hoofd en trok zijn beige kaftan uit, waaronder hij een lange broek en een hemd droeg. Hij knipte een zaklamp aan, scheen in het duistere gat en haalde diep adem.

'Kom op, het konijnenhol in,' zei hij met een opgewekte zorgeloosheid.

Saxon dook de opening in, wrong zijn slungelachtige, een meter tachtig lange lijf als een salamander door de spleet en verdween uit het zicht. De gang liep als een stortkoker schuin omlaag. Saxon kreeg het even claustrofobisch benauwd toen de goot versmalde en hij vreesde dat hij klem kwam te zitten, maar door creatief gebruik te maken van zijn excellente vinger-teencoördinatie wist hij zich door de nauwe doorgang te wrikken.

Tot zijn opluchting verbreedde de gang zich weer. Na nog een meter of zes kruipen kwam hij in een grotere ruimte uit. Voorzichtig, om niet zijn hoofd tegen een eventueel laag plafond te stoten, richtte hij zich langzaam op. Hij kon er rechtop staan en scheen met de zaklamp om zich heen.

De lichtstraal viel op de gemetselde stenen muur van een rechthoekige ruimte, ongeveer zo groot als een dubbele garage. In de tegenoverliggende wand zat onder een gewelfde draagstenen rand een anderhalve meter hoge doorgang. Hij liep er gebukt onderdoor en liep een gang in tot hij na zo'n vijftien meter opnieuw in een rechthoekige, ditmaal half zo grote ruimte kwam.

Door de dikke stoflaag die alles bedekte, kreeg hij een hoestaanval. Nadat hij er enigszins van was bijgekomen, zag hij dat de kamer op een omgevallen houten sarcofaag na leeg was. Het deksel lag er een paar meter naast. Een vaag als menselijk herkenbare vorm die van hoofd tot voeten in bandages was gewikkeld, hing half uit de oude kist. Saxon vloekte stilletjes. Hij was een paar eeuwen te laat. Grafrovers hadden alle waardevolle spullen al honderden jaren voor zijn geboorte uit de tombe weggehaald.

Het deksel van de sarcofaag was versierd met een schildering van een jong meisje, waarschijnlijk van een jaar of achttien, negentien. Ze had donkere, veel te grote ogen, een volle mond en zwarte, uit haar gezicht weggekamde haren. Ze zag er stralend uit, vol levenslust. Behoedzaam rolde hij de mummie terug in de kist. Het uiteengevallen lichaam voelde aan als een droge zak vol stokken. Hij zette de sarcofaag weer recht en schoof het deksel erop.

Met zijn zaklamp bescheen hij de wanden van de tombe en las het in de stenen uitgehakte schrift. Het waren inscripties in het Arabisch uit de eerste eeuw na Christus en zo'n duizend jaar te jong. 'Rotzooi!' mompelde hij.

Saxon klopte op de sarcofaag. 'Slaap lekker, schatje. Sorry dat ik je heb gestoord.'

Na nog een laatste trieste blik in de grafkamer liep hij door de gang terug naar de ruimte met de stortkokerachtige doorgang. Grommend wrong hij zich terug door de nauwe opening en duwde zijn met stof besmeurde lijf door het gat de veertig graden hete buitenlucht weer in. Zijn broek was gescheurd en knieën en ellebogen zaten onder de bloederige krassen.

De bedoeïen keek hem met een vragende uitdrukking op zijn donkere gezicht aan.

'Gelukt?' vroeg hij.

Anthony Saxon antwoordde met een luide lach. '*Geplukt* kun je beter zeggen.'

Het gezicht van de bedoeïen versomberde. 'Geen koningin?'

Saxon beschreef het portret op de sarcofaag. 'Een prinses, misschien. Maar niet mijn koningin. Sheba is dit niet.'

Er toeterde een auto aan de voet van de heuvel. Naast een oude aftandse Land Rover stond een man met één hand in de auto en met de andere zwaaide hij naar de mannen boven hem. Saxon zwaaide terug, trok zijn kaftan weer aan, wikkelde de tulband om zijn hoofd en liep de helling af. De man bij de gezandstraalde auto die had getoeterd was een aristocratisch ogende Arabier met een weelderige snor waaronder zijn bovenlip volledig schuilging.

'Wat is er, Mohammed?' vroeg Saxon.

'We moeten gaan,' zei de Arabier. 'Slechte mensen op komst.'

Hij zwaaide met de loop van zijn automatische Kalasjnikov-geweer naar een punt op een kleine kilometer afstand. Daar wierp een naderende auto een stofwolk op.

'Hoe weet u dat dat slechte mensen zijn?' vroeg Saxon.

'Hier álle mensen slecht,' antwoordde de Arabier en hij lachte een rij gouden tanden bloot. Zonder nog iets te zeggen stapte hij achter het stuur van de auto en startte de motor.

Saxon had geleerd dat hij kon vertrouwen op Mohammeds vermogen hem in de wildwestsfeer hier in de binnenlanden van Jemen in leven te houden. Alle krijgsheren in deze streken leken over een eigen privélegertje van bandieten met een tamelijk roofzuchtige en moorddadige mentaliteit te beschikken.

Hij nam plaats op de stoel van de bijrijder. De bedoeïen ramde zijn voet op het gaspedaal. De Land Rover ploegde een wolk van stof en zand op. Terwijl hij snel opschakelde, kreeg de chauffeur het voor elkaar de auto niet alleen op de weg te houden, maar daarbij ook zijn wapen in de aanslag te houden.

Mohammed keek voortdurend in de achteruitkijkspiegel. Na een paar minuten klopte hij op het dashboard alsof het de nek van een trouwe viervoeter was.

'We zijn oké,' zei hij met een brede grijns. 'Hebt u uw koningin gevonden?'

Saxon vertelde hem over de sarcofaag en de mummie van het meisje.

Mohammed stak zijn duim in de richting van de bedoeïen op de achterbank. 'Ik u gezegd. Deze kamelenzoon en zijn dorp zijn allemaal boeven.'

In de veronderstelling dat hij werd geprezen, verscheen er een tandeloze glimlach op het gezicht van de bedoeïen.

Saxon zuchtte en richtte zijn blik op het dorre landschap. Ze verplaatsten zich, maar aan de omstandigheden veranderde niets. Steeds weer verzekerde een plaatselijke oplichter hem in de meest enthousiaste toonaarden dat de koningin die hij zocht, zich daar letterlijk voor zijn neus bevond. Na een ijzingwekkende klauterpartij kreeg Saxon dan een oude necropolis voorgeschoteld die de voorouders van de oplichter al honderden jaren eerder hadden leeggeroofd. Het aantal mummies dat hij had aangetroffen was al niet meer te tellen. Hij had zo onderweg een hoop aardig mensen ontmoet. Maar helaas waren ze allemaal dood.

Saxon diepte een paar *riales* uit zijn broekzak op. Hij gaf de munten aan de verrukte bedoeïen en sloeg diens aanbod af om hem naar nog een andere koningin te brengen.

Mohammed zette de bedoeïen af bij een groepje woestijntenten, waarna ze doorreden naar de oude stad Ma'arib. Saxon logeerde in het hotel Garden of the Two Paradises. Hij vroeg Mohammed de volgende ochtend naar het hotel te komen om de verdere plannen te bespreken.

Na een warme douche trok Saxon een lange katoenen broek en een overhemd aan, waarna hij zich met een mond die aanvoelde of hij op een flinke hap zand liep te kauwen naar de lounge begaf. Hij ging aan de bar zitten, bestelde een Bombay Sapphire-martini en spoelde het stof met het mierzoete vocht uit zijn keel.

Hij kwam in gesprek met een stel Texaanse *rednecks* in dienst van een oliemaatschappij. Na een tweede martini kwam hij weer wat op krachten tot een van de oliemannen hem vroeg wat hij eigenlijk in Ma'arib deed.

'Ik ben hier om het water te testen,' antwoordde hij kortaf.

De oliemannen wisselden verbaasde blikken en barstten in lachen uit. Voordat ze naar hun kamers gingen, bestelden ze nog een derde martini voor Saxon.

Saxon verkeerde in die heerlijke stemming waarin alle hersenactiviteit in een alcoholische roes verzonken is, toen er een oudere piccolo de bar in schuifelde en hem een vel postpapier van het hotel overhandigde, waarop een korte boodschap was gekrabbeld.

Ik denk dat ik u in contact kan brengen met de zeeman. Als u nog geïnteresseerd bent in een ontmoeting laat me dat dan zo snel mogelijk weten.

Hij knipperde het waas uit zijn ogen en las het briefje nog eens. De afzender was een zekere Hassan uit Cairo, een handelaar in antiquiteiten die hem voor zijn vertrek naar Jemen had gebeld. Hij krabbelde een reactie onder het bericht en gaf het papier terug aan de piccolo met een fooi en de opdracht om vervoer voor zijn vertrek de volgende morgen te regelen. Vervolgens bestelde hij de eerste van diverse koppen sterke koffie en probeerde uit alle macht de invloed van de alcohol uit zijn lichaam te verdrijven.

6

Zavala had zijn plunjezak gepakt en was klaar om te vertrekken, toen Austin in Alexandria, Virginia, voor het voormalige bibliotheekgebouw stopte dat zijn vriend tot een in latino-stijl ingerichte vrijgezellenwoning had omgebouwd. De beide mannen namen een ochtendvlucht van Air Canada. Na een tussenstop in Montreal landde het toestel tegen het einde van de middag op het vliegveld van St. John's in Newfoundland.

Met een taxi reden ze naar de drukke haven, waar de ruim tachtig meter lange *Leif Eriksson* lag afgemeerd. Het 6400 ton metende schip was oersterk, nog geen vijf jaar oud, en had een extra versterkte romp ter bescherming tegen de beukende inwerking van het Noord-Atlantische ijs.

De kapitein, Alfred Dawe, een geboren Newfoundlander, wist wanneer hun vlucht zou aankomen en hij stond hen al op het dek op te wachten. Toen de mannen de loopplank opliepen, stelde hij zich voor en zei: 'Welkom aan boord van de *Eriksson*.'

Austin schudde hem met een bottenkrakende greep de hand. 'Bedankt dat we mee mogen, kapitein Dawe. Ik ben Kurt Austin en dit is mijn collega Joe Zavala. Wij zijn uw nieuwe ijsbergvangers.'

Dawe was een forse kerel van in de vijftig die er prat op ging dat hij was geboren in een dorp met de troosteloze naam Misery Cove en dat zijn familie zo dom was er te blijven wonen. In zijn heldere blauwe ogen blonk een schooljongensachtige schalksheid en op zijn blozende gezicht lag vrijwel voortdurend een gulle glimlach. Ondanks zijn op zelfkritiek gestoelde humor was Dawe een uiterst bedreven schipper met een jarenlange ervaring in het doorkruisen van de woelige wateren van het noordwestelijk deel van de Atlantische Oceaan. Hij had de duidelijk herkenbare turkooiskleurige onderzoeksschepen van de NUMA vaak gezien en wist dat deze Amerikaanse organisatie de absolute wereldtop was op het gebied van zeeonderzoek.

Toen Austin hem had gebeld met het verzoek om met een ijsbergcruise mee te mogen, had de kapitein de eigenaren van het schip om toestemming gevraagd voor het aan boord nemen van gasten. Die toestemming had hij gekregen, waarna hij Austin had teruggebeld en hem op de hoogte had gesteld van de eerstvolgende vertrekdatum.

Vanaf het moment dat Austin hem kopieën van zijn en Joe's cv had gestuurd, had Dawe verlangend naar hun komst uitgekeken. Met hun cv's had Austin de kapitein erop willen wijzen dat hij en Zavala niet zomaar twee amateuristische landrotten waren op wie voortdurend gelet moest worden dat ze niet overboord vielen.

De kapitein wist dus dat Austin aan de universiteit van Washington was afgestudeerd, een ervaren duiker was, gespecialiseerd in diverse onderwaterdisciplines, en een deskundige op het gebied van diepzeebergingen. Lang voordat de voormalige NUMA-directeur James Sandecker hem bij de CIA had weggekocht, had Austin op boorplatforms in de Noordzee gewerkt en ook voor het in Seattle gevestigde bergingsbedrijf van zijn vader.

Van Zavala's cv leerde de kapitein dat hij cum laude was afgestudeerd aan de Hogere Zeevaartschool van New York, dat hij een ervaren piloot was met honderden uren achter het stuur van alle mogelijke voertuigen op, boven en onder het water, en bovendien een briljant ingenieur, gespecialiseerd in het ontwerpen en bouwen van onderwatervoertuigen.

Door deze imposante lijst kwalificaties was de kapitein nieuwsgierig geworden naar de beide NUMA-mannen. Austin en Zavala kwamen nu als veel stoerder op hem over dan de wetenschappelijke types die hij had verwacht. Hun rustige manier van doen kon de taaie onverzettelijkheid en onstuitbare voortvarendheid niet verbloemen die slechts gedeeltelijk onder hun beleefde optreden schuilging.

Zijn gasten waren onmiskenbaar fysiek gehard. Austin was ruim een meter tachtig lang met een gewicht van zo'n negentig kilo zonder ook maar een grammetje vet aan zijn pezige lijf. Met zijn brede schouders en gespierde bouw had de man met de vroegtijdig grijs, bijna wit geworden haardos op zich al de uitstraling van een eenmansbergingsploeg. Zijn gezicht met de scherpe gelaatstrekken was door de langdurige blootstelling aan de buitenlucht donker getint en had door de inwerking van zon en zeewind een metaalachtige glans gekregen. Er lagen lachrimpeltjes rond de intelligent twinkelende, koraalblauwe ogen die de wereld kalm tegemoetzagen met een blik waaruit een vertrouwen sprak dat niets wat ze aanschouwden hen nog voor verrassingen zou stellen.

Zavala was net iets kleiner. Hij had een soepel gespierd lijf en hij bewoog met het katachtige gemak van een stierenvechter, iets wat hij uit zijn studietijd had overgehouden, toen hij als middengewicht profpartijen had gebokst. Zo had hij met de verwoestende kracht van een rechtse directe en een linkse hoekstoot zijn collegegeld verdiend. Met zijn filmsterachtige knappe uiterlijk en zijn atletische bouw zag hij eruit als de mannelijke hoofdrolspeler in een piratenfilm.

De kapitein leidde zijn gasten naar hun kleine, maar comfortabele hut.

'Ik hoop dat we hier niet iemand uit verdreven hebben,' zei Austin, terwijl hij zijn plunjezak op een kooi gooide.

Dawe schudde zijn hoofd. 'Op deze vaart hebben we twaalf bemanningsleden. Dat zijn er twee minder dan normaal.'

'In dat geval wil ik met alle plezier een handje helpen,' zei Zavala.

'Daar reken ik dan op, heren.'

Dawe gaf hun een snelle rondleiding over het schip tot ze op de brug kwamen, waar hij het bevel gaf van wal te steken. De dekknechten gooiden de trossen los en het schip voer de haven van St. John's uit. Nadat ze Fort Amherst en Point Spear, de meest noordoostelijk gelegen land tong van Noord-Amerika, waren gepasseerd, volgde het schip onder een asgrijze wolkenlucht de kustlijn van Newfoundland.

Zodra het schip op open zee voer en op de juiste koers lag, gaf Dawe het commando aan zijn eerste stuurman over en spreidde op de kaartentafel een satellietfoto uit.

'De *Eriksson* verzorgt in de warme maanden de bevoorrading van de booreilanden. Van februari tot juli gaan we op zoek naar de grote jongens die vanuit de Baffinbaai afdrijven.' Met zijn wijsvinger tikte hij op de foto. 'Dit is het gebied waar de meeste Noord-Atlantische ijsbergen vandaan komen. In West-Groenland liggen ruim honderd gletsjers die met elkaar zo'n negentig procent van de ijsbergen in de wateren van Newfoundland leveren.'

'En over wat voor aantallen spreken we dan?' vroeg Austin.

'Ik schat dat er in Groenland zo'n veertigduizend middelgrote tot grote blokken afbreken. Maar slechts een fractie daarvan dringt tot zo diep in het zuiden door. Zo tussen de vier- en achthonderd bereiken er de Iceberg Alley, een gebied op 48 graden noorderbreedte voor de kust van St. John's. Nadat ze zijn afgebroken drijven ze een goed jaar rond tot ze voorbij Straat Davis door de Labradorstroming worden meegevoerd.'

'En in de belangrijke vaarroutes terechtkomen,' zei Austin.

'U hebt uw huiswerk gedaan,' zei Dawe grijnzend. 'Inderdaad. Daar beginnen de problemen. Het is er een komen en gaan van schepen uit Canada, de VS en Europa. Van de scheepvaartmaatschappijen moet de overtocht zo snel en economisch mogelijk worden afgelegd. De schepen varen dan ook maar net langs de zuidgrens van het door ijsgang onveilige gebied.'

'Waar is de *Titanic* op die onverwachte klomp ijs gestoten?' vroeg Austin.

Dawes vrolijke glimlach verdween. 'In deze contreien moet je vaak aan de *Titanic* denken. Ze drukt je voortdurend met de neus op het feit dat slecht zeemanschap je binnen de kortste keren een enkele reis de dieperik in kan bezorgen. Het graf van de *Titanic* ligt bij de Grand Banks, waar de Labradorstroom op de Golfstroom stuit. Door het verschil in watertemperatuur van zo'n twintig graden ontstaat er mist die zo dik als staalwol kan zijn. Bovendien zijn de plaatselijke stromingen er behoorlijk ingewikkeld.'

'Dat zal uw werk er niet gemakkelijker op maken,' merkte Austin op.

'Ik wou dat het iets was wat je in een flesje voor kale mannen kunt stoppen. Een ijsberg kan over de zee zwalken als een zuiplap onderweg naar huis na een doorzakfeestje. De ijsbergen in de Noord-Atlantische Oceaan zijn de snelste ter wereld. Ze kunnen snelheden van zeven knopen per uur halen. Gelukkig kunnen we op de nodige hulp rekenen. De International Ice Patrol maakt regelmatig vluchten boven het gebied en de passerende schepen maken melding van de ijsbergen die ze zien. Bovendien werkt de *Eriksson* nauw samen met een vloot kleine verkenningsvliegtuigjes die de olie- en gasmaatschappijen inzetten.

'Dat wegslepen, hoe pakken jullie dat aan?' vroeg Zavala.

'We proberen de ijsbergen eerst met waterkanonnen te verplaatsen. Dat lukt bij zogenaamde *growlers*, ijsschotsen ongeveer zo groot als een flinke piano. Maar er is geen waterstraal sterk genoeg om een ijsberg van 500.000 ton van richting te veranderen. Die moeten we naar warmer water slepen, dat werkt het best.'

'Hoeveel van die bergen verslepen jullie nou zo gemiddeld per jaar?' vroeg Austin.

'Dat zijn uiteraard alleen de bergen die een booreiland bedreigen. Zo rond de dertig. Als een schip een melding over een ijsberg binnen krijgt, kan het zijn koers verleggen. Maar een olieplatform van zo'n vijf miljard dollar heeft die mogelijkheid niet. Drijvende platforms kunnen verplaatst worden, maar dat kost tijd. Een paar jaar geleden was het een keer kantje boord. De ijsberg werd pas opgemerkt toen hij nog maar zo'n tien kilometer van het platform verwijderd was. Het was te laat om de berg nog weg te kunnen slepen of het platform te verplaatsen. De bevoorradingsschepen wisten het booreiland op het nippertje weg te duwen. De ijsberg dreef recht over de boorschacht.'

'Met al die voorzorgsmaatregelen verbaast het me eigenlijk wel dat die ijsberg zo dichtbij kon komen,' merkte Austin op.

'Zoals ik al zei, hun koers is uiterst grillig, afhankelijk van de omvang, vorm en de wind. Die ijsberg is ongemerkt langs ons geglipt. Wij zijn nu op zoek naar een enorme berg die in de mist is verdwenen nadat we hem een paar dagen geleden hadden gelokaliseerd. Ik noem hem de Moby-berg.'

'Dan maar hopen dat we niet als een kapitein Ahab achter een witte walvis aanzitten,' zei Austin.

'Ik heb liever een witte walvis dan een ijsberg,' reageerde Dawe. 'Tussen haakjes, heb ik u al verteld waarom Newfoundlanders graag in de winter autorijden?'

Austin en Zavala keken elkaar verwonderd aan op deze merkwaardige overgang van gespreksonderwerp.

'Dan zijn de kuilen in de wegen met sneeuw gevuld,' zei Dawe. Hij barstte zo hard in lachen uit dat de tranen hem over de wangen biggelden. De kapitein had een ogenschijnlijk eindeloze voorraad aan Newfoundlandermoppen paraat die de draak staken met zijn eigen volk. Er volgde nog een hele rits tijdens de avondmaaltijd.

De kok van de *Leif Eriksson* serveerde gerechten die een viersterrenrestaurant niet onwaardig waren. Terwijl Austin en Zavala op een licht gebraden biefstuk, sperzieboontjes uit blik en aardappelpuree met knoflook onder een dikke laag jus aanvielen, liet de kapitein zijn moppenrepertoire op zijn aan tafel gegijzelde publiek los. Austin en Zavala doorstonden de lawine aan derderangs humor tot het hen ten slotte te veel werd en ze zich verontschuldigden om te gaan slapen.

Toen ze zich de volgende morgen op de brug meldden, had de kapitein waarschijnlijk medelijden met ze. Hij liet verdere moppen achterwege en schonk warme koffie voor hen in. 'We komen in de buurt. We hebben een hele reeks *growlers* gezien. En dat is onze eerste *bergy bit*.'

Dawe wees naar een ijsberg die op een paar honderd meter over stuurboord voor de boeg dreef.

'Die is al heel wat groter dan de ijsjes die ik ooit voorgeschoteld heb gekregen,' zei Austin.

'Dit is niks vergeleken met wat we later nog te zien krijgen,' reageerde de kapitein. 'Het is pas een echte ijsberg als hij zo'n zes meter boven water uitsteekt met een lengte van minstens vijftien meter. Alles wat kleiner is noemen we *bergy's* of *growlers*.'

'Zo te horen krijgen we hier nog heel wat vaktermen voorgeschoteld,' merkte Zavala op.

Dawe knikte instemmend. 'Welkom op de Iceberg Alley, heren.'

7

Op het vliegveld van Cairo haalde Saxon zijn huurauto op en dook de gemotoriseerde chaos in die in de stad van de piramiden een vlotte verkeersdoorstroming moet verbeelden. De kakofonie van getoeter en de verstikkende wolken stof en uitlaatgassen waren wel een heel sterk tegengif tegen de lange weken die hij in de verlaten woestijn van Jemen had doorgebracht.

Hij reed naar een buitenwijk van Cairo en parkeerde de auto op de *Sharia Sudan*. Vanuit een aangrenzend omheind terrein, de *Souq al-Gamaal*, kwamen hem penetrante boerderijluchtjes en dierlijke kreten tegemoet. Het was de oude kamelenmarkt van Cairo. De kralen die ooit door groene weilanden omgeven waren, lagen nu tussen eindeloze rijen flats ingeklemd.

Saxon had deze locatie voorgesteld. Uit veiligheidsoverwegingen wilde hij Hassan op een openbare plaats ontmoeten. Deze met mest bevlekte oase van het oude Egypte leek hem ook voor de nostalgische sfeer aantrekkelijk.

Hij betaalde de geringe toegangsprijs voor niet-Egyptenaren en slenterde tussen de kralen door. Honderden uit Soedan ingevoerde kamelen wachtte het slachthuis of een zelfs nog erger lot als rijdier voor het vervoer van dikke toeristen naar de piramiden.

Saxon bleef staan om naar een bokkende kameel te kijken die in de bak van een niet al te grote pick-up werd geladen. Hij voelde een zacht rukje aan zijn hand. Een van de met vuil besmeurde boefjes die de markt om *baksheesh* bedelend afstruinden, probeerde zijn aandacht te trekken.

Hij keek in de richting die de jongen hem aanwees. Daar stond een man onder een geïmproviseerde overkapping bij een groepje druk marchanderende kamelenkopers. Saxon gaf de jongen een fooi en liep naar de andere kant van de kraal. De man had de voor veel Egyptenaren typerende melkbruine gelaatskleur en een keurig verzorgde baard sierde zijn kin. Hij droeg een ronde gebreide muts en een bijpassende witte *gallibaya*, het lange katoenen gewaad dat bij Egyptische mannen populair is.

'*Sabaah ilkheer*,' zei Saxon. Goedemorgen.

'*Sabaah innuur*, meneer Saxon. Ik ben Hassan.'

'Dank u dat u gekomen bent.'

'U wilt zaken doen?' vroeg Hassan. Dit aanbod had Saxons argwaan moeten wekken. Egyptenaren drinken eerst uitgebreid thee voordat ze over zaken praten. Maar zijn gretige enthousiasme verblindde zijn normaal alerte opmerkingsvermogen.

'Mij is verteld dat u me zou kunnen helpen bij het terugvinden van iets dat zoek is geraakt.'

'Wellicht,' zei Hassan. 'Als u het kunt betalen.'

'Ik betaal een redelijke prijs,' reageerde Saxon. 'Wanneer kan ik het zien?'

'Dat kan nu direct. Ik heb een auto. Kom maar met me mee.'

Saxon aarzelde. De onderwereld van Cairo onderhield soms banden met vage politieke groeperingen. Het leek hem verstandig Hassan eerst nog wat uit te horen alvorens hij zich door de vreemdeling liet meetronen.

'Laten we naar Fishawi's gaan. Daar kunnen we praten en elkaar wat beter leren kennen,' stelde hij voor. Het populaire terrascafé bevond zich vlak bij de grootste bazaar van Cairo en de oudste moskee.

Hassan fronste zijn wenkbrauwen. 'Te veel mensen.'

'Ja, dat weet ik,' zei Saxon.

Hassan knikte. Hij ging Saxon voor naar de uitgang van de markt en liep door naar een gedeukte witte Fiat die half op de stoep stond. Hij opende het portier voor Saxon.

'Ik volg u in mijn auto,' zei Saxon.

Hij stak de straat over en stapte achter het stuur van zijn huurauto. Net toen hij het sleuteltje in het contactslot wilde steken, kwam er een andere auto met piepende remmen naast de zijne tot stilstand.

Er sprongen twee mannen in zwarte pakken uit die met een paar snelle bewegingen bij hem instapten. De ene op de achterbank en de andere naast hem. Allebei richtten ze een vuurwapen op Saxons hoofd.

'Rijden!' zei de man op de stoel naast hem.

Het werd Saxon koud om het hart, maar hij reageerde met een voor hem kenmerkende kalmte. Hij had in zijn leven als ontdekkingsreiziger en avonturier heel wat benauwde momenten gekend. Hij startte de auto, reed van de parkeerplek weg en gehoorzaamde het bevel om Hassans auto te volgen. Hij zei geen woord. Vragen zouden zijn ongenode passagiers alleen maar tegen hem in het harnas jagen.

De Fiat reed door het drukke verkeer in de richting van de Citadel, een aaneengesloten complex van moskeeën en militaire gebouwen. Saxon zonk de moed in de schoenen. In het labyrint van smalle steegjes rond de Citadel zou zelfs een heel leger hem niet snel vinden.

Hassans auto stopte voor de ingang van een onopvallend gebouw. Op een uithangbord stond zowel in het Arabisch als het Engels: POLITIEBUREAU.

Hassan en zijn mannen dwongen Saxon uit te stappen en voerden hem mee door een karig verlichte hal naar een kleine raamloze ruimte waar het stonk naar zweet en sigarettenrook. Het volledige meubilair bestond uit een metalen tafel en twee stoelen. Het hok werd verlicht door een enkel peertje aan het plafond.

Saxon was er allesbehalve gerust op. Hij wist dat mensen die in Egypte het politiebureau ingingen er soms nooit meer uitkwamen.

Hij moest gaan zitten en hun zijn portefeuille geven. Daarna werd hij alleen gelaten. Na een paar minuten kwam Hassan terug in het gezelschap van een kalende grijsharige man met een bungelende sigaret tussen zijn dikke lippen. De nieuwkomer knoopte zijn colbertje, dat strak om zijn omvangrijke buik zat, los en liet zich op de stoel tegenover Saxon zakken. Hij drukte zijn sigaret in een met peuken gevulde asbak uit en knipte met zijn vingers. Hassan gaf hem de portefeuille, die hij opende alsof het een zeldzaam boek was.

Hij bekeek zijn identiteitsbewijs. 'Anthony Saxon,' zei hij.

'Ja,' antwoordde Saxon. 'En u bent...?'

'Ik ben inspecteur Sharif. Dit is mijn bureau.'

'Mag ik u vragen waarom ik hier ben, inspecteur?'

De inspecteur klapte de portefeuille dicht. 'Ik stel hier de vragen.'

Saxon knikte.

De inspecteur zwaaide met zijn duim naar Hassan. 'Waarom wilde u deze man ontmoeten?'

'Dat wilde ik niet,' antwoordde Saxon. 'Ik had afgesproken met iemand die Hassan heet. Maar deze man is kennelijk iemand anders.'

De inspecteur gromde. 'Klopt. Dit is agent Abdul. Waarom wilde u Hassan spreken? Dat is een dief.'

'Ik hoopte via hem iets terug te vinden dat uit het museum van Bagdad is gestolen.'

'Dus u bent op zoek naar gestolen goed,' zei de inspecteur.

'Ik zou het betreffende voorwerp aan het museum hebben terugge-

geven. Als u het aan de echte Hassan vraagt, zal hij dat bevestigen.'
De inspecteur wisselde een blik van verstandhouding met Abdul. 'Onmogelijk,' zei hij tegen Saxon. 'Hassan is dood.'

'Dood? Ik heb hem gisteren nog aan de telefoon gehad. Wat is er gebeurd?'

Terwijl hij aandachtig Saxons reactie opnam, antwoordde de inspecteur: 'Vermoord. Een hele toestand. Weet u zeker dat u hier niets van af weet?'

'O ja, héél zeker.'

De inspecteur stak een sigaret van het merk Cleopatra op en blies twee dunne rookzuiltjes door zijn neusgaten. 'Ik geloof u. Nu mag u vragen stellen.'

'Hoe wist u dat ik een afspraak met Hassan had?'

'Heel simpel. U staat in zijn agenda. We hebben uw naam opgezocht. U bent een beroemde schrijver. Iedereen leest uw boeken.'

'Nou, dat zou wel iets beter kunnen,' zei Saxon met een zwak glimlachje.

De inspecteur haalde zijn schouders op. 'Wat wil een beroemde schrijver van een dief?'

Saxon twijfelde of de inspecteur zijn obsessie zou begrijpen die hem ertoe had aangezet heel Europa, het Midden-Oosten en Zuid-Amerika af te reizen op zoek naar de oplossing van een van de oudste mysteries uit de geschiedenis van de mens. Er waren momenten waarop hij dat ook zelf niet begreep. Zorgvuldig zijn woorden kiezend zei hij: 'Ik dacht dat Hassan me kon helpen met het vinden van een vrouw.'

'Aha,' zei de inspecteur. Hij wendde zich tot agent Abdul. 'Een vrouw!'

'Hassan bezat een antiek voorwerp dat mij had kunnen helpen bij het schrijven van een boek en het maken van een film over de koningin van Sheba.'

'Sheba!' riep de inspecteur teleurgesteld uit. 'Een dode vrouw.'

'Dood, maar ook niet dood. Net als Cleopatra.'

'Cleopatra was een fantastische koningin.'

'Ja. En Sheba ook. Oogverblindend mooi.'

De deur ging open en er stapte opnieuw een man het vertrek binnen. In tegenstelling tot de corpulente en smoezelige inspecteur, was deze man lang en slank. Hij was gekleed in een licht olijfgroen pak met een messcherpe vouw in de broekspijpen. Sharif stond op van zijn stoel en ging in de houding staan.

'Dank u, inspecteur,' zei de man. 'U en uw agent kunnen gaan.'

De inspecteur salueerde vluchtig en liep met de agent de kamer uit.

De man ging op de stoel van de inspecteur zitten en legde een dossiermap op tafel. Hij keek Saxon met een geamuseerde trek op zijn smalle gezicht aan.

'Ik hoorde dat u graag naar de kamelenmarkt gaat,' zei hij in vloeiend Engels.

'Ik bewonder de manier waarop de kamelen hun kop hooghouden. Ze doen me denken aan aristocraten die moeilijke tijden doormaken.'

'Interessant,' zei de man. 'Ik ben Yousef. Ik werk voor Binnenlandse Zaken.'

Saxon wist dat het ministerie van Binnenlandse Zaken een synoniem was voor de geheime dienst.

'Heel vriendelijk van u om hiernaartoe te komen.'

'Met vriendelijkheid heeft dit weinig te maken.' Hij sloeg de map open. 'Dit is het dossier van de echte Hassan.' Met zijn keurig verzorgde vingers trok hij een aantal aan elkaar gehechte vellen papier tevoorschijn die hij Saxon onder de neus schoof. 'En dit is de lijst met antieke voorwerpen.'

Saxon keek de in het Engels gestelde lijst door. 'Dit komt overeen met de door het museum van Bagdad gepubliceerde lijst.'

'Dan vrees ik dat u te laat bent.' Yousef leunde achterover en drukte zijn handen met de vingertoppen tegen elkaar. 'Deze voorwerpen zijn door het leger meegenomen. Ze zijn nu in het bezit van een vertegenwoordiger van de UNESCO. De dag na de overdracht is Hassan gefolterd en vermoord.' Yousef legde zijn vingers om zijn keel.

'Als hij geen oude voorwerpen meer had, waarom heeft hij tegenover mij dan het tegendeel beweerd?'

'Eens een dief, altijd een dief. Hij heeft waarschijnlijk gedacht dat hij een rijke buitenlander nog een poot uit kon draaien.'

'Weet u wie hem heeft vermoord?'

'We doen ons best.'

'Wie was die vertegenwoordiger van de UNESCO?'

'Een Italiaanse vrouw. Een zekere Carina Mechadi.'

'Weet u of ze nog in Cairo is?'

'Ze is een paar dagen geleden met de oudheden per schip vertrokken. Er is met de regering in Bagdad overeengekomen dat ze ze naar de Verenigde Staten brengt.'

Hiermee was alle wind uit Saxons zeilen genomen. Hij was er zó dichtbij geweest. 'Mag ik nu gaan?'

'Zo u wilt.' Yousef kwam van zijn stoel overeind.

'Hoe dan ook, bij iedere zaak draait het altijd weer om een vrouw.'

'Mevrouw Mechadi?'

Saxon schudde zijn hoofd. 'Sheba.'

De Egyptenaar keek hem met een mat glimlachje om zijn lippen aan en hield de deur voor hem open. Saxon reed terug naar het Marriott Hotel. Terug in zijn kamer pakte hij zijn telefoon en wist iemand van de UNESCO te bereiken die bevestigde dat Carina Mechadi naar Amerika onderweg was.

Saxon liep naar het raam en keek uit over de tijdloze Nijl en de glinsterende lichtjes van de oude stad. Hij moest aan Yousefs glimlach denken toen hij het had over de geest van een vrouw die al drieduizend jaar dood was.

Na zo een tijdje te hebben nagedacht pakte hij de telefoon weer en boekte een vlucht naar de VS. Vervolgens begon hij te pakken.

Zijn lange reis op zoek naar de volmaakte vrouw had hem naar de meest afgelegen en gevaarlijkste streken ter wereld gevoerd. En hij was niet van plan het nu op te geven.

8

Het containerschip *Ocean Adventure* kon bijna tweeduizend vrachtcontainers vervoeren, maar ondanks dat was ze met haar zevenduizend ton en een lengte van ruim honderdvijftig meter een dwerg vergeleken bij de nieuwere vrachtschepen die lengtes van drie aaneengesloten voetbalvelden haalden. De verdere finesses van ruimtelijk relativisme gingen aan Carina Mechadi voorbij terwijl ze ineengedoken tegen de tot op het bot doordringende kou van de Noord-Atlantische Oceaan over het dek slenterde.

Sinds ze in Salerno aan boord was gegaan, was Carina iedere ochtend vroeg opgestaan en haar hut op de derde verdieping van de bovenbouw onder de brug uitgestapt om nog voor het ontbijt met een paar rondjes *brisk walking* wat aan haar conditie te doen. Deze haast dwangmatige handeling werd haar ingegeven door een volslagen overbodige obsessie haar sierlijke figuur in vorm te houden en een poging haar ongeduldige verlangen naar het einde van de reis wat te verlichten. Het aantal rondjes dat ze liep was afhankelijk van het weer, dat varieerde van een klam vochtige mist tot een snijdend koude wind van het vasteland van Newfoundland.

De *Ocean Adventure* had niets van de romantiek die Joseph Conrad schetste in zijn verhalen over vrachtschepen op de wilde vaart die in lang voorbije tijden de wereldzeeën bevoeren. Het schip was een zeewaardig platform dat met stalen containers van zes bij tweeënhalve meter was volgeladen. Ze stonden tot zes hoog op elkaar gestapeld en besloegen vrijwel het gehele dek met uitzondering van de voor- en achtersteven en smalle gangboorden langs de zijkant. Benedendeks waren nog eens honderden containers opgeslagen.

Terwijl Carina langs de reling aan stuurboordzijde liep, dacht ze terug aan de gebeurtenissen die ertoe hadden geleid dat ze nu op dit schip de Atlantische Oceaan overstak. De moord op Ali Babbas in Bagdad een paar jaar eerder kwam als een schok, maar had haar niet verbaasd. In de illegale handel in oudheden waren de belangen groot en lag geweld voortdurend op de loer. Het was een schimmige wereld waarin onnoemelijk veel geld omging en fatsoenlijke spelers een zeldzaamheid waren. Ali had waarschijnlijk de verkeerde persoon opgelicht.

Toch had ze zijn dood diep betreurd. Zonder Ali was het hoogst twijfelachtig of ze ooit nog iets van de verdwenen antiquiteiten zou terugkrijgen. Ali was de tussenpersoon geweest die gestolen spullen op de markt bracht. Daarbij had hij nooit iets op papier gezet. De namen van zijn leveranciers en afnemers had hij stuk voor stuk in zijn hoofd. Nu deze louche handelaar van het toneel verdwenen was, waren de spullen die zij zocht in alle richtingen over de wereld verspreid.

Carina had na haar vertrek uit Irak niet om werk verlegen gezeten en was teruggekeerd naar haar kantoor bij de UNESCO in Parijs. Toen ze enkele maanden na haar vertrek uit Bagdad het spoor van een zeldzaam Etruskisch beeld volgde, kreeg ze in haar kantoor bezoek van een zekere Auguste Benoir, die haar zijn visitekaartje voorhield. Benoir was een verzorgde, perfide ogende man die Carina deed denken aan Hercule Poirot, de rechercheur uit de verhalen van Agatha Christie.

Benoir was deelgenoot van een gerenommeerd advocatenkantoor in Parijs en kwam meteen ter zake. 'Men heeft mijn kantoor verzocht de belangen te behartigen van de Baltazar Foundation,' zei hij. 'De heer Baltazar is een rijke zakenman en filantroop. De berichten over de plundering van het museum van Bagdad hebben hem diep geraakt. De heer Baltazar had een artikel gelezen waarin uw pogingen om een deel van de gestolen antiquiteiten terug te vinden, werden beschreven. En hij koestert de hoop dat u met behulp van de fondsen in zijn foundation uw talenten zou willen wijden aan het terugbrengen van deze voorwerpen naar de Iraakse collectie.'

'Dat is heel vriendelijk van de heer Baltazar,' had Carina geantwoord. 'Maar ik denk dat ik zinvoller werk kan doen binnen het kader van een wereldwijd opererende organisatie als de UNESCO.'

'Neem me niet kwalijk dat ik niet helemaal duidelijk ben geweest over het voorstel van de heer Baltazar. Er wordt niet van u gevraagd de UNESCO te verlaten.'

Carina wierp een blik op de dossiermappen die in stapels op haar bureau lagen. 'Zoals u ziet, kom ik haast om in het werk voor de UNESCO.'

'Begrijpelijk.' Benoir trok een vel papier uit zijn portefeuille tevoorschijn. 'Dit is in het kort het voorstel dat u wordt gedaan. De foundation zal met regelmaat donaties op een rekening van een bank naar uw keuze storten. U kunt te allen tijde over het tegoed op deze rekening beschikken, onder één voorwaarde: het geld moet worden besteed aan het terugvinden van de Iraakse artefacten. Aan de hoogte van de toegewezen gelden zijn geen grenzen gesteld.'

Nu opeens toch wel geïnteresseerd overwoog ze het aanbod. 'De heer Baltazar is bijzonder genereus.'

Benoir straalde. 'Wat zegt u ervan, mevrouw Mechadi?'

Carina zag zich voor een dilemma geplaatst. Ze probeerde een evenwicht te vinden tussen diverse UNESCO-opdrachten, maar een kans als deze liet je niet zomaar voorbijgaan. Ze las snel het contract door. 'Ik zal het voorstel bestuderen en dan laat ik u morgen weten hoe ik erover denk.'

De volgende dag belde ze Benoir om hem te zeggen dat ze het deed. In haar baan bij de UNESCO had ze met regeringen, internationale politiekorpsen, museumdirecties en archeologen samengewerkt, maar de mogelijkheid om met ongelimiteerde financiële steun te werken opende geheel nieuwe werelden. Met dikke bundels contanten in de hand zou ze kunnen doordringen tot de onfrisse types die de handel in oudheden domineerden. En dat bleek ook zo te zijn. Binnen de kortste keren had ze een effectief netwerk opgebouwd van informanten binnen de politiekorpsen en de onderwereld die haar vaak ook op het spoor zetten van antiquiteiten uit andere landen dan Irak.

Een van haar meer betrouwbare bronnen was een frauduleuze Egyptische legerofficier die ze alleen kende als de Kolonel. Nog geen week geleden had hij haar onverwachts gebeld met de mededeling dat de verzameling Iraakse voorwerpen waar zij naar op zoek was, door een kruimeldief, een zekere Hassan, te koop werd aangeboden. Ze had de officier geantwoord dat ze de man binnen achtenveertig uur wilde ontmoeten, had telefonisch een aanbetaling naar hem overgemaakt en hem gezegd dat de aankoop in het geheim plaats moest vinden.

In haar overeenkomst met de Baltazar Foundation was vastgelegd dat ze hen steeds onmiddellijk van alle ontwikkelingen op de hoogte zou stellen. Ze belde Benoir met het nieuws over Hassan, waarop Benoir antwoordde dat hij het bericht zou doorgeven. Voordat ze naar Cairo vloog, had ze professor Nasir in Bagdad gebeld om hem te vertellen dat ze op het punt stond de verzameling terug te krijgen.

Nasir reageerde opgetogen, maar de omstandigheden in Irak waren nog steeds chaotisch en hij was bang dat hij niet voor de veiligheid van de collectie kon instaan. Hij was druk bezig met het inzamelen van gelden benodigd voor het opzetten van een efficiënt inventarisatiesysteem voor de bestaande collectie van het museum. Nasir ging gretig in op Carina's suggestie om de artefacten in te zetten als middel om donaties te genereren. Hij was maar al te graag bereid een verklaring te ondertekenen waarin hij het beheer over de voorwerpen tijdelijk aan haar toevertrouwde, en zij zou de Iraakse ambassade in Washington benaderen om met de diplomatieke staf de mogelijkheid van een tournee te bespreken.

Tijdens haar reis naar Egypte volgden de gebeurtenissen elkaar in hoog tempo op. Tijdens een lunch in het Nile Sheraton Hotel vertelde de Kolonel dat hij de collectie al in bezit had. Hoffelijk rekende hij de lunch af, nadat zij hem zijn volledige onkosten had betaald. Die avond had ze in een pakhuis aan een kade in de haven van Port Said met toenemende spanning op de vrachtwagen gewacht, die uiteindelijk even na middernacht arriveerde.

De artefacten in de vrachtwagen zaten onder een dikke laag stof, maar ze verkeerden in een redelijke conditie. Ze inspecteerde ze vluchtig in het licht van een zaklamp, waarbij ze alle voorwerpen nummerde en van allemaal een korte omschrijving noteerde. Een van de grotere stukken was een langwerpig beeld van een man gekleed in een kilt met een taps toelopende muts op het hoofd. Het brons zat van het bebaarde gezicht tot en met de kat aan de voeten van de figuur onder een aangekoekte korst vuil. Het beeld kwam niet voor op haar oorspronkelijke lijst van artefacten, maar op een gekreukt papieren etiket dat met een touwtje aan een arm van de figuur was bevestigd, werd het beeld als de *Navigator* aangeduid. Na nog eens een deel van Baltazars vermogen onder havenautoriteiten en douanebeambten te hebben verdeeld, werd de vracht aan boord van een schip gebracht dat naar Italië voer.

Nadat ze voor het vrachtschip uit naar Salerno was gevlogen, had ze daar geregeld dat de lading voor de oversteek naar de Verenigde Staten op de *Ocean Adventure* zou worden ingescheept. In de tussenliggende enerverende wachttijd had ze met Nasir en de ambassade de plannen voor de tournee besproken. Toen het schip ten slotte arriveerde, belde ze Benoir om te vertellen dat ze de antiquiteiten in bezit had en een tournee voorbereidde. Hij reageerde op een merkwaardige manier teleurgesteld, maar belde later terug om te vertellen dat hij met Baltazar had gesproken en dat deze haar feliciteerde met het behaalde succes. Carina nam zich voor de artefacten niet meer uit het oog te verliezen en had een hut op het containerschip geboekt.

Ze onderbrak haar snelle wandelpas en tuurde een zijgang tussen de containers in om zich ervan te vergewissen dat de blauwe container er nog stond. Ze liep door naar de boeg, waar op het open dek een koude windvlaag haar bijna omver blies.

De kapitein had haar de vorige avond onder het eten verteld dat het schip met een gemiddelde vaart van achttien knopen voer. Maar hij zou vaart minderen zodra ze Newfoundland naderden en het gebied bereikten dat de Iceberg Alley werd genoemd. Die waarschuwing maakte haar eerder nieuwsgierig dan dat hij haar angst inboezemde.

Ze bleef op de voorplecht staan om te zien of er inderdaad ijsbergen waren. Maar er dreven alleen wat schotsen ter grootte van een flinke hutkoffer in het grijze water. De meerdere lagen kleren die ze aanhad bleken niet warm genoeg om de bijtende koude die op haar ribben sloeg buiten te houden. In de kantine wachtten warme koffie en roerei. Ze wendde zich van de zee af en zocht haastig de bakboordzijde van het schip op.

Carina had ongeveer tweederde van haar weg naar de brug afgelegd toen ze een hamerende dreun boven het geraas van de door het water snijdende romp hoorde. Ze keek omhoog en zag op een meter of vijftig boven het wateroppervlak naast elkaar twee helikopters vliegen. Ze kwamen snel dichterbij. Op de zwarte romp waren geen kentekens zichtbaar.

Het verbaasde Carina hier opeens helikopters te zien opduiken. Het schip voer zo'n honderdvijftig kilometer uit de kust. Ze herinnerde zich dat de kapitein had verteld dat er in deze omgeving naar gas en olie werd geboord. De helikopters waren waarschijnlijk naar een booreiland onderweg.

De helikopters ronkten naast elkaar in een strakke formatie op maar net iets meer dan masthoogte over het schip en cirkelden er als twee roofvogels in steeds kleiner wordende cirkels een paar keer omheen tot ze uit haar zicht verdwenen. Het kloppende geluid van de rotorbladen stierf weg. De helikopters waren kennelijk boven op de opgestapelde containers geland.

Carina was ervan overtuigd dat ze de identiteit van de bezoekers in de kantine wel te horen zou krijgen. Ze vervolgde haar wandeling tot ze opeens stokstijf bleef staan. Vlak voor haar zakte er aan het uiteinde van een touw een figuur langs de containers omlaag en landde op het dek. Vervolgens zeilden er nog drie figuren langs het touw naar beneden en versperden haar de doorgang. Hun gezichten gingen schuil achter maskers, waar alleen hun ogen doorheen schitterden. Ze droegen strakke zwarte uniformen en waren bewapend met pistoolmitrailleurs.

Carina draaide zich om en zette het op een rennen, maar achter haar waren nog eens vier bewapende mannen van de containers afgedaald, die nu op haar afkwamen. Een van de vreemdelingen greep haar bij haar arm en draaide haar om, waarna haar polsen achter haar rug met breed plakband ruw aan elkaar werden gebonden.

Ze werd in de richting van de brug geduwd en ze voelde hoe de korte loop van een pistoolmitrailleur hard tussen haar schouderbladen prikte. Er kwamen nog meer figuren op haar af. Carina herkende twee Filippijnse bemanningsleden. Ze glimlachten en voor Carina was het duidelijk. De Filippijnen zaten in het complot met de kapers.

De overvallers splitsten zich in twee groepen. Een van de bemanningsleden liep met vier kapers naar de brug. De andere Filippijn ging de overigen voor over het dek. De hele operatie verliep zwijgend. Deze mannen wisten precies wat ze deden en wat ze wilden, besefte Carina. Maar tot haar stomme verbijstering leidde het bemanninglid haar linea recta naar de container met haar artefacten en klopte met zijn in een handschoen gestoken knokkels op het staal.

De deur van de container zat ingeklemd tussen de containers die ernaast stonden. Een van de kapers opende een aluminium koffer en haalde een snijbrander met een zuurstoffles tevoorschijn. Hij zette de snijbrander in elkaar, ontstak de vlam en stelde die tot een kleine punt af. Vervolgens zette hij een veiligheidsbril op om zijn ogen tegen de opspattende vonken te beschermen en begon systematisch een gat uit de zijkant van de container weg te branden.

Onwillekeurig ontsnapte er een kreet aan Carina's lippen. Er volgde onmiddellijk een reactie. Een van de kapers greep haar armen en schopte tegelijkertijd tegen haar enkels. Hierdoor verloor Carina haar evenwicht en omdat ze haar val niet met haar armen kon opvangen, sloeg ze hard tegen het dek. Ze kwakte met haar voorhoofd tegen een stuk staal en verloor het bewustzijn.

Toen ze weer bijkwam, lag ze op haar rug in het schemerduister. Ze had een stekende hoofdpijn. Ze rolde op haar zij en zag dat ze in de container tussen twee kartonnen dozen ingeklemd lag. Door een rechthoekig gat waarvan de gekartelde randen op het werk van een snijbrander wezen, scheen daglicht naar binnen.

Ze probeerde op te staan, maar met haar op de rug gebonden handen was het moeilijk om overeind te komen en ze werd zo duizelig dat ze haar poging moest staken. Terwijl ze zwaar hijgend op de koude stalen vloer lag, streek er opeens een schaduw over de kisten. Er tuurde een man door het gat. Het gezicht had ietwat mollige wangen, maar de ronde ogen die haar uit het engelachtige gelaat aanstaarden fonkelden met een duivelse glans.

De koude rillingen liepen Carina over de rug. Het was een afschrikwekkende aanblik, zoiets gruwelijks had ze nog nooit gezien. Haar angst stond waarschijnlijk op haar gezicht gegrift, want de man glimlachte.

Carina was haast dankbaar dat ze opnieuw haar bewustzijn verloor.

9

De oranje met wit gekleurde HC-130H Hercules, een voor langeafstandsvluchten geschikt patrouillevliegtuig, was in de ochtendschemering van St. John's opgestegen en koerste in dienst van de International Ice Patrol voor een zeven uur durende vlucht naar het oosten. Met een kruissnelheid van zo'n 560 kilometer per uur zou de viermotorige hoogdekker na afloop van de patrouillevlucht een gebied van bijna tachtigduizend vierkante kilometer hebben afgewerkt.

De man van de Kustwacht achter het bedieningspaneel van de radar was met zijn gedachten bij het afspraakje dat hij die avond met een mooie Newfoundlandse had. Hij probeerde een manier te verzinnen waarmee hij haar in bed kon krijgen toen hij een verdacht stipje op het radarscherm zag oplichten.

Hij was meteen alert. De man zette zijn wellustige gedachten onmiddellijk van zich af en concentreerde zich op het scherm. Het viermotorige turboproptoestel beschikte over radarapparatuur die zowel naar voren als naar opzij registreerde. Het zijwaartse radarsysteem (SLR) nam een groot voorwerp in het water waar dat zich op zo'n dertig kilometer afstand in noordelijke richting bevond.

Sinds 1912, toen de ijspatrouilles werden ingesteld om een herhaling van de ramp met de *Titanic* te voorkomen, had de detectie van ijsbergen een drastische ontwikkeling doorgemaakt. Maar ondanks de technologische vooruitgang werd de identificatie nog altijd meer als een kunst dan als een wetenschap gezien.

De radarman probeerde uit te vinden of het hier om een ijsberg of een stilliggende vissersboot ging. Een geleidelijk verschuivend puntje zou op een varend schip wijzen. Maar de echo verplaatste zich nauwelijks en beschreef zeker geen baan. Met zijn ervaren blik ontwaarde hij een schaduw in het radarbeeld, wat betekende dat de radar op die plek geen echo gaf, een fenomeen dat erop duidde dat het voorwerp groter was dan een schip.

Een ijsberg!

Hij stelde de mensen in de cockpit op de hoogte van zijn waarneming en de locatie, waarop het toestel van koers veranderde.

De mist die boven het zeeoppervlak hing, verhinderde een visuele identificatie tot in de allerlaatste minuut. Het toestel daalde tot het op een meter of zestig boven het water vloog. Tussen de nevelslierten door was even een ijsberg zichtbaar met een lange smalle punt aan een van de uiteinden, waarna de mist weer dichttrok. Maar die korte glimp was voor hen voldoende.

Vanuit het vliegtuig werden de gegevens van de ijsberg naar het controlecentrum van de ijspatrouille in Groton, Connecticut, gestuurd. Daar berekende een computer de meest waarschijnlijke koers die de berg zou volgen. Vervolgens werd de zeevarende gemeenschap via een radiobulletin voor de ijsberg gewaarschuwd. Dit bericht werd opgepikt door de bemanning van een Beechcraft Super KingAir van Provincial Airlines die in opdracht van de offshore-boormaatschappijen in het gebied rond de Grand Banks patrouilleerde.

Het tweemotorige vliegtuig zette koers naar de opgegeven coördinaten. De mist was aan het optrekken en de bemanning had de ijsberg al snel in het vizier. Nadat ze er een paar keer laag overheen waren gevlogen, gaven ze via de radio een bevestiging van de waarneming door aan alle boorplatforms en in de buurt varende schepen.

De *Leif Eriksson* voer in een rustige zigzagkoers toen ze de waarschuwing ontvingen. Onmiddellijk verhoogden de beide dieselmotoren met een vermogen van 10.000 pk in een luid brullend krachtsvertoon hun toerental. Het schip trok een schuimend kielzog door de grijze zee en schoot door het water als een motoragent die een snelheidsovertreder heeft gespot.

Austin stond op de brug met Zavala over een zeekaart gebogen toen de waarschuwing over de radio binnenkwam.

'Onze vermiste Moby?' vroeg Austin aan de kapitein.

'Mogelijk,' antwoordde Dawe. 'De omschrijving klopt. Maar we weten het gauw genoeg.'

Dawe gaf aan de machinekamer door de snelheid op te voeren. Er kronkelden katoenachtige nevelslierten rond de stampende boeg. Binnen enkele minuten hing er een kleurloze damp om het schip alsof het in een kletsnatte theedoek was gewikkeld. Het zicht was geen vijftig meter meer. Het schip vervolgde blindelings haar koers, volledig afhankelijk van de elektronische apparatuur.

De kapitein hield het radarscherm nauwlettend in de gaten en gaf van tijd tot tijd aan de roerganger koerswijzigingen door. Het schip voer op een slakkengangetje en de spanning op de brug was te snijden. Ze bevonden zich in het gevreesde gebied waar de *Titanic* haar graf had gevonden. Ondanks de elektronica waarmee ze een speelgoedbootje in een regenplas konden waarnemen, waren botsingen met ijsbergen geen zeldzaamheid, soms zelfs met fatale gevolgen.

De kapitein slaakte een cryptische kreet en keek op van het radarscherm.

Grijnzend zei hij: 'Heb ik jullie wel eens verteld wat een Newfoundlander als afweermiddel tegen muggen gebruikt?'

'Een jachtgeweer,' antwoordde Zavala.

'Want een mug stort neer als je zijn landingslichten kapot schiet,' vulde Austin aan.

'Die kenden jullie dus al. Wees maar niet bang, we maken nog wel echte Newfoundlanders van jullie.'

Nadat hij de spanning zo wat had gebroken, richtte hij zijn aandacht weer op het radarscherm. 'De mist begint op te trekken. Let goed op. We zijn er bijna.'

Austin speurde de grijze omgeving af. 'We hebben gezelschap,' zei hij, waarmee hij de haast sacrale stilte op de brug verbrak.

Als in een droom doemde het spookachtige silhouet van een enorme ijsberg voor hen op. Binnen enkele seconden werden de omtrekken steeds scherper en minder spookachtig. De berg liep van de ene kant schuin op tot een hoogte van een vijftien verdiepingen tellend flatgebouw aan het andere uiteinde. Door een gat in de mist priemde een felle straal zonlicht. In het licht van deze hemelse schijnwerper glinsterde de berg in een spierwitte glans doorsneden met hemelsblauwe spleten, waar het opgevroren smeltwater geen luchtbelletjes bevatte die wit licht reflecteerden.

De kapitein sloeg Austin en Zavala op de rug. 'Pak je harpoen, jongens. We hebben 'm, de Moby-berg.' Verrukt staarde hij naar de enorme berg. 'Niet mis, hè?'

'Een aardig ijsblokje,' reageerde Austin. 'En dan zien we er nog maar een achtste deel van, het meeste zit onder water.'

'Dat is voldoende ijs voor een miljard margarita's,' zei Zavala met onverholen ontzag.

'Dit is nou een kasteel,' zei Dawe. 'Net zo een als waar de *Titanic* op stuk liep. De gemiddelde berg in deze omgeving is een paar honderd-duizend ton en hoogstens zestig meter lang. Dit is er een van 500.000 ton met een lengte van bijna honderd meter. De ijsberg van de *Titanic* was niet meer dan zo'n 250.000 ton.'

De kapitein gaf de roerganger opdracht om op een afstand van dertig meter om de berg heen te varen. 'We moeten extra voorzichtig zijn,' verklaarde hij.

'De punten die uit het water opsteken lijken scherp genoeg om de zeepokken van onze romp te schrapen,' zei Austin.

De kapitein hield zijn ogen strak op de berg gericht. 'Ik maak me meer zorgen over de uitsteeksels die we níet zien. Die blauwe barsten zijn zwakke plekken. Ieder moment kan er een enorm stuk ijs afbreken en alleen al de plons die dat veroorzaakt, zou ons schip tot zinken kunnen brengen.' Dawe wierp hen een grijnzende blik toe. 'Nog altijd blij dat jullie met ons zijn meegegaan?'

Austin knikte bevestigend en probeerde zoveel mogelijk van de dodelijke schoonheid van de majestueuze ijsberg in zich op te nemen.

Zavala had al zijn aanvankelijke bedenkingen tegen de reis van zich afgezet en staarde geboeid naar de reusachtige berg. 'Fantastisch!' zei hij.

'Dat is goed om te horen, vrienden, want deze baby is voor jullie. Een paar jaar geleden heeft een schip van de NUMA mij uit een penibele situatie geholpen. Dit is mijn manier om iets terug te doen. De eigenaren van het schip hebben laten weten dat er wat de aansprakelijkheid geen problemen zijn wanneer jullie als tijdelijke bemanningsleden aanmonsteren, wat jullie in feite al hebben gedaan. En jullie hebben al bewezen dat jullie natuurtalenten zijn in het vangen van *bergy bits*.'

Dawe had zijn gasten laten meehelpen bij het met lasso's vangen van de kleinere bergjes, die lichtelijk misplaatst met de naam van een fastfoodgerecht werden aangeduid. Hij was onder de indruk van hun teamwork en de manier waarop ze zich al snel de techniek hadden eigen gemaakt.

'Die *bergy bits* waren zo groot als huizen,' zei Austin. 'En dat ding daar doet niet onder voor het hele Watergate-complex.'

'Het principe blijft hetzelfde. Bekijk 'm, omcirkel 'm, vang 'm en trek 'm naar je toe. Ik kijk wel over je schouder mee voor het geval het niet lukt. Trek je stormpak maar aan, dan zien we elkaar op het dek.'

Austin en Zavala glunderden als jochies die voor eerst op een fiets mochten rijden. Ze bedankten de kapitein en haastten zich naar hun hut. Ze trokken een extra laag warme kleren aan en hesen zich ieder in een fel oranje oliepak. Toen ze het dek opstapten, was de wind flink aangewakkerd. De vlekkerige zeespiegel was zo ruw als een krokodillenhuid.

De kapitein keek aandachtig toe hoe de twee mannen samen met de bemanning diverse ruim 350 meter lange stukken sleepkabel van twintig centimeter dik polypropyleen aan elkaar koppelden. De kabel werd aan een cilindrische bolder op het achterdek bevestigd en door een brede opening in de reling van de achterplecht naar buiten geleid. Aan het loshangende uiteinde werd een boei vastgemaakt. Door een portofoon nam Austin contact op met de brug en meldde dat ze klaar waren.

Het schip voer in een wijde cirkel op een afstand van zo'n zestig meter om de berg heen en hield herhaaldelijk in om de bemanning de gelegenheid te geven een nieuw stuk aan de sleepkabel te koppelen.

Toen de *Eriksson* bij het beginpunt terug was, trok een van de bemanningsleden met een lange haak het aan de boei drijvende uiteinde van de kabel naar zich toe en hees het aan dek. Austin liet de matrozen er zodanig een stalen kabel aan vastmaken dat de hoofdkabel laag op het water bleef liggen. Dit om te voorkomen dat de lijn langs het gladde oppervlak van de berg zou wegglijden. De kapitein inspecteerde de constructie.

'Goed werk,' zei Dawe. 'Nu komt het leuke deel.'

Hij liep voor Austin en Zavala uit terug naar de brug. Er lag nu een kleine kilometer open water tussen het schip en de ijsberg; voor Dawe was dit de minimumafstand voor een veilige sleep.

'Je mag het vanaf nu weer van ons overnemen,' zei Austin.

Hij begreep maar al te goed dat dit geen werk was voor een amateur. IJsbergen die gesleept worden, hebben de neiging om te kiepen en bovendien bestond het gevaar dat de sleepkabel in de schroeven verstrikt raakte.

Op aanwijzingen van de kapitein werd de snelheid van het schip geleidelijk opgevoerd. De sleepkabel kwam strak te staan. Het water achter het schip spatte woest schuimend op. Worstelend tegen de traagheid die de berg op zijn plek hield, trok het schip de reusachtige ijsberg uit de omarming van de zee los en kwam langzaam in beweging. Het zou uren duren voordat ze een snelheid van net één knoop haalden.

Nu ze de ijsberg op sleeptouw hadden, excuseerde Austin zich en kwam na een paar minuten terug uit zijn hut. Hij overhandigde de kapitein een kartonnen doos. Toen Dawe de doos opende, verbreedde zijn mond zich tot een grijns. Hij pakte de breedgerande Stetson uit de doos en zette de cowboyhoed op zijn hoofd.

'Aan de grote kant, maar als ik er een krant in stop, past-ie wel. Bedankt, jongens.'

'Zie het als een bescheiden teken van waardering voor het feit dat je ons mee hebt willen nemen,' zei Austin.

Zavala keek naar de ijsberg, waarbij het schip haast in het niet verdween. 'Wat gaan we eigenlijk met dat ding doen?'

'We slepen hem naar een stroming die hem van de olieplatforms weg zal voeren. Dat kan een paar dagen duren.'

'*Kapitein...*' De radarman vroeg Dawe op het scherm te komen kijken. 'Ik heb hier een echo ontdekt. Zo te zien beweegt-ie in de richting van de Great Northern.'

De radarman had met een viltstift drie kruisen op een transparant plastic vel gezet dat hij voor het scherm hield om de vermoedelijke koers en snelheid van het object aan te geven. De kapitein pakte een richtliniaal en legde hem langs de markeringspunten.

'Dit is niet best,' mompelde hij. 'Dit is een schip dat recht op een booreiland af vaart. En behoorlijk hard!'

Via de radio nam hij contact op met het platform Great Northern. De man aan de radar van het booreiland had het naderende schip ook gezien en geprobeerd er contact mee op te nemen. Er werd niet gereageerd. Hij wilde juist de *Leif Eriksson* oproepen toen Dawe zich bij hem meldde.

'We maken ons een beetje ongerust,' zei de radarman. 'Dat schip vliegt ons haast letterlijk naar de keel.'

'Daar ziet het inderdaad naar uit,' zei Dawe. 'Zo te zien bevindt het zich op een kilometer of vijftien afstand.'

'Dat is veel te dichtbij!'

'We laten de berg die we slepen los en gaan proberen hem te onderscheppen. Hoe lang hebben jullie nodig om het platform van de boorkoker los te koppelen?'

'Daar zijn we al mee begonnen, maar als dat schip met deze snelheid doorvaart, is het hier eerder.'

'Blijf radiocontact zoeken. Dan snijden wij het de pas af.' Hij draaide zich om naar Austin en Zavala. 'Sorry, jongens, maar we moeten jullie berg loskoppelen.'

Austin had met het radiogesprek meegeluisterd. Hij trok de jas van zijn oliepak weer aan en drukte de zuidwester op zijn hoofd. Zavala volgde zijn voorbeeld.

Voor het loskoppelen volgden ze een procedure die exact tegengesteld was aan het vastmaken. De dekknechten haakten het van een boei voorziene uiteinde van de sleepkabel los. Dawe manoeuvreerde het schip om de ijsberg heen, terwijl de bemanning de vele honderden meters kabel inhaalden. Toen ook het laatste stuk kabel op veilige afstand van de schroeven aan dek was gehaald, gaf de kapitein opdracht de snelheid tot volle kracht vooruit op te voeren.

Zavala bleef aan dek om bij het verstouwen van de kabels te helpen en Austin ging terug naar de brug. De kapitein hield de microfoon in zijn hand. 'Nog steeds geen contact?' vroeg Austin.

Dawe schudde zijn hoofd. Hij keek bezorgd en zijn geduld was duidelijk op. 'We moeten die idioten nu snel te pakken zien te krijgen.'

De kapitein liep naar het radarscherm. Er was een kruis bijgekomen en met de aanvankelijke koerslijn verbonden. Een tweede lijn gaf de koers aan van de *Eriksson*.

'Is er een kans dat het eiland een directe aanvaring ongeschonden overleeft?' vroeg Austin.

'Nauwelijks. De Great Northern is een diepdrijvend booreiland. De pijlers bieden wel enige bescherming, maar dat is niets in vergelijking met het Hibernia-platform, dat met dikke betonnen pijlers stevig op de bodem verankerd staat.'

Austin had ervaring met booreilanden opgedaan in de tijd dat hij op de Noordzee had gewerkt. Hij wist dat een diepdrijvend eiland meer op een schip leek dan een vast platform en vooral in diepe wateren wordt gebruikt. Vier pijlers rusten op pontons die als een soort romp functioneren. Het eiland is zo ontworpen dat het kan worden versleept en sommige eilanden kunnen zich ook op eigen kracht verplaatsen. Zodra het booreiland op de plaats van bestemming is, worden de pontons met water gevuld. Een aantal zware ankers houden het eiland vervolgens op zijn plaats.

'Hoeveel mensen zijn er op het eiland?' vroeg Austin.

'Er is accommodatie voor 230 man.'

'Zouden ze nog op tijd weg kunnen komen?'

'Ze zijn de ankers aan het ophalen en de onderhoudsboten staan op het punt om met het wegslepen te beginnen. Maar het booreiland is alleen uitgerust om zich uit de route te verwijderen van langzaam voortbewegende ijsbergen die door de ijspatrouille over het hoofd zijn gezien. Ze zijn niet gemaakt om een op hol geslagen schip te ontwijken.'

Austin betwijfelde of het door de kapitein gebruikte *op hol geslagen* wel de juiste omschrijving was, omdat dat zou betekenen dat men de controle over het schip kwijt was. Hij had meer de indruk dat men het schip juist heel goed onder controle had en dat het heel doelbewust recht op het booreiland afvoer.

Een bemanningslid met extreem goede ogen wees naar de zee aan stuurboordzijde van de boeg. 'Daar zie ik het.'

Austin nam de verrekijker van de man over en draaide aan de scherpstelknop tot hij het silhouet van een containerschip zag. De grote letters die op de rode romp stonden, waren duidelijk leesbaar en ze identificeerden het schip als behorend tot de vloot van de scheepvaartmaatschappij Oceanus Lines. Op de enorme stompe boeg stond in witte letters de naam van het schip: OCEAN ADVENTURE.

De schepen volgden op een halve kilometer afstand van elkaar zij aan zij een parallelle koers. De *Eriksson* probeerde met behulp van knipperende schijnwerpers en stoten op de scheepstoeter de aandacht van het andere schip te trekken. Maar de *Adventure* vervolgde haar weg zonder vaart te minderen. De kapitein spoorde de bemanning aan de pogingen om visueel of via de radio contact te zoeken niet op te geven.

Het booreiland kwam in zicht. Het platform stak als een vierpotige watertor boven het zeeoppervlak uit. Van het silhouet vielen vooral een hoge boortoren en een schijfvormig helikopterplatform op.

'Heeft het eiland een heli?' vroeg Austin aan de kapitein.

'Die is op de weg terug van een vlucht naar het ziekenhuis. Maar voor een evacuatie door de lucht is het nu toch te laat.'

'Ik dacht niet aan een evacuatie. Maar misschien zou de heli iemand aan boord van het containerschip kunnen afzetten.'

'Daar is geen tijd meer voor. Het enige wat de heli nog kan doen is een paar overlevenden oppikken, als die er zijn.'

Austin hield de verrekijker weer voor zijn ogen. 'Hou de lijkzakken voorlopig maar in de kast,' zei hij. 'Misschien is het eiland nog te redden.'

'*Onmogelijk!* Het eiland zinkt als een baksteen als het schip er bovenop knalt.'

'Kijk eens goed midscheeps,' zei Austin. 'Wat zie je daar?'

De kapitein tuurde door de kijker. 'Er hangt een staatsietrap tot vlak boven het water.'

Austin legde uit wat hij van plan was.

'Dat is gekkenwerk, Kurt. Veel te gevaarlijk. Dat kan jullie dood worden.'

Austin keek Dawe met een strak glimlachje aan. 'Met alle respect, kapitein, maar wij zijn niet zo snel stuk te krijgen, met die Newfoundlandse humor van jou is het ook niet gelukt.'

De kapitein zag de vastberadenheid op Austins gezicht en het diepe vertrouwen dat ervan afstraalde. Als er iemand in staat was het onmogelijke te doen, dan waren het deze Amerikaan en zijn vriend.

'Oké,' zei Dawe. 'Ik zorg dat je alles krijgt wat je nodig hebt.'

Austin hees zich weer in zijn oliepak, trok de rits dicht en haastte zich naar het dek om Zavala in te lichten. Zavala kende zijn vriend goed genoeg om niet op te kijken van de risico's die Austin met zijn plan durfde te nemen.

'Behoorlijk simpel van opzet als je er goed over nadenkt,' zei Zavala. 'Maar de kans dat het lukt houdt niet over.'

'Maar de kans dat een sneeuwbal het hellevuur overleeft is volgens mij toch echt kleiner.'

'Ja, maar erg veel groter ook niet. De uitvoering lijkt me lichtelijk riskant. Wat vindt kapitein Dawe ervan?'

'Volgens hem zijn we hartstikke gek.'

Zavala richtte zijn ogen op het enorme containerschip dat naast hen door de grijze zee ploegde en met een ervaren kennersblik schatte hij de snelheid, richting en watercondities in.

'De kapitein heeft gelijk, Kurt,' zei Zavala. 'We zijn écht hartstikke gek.'

'Dan neem ik aan dat je meedoet.'

Zavala knikte. 'Ja natuurlijk. Dat ijsbergjes vangen had ik wel gezien.'

'Bedankt, Joe. Wat mij betreft is het een kwestie van een juiste inschatting die al dan niet goed uitpakt.'

Zavala begreep precies wat Austin bedoelde. 'Hoeveel mensen zijn er op het booreiland?'

'Volgens de kapitein ruim tweehonderd, plus de bemanning van het schip.'

'Een simpel rekensommetje. De risico's zijn enorm, maar niet onoverkomelijk en we kunnen er misschien meer dan tweehonderd levens mee redden.'

'Zo zie ik het ook,' zei Austin. Hij trok een reddingsvest aan en gooide er ook Zavala een toe. Ze bezegelden het plan met een ferme handdruk. Austin stak zijn duim naar de kapitein op, die het overleg vanaf de brug had bekeken.

Onder kapitein Dawes strakke regie draaide het schip iets bij en kwam onder een zodanige hoek tegen de wind in tot stilstand dat Austin en Zavala aan lijzijde van het schip de felrode vijf meter lange opblaasboot te water konden laten. Hoewel het schip zo de volle kracht van de wind opving, danste de rubberboot als een speelgoedeendje in een woelige badkuip op de hoge deining van de zee.

Austin was uitgerust met een op een zender aangesloten headset. Kapitein Dawe kon hem zo op de hoogte houden van de vorderingen van de ploegen die de ankers van het booreiland ophaalden. Als ze erin slaagden alle ankers zo snel op te halen dat ze nog voldoende tijd hadden om uit de route van het naderende schip weg te komen, of als het schip toch zijn koers nog zou wijzigen, zou hij dat aan Austin doorgeven, die zijn inspanningen dan onmiddellijk kon afbreken. Maar zolang een botsing tussen het schip en het platform onvermijdelijk leek, zou Austin zijn plan doorzetten.

Austin bungelde aan het uiteinde van een touwladder, terwijl de schuimende koppen van de golven tegen zijn voeten spatten tot hij van de ladder afstapte en op handen en voeten in de boot belandde. Het was alsof hij op een natte trampoline sprong. Hij duikelde er haast weer uit, maar wist zich nog net vast te grijpen aan de handgrepen op de drijvers en hield zich stevig vast aan de hevig schommelende boot.

Zodra de opblaasboot door zijn gewicht wat stabieler kwam te liggen, startte Austin de vijfenzeventig pk sterke motor. Nadat de buitenboordmotor pruttelend was aangeslagen, greep Austin de touwladder van het schip en hield de boot recht zodat Zavala zich bij hem kon voegen. Zavala sprong met de van hem bekende katachtige souplesse in de rubberboot, gooide de meertouwen aan de boeg en achtersteven los en duwde de boot van het schip af.

Austin gaf de helmstok over aan Zavala, die de gashendel opendraaide en de stompe voorsteven op een koers legde die hen naar de *Ocean Adventure* zou brengen.

10

Vanaf de zes verdiepingen hoge brug van de *Ocean Adventure* keek kapitein Irwin Lange als door de ogen van een overvliegende meeuw uit over vrijwel de gehele lengte van het schip waarover hij het bevel voerde. Hij bevond zich op zijn hooggelegen post toen de helikopters als uit het niets opdoken en boven op de opgestapelde containers landden. Aanvankelijk was hij slechts met stomheid geslagen, maar terwijl hij het tafereel door de reusachtige ruiten die op het lange dek uitkeken, gadesloeg, veranderde dat al snel in pure woede.

De kapitein was trots op zijn Teutoonse onverstoorbaarheid. Zijn stabiele karakter weerspiegelde zich in een stoïcijnse gezichtsuitdrukking waaruit een vrijwel onveranderlijk overtuigd zijn van eigen kunnen sprak. Maar nu was dat allerminst het geval. De groeven op zijn ingevallen kaken verdiepten zich. De helikopters waren geland zonder dat ze hem daar toestemming voor hadden gevraagd. Zijn gezonde verstand zei hem onmiddellijk dat hier onmogelijk van een noodlanding sprake kon zijn. Bij één helikopter, ja misschien, maar niet bij twee tegelijk.

Hier klopte iets niet. Dit was niet in de haak. Zijn kwaadheid nam alleen nog maar toe toen hij door zijn verrekijker turend een man of tien uit de helikopters zag springen die zich onder de rondzwiepende rotorbladen over de containers verspreidden. Ze waren allemaal in het zwart gekleed. Hij ving maar een glimp van ze op alvorens ze over de rand van de containers uit het zicht verdwenen. Maar in die flits had hij nog wel gezien dat ze wapens bij zich hadden. Zijn woede sloeg om in ontzetting.

Piraten!

Lange ademde diep in. *Onmogelijk.* Piraten kwamen alleen voor in afgelegen gebieden als de wateren rond Sumatra en in de Chinese Zee. Er waren aanvallen van piraten geweest voor de kust van Brazilië en

West-Afrika. Maar dat er zeerovers actief zouden zijn in een ijskoude, mistige omgeving als de Grand Banks leek hem ondenkbaar.

In al die jaren dat hij de Europees-Amerikaanse route bevoer, was zijn enige confrontatie met piraten een door een verzekeringsmaatschappij geproduceerde videofilm geweest. De rederij van het schip waarover hij het bevel voerde, had de film onder al haar kapiteins gedistribueerd met de instructie hem met de officieren te bekijken. De film ging over woest ogende Aziatische piraten die in kleine, snelle bootjes een tanker overvielen.

Lange deed een wanhopige poging zich de lessen te herinneren die de film hen had moeten inprenten.

Waakzaamheid is de beste verdediging tegen piraterij. Maar niemand had voor piraten gewaarschuwd die vanuit de lucht aanvielen!

Verander het schip in een vesting. Voor het vergrendelen van alle deuren was het te laat.

Vecht niet met de piraten. Uitgesloten. Seinpistolen waren de enige wapens aan boord. Bovendien was geen van de Duitse officieren of de Filippijnse bemanningsleden getraind in de omgang met wapens.

Blijf kalm. Nou ja, dat was het enige waar hij echt goed in was.

Hij wendde zich tot de bemanning op de brug, die niet minder geschrokken was van de plotselinge komst van de helikopters.

'Ik geloof dat het schip door piraten wordt overvallen,' zei hij op dezelfde onbewogen toon waarop hij zou hebben meegedeeld dat er een sneeuwstorm op komst was.

Uit het van angst vertrokken gezicht van zijn eerste officier viel duidelijk af te lezen dat de jongere man allerminst met de kalmte van zijn kapitein behept was. '*Piraten!* Wat moeten we doen?'

'Bied onder geen enkele voorwaarde verzet. Ik zal assistentie vragen.'

Hij pakte de microfoon van de radio, maar net toen hij zijn noodoproep wilde doen, klonk er gekraak op uit de luidspreker.

'Oproep aan de kapitein van de *Ocean Adventure*,' zei een stem. 'Hoort u mij?'

'Hier spreekt de kapitein,' antwoordde Lange. 'Met wie spreek ik?'

De vraag van Lange werd genegeerd. 'We brengen uw bemanning bijeen. We controleren uw radioverbindingen en raden u aan geen noodsignalen uit te zenden. Hebt u dat begrepen, kapitein Lange?'

Hoe wisten ze zijn naam?

De kapitein slikte. 'Ja, ik heb u begrepen.'

'Goed. Blijf waar u bent.'

De kapitein dacht op dat moment uitsluitend aan het welzijn van zijn twintigkoppige bemanning. Als hij zijn mannen waarschuwde, zouden ze zich wellicht nog kunnen verbergen. Hij pakte de scheepstelefoon en zocht verbinding met de machinekamer. Geen gehoor. Hij probeerde de kantine van het schip. Niets. Hij verdrong een opkomend gevoel van paniek en probeerde de officierslounge. Ook nu geen reactie.

Van de brugvleugel klonken zware voetstappen. Het volgende moment stormde er een groep gewapende mannen de brug binnen. Vier van de mannen droegen identieke zwarte uniformen en bivakmutsen die behalve hun harde ogen het hele gezicht bedekten. De vijfde man droeg een spijkerbroek en een windjack. Zijn gezicht was niet bedekt. De kapitein zag dat het Juan was, een Filippijn die in de machinekamer werkte.

De kapitein dacht eerst dat Juan gevangen was genomen tot hij het pistool in de hand van het bemanningslid zag. De Filippijn zag de verwarring op het gezicht van de kapitein en zijn lippen krulden zich tot een grijns rond een onregelmatige rij tanden. De kapitein besefte dat Juan met de piraten samenwerkte. Dat verklaarde waarom ze de controle zo snel hadden kunnen overnemen. En dat ze zijn naam kenden. Juan had de aanvallers direct naar de machinekamer en andere delen van het schip geleid.

Een van de mannen liep naar het bedieningspaneel en duwde de stuurman opzij.

'Wat bent u van plan?' vroeg kapitein Lange.

Via het toetsenbord van de scheepscomputer voerde de man coördinaten in die hij van een meegebracht papier aflas. De kapitein zag dat hij de besturing van het schip op de automatische piloot zette. Toen de man hiermee klaar was, draaide hij zich om.

'Kom op! Naar het dek jullie!' snauwde hij.

Lange stak zijn scherp geprononceerde onderkaak uitdagend naar voren, maar hij deed wat hem gevraagd werd en zei tegen de andere bemanningsleden hetzelfde te doen. De koude zeewind die over het dek blies, sneed dwars door de lichte jas van de kapitein. Maar de koude rillingen hadden hem ook anders wel over de rug gelopen bij het schouwspel dat zich voor hem afspeelde. De overige bemanning was door gewapende mannen bijeengedreven. Er bleek nog een tweede Filippijns bemanningslid net als Juan met de piraten samen te werken.

Hardhandig met hun wapens porrend dreven de piraten de angstige groep naar het achterdek. Daar stond nog een stel piraten bij een manshoog voorwerp. Het was in zeildoek verpakt en werd nu stevig met dikke touwen omwikkeld.

Langes oog viel op de piraat die de knopen in het touw controleerde. Het was een lange man van zo'n een meter negentig die met kop en schouders boven de andere kapers uitstak. En hij had armen die zelfs voor zijn forse lichaam te lang leken. Toen hij zich omdraaide, zag Lange dat zijn gezicht niet bedekt was. Hij keek de kapitein met engelachtige ogen aan.

'U hebt er goed aan gedaan mijn bevelen op te volgen, kapitein,' zei de man. Lange herkende de stem die hem had gewaarschuwd geen noodsignaal uit te zenden. De stem klonk op een onwezenlijke manier warm en hartelijk.

'Wie bent u?' vroeg de kapitein. 'En wat doet u op mijn schip?'

'Vragen, vragen,' zei de man hoofdschuddend. 'Het zou veel te ver voeren om daar nu op in te gaan.'

De kapitein gooide het over een andere boeg. 'Ik doe alles wat u zegt, alleen, laat u alstublieft mijn bemanning met rust.'

De mond die een haast vrouwelijke zachtheid uitstraalde, verbreedde zich tot een glimlach. 'Maakt u zich geen zorgen. We zullen u en uw schip net zo achterlaten als we het hebben aangetroffen.'

Lange was niet gek. Het feit dat de man niet de moeite had genomen om zijn gezicht te bedekken betekende dat hij niet bang was dat hij later nog door iemand herkend zou worden. Na een knikje van de bendeleider gaf een van de kapers de kapitein een por met zijn pistoolmitrailleur en zei dat hij en zijn bemanning met het gezicht omlaag op het dek moesten gaan liggen. Vervolgens werden zijn handen en voeten met tape vastgesnoerd.

'En de vrouw?' vroeg Juan aan de man met de babyface. 'Wat doen we met haar?'

'Wat je wilt,' zei de leider van de kapers. 'Ze heeft ons een hoop ellende bezorgd. Maar doe het snel.' Het onderwerp leek hem geen verdere aandacht waard en hij richtte zijn aandacht weer op het in zeildoek verpakte object.

Juan streek over het gevest van een mes dat aan zijn riem hing en liep haastig weg over het dek om zich aan zijn lugubere taak te wijden. Hij verheugde zich op wat komen ging. Hij had Carina al dagenlang met geile ogen bespioneerd en zich er een voorstelling van gemaakt hoe ze er onder haar kleren uit zou zien. Likkebaardend dacht hij aan de zachte warme rondingen van het lichaam dat hij in de container had getild. Hij had maar een paar minuten de tijd, maar dat was lang genoeg om haar te laten voelen wat een echte man was voordat hij haar om zeep hielp.

Terwijl hij zijn pas tot een drafje versnelde, keek hij over zee uit en zag daar tot zijn schrik een boot uit de mist opdoemen die hen snel inhaalde. De rubberboot, waarin twee mannen zaten, stuiterde over de golven recht op de *Ocean Adventure* af.

De Filippijn overwoog of hij de anderen zou waarschuwen, maar dan zou hij geen tijd meer voor de vrouw hebben. Zijn geilheid won het van zijn verstand. Hij zou dit zelf wel even oplossen.

Hij bukte zich en sloop zo ongezien door over het dek. De boot leek op een plek midscheeps aan te sturen. De Filippijn was er het eerst. Hij trok zijn mes, ging als een op een prooi azende krokodil plat op het dek liggen en keek toe hoe de boot dichterbij kwam.

Dit ging een bijzondere dag worden.

11

De platte bodem van de rubberboot schoot met doffe dreunen over de golven klappend door het water. Zavala had de spastische vliegende-visachtige sprongen gemakkelijk kunnen intomen door vaart te minderen, maar hij moest de boot op snelheid houden om op gelijke hoogte met het containerschip te blijven.

'Dit voelt als een auto met vier lekke banden,' gilde Austin boven de gierende herrie van de buitenboordmotor uit.

Zavala's reactie ging verloren in het geraas van een hoog opspattende golf die hem vol in het gezicht trof. Hij knipperde het vocht uit zijn ogen en spuugde een mondvol zeewater uit. 'Die klote kuilen!'

Vakkundig stuurde hij de boot dichterbij en gaf met de helmstok tegenroer om de onnatuurlijke golfslag te compenseren die de reusachtige romp opwierp. Het leek haast alsof de arm waarmee hij stuurde uit de kom werd gedraaid. De boot dreigde bij iedere zwenking terrein te verliezen, maar de verloren meters wonnen ze snel weer terug tot ze bijna halverwege de lengte van het schip lagen. Met vaste hand overbrugde Zavala ook de laatste lastige meters die hen nog van het schip scheidden.

Zoals ze met de hoge, brede boeg door de woelige zee ploegde, leek het containerschip een voorbeeld van onstuitbaar voortdenderend natuurgeweld. De langs de romp stromende boeggolf vormde een barrière van wit schuimend water tussen Austin en zijn doel: de loodsladder die vanaf het dek tot vlak boven de waterlijn hing. Het dek van de *Adventure* lag hoog boven het water. De touwladder was bedoeld om de overstap van de loodsboot op een vaste staatsietrap mogelijk te maken die schuin langs de zijkant van het schip liep.

Gezien vanaf het dek van de *Leif Eriksson* had de taak die Austin zichzelf had toebedacht weliswaar lastig geleken, maar niet onmogelijk.

De *Ocean Adventure* was echter zo lang als een op zijn zij liggende wolkenkrabber. Erger nog, deze wolkenkrabber bewoog. Terwijl Austin tegen de loodrecht oprijzende vestingwand opkeek die hij had gedacht te kunnen bedwingen, vroeg hij zich af of hij zich hier niet verschrikkelijk op verkeken had.

Hij schudde deze voor de concentratie funeste gedachte van zich af, kroop naar de voorsteven van de boot en kromde zijn vingers om het glibberig natte plastic van de drijvers. Zodra hij klaar zat voor de sprong, gebaarde hij Zavala met een zwaai van zijn arm dat hij de manoeuvre kon inzetten. Zavala stuurde de opblaasboot naar de ladder. Het witschuimende water ketste de boot terug als een koe die een vlieg van zich afsloeg. Zavala moest weer terug zien te sturen.

Austin hield zich stevig vast aan de boeg, terwijl Zavala op gelijke hoogte met het schip probeerde te blijven zonder dat de boot dwars tegen een golf werd gedrukt waardoor hij kon omslaan. Het koude water spatte in zijn ogen en vervaagde zijn blik. Het geluid van het bulderende water, de buitenboordmotor en de scheepsmotoren maakte communicatie, en zelfs nadenken, vrijwel onmogelijk. Des te beter, want als Austin had nagedacht over wat hij wilde doen, had hij het niet gedaan.

Hij begon moe te worden van het krachtige stampen van de boot. Als hij nu niet snel in actie kwam, zou uitputting het grootste obstakel worden. Lef en vastberadenheid waren nu de beste optie voor de strijd tegen de simpele wetten van de natuur.

Er klonk een stem door zijn walkietalkie.

'Kurt, hoor je me?' Het was kapitein Dawe.

'Geen tijd,' gilde Austin in de microfoon. 'Ben bezig.'

'Weet ik. Ik zie je. Kreeg net bericht van het booreiland. Laatste ankerlijn zit klem. Aanvaring lijkt onvermijdelijk. Zorg dat je wegkomt anders zit je daar behoorlijk in de kreukzone.'

Austin nam bliksemsnel een besluit. Hij wees naar het containerschip en riep over zijn schouder. 'Booreiland zit vast, Joe. Eropaf!'

Zavala stak zijn duim op en drukte de helmstok opzij zodat de boot tot op een paar meter van het schip kwam te liggen. Weer kwam het nietige bootje in de heftige stroming van de boeggolf. Zavala hield de boot als een Hawaïaanse golfsurfer op de kam van de rollende golf tot ze net iets voor de ladder voeren.

De touwladder was in de zogenaamde *man lines* verstrikt geraakt, de veiligheidstouwen die er aan beide kanten naast hingen. Zavala gaf vol gas en legde de boot ietsje schuin. De boot helde over als een scherp aan de wind varende zeilboot. Zavala en Austin gooiden hun gewicht naar de hoge kant. Zo schoot de boot over het schuimende water tot hij binnen handbereik van de tegen de romp klapperende ladder was.

In de op het kolkende water dansende boot voelde Austin zich als een tegen de stroom op zwemmende zalm. Nu de ladder eindelijk binnen bereik was, wrikte hij zijn voeten onder de zijdrijver van de rubberboot, wrong zich uit het zwemvest en kwam half overeind in sprongpositie. Hij moest volledig vrij in zijn bewegingen zijn en het zwemvest had toch weinig nut als het fout ging. Hij had maar één kans, en als hij die miste, kwam hij in het water terecht, waarin hij onmiddellijk langs de romp zou worden meegesleurd tot hij waarschijnlijk door de scheepsschroef aan mootjes werd gehakt.

Hij voelde dat de boot wegzakte en hij strekte zijn armen uit tot zijn vingers nog maar enkele centimeters van de onderkant van het touw verwijderd waren. Hij boog zich verder over de boeg, zijn vingers klauwend in het luchtledige. De afstand die tussen zijn vingers en de ladder gaapte, verwijdde zich weer. Opeens zwiepte het touw terug en greep hij als een door de nok van een circustent zwevende acrobaat de onderste sport van de touwladder beet.

Terwijl Austins vingers zich om de sport klampten, zwenkte Zavala de boot weg van het schip om te voorkomen dat hij omsloeg. Austin bungelde aan het uiteinde van de ladder, greep in het wilde weg boven zich en kreeg de volgende sport te pakken. De hardrubberen stang was glibberig van het zeewater. Hij glipte haast uit zijn hand toen een golf tot om zijn middel sloeg en hem omlaag trok, maar Austin had de sport klemvast en slaagde erin zich omhoog te trekken.

Door Austins gewicht kwam de ladder rustiger te hangen, maar het dubbele touw bleef in de rondte tollen. Hij liet haast los toen zijn hand langs de stalen romp schraapte. Zijn knokkels voelden alsof ze in een bijtend zuur werden gedoopt. De pijn verbijtend klom hij verder omhoog.

Hij wierp zijn hoofd in de nek om te zien hoe ver het nog was naar de staatsietrap die langs de romp hing. Wat hij zag was stimulerend. Hij was al halverwege de ladder. Nog een paar sporten en hij had het platformpje aan de onderkant van de metalen treden bereikt.

Nadat hij zich aan nog een paar sporten had opgetrokken, keek hij opnieuw omhoog. Tussen twee ijzeren stangen die verticaal uit het dek staken en als handgrepen dienden voor degene die aan boord wilde stappen, zag hij twee ogen in zijn richting turen. Een warrige haardos omlijstte een donker gekleurd mannengezicht. In een brede grijns blikkerde een onregelmatige rij tanden.

Het gezicht verdween en er stak een arm over de rand. De hand aan het uiteinde van de arm omklemde een mes waarvan het lange lemmet het touw van de ladder doorsneed.

'Hé!' schreeuwde Austin bij gebrek aan een effectievere uitroep.

Het mes stokte, maar ging vrijwel onmiddellijk weer door met snijden en had het touw met een paar halen doormidden. De touwladder schoot iets omlaag en Austin kwakte tegen de romp. Door de klap liet hij haast de ladder los. Zijn greep verstevigend keek hij weer omhoog. 'Krijg nou wat,' mompelde hij. Het mes bewerkte nu het tweede touw van de ladder.

Hij greep een van de veiligheidslijnen die los in de wind slingerden, en had hem net met beide handen vast toen het mes ook het tweede touw volledig doorsneed. De ladder stortte in de schuimende zee en was meteen verdwenen.

Austins hoofd sloeg als de klepel van een klok tegen de zijkant van het schip. Hij zag sterretjes dansen. Zich wanhopig vastklampend was hij zich maar al te goed bewust dat een laatste haal van het mes hem de dood in zou jagen. Hij stak een arm uit en greep de onderste trede van de staatsietrap en trok zich op tot onder het platform, waar hij hopelijk voor die fijne messentrekker niet meer te zien zou zijn.

Hij hield zich er heel even schuil. Toen hij het niet langer meer volhield, hees hij zich op het platform en sloop op handen en voeten de treden op tot hij bij de opening in de reling was. In een nogal onhandige verdedigende houding sprong hij het dek op en zag tot zijn opluchting dat hij daar door niemand in een hinderlaag werd opgewacht.

Austin zwaaide naar Zavala, die op veilige afstand langszij het containerschip voer. Zavala zwaaide terug.

Door de walkietalkie klonk de opgewonden stem van de kapitein. 'Alles oké, Kurt?'

Austin voelde zich als een vers gemalen gehaktbal, maar hij antwoordde: 'Opperbest, kap. Ik ben op het schip. Hoe lang heb ik nog?'

'Jullie hebben nog zo'n acht kilometer tot het booreiland. Gezien de snelheid kun je het schip nog stoppen of wegdraaien.'

Austin sprintte naar de bovenbouw op het achterdek, maar door een afgrijselijke gil hield hij in. Uit een ruimte tussen de opgestapelde containers klonk het schreeuwen van een vrouw die onmiskenbaar in doodsangst verkeerde.

12

Carina was net een paar minuten voordat Austin aan boord was geklommen, weer bij bewustzijn gekomen. Haar terugkeer in het land van de levenden had zo zijn schaduwzijde. Ze had een bonzende hoofdpijn en er lag een waas voor haar ogen. En haar maaginhoud speelde op.

Alle pijn en ellende voorkwamen dat ze opnieuw haar bewustzijn verloor en ze merkte dat ze nog steeds in de container lag, ingeklemd tussen transportkratten. Haar armen waren stevig op haar rug gebonden. In hun haast hadden de kapers haar benen niet geboeid.

In een bundeling van een door pure wil gesterkt doorzettingsvermogen en haar gedurende vele trainingsuren in het fitnesscentrum van de UNESCO opgebouwde soepele spierkracht slaagde Carina erin zich op haar buik te draaien. Met maximale inspanning van haar buikspieren drukte ze haar lichaam op tot ze op haar knieën zat. Wankelend kwam ze overeind en wachtte tot de duizeligheid wegebde. Vervolgens drukte ze zich met haar rug tegen een van de kratten en wreef met het plakband dat om haar polsen zat langs een van de hoeken.

Er prikten splinters in haar huid, maar ze negeerde de pijn. Nadat ze deze zelf veroorzaakte foltering een paar minuten had volgehouden schoten haar handen los. Terwijl ze de losgescheurde stukken tape van haar polsen trok, verscheen er een gestalte in de opening die de kapers in de container hadden uitgesneden.

Carina herkende het gezicht van de man. Ze wist niet hoe hij heette, maar wel dat hij een van de Filippijnse bemanningsleden was die ze op het schip bezig had gezien.

'Ik ben blij u te zien,' zei ze met een zucht van opluchting.

'En ik ben helemáál blij u te zien, *senorita*,' zei de man met een begerige glinstering in zijn ogen.

Carina's vrouwelijke intuïtie registreerde de dreiging die in zijn stem lag.

Ze keek over de schouders van de man. 'Zijn de kapers weg?'

'Nee,' zei hij grijnzend. 'We zijn er nog.'

We.

Carina probeerde langs hem te glippen. Maar de Filippijn deed een stapje opzij en blokkeerde de doorgang.

'Wat wilt u?' vroeg ze, maar ze had al spijt van haar woorden voordat ze ze goed en wel had uitgesproken.

De lippen van de Filippijn krulden zich als plakjes leverworst in een koekenpan. 'Je gaat er straks aan, maar eerst maken we nog wat lol.'

Hij greep Carina bij haar schouders. Hij was een centimeter of tien kleiner dan zij, maar veel sterker. Hij haakte zijn voet achter haar enkel en duwde tegen haar borst. Ze viel achterover. De man wierp zich op haar en drukte haar tegen de grond. Terwijl Carina hem uit alle macht van zich af probeerde te duwen, trok hij een mes tevoorschijn en sneed er de dunne leren ceintuur mee door die ze om haar middel droeg.

Ze sloeg met haar vuisten naar zijn gezicht en raakte zijn ongeschoren kin met een paar uithalen die de man hoogstens als ergerlijk ervoer zonder dat ze een serieuze aanval vormden. Hij stak het mes in de zijkant van een krat om beide handen vrij te hebben, waarop Carina haar longen uit haar lijf gilde. Er was niemand op het schip die haar te hulp zou kunnen komen, maar het doordringende gegil zou haar aanvaller misschien afschrikken.

Hij deinsde terug en zij deed een greep naar het mes. Hij zag wat ze van plan was en sloeg haar met zijn vlakke hand vol op haar kaak. Door de klap verloor ze bijna het bewustzijn. Ze staakte haar verzet. Ze voelde dat hij haar spijkerbroek tot op haar knieën omlaag sjorde, rook zijn stinkende adem en hoorde zijn jachtige hijgen. Ze kon niet veel meer doen dan hem zwakjes wegduwen. Toen hoorde ze een lage mannenstem.

'Dat zou ik niet doen als ik jou was,' zei de stem.

De Filippijn rukte het mes uit het krat, krabbelde vliegensvlug overeind en tolde om zijn as om te zien wie er achter hem stond.

In de uitgesneden opening stond een breedgeschouderde man, de benen ietwat uit elkaar. Zijn blonde, haast witte haar stak in het tegenlicht af als een aureool.

De Filippijn sprong met vooruitgestoken mes naar voren. Carina verwachtte een kreet van pijn te horen zodra het mes zich in het lichaam zou boren, maar er klonk alleen een metaalachtige *ting* en een schrapend geluid alsof er een keukenmes werd geslepen.

Austin had een wigvormige stenen plaat die hij op het dek had zien liggen, opgepakt. Hij hield de platte steen voor zijn knieën toen hij de container instapte en het drama zag dat zich daar afspeelde. Direct nadat de man zich had omgedraaid, herkende Austin het gezicht als dat van de man die over de rand van het dek had gekeken toen hij de touwladder opklom. Met een snelheid waarmee hij zijn aanvaller overdonderde, had hij de steen tot voor zijn borst getild om het mes af te weren.

Terwijl het lemmet naar opzij afketste, tilde Austin de steen tot boven zijn hoofd en zwaaide hem omlaag alsof hij een kleed uitklopte. De steen brak op het hoofd van de man doormidden en sloeg in honderden stukken tegen de grond. De Filippijn bleef op miraculeuze wijze nog een paar seconden staan, voordat zijn oogbollen naar achteren wegdraaiden en hij als een harmonica in elkaar zakte.

Austin stapte over het stuiptrekkende lichaam en stak zijn hand naar de vrouw uit. Ze pakte hem beet en trok zich overeind. Met trillende vingers hees ze haar spijkerbroek over haar heupen.

'Alles goed met u?' vroeg hij met een bezorgde blik in zijn koraalblauwe ogen.

Carina knikte. Ze keek naar het lichaam van het bemanningslid. 'Bedankt dat u me van dat beest hebt gered. Hopelijk hebt u hem echt uitgeschakeld.'

'Dat geloof ik wel. Bent u lid van de bemanning?'

'Ik ben een passagier. Het schip is gekaapt. Ze zijn in helikopters gekomen. Ze hebben de *Navigator* geroofd.'

Austin dacht dat ze daarmee op een van de bemanningsleden doelde. 'Wie?'

Carina begreep Austins verwarring. 'De *Navigator*. Dat is... dat is een beeld.'

Austin knikte. Het antwoord van de vrouw was al net zo onbegrijpelijk als de hele toestand. Hij raapte het mes op dat de overvaller had laten vallen. 'Sorry dat ik er meteen weer vandoor ga. Ik heb hier nog meer dingen te doen. Houd u zich voorlopig nog even schuil. Dan praten we later tijdens een dineetje wel verder.'

Hij glipte door het gat in de container naar buiten en was verdwenen. Carina bleef als in een roes achter. Ze vroeg zich af of het allemaal een droom was geweest, die plotseling opgedoken reddende engel die haar leven had gered, haar aanvaller koeltjes had geëlimineerd en haar voor een dineetje had uitgenodigd, en dat allemaal in één adem door. Ze had geen idee wie hij was, maar ze besloot zijn raad op te volgen. Ze wierp nog een blik op de Filippijn zonder dat ze enig medelijden voelde, stapte haastig de container uit en maakte dat ze wegkwam in de doolhof tussen de containers.

Terwijl Austins voeten over het dek roffelden, besefte hij dat hij weinig kans meer maakte. Zijn omweg om een dame in nood te helpen zou hen beiden fataal worden. De afstand die hij zowel horizontaal als verticaal nog moest afleggen was simpelweg te groot. Het dek strekte zich nog een heel stuk voor hem uit. Vervolgens moest hij nog op de brug zien te komen die zich op de bovenste verdieping van de flatgebouwachtige constructie op het achterdek bevond.

Hij verhoogde het ritme van zijn benen tot een razende sprint. Hij liep zo snel dat zijn hersenen de metaalachtige glinstering tussen twee rijen containers pas registreerden toen hij er al een paar meter voorbij was. Hij draaide om en stak zijn hoofd in de spleet. De glinstering kwam van het chromen stuur van een fiets die tegen een container stond. Austin had liever een Harley-Davidson gehad, maar de afgeleefde oude Raleigh met een drieversnellingsnaaf die door de bemanning voor het overbruggen van de enorme afstanden op het schip werd gebruikt, viel ook niet te versmaden.

Hij trok de fiets tevoorschijn, zwaaide zijn rechterbeen over het zadel en zette het met alle kracht die nog in zijn gespierde benen stak op een trappen. Terwijl hij over het dek raasde, zag hij aan de voet van het bruggebouw een aantal lichamen op het dek liggen.

Toen hij dichterbij kwam, zag hij dat de mannen nog leefden, maar aan handen en voeten geboeid op hun buik lagen. Hij wierp de fiets van zich af en liep naar een dikke man die woest met zijn boeien worstelde. Austin zei tegen hem dat hij zich stil moest houden en sneed met één haal van het mes het plakband door.

De man gebruikte zijn bevrijde handen om zich op zijn zij te rollen. Austin zag dat het een man van middelbare leeftijd was met een verweerd gezicht boven een zware dubbele kin. De ogen van de man richtten zich op het lemmet van het mes, maar hij ontspande zich toen Austin de boeien rond zijn enkels doorsneed en vroeg of hij een van de scheepsofficieren was.

'Ik ben kapitein Lange, gezagvoerder van de *Ocean Adventure*.'

Austin hielp de kapitein overeind. 'Waar zijn de kapers?' vroeg hij.

'Dat weet ik niet. Ze zijn met helikopters gekomen.' Lange, die nog wat wankel op zijn benen stond, wees naar de lucht. 'Ze zijn op de containers geland. Wie bent u?'

'Een vriend. Voorstellen komt later wel.' Austin vatte de kapitein bij de schouders om zijn woorden kracht bij te zetten. 'Uw schip ligt op ramkoers met een olieplatform. U hebt nog maar een paar minuten om van koers te veranderen of het schip te stoppen, zo niet dan hebt u spoedig geen schip meer!'

De kapitein trok lijkbleek weg. 'Ik heb gezien dat ze de besturing op de automatische piloot hebben gezet.'

'Dan moet u daar zo snel mogelijk iets aan doen. Ik zal uw mannen bevrijden.'

'Ik ben al weg,' zei de kapitein, terwijl hij met stijve knieën naar de brug waggelde.

Austin sneed pijlsnel het plakband rond de polsen en enkels van de overige bemanningsleden door en zei hun de kapitein naar de brug te volgen. Hij was niet bang dat ze onderweg de kapers in de armen zouden lopen. Die waren daar heus niet blijven hangen nadat ze het schip op die desastreuze koers hadden gelegd. Hij wist dat zijn instinct hem nog niet in de steek had gelaten toen hij het kloppende geluid van rotorbladen van helikopters boven zich hoorde.

Na voltooiing van hun missie hadden de kapers hun vertrek voorbereid. De leider met de babyface was net klaar met het controleren van de knopen in het touw rond het in zeildoek verpakte object, toen de tweede collaborerende Filippijn uit de scheepsbemanning op hem af rende.

'Juan komt maar niet terug,' zei de man, die Carlos heette. 'Ik weet niet wat hij aan het doen is.'

De leider glimlachte. 'Ik weet preciés wat uw vriend aan het doen is. Hij houdt zich niet aan de bevelen.' Hij stapte de dichtstbijzijnde helikopter in.

'Wat doen we?' vroeg Carlos.

'Hou 'm maar gezelschap, als je wilt.' Hij glimlachte en trok de deur achter zich dicht.

Op het gezicht van de Filippijn verscheen een uitdrukking van paniek. Hij spurtte naar de andere helikopter en klauterde de cabine in terwijl de motor het toerental bereikte dat nodig was om op te stijgen. De heli verhief zich langzaam van de containers. Onderaan de romp bungelde een lijn met een haak aan het uiteinde. De helikopter vloog naar het achterschip.

Daar manoeuvreerde de heli tot hij recht boven het ingepakte voorwerp hing. Hij zakte iets tot de haak door een lus in het touw schoot dat om het voorwerp was gebonden. Austin bekeek de manoeuvre om een hoek van het bruggebouw turend.

In de korte tijd dat Austin de kapers had meegemaakt, had hij een diepe minachting voor hen opgevat. Diep gebukt rende hij naar het voorwerp en trok de haak aan het uiteinde van de met de helikopter verbonden kevlarkabel los. Met één vloeiende beweging sloeg hij de lijn om een bolder en zette hem met de eigen haak vast.

Terwijl hij naar de beschutting van het bruggebouw terugrende, voelde hij een brandende steek in zijn ribben. Er werd op hem geschoten en hij was geraakt. De pijn verbijtend wierp Austin zich op het dek en rolde zijdelings weg.

In de seconde voordat hij met een katachtige duik door een openstaand luik sprong, keek hij omhoog en zag de tweede helikopter. Door de openstaande deur stak de loop van een geweer.

In de algehele verwarring had de piloot van de andere helikopter niet door dat zijn toestel aan het dek was vastgemaakt. Hij probeerde hoogte te winnen en met het oog op het gewicht van het mee te voeren voorwerp gaf hij extra veel gas. Op het moment dat de heli de kabel strak trok, kwam hij met een ruk tot stilstand en draaide als een vlieger aan een touw om zijn as.

Het toestel helde daarbij zover over dat de rotorbladen de lijn raakten, waardoor de heli als een razende rondtollend tot boven het water wegzwiepte en met een gigantische plons in zee stortte.

Austin tuurde langs de rand van het luik. De andere helikopter cirkelde boven de zich snel uitspreidende kring van schuimend water. In de deuropening stond een man die naar Austin keek en in een flits kruisten hun blikken zich. Er verscheen een glimlach op het engelengezicht van de man. De volgende seconde trok de helikopter op en vloog van het schip weg.

Austin klom het dek weer op en zag waarom de helikopter niet was teruggekomen. Vlak voor het schip doemde het olieplatform de Great Northern op.

Met in de wind wapperende kleren keek hij omhoog naar de brug en spoorde de kapitein stilletjes aan voort te maken. Hij kon zich de wanhopige strijd in de stuurhut levendig voorstellen en zag voor zich hoe de kapitein uit alle macht een ramp probeerde te voorkomen. Het schip voer nog steeds op volle kracht vooruit. Austin verplaatste zich in de kapitein. Zelfs wanneer Lange de motoren uitzette, zou het schip door de vaart die het had doorvaren. De kapitein probeerde met behulp van de motoren althans nog enige controle over het schip te behouden.

Terwijl het schip op het booreiland invoer, merkte Austin een afwijking van een paar graden naar rechts. Het schip was nu eindelijk aan het wegdraaien. Maar het had veel ruimte nodig om het eiland te ontwijken. Austin wist dat een schip van het formaat van de *Ocean Adventure* geen scherpe bochten kon maken.

Hij leunde over de reling en zag de bemanning van het olieplatform als mieren op een drijvend blad heen en weer rennen. Aan met het booreiland verbonden meertouwen dobberden een aantal onderhoudsboten. De schrik sloeg hem om het hart bij de gedachte aan de desastreuze gevolgen van de nu onvermijdelijke aanvaring.

Austin hoorde dat hij vanuit de verte geroepen werd. Hij realiseerde zich dat de stem uit het los bungelende oortje van zijn walkietalkie klonk. Hij stopte het ding in zijn oor.

'Kurt, hoor je me? Alles goed met je?'

Austin onderbrak Dawes opgewonden monoloog.

'Ja, prima. Hoe staat het met het booreiland?'

'Ze hebben het laatste anker los gekregen.'

Nog voordat de kapitein die laatste woorden goed en wel had uitgesproken, zag Austin schuimend water opspatten van de plek waar het anker uit zee werd opgetrokken. Ook rond de pijlers van het eiland spatte het kolkende water hoog op. Het zog dat zich nu bij alle pijlers vormde, duidde erop dat het platform in beweging kwam.

De uitwijkmanoeuvre van het eiland zou desondanks te laat zijn. Het schip zou binnen enkele seconden vol op de voorste pijler knallen. Austin zette zich schrap voor de klap.

Op het allerlaatste nippertje boog de boeg van het schip nog net iets meer naar stuurboord weg. Met een ijzingwekkend scheurend geknars van langs elkaar schurend metaal schampte het schip de pijler. Omdat het eiland niet meer aan ankers vastlag, gaf het in plaats van tegenstand te bieden, wat haar ondergang zou hebben betekend, mee met de kracht van de aanvaring.

Het olieplatform schommelde door de klap hevig op en neer, waarna het geleidelijk haar evenwicht hervond en uit de gevarenzone wegdreef.

Het schrille geluid van een scheepshoorn klonk op. De *Leif Eriksson* meldde zich ter plaatse.

Zavala's stem klonk in zijn oortje. 'Dat is ook een manier om een scheepsromp van zeepokken te reinigen. Heb je nog een toegift in petto?'

'Geen probleem,' antwoordde Austin. 'Ik ga een prachtige vrouw uit eten vragen.'

13

De bibliotheekassistente Angela Worth op de afdeling archieven van het Amerikaans Filosofisch Genootschap in Philadelphia was een slanke vrouw. Door het dag in dag uit rondzeulen met loodzware dozen vol dossiermappen en ander documentatiemateriaal had ze een stevig stel biceps ontwikkeld waar een professionele armworstelaar jaloers op zou zijn.

Ogenschijnlijk moeiteloos trok Angela een zware plastic doos van een plank en zette hem op een wagentje. Ze duwde de kar uit de ruimte voor manuscriptenopslag naar de leeszaal. Daar zat een man van in de dertig aan een lange leestafel. Zijn vingers roffelden op het toetsenbord van een laptop. De tafel lag vol met hoge stapels mappen, ordners en losse documenten.

Angela tilde de doos van het karretje en zette hem op tafel. 'Zeker nooit gedacht dat er zoveel materiaal over artisjokken zou zijn?'

'Prima toch?' antwoordde de man, een zekere Norman Stocker, schrijver van beroep. 'Volgens mijn contract moet ik een tekst van 50.000 woorden leveren.'

'Ik heb geen verstand van het uitgeven van boeken, maar zou er ook maar iemand zoveel over artisjokken willen lezen?'

'Mijn uitgever denkt van wel. Dit soort historische boeken over één specifiek alledaags onderwerp is een trend in de uitgeverswereld. Kabeljauw. Zout. Tomaten. Champignons. Noem maar op. De truc is dat je aantoont hoezeer het gekozen onderwerp de wereld heeft veranderd en de mens heeft gered. En je bent helemaal klaar als je er ook nog wat seks in kunt verwerken.'

'Sexy artisjokken?'

Stocker sloeg een dossiermap open vol kopieën van oude manuscripten. 'Europa in de zestiende eeuw. Alleen mannen mogen artisjokken eten omdat ze als libidoversterkend worden beschouwd.' Hij opende een andere map en trok een foto van een mooie jonge blonde vrouw in badpak tevoorschijn. 'Marilyn Monroe. 1947. De eerste Artisjokkenkoningin van Californië.'

Angela blies een lok van haar blonde haren uit haar gezicht. 'Ben nu al benieuwd naar *Artisjok: the Movie*.'

'Ik stuur je een kaartje voor de Hollywood-première.'

Angela glimlachte en zei tegen Stocker dat ze hem een seintje moest geven als ze de mappen weer kon opbergen. Stocker opende de doos en bekeek de inhoud.

Het schrijven van boeken over alledaagse voorwerpen was niet zijn droomberoep, maar het betaalde niet slecht, het reizen kon heel interessant zijn en hij verwierf bekendheid met zijn boeken. Zolang hij bleef schrijven, hoefde hij geen les te geven om zijn brood te verdienen. Bovendien troostte hij zich met de gedachte dat artisjokken een beter onderwerp was dan kumquats bijvoorbeeld.

Stocker was naar het Amerikaans Filosofisch Genootschap gegaan op zoek naar het soort obscure anekdotes dat een verder nogal droog onderwerp nog enigszins kon opleuken. Het in Georgian style opgetrokken gebouw achter de Independence Hall van Philadelphia, waarin de biblio theek van het genootschap was gevestigd, was een van de belangrijkste verzamelcentra van manuscripten over alle mogelijk wetenschappelijke onderwerpen van 1500 tot heden.

De instelling was in 1745 opgericht door de amateurwetenschapper Benjamin Franklin. Franklin en zijn vrienden wilden de Verenigde Staten onafhankelijk maken op het gebied van de industrie, transport en landbouw. Tot de eerste leden van het genootschap behoorden artsen, juristen, geestelijken en kunstenaars, maar ook de presidenten Jefferson en Washington.

Stocker bladerde de doos door tot zijn vingers op iets hards stuitten. Hij trok een envelop tevoorschijn, waarin een doosje zat dat in een kastanjebruin met goudgeel gekleurde dierenhuid was gewikkeld. In het doosje lag een dik pak met zwart lint bijeengebonden gekreukte vellen papier. Het lint was verzegeld, maar het zegel was verbroken. Hij trok het lint los en verwijderde het blanco omslag, waaronder een in een strak handschrift geschreven tekst vrijkwam die de inhoud identificeerde als een verhandeling over het kweken van artisjokken.

Het werk bleek een weinig opwindende opsomming van groeiperiodes met bemestings- en oogsttabellen, gelardeerd met hier en daar een enkel recept. Op een van de perkamenten vellen stonden een paar X'en getekend, plus wat kronkelige lijnen en wat handgeschreven woorden in een onbekende taal. Onder op de stapel lag een dik stuk karton vol met rechthoekige gaten.

De bibliotheekassistente liep met een stapel boeken langs de tafel van de schrijver. Hij wenkte haar.

'Hebt u in die laatste doos toch nog iets interessants gevonden?' vroeg ze.

'Of het interessant is, weet ik niet, maar het is wel oud.'

Angela bestudeerde het in dierenhuid ingebonden doosje, waarna ze het stapeltje papieren van boven tot onder doorbladerde. Het handschrift kwam haar bekend voor. Ze liep naar het magazijn en kwam terug met een boek over de Amerikaanse Revolutie. Ze sloeg het open op een pagina met een foto van de Onafhankelijkheidsverklaring en hield een van de vellen papier ernaast. De overeenkomst van het vloeiende, strakke handschrift van beide teksten was opmerkelijk.

'Valt u niet iets op?' vroeg Angela.

'Het handschrift is vrijwel identiek,' antwoordde Stocker.

'Dat moet ook wel. Beide documenten zijn door dezelfde persoon geschreven.'

'Jefferson? Dat bestaat niet!'

'Waarom niet? Jefferson was een herenboer, wetenschapper en een uiterst nauwgezet documentalist. Kijk hier, in de hoek van de titelpagina. Die piepkleine letters zijn een T en een J.'

'Dit is fantastisch! Ik heb hier maar weinig kunnen vinden dat de gemiddelde lezer zal interesseren, maar het feit dat er tussen al dit materiaal een document van Jefferson over artisjokken opduikt, is toch op zijn minst een paar hoofdstukken waard.'

Angela fronste haar wenkbrauwen. 'Het is hier waarschijnlijk per ongeluk terechtgekomen.'

'Ik kan me niet voorstellen dat iemand origineel materiaal van Jefferson verkeerd archiveert.'

'Het genootschap heeft een ongelooflijk goed georganiseerd archief. Maar we hebben hier acht miljoen manuscripten en meer dan 300.000 boeken en ingebonden tijdschriften. Ik neem aan dat iemand de titel heeft gelezen zonder te zien wie de verhandeling heeft geschreven en het document vervolgens bij het overige materiaal over landbouwkundige onderwerpen heeft ondergebracht.'

Hij overhandigde haar de getekende plattegrond. 'Dit zat ertussen. Het lijkt een tuin, maar dan wel ontworpen door een alcoholist.'

De bibliotheekassistente bekeek de plattegrond, waarna ze het geperforeerde stuk karton oppakte en tegen het licht hield. Ze kreeg een idee. 'Laat me even weten als u hiermee klaar bent. Ik wil er zeker van zijn dat dit nu bij het andere materiaal van Jefferson wordt opgeborgen.'

Ze liep terug naar haar bureau. Tijdens haar werk gluurde ze van tijd tot tijd ongeduldig naar de tafel van de schrijver. Het liep tegen sluitingstijd toen hij opstond, zich uitrekte en zijn laptop in de tas schoof. Ze snelde naar hem toe.

'Sorry voor de rotzooi,' zei hij.

'Geeft niet. Ik ruim de boel wel op,' zei ze.

Ze wachtte tot ook de andere bezoekers waren vertrokken, waarna ze het manuscript van Jefferson meenam naar haar bureau. In het licht van haar bureaulamp legde ze het stuk karton op de eerste pagina van het geschrift. Door de kleine rechthoekige gaatjes waren letters zichtbaar.

Angela was een fanatieke kruiswoordpuzzelaar en had diverse boeken over coderingen en geheimschriften gelezen. Ze was ervan overtuigd dat wat ze in haar hand hield, de sjabloon van een geheimschrift was. De sjabloon had men op een blanco vel papier gelegd. De over te brengen boodschap was vervolgens letter na letter in de gaatjes geschreven. Daarna had men onschuldig lijkende zinnen om de letters gevormd. De geadresseerde plaatste een identieke sjabloon over de tekst, waarop de boodschap leesbaar werd.

Ze legde de sjabloon op een aantal pagina's, maar de woorden die zo tevoorschijn kwamen, bleven abracadabra voor haar. Ze vermoedde dat er van nog een tweede niveau van versleuteling sprake was dat haar pet als amateurontcijferaar verre te boven ging. Ze richtte haar aandacht op het perkament met de golvende lijnen en X'en. Ze bekeek de woorden die de merkwaardige tekens vergezelden en zocht in haar computer de zoekpagina van een woordenboekenwebsite op. Die gebruikte ze soms als ze een moeilijk woord in een kruiswoordpuzzel niet kon vinden.

Angela typte de woorden van het perkament in en drukte op de entertoets. Er verscheen niet meteen een vertaling, maar wel een verwijzing naar het oudetalengedeelte van de website. Daar vroeg ze nogmaals om een vertaling en ditmaal reageerde het programma met een verwarrend antwoord waar ze van schrok.

Ze printte de pagina twee keer uit en kopieerde het document van Jefferson. Nadat ze de kopieën in een la had opgeborgen, pakte ze de originelen bijeen en liep door de gang naar het kantoor van haar cheffin.

Angela's baas was een hoog opgeleide vrouw van middelbare leeftijd. Helen Woolsey keek op van haar bureau en glimlachte toen ze haar jongere protegee zag.

‘Nog zo laat aan het werk?’ vroeg ze.

‘Niet echt. Ik ben iets vreemds tegengekomen en dacht dat het u misschien wel zal interesseren.’ Ze overhandigde het pakketje.

Terwijl de bibliothecaresse de papieren bestudeerde, verklaarde Angela haar theorie over de oorsprong van het werk.

De bibliothecaresse floot zachtjes tussen haar tanden. ‘Wat spannend om iets aan te raken dat Jefferson in zijn handen heeft gehad. Dit is een waanzinnige ontdekking.’

‘Dat denk ik zeker,’ reageerde Angela. ‘Volgens mij heeft Jefferson in deze tekst een versleutelde boodschap verborgen. Jefferson was een ervaren geheimschrijver. Een aantal van de systemen die hij ontwikkelde, werden nog tientallen jaren na zijn dood gebruikt.’

‘Dit was duidelijk een gevoelig onderwerp dat hij niet openbaar wilde maken.’

‘Er is nog meer,’ zei Angela. Ze overhandigde de uitdraai van de woordenboekenwebsite.

Nadat de bibliothecaresse het vel een moment had bekeken, vroeg ze: ‘Is die website betrouwbaar?’

‘Dat is wel mijn ervaring, ja,’ antwoordde Angela.

De bibliothecaresse tikte met een lange vingernagel op het pakketje. ‘Kent die schrijver van jou het belang van deze vondst?’

‘Hij weet dat het van Jefferson is,’ zei Angela. ‘Maar hij denkt dat het is wat het lijkt: een handleiding voor het kweken van artisjokken.’

De bibliothecaresse schudde haar hoofd. ‘Dit is niet voor het eerst dat er papieren van Jefferson zoek zijn geraakt. Zelf raakte hij etnologisch materiaal over de Noord-Amerikaanse indianen kwijt en veel van de documenten die hij aan diverse instellingen naliet zijn simpelweg verdwenen. Heb jij enig idee wat hier in zou kunnen staan?’

‘Geen flauw benul. Hier is een decoderingsprogramma voor nodig en een cryptoanalist die ermee om kan gaan. Ik heb een vriend bij de National Security Agency die ons misschien kan helpen.’

‘Heel goed,’ reageerde de bibliothecaresse. ‘Maar voordat we hem erbij halen, zal ik dit eerst met de directie van het genootschap bespreken. Verder houden we deze ontdekking voorlopig voor onszelf. Als dit echt is, kan het voor het genootschap heel belangrijk zijn, maar we moeten voorkomen dat we de mist ingaan als uiteindelijk blijkt dat het allemaal toch nep is.’

Angela was het eens met de noodzaak dit geheim te houden, maar ze vreesde dat haar baas erop uit was alle eer op te strijken als dit inderdaad een sensationele ontdekking zou blijken te zijn. De bibliothecaresse was niet de enige met ambities. Ook Angela wilde niet haar hele leven assistente blijven.

Ze knikte instemmend. 'Ik zal er tot elke prijs voor zorgen dat ik de kennelijke wens van de heer Jefferson om dit geheim te houden niet beschaam.'

'Heel goed,' zei de bibliothecaresse. Ze trok een lade van haar bureau open, legde het pakketje erin en sloot de lade af. 'Dit blijft achter slot en grendel tot ik er met de directie over kan spreken. Als zij akkoord gaan, zal ik er uiteraard voor zorgen dat jij de eer voor de ontdekking krijgt.'

Uiteraard. Jij pikt straks alle aandacht, tenzij het nep blijkt, dan heb ik het gedaan.

Angela verborg deze opstandige gedachten achter een glimlach. Ze stond op en zei: 'Dank u wel, mevrouw Woolsey.'

De bibliothecaresse glimlachte en concentreerde zich weer op haar werk. Einde gesprek. Nadat Angela haar goedenavond had gewenst en de deur achter zich had dichtgetrokken, opende de bibliothecaresse de lade en pakte er het document van Jefferson uit. In haar adresboek zocht ze vervolgens een telefoonnummer op.

Ze voelde zich rillerig van opwinding toen ze het nummer intoetste. Het was voor het eerst dat ze het gebruikte. Ze had het nummer gekregen van een directielid dat inmiddels was overleden. Hij had gezien hoe ambitieus ze was en haar gevraagd of zij een taak op zich wilde nemen waar hij door zijn verslechterende gezondheid niet meer toe in staat was. Het was werk in opdracht van een excentrieke particulier met een fascinatie voor bepaalde onderwerpen. Ze hoefde alleen maar alert te zijn zodra haar ook maar iets over deze onderwerpen onder ogen of ter ore kwam, in welk geval ze het opgegeven nummer moest bellen.

De financiële vergoeding was vrij behoorlijk voor iets waar ze praktisch niets voor hoefde te doen en ze had het geld gebruikt voor de inrichting van haar flat en de aanschaf van een tweedehands BMW. Ze was blij dat ze daar nu eindelijk iets tegenover kon stellen. Tot haar teleurstelling hoorde ze een opgenomen stem die haar vroeg een boodschap in te spreken. Ze sprak een kort bericht over de vondst van het document van Jefferson in en hing op. Ze schrok heel even toen ze besefte dat er met dit telefoontje wellicht een einde was gekomen aan haar werkzaamheden voor de onbekende geldschieter. Maar nadat ze er dieper over had nagedacht, concludeerde ze glimlachend dat dit document van Jefferson ook best eens de start van een volledig nieuwe carrière zou kunnen zijn.

Ze was heel wat minder optimistisch geweest als ze er enig vermoeden van had gehad dat haar telefoontje aanzienlijk fatalere gevolgen kon hebben. En het was voor haar ook zeker geen geruststellende gedachte geweest als ze had geweten dat in een ander deel van het gebouw van het Amerikaans Filosofisch Genootschap haar assistente aan haar bureau eveneens een telefoontje pleegde.

14

Austin liet zijn borstkas verbinden door een scheepsofficier met de nevenfunctie 'arts', toen de deur van de ziekenboeg openzwaaide en kapitein Lange met Carina aan zijn arm naar binnen stapte.

'Deze jonge dame zwierf over het schip rond,' zei Lange tegen Austin, die op een onderzoekstafel zat. 'Ze heeft me verteld dat een ridder in een blinkend harnas haar leven heeft gered.'

'Er zitten wel een paar gaatjes in mijn harnas,' zei Austin. Behalve een door het schampschot gekneusde rib, was ook zijn gezicht gehavend en lagen zijn knokkels open van de klappen die hij had opgevangen bij het beklimmen van de loodsladder.

'Het spijt me dat u zo gewond bent,' zei Carina.

Haar gezicht was opgezwollen op de plek waar de schurk Juan haar had geslagen. Zelfs met die dikke kaak was Carina een aantrekkelijke vrouw. Met haar lange benen en slanke lijf straalde ze een schoonheid uit die mannen tot nakijken aanzette. Haar heldere blauwe ogen onder volmaakt gewelfde wenkbrauwen staken levendig af tegen de licht geelbruine teint. Haar schouderlange zandkleurige haren had ze uit haar gezicht naar achteren gekamd.

'Bedankt,' zei Austin, 'het is maar een schrammetje. De kogel heeft me alleen maar geschampt. Ik maak me meer zorgen over u.'

'Dat is heel vriendelijk van u. Ik heb een koud kompres op mijn gezicht gelegd en daardoor is de zwelling al aardig geslonken. De binnenkant van mijn mond is nog wat rauw, maar mijn tanden zijn oké.'

'Dat is een hele opluchting. Want u hebt al uw tanden nodig als we samen gaan eten.'

Carina keek hem met een scheef glimlachje aan. 'We hebben ons nog niet eens behoorlijk aan elkaar voorgesteld, meneer Austin.'

Austin stak zijn hand uit. 'Noem me Kurt alstublieft, mevrouw Mechadi.'

'Da's goed, Kurt. Ik ben Carina. Hoe weet je dat ik zo heet?'

'Deze meneer hier, die zo fantastisch zijn best doet me weer wat op te kalefateren, heeft me verteld dat je als passagier op het schip meevaart en dat je voor de Verenigde Naties werkt. Afgezien van deze summiere details ben je een mysterie voor me, Carina.'

'Ik ben helemaal niet zo mysterieus. Ik ben opsporingsambtenaar in dienst van de UNESCO. Ik zit achter gestolen antiquiteiten aan. Als er iemand een mysterie is, dan ben jij dat, Kurt Austin. Jij bent als een zeemeerman uit de zee opgedoken om het schip en het booreiland te redden nadat je en passant ook mij nog even te hulp was geschoten.'

'De kapitein verdient een groot deel van die eer. Hij heeft het schip van het booreiland weggestuurd. Als ik aan het roer had gestaan, zaten we nu met z'n allen ruwe olie tussen onze tanden weg te peuteren.'

'Kurt is veel te bescheiden,' corrigeerde Lange. 'Hij heeft mij en mijn bemanning bevrijd. Terwijl ik het schip bestuurde, heeft hij het tegen de kapers opgenomen en een deel van uw vracht gered.'

Carina's gezicht klaarde op. 'Heb je de *Navigator* gered?'

Austin knikte. 'Er staat een groot in zeildoek verpakt voorwerp op het dek. Dat zou je beeld kunnen zijn.'

'Ik zal het onmiddellijk naar een veilige plek laten brengen,' zei Lange. Via zijn portofoon riep hij de brug op en vroeg zijn eerste stuurman een werkploeg bijeen te brengen.

De stuurman vertelde dat er een kotter van de kustwacht onderweg was en dat er vertegenwoordigers van de eigenaren van het schip werden ingevlogen. De kapitein excuseerde zich en de medisch geschoolde officier volgde hem, nadat hij Austin nog een paar pijnstillers had gegeven.

'Waar ik nou zo benieuwd naar ben,' zei Austin. 'Wat is er zo bijzonder aan de *Navigator*?'

'Dat is nu juist zo vreemd,' zei Carina met gefronste wenkbrauwen. 'Het beeld is niet erg waardevol en is misschien zelfs namaak.'

'In dat geval kunnen we het beter hebben over iets wat we wél weten. Onze afspraak bijvoorbeeld.'

'Hoe zou ik die onverwachte uitnodiging, al helemaal na dat plotselinge opduiken van jou, kunnen vergeten? Maar vertel me eerst waar je in hemelsnaam vandaan komt?'

'Niet uit de hemel. Uit de zee! Ik was in de buurt ijsbergen aan het vangen.'

Carina keek naar Austins brede schouders. Het had haar niet verbaasd als hij het zelfs met blote handen tegen ijsbergen had opgenomen. Ze veronderstelde dat hij een geintje maakte, tot hij haar uitlegde wat hij op de *Leif Eriksson* deed.

Tijdens haar reizen over de hele wereld had Carina talloze memorabele lieden ontmoet, maar Austin was beslist uniek. Hij had zijn leven gewaagd om honderden mensen te redden en een miljoenenschade te voorkomen, en had met kapers gevochten, waarbij hij er zelfs een had gedood om haar te kunnen redden. En nu zat hij te flirten als een onstuimige schooljongen. Ze liet haar blik over zijn stevige zongebrande lijf gaan. Aan de lichte littekens in zijn bruine huid te zien was het niet voor het eerst dat hij zich in gevaar had begeven en daar de gevolgen van had ondervonden.

Carina stak haar hand uit om een rond litteken op de gespierde rechterbovenarm van Austin aan te raken. Net toen ze hem wilde vragen of het van een schotwond was, ging de deur open en stapte er een slanke man met een donker gezicht de ziekenboeg binnen.

Joe Zavala keek verrast op en zijn lippen krulden zich in de mondhoeken tot het voor hem zo kenmerkende halve glimlachje. Hij had gehoord dat Austin een wond liet verzorgen. Maar niemand had hem iets over de mooie jonge vrouw verteld die zich zo liefdevol over de arm van zijn vriend ontfermde.

'Ik kwam even kijken hoe het met je staat,' zei Zavala. 'Zo te zien heb je niks te klagen.'

'Carina, dit is Joe Zavala, een goede vriend en collega. We werken allebei bij de National Underwater and Marine Agency. Joe bestuurde de boot die me naar dit schip heeft gebracht. Laat je niet afschrikken door zijn piraatachtige uiterlijk. Hij is volstrekt ongevaarlijk.'

'Leuk om kennis te maken, Carina.' Zavala wees op Austins verband. 'Alles oké met jullie? Jullie zien er allebei nogal gehavend uit.'

'Ja, we zijn een mooi stel, zo samen,' zei Carina. Ze bloosde toen de dubbele betekenis van haar woorden tot haar doordrong en trok haar hand weg van Austins arm.

Austin kwam haar te hulp en bracht het gesprek weer op zichzelf. 'Mijn ribben zijn wat stijf. En nog wat stevige kneuzingen en schaafwonden op andere plekken.'

'Dus niets wat niet met een paar glazen tequila kan worden weggespoeld?' reageerde Zavala.

'Ik zie dat je in goede handen bent,' zei Carina. 'Als je het niet erg vindt, ga ik eens kijken wat de bemanning met mijn beeld uitvoert.'

Zavala staarde naar de deur die Carina achter zich had dichtgetrokken en barstte in een bulderende lach uit. Iets wat nogal ongewoon klonk voor de man die zich altijd zo uitgesproken rustig gedroeg.

‘Alleen Kurt Austin krijgt het voor elkaar om hier in deze nevelige contreien van de Iceberg Alley zo’n engel als mevrouw Mechadi aan de haak te slaan. En dan noemen ze mij een don Juan.’

Austin rolde met zijn ogen. Hij liet zich van de onderzoektafel zakken, trok een geleend blauw jeanshemd aan en knoopte het dicht.

‘Hoe is het met kapitein Dawe?’

‘Hij is nu echt door zijn moppen heen en begint in herhalingen te vervallen.’

‘Het spijt me, joh.’

‘Hij heeft gezegd dat hij hier nog een dag kan assisteren, maar dan moet-ie toch echt weer achter zijn Moby-berg aan. Dus daar ben jij ook nog niet vanaf.’

‘Hoe ben je hier aan boord gekomen? Zover ik weet, is de loodsladder doorgesneden.’

‘Ze moeten er nog een in reserve hebben gehad. Maar jij had nogal wat problemen om aan boord te komen. Wat gebeurde er precies?’

‘Dat doe ik je straks achter een warme bak koffie wel uit de doeken.’

Ze begaven zich naar de kantine, waar ze een paar dampende mokken koffie inschonken en diverse broodjes belegd met schouderham op plakjes zwart roggebrood verorberden. Austin deed Zavala uitgebreid verslag van wat hem na de op het nippertje geslaagde sprong naar de touwladder aan boord van het containerschip was overkomen.

‘Iemand heeft er een hoop onkosten en moeite voor over om dat beeld in bezit te krijgen,’ zei Zavala.

‘Daar lijkt het wel op. De aanschaf van helikopters en de organisatie van een kaping op volle zee, daar komt veel geld bij kijken. Nog afgezien van de relaties die je moet hebben om een stel mollen aan boord te krijgen die de komst van de kapers voorbereiden.’

‘Het was veel simpeler geweest om alleen het beeld te stelen en ’m dan meteen weer te smeren,’ zei Zavala. ‘Waarom wilden ze ook het schip en het booreiland vernietigen?’

‘Door zich van het schip te ontdoen, zouden ze alle bewijzen en getuigen elimineren. Het olieplatform was niet meer dan een middel tot dat doel. In zekere zin was het een heel nette, klinische actie. De zee ruimt alles op.’

Zavala schudde traag zijn hoofd. ‘Welke zieke geest verzint zo’n ronduit bloeddorstig scenario?’

‘Daar moet je héél kil en berekenend voor zijn,’ reageerde Austin. ‘De heli’s moeten van een basis op zee zijn gekomen. We zijn dan wel binnen helikopterbereik van de kust, maar die is hier onherbergzaam. Ik zie ze echt geen grote afstand overbruggen met zo'n zware vracht onder het toestel bungelend.'

'Een aanval vanaf een zich op het water voortbewegend doel ligt dus het meest voor de hand,' vond ook Zavala.

'Wat betekent dat we kostbare tijd verspillen,' zei Austin. 'Ze kunnen hier nog in de buurt zijn.'

'Helaas is er geen luchttransport op dit schip,' zei Zavala.

Austin boog zijn hoofd en dacht diep na. 'Ik herinner me dat kapitein Dawe zei dat er een helikopter van het booreiland onderweg was. Laten we eens kijken of die al aangekomen is.'

Met een laatste slok koffie sloeg hij nog snel een pijnstiller achterover en stoof met Zavala op zijn hielen de kantine uit. Kapitein Lange begroette hen op de brug. Austin leende een verrekijker en richtte die op het booreiland. Daar zag hij een helikopter op het platform staan.

'Dit is heel gunstig,' zei Austin. 'Hebt u gezien uit welke richting de kapers kwamen?'

'Helaas niet, nee. Het ging allemaal zo snel.' Langes gezicht liep rood aan van woede bij de herinnering.

'Wat weet u over de twee Filippijnen van uw bemanning die met de kapers samenwerkten?' vroeg Austin.

'Ze zijn aangenomen na een normale aanmonsteringsprocedure,' antwoordde Lange. 'In hun referenties was niets wat er op wees dat het piraten waren.'

'Mogelijk waren de mannen die zich aan boord inscheepten niet dezelfde als die van de papieren,' suggereerde Zavala.

'Wat bedoelt u?'

'Ofwel ze hebben de papieren van de echte bemanningsleden gestolen óf ze hebben ze zelfs vermoord om ze te krijgen,' zei Zavala.

'In dat geval kunnen we nog twee moorden toevoegen aan de lijst van misdaden die deze bende al op zijn geweten heeft,' vulde Austin aan.

De kapitein vloekte zachtjes in het Duits. 'Weet u, als je dit enorme schip hier zo over die onmetelijke oceaan stuurt, voel je je soms koning Neptunus.' Hij schudde zijn dubbele kin. 'En dan gebeurt er opeens iets zoals dit en dan merk je pas hoe onmachtig je eigenlijk bent. Ik ga heel wat liever met de zee in de clinch dan met dit soort monsters van mijn eigen soort.'

Austin wist uit eigen ervaring precies waar de kapitein het over had, maar dit filosofische gespreksthema zouden ze toch tot een volgende keer moeten uitstellen. 'Ik vroeg me af of u contact met de mensen van het olieplatform zou willen opnemen,' zei hij, waarna hij de kapitein uitlegde wat hij en Zavala van plan waren.

Lange pakte meteen de microfoon van de radio. De leiding van het booreiland reageerde aanvankelijk aarzelend op het verzoek om de helikopter naar het schip te sturen, maar veranderde van mening toen Lange benadrukte dat het verzoek afkomstig was van de man die het platform en de bemanning van de ondergang had gered.

Twintig minuten later verhief de helikopter zich van het booreiland en overbrugde de korte afstand naar het containerschip. De heli landde op het brede voordek. Onder de draaiende rotorbladen renden Austin en Zavala naar het toestel, dat een moment later alweer opsteeg. Ze hadden de headset van de intercom nog maar net opgezet of de piloot vroeg: 'Waar naartoe, heren?'

De kapers hadden een grote voorsprong, wat inhield dat ze zich hoogst waarschijnlijk niet meer in de directe omgeving van het schip bevonden. Austin vroeg de piloot, die Riley bleek te heten, een kilometer of acht in een willekeurige richting te vliegen en vandaar laagvliegend een steeds wijdere cirkel te beschrijven met het schip als middelpunt.

Riley stak zijn duim naar hem op en stuurde de heli met een snelheid van zo'n honderdvijftig kilometer per uur in westelijke richting.

'Waar zoeken we naar?' vroeg Riley.

'Naar alles waar twee heli's op kunnen landen,' antwoordde Austin.

Riley stak weer zijn duim op. 'Ik snap het.'

Een paar minuten later legde hij de heli in een schuine bocht en begon aan de eerste cirkel. De mist was opgetrokken en het zicht was een kilometer of vier. Ze zagen een aantal vissersboten en een paar grote ijsschotsen, inclusief een reusachtig exemplaar dat de Moby-berg zou kunnen zijn. Het enige grotere vaartuig was een vrachtschip. Het dek was te klein voor twee heli's en stond bovendien vol met kranen die opstijgen of landen onmogelijk maakten.

Austin vroeg de piloot nog twee cirkels te maken. Bij de tweede passage zagen ze het silhouet van een aanmerkelijk groter schip tegen de schittering van de zee afsteken.

'Ertstanker,' zei Zavala vanaf de achterbank.

De helikopter zakte naar een hoogte van een meter of zestig en hield gelijke tred met het schip. Op het lange dek tussen de bovenbouw aan het ene uiteinde en de hoog oplopende boeg aan de voorkant lag een rij platte, rechthoekige dekluiken waarmee de ruimen voor de ertsopslag waren afgesloten.

'Wat vindt u ervan?' vroeg Austin aan de piloot.

'Krijg nou wat! Da's een peulenschil om daar met een heli te landen,' antwoordde Riley. 'Het lijkt wel een vliegdekschip.'

Zavala was het met hem eens. 'En als je iets te verbergen hebt, is er in het ruim voldoende ruimte voor.'

'Als je een paar dingetjes aanpast,' zei Riley. 'Zo gedaan.'

Austin vroeg de piloot om te gaan kijken hoe het schip heette.

De helikopter vloog tot boven het kielzog van het schip, vanwaar ze een helder zicht hadden op de grote witte letters op de achtersteven: SEA KING.

Het schip was geregistreerd in Nicosia op Cyprus. Naast de naam stond een logo dat op een stierenkop leek.

Austin had genoeg gezien. 'Laten we teruggaan.'

De heli zwenkte van het schip weg, dat al snel in de nevelige waas uit het zicht verdween.

Terwijl het *whapp-whapp-whapp* van de rotorbladen wegstierf, keek een paar heldere ronde ogen de helikopter vanaf de brug na tot hij in de verte nog slechts als een mug boven de horizon hing. Met een strak glimlachje om zijn lippen liet Adriano zijn verrekijker zakken. De helikopter was zo dichtbij geweest dat hij duidelijk het gezicht van de persoon achter het raampje van de cockpit had gezien.

De jager was nu prooi geworden.

Toen de helikopter van het booreiland het containerschip naderde, zagen ze dat er vlakbij een schip van de Kustwacht voor anker lag. De piloot zette de heli neer op het dek van het containerschip. Nadat Austin en Zavala uit het toestel waren gestapt, stond kapitein Lange hen op te wachten. Hij vertelde dat de Kustwacht een onderzoeksteam had gestuurd dat de getuigen wilde verhoren.

Voor Austins zenuwen was dit iets te veel van het goede. Zijn hersenen waren gekookt. En zijn ribbenkast stak als de hel. Het laatste wat hij nu wilde was een langdradig verhoor. Een goede portie nachtrust zou hem heel wat beter van pas komen. Hij wist dat de mensen van de Kustwacht de waanzinnige gebeurtenissen van die dag in een nieuw perspectief konden plaatsen, maar hij was er simpelweg te moe voor.

De luitenant-ter-zee van de Kustwacht die het onderzoek in de recreatiezaal leidde, ging zakelijk en efficiënt te werk. Hij noteerde de verklaringen van Austin en de anderen en zei dat hij daarna de rest van de bemanning zou afwerken. Austin moet meer dan eens een van pijn verwrongen gezicht hebben getrokken, want de luitenant stelde voor dat hij zijn verwondingen in een ziekenhuis liet behandelen. Daarop regelde de kapitein dat de helikopter van het booreiland hem de volgende ochtend naar het vasteland kon brengen.

Carina vroeg of ze dan met hem mee mocht. Ze zei dat ze de volgende avond in Washington naar een receptie wilde en dat ze zich, nu het schip door de Kustwacht werd geëscorteerd, geen zorgen meer over haar spullen maakte. Ook Zavala wilde terug om zich op zijn reis naar Istanbul voor te bereiden. Austin belde met kapitein Dawe om te zeggen dat ze het aanbod voor de jacht op de Moby-berg helaas voorlopig aan zich voorbij moesten laten gaan.

'Wat jammer nou,' reageerde Dawe. 'Ik heb een hele trits nieuwe moppen voor als jullie terugkomen.'

'Ik sta nu al te trappelen,' zei Austin.

15

Viktor Baltazar had zwijgend geluisterd naar Adriano's verslag van de verijdelde kapingsactie. Bij ieder volgend detail van de mislukte poging om het Fenicische beeld te stelen was de gal hem hoger naar de keel gestegen. Hoewel hij afgezien van een kloppende ader op zijn voorhoofd uiterlijk niets van zijn woede liet merken, borrelde Baltazars ingehouden razernij als de gesmolten lava bij de geboorte van een vulkaan. Toen Adriano beschreef hoe de ertstanker werd geschaduwd door een helikopter met daarin dezelfde lichtharige man die de diefstal van het beeld had verhinderd, werd het Baltazar te veel.

'Genoeg!' snauwde hij.

Baltazar omklemde de gsm met zijn ijzeren vuist en drukte met zijn dikke vingers door tot hij het bevredigende gekraak van brekend plastic en metaal hoorde. Hij smeet het verbrijzelde toestel naar de stalknecht die een reusachtige vos bij de teugels hield. Hij griste een stalen helm uit de handen van de schildknaap die naast hem stond, en drukte hem op de gewatteerde muts die hij al op had.

Met zijn gespierde, van kop tot teen in een glanzend harnas gehuld lijf leek Baltazar op een logge, uit een sf-film weggelopen robot. Toch was hij heel wat beweeglijker dan dergelijke metalen monsters. Zelfs in het ruim dertig kilo zware harnas hees hij zich soepeltjes in het zadel met hoge ruggesteun.

De schildknaap gaf Baltazar een vierenhalve meter lange, houten lans aan. Dit wapen, dat vanwege de stompe stalen punt, in tegenstelling tot de scherpgepunte oorlogslans, een sierlans werd genoemd, kon desondanks wel degelijk dodelijk zijn, wanneer het met de kracht en snelheid van de enorme Belgische hengst naar voren werd gestoten. Baltazar had het dier gefokt van een oud geslacht van excellente oorlogspaarden, die in de middeleeuwen *destriers* ofwel strijdrossen werden genoemd. Zelfs zonder de beschermende wapenrusting woog zijn rijdier meer dan een ton.

Baltazar legde de lans over de dikke, gebogen nek. De schildknaap overhandigde hem een schild met een spits toelopende onderkant. Er stond tegen een witte ondergrond een zwarte stierenkop op geschilderd. Ditzelfde motief sierde ook Baltazars tuniek en het wapperende dek dat over de rug van het paard was gedrapeerd.

Met de lans voor hem liggend boog Baltazar iets naar voren tot hij door het *ocularium* kon kijken, de smalle horizontale spleet hoog in de voorkant van zijn helm. Links van hem stond een laag, stevig hek, ofwel de 'tilt'. Aan de andere kant van de tilt stond helemaal aan het uiteinde een tweede, eveneens in volledige wapenrusting gehulde ruiter. Ook hij zat op een dergelijk groot paard.

Baltazar had de man uit zijn huurleger geselecteerd. Zijn oefentegenstander was een gespierde man en een ervaren ruiter. Net als de sparringpartner van een profbokser delfde hij over het algemeen het onderspit bij zijn confrontaties in het steekspel met Baltazar. Hij kreeg extra betaald voor de builen en kneuzingen die hij daarbij opliep. Baltazar behandelde zijn tegenstander overigens niet al te hardhandig. Dat gebeurde niet uit medelijden, maar het was hem simpelweg te veel moeite steeds weer een nieuwe knecht te moeten opleiden. Maar na dit bericht over het mislukken van de kaping verkeerde Baltazar in een moordzuchtige stemming.

Hij wierp een bloeddorstige blik op zijn nietsvermoedende tegenstander. De neiging om zijn helse gram op Adriano af te reageren had hij van zich afgezet. De jonge Spanjaard die hij van een aanklacht wegens moord had gered, was hem onvoorstelbaar trouw. Ondanks zijn lengte en kracht was Baltazars persoonlijke huurmoordenaar zo fijngevoelig als een precisie-uurwerk. Wanneer hij Adriano met dreigende taal op zijn donder gaf, zou hij daar wel eens met een uiterst destructieve en suïcidale moordlust op kunnen reageren.

Baltazar beet zijn tanden op elkaar en verstevigde de greep om zijn lans. Een heraut in een bont middeleeuws kostuum bracht een trompet naar zijn lippen en blies één enkele toon. Het signaal om tot de aanval over te gaan. Baltazar hief zijn lans op en drukte zijn lange gouden sporen in de flanken van het paard.

Het forse dier duwde zijn hoeven in het gras en versnelde tot een bedrieglijk trage pasgang. Bij deze rustige draf zat de ruiter het stevigst in het zadel, waardoor hij de lans zo goed mogelijk kon richten. Beide ruiters hielden hun lans in een hoek van zo'n dertig graden naar links.

Daarbij zorgden ze ervoor dat hun hoofd een halve meter van de tilt verwijderd bleef en hun rechterhand een kleine meter. De linkerhand werd beschermd door het opgeheven schild.

De paarden verhoogden nu met donderend hoefgekletter hun snelheid. Halverwege de tilt beukten de ruiters op elkaar in. Baltazars tegenstander was de eerste die toestootte. Zijn lans trof Baltazars schild precies in het midden. Het geribbelde borstschild was ontworpen om een lanspunt af te laten ketsen, waardoor ook de kracht van de stoot wegschampte, maar de schacht versplinterde al voordat hij wegschoof. Baltazars lans trof zijn doel een seconde later. De stompe punt beukte tegen de linkerschouder van zijn tegenstander.

In tegenstelling tot het wapen van zijn tegenstander bleef Baltazars lans heel. Zelfs de stompe punt kwam aan met het effect van een stormram. De verzamelde kracht van het aanstormende paard en de ruiter was op die ene kleine plek geconcentreerd en sloeg zijn tegenstander uit zijn stijgbeugels. Met een kletterende klap alsof er een schroothoop instortte kwakte hij tegen de grond.

Baltazar wendde zijn paard en wierp zijn lans van zich af. Hij gleed uit het zadel en trok zijn zwaard. Zijn tegenstander lag in een onnatuurlijke houding gedraaid op zijn rug. De kreten van pijn negerend ging hij met gespreide benen over de man staan en tilde zijn zwaard in beide handen hoog op. De punt was omlaag gericht. Hij genoot van het moment en stootte het zwaard op een paar centimeter van de hals van de man in de grond.

Met een snauw van walging liet hij het zwaard staan zoals het stond en stapte met driftige passen weg naar een tent waarvan het doek met diezelfde stierenkop was versierd. Een medische staf die in de buurt had toegekeken snelde toe om zich over de gewonde ruiter te ontfermen.

Baltazars schildknaap hielp hem uit zijn harnas. Onder zijn maliënkolder droeg hij een beschermende plaat van kevlar. Zijn tegenstander droeg daarentegen het traditionele pak van gewatteerd katoen, dat aanzienlijk minder bescherming bood. Baltazar was iemand die zichzelf graag bevoordeelde. Zijn lans was van een metalen kern voorzien, waardoor hij niet kon versplinteren zoals het houten wapen van zijn tegenstander.

Met zijn maliënkolder nog aan stapte Baltazar achter het stuur van een bruinrode Bentley GTC cabriolet en reed weg van het toernooiveld. In minder dan vijf seconden trok hij de met een twaalfcilindermotor uitgeruste auto op tot honderd kilometer per uur. Hoewel de auto een topsnelheid van ruim driehonderd kilometer per uur haalde, beperkte hij zich tot de helft daarvan. Zo stoof hij een aantal kilometers over een rechte weg tot hij een oprijlaan insloeg die omgeven door keurig onderhouden gazons naar een robuust stenen landhuis in de stijl van een Spaanse villa liep.

Hij parkeerde de Bentley voor het landhuis en liep naar de deur. Een woning van het formaat van dat van Baltazar vereiste normaal gesproken een hele staf aan personeel, maar hij had slecht één huisknecht in dienst, een trouwe lakei die hem ook als een excellente kok ten dienste stond. Baltazar bewoonde maar een paar kamers van het landhuis. Als er klussen moesten worden gedaan, liet hij dat door leden van zijn privéleger doen, die in nabijgelegen barakken verbleven als ze niet ergens op het uitgestrekte landgoed op patrouille waren.

De lakei kwam hem bij de deur tegemoet. Ondanks zijn rustige voorkomen van een ervaren huisbediende, was hij een expert in oosterse vechtsporten en een goed getrainde bodyguard. Baltazar begaf zich naar zijn overdekte zwembad, waar hij zich poedelnaakt uitkleedde. Hij zwom achthonderd meter in het zwembad van Olympische afmetingen, waarna hij in een warm bubbelbad stapte in een poging de woede uit te zweten. Na zijn bad hulde hij zich in een wit gewaad met capuchon zoals ook monniken die soms dragen.

Zelfs in deze wijde pij was Baltazar nog altijd een imposante verschijning. Het gewaad kon zijn potige armen en benen dan verhullen, zijn brede schouders gingen er allerminst in verloren. Baltazars imponerende hoofd leek uit een blok graniet gebeiteld dat door een of andere wonderbaarlijke alchemie in vlees en bloed was veranderd.

Hij liet zijn huisknecht weten dat hij niet gestoord wilde worden, waarna hij zich in zijn portrettengalerij opsloot. De muren van dit enorme vertrek hingen vol met afbeeldingen van Baltazars voorouders, van wie de oudsten uit een eeuwenoud verleden stamden. Baltazar schonk cognac in een ballonvormig glas, gaf de drank een zwiepje en nam een slok. Nadat hij het glas weer had neergezet, liep hij naar een achttiendeeeuws olieverfschilderij van een jonge matrone, dat naast een reusachtige haard van flagstones aan de muur hing. Hij bewoog zijn gezicht tot op een paar centimeter van het portret, zodat ze elkaar recht in de ogen keken. Zijn handen legde hij op de gebeeldhouwde lijst aan beide kanten van het schilderij.

Kleine sensoren in de ogen van de afgebeelde vrouw namen zijn netvlies op en vergeleken het resultaat met de in een computer opgeslagen gegevens. In de lijst verborgen scanners controleerden of de hand- en vingerafdrukken overeenkwamen met de gegevens in de computerbestanden. Er klonk een zacht klikje, waarop een deel van de muur openzwaaide en er een doorgang naar een trap vrijkwam.

Hij liep de trap af naar een stalen deur, die hij door het intoetsen van een cijfercode opende. Achter de deur bevond zich een ruimte met vitrinekasten langs de wanden. In de luchtdicht afgesloten kasten werden de honderden chronologisch gerangschikte boeken beschermd door een uitgekiende temperatuur- en vochtigheidsgraadregeling.

De boeken bevatten Baltazars familiegeschiedenis over een periode van ruim tweeduizend jaar. In de kronieken was vastgelegd dat de familie oorspronkelijk in Palestina leefde tot ze naar het eiland Cyprus waren overgestoken, waar ze als scheepsbouwers carrière maakten. De familie bouwde de schepen voor de Vierde Kruistocht. Ze waren betrokken bij de bloederige plundering van Constantinopel, waar ze zoveel goud roofden als ze in hun schepen konden meenemen.

Na de kruistocht sloot de familie zich aan bij de kruisvaarders. Ze verhuisden naar West-Europa en vormden een kartel dat het gestolen goud als basis gebruikte voor het opzetten van een delfstoffenimperium. Vanaf dat moment waren alle geboortes, sterfgevallen en huwelijken, zelfs teruggaand tot de tijd in Cyprus, nauwkeurig genoteerd. Zakelijke overeenkomsten. Geschillen. Dagboeken. Alle bijzonderheden, hoe zelfzuchtig, beschamend of ronduit misdadig dan ook, waren op de pagina's van de met goud op snee gebonden boeken opgetekend.

Baltazar had alle boeken tot op de laatste letter gelezen en met name zijn kruisvaardersverleden had zijn belangstelling voor het steekspel en andere paardrijkunsten uit de riddertijd gewekt. Een in de muur ingebouwd touchscreen aangesloten op een computerprogramma met uitgebreide zoekfuncties fungeerde als een snel te raadplegen register.

Op een verhoging in het midden van de kamer stond een afgodsbeeld. Het was de beeltenis van een man die met zijn handpalmen omhoog en zijn armen iets naar beneden gebogen in een houding zat alsof hij verwachtte dat hem iets zou worden aangereikt. Hij had een rond, door een baard omgeven gezicht en zijn lippen weken uiteen in een glimlach die meer naar een wrede grijns neigde. Er staken hoorntjes aan beide kanten uit zijn hoofd. De god Baäl stond hier zo pontificaal omdat hij de beschermheilige van de familie Baltazar was, die hem al vanaf het prille begin had geëerd en om bescherming van het fortuin had gevraagd.

Het afgodsbeeld was bij afgrijselijke rituelen met mensenoffers gebruikt. Oorspronkelijk had het aan de rand van een vuurkuil gestaan. Het stenen voetstuk was nog zwartgeblakerd van de rook en de hitte. In moeilijke tijden offerden de priesters van Baäl kinderen, die ze op de licht omlaag gebogen armen legden, vanwaar ze in de vlammen rolden. In plaats van een laaiend vuur werd de ruimte voor het afgodsbeeld nu ingenomen door een altaar. Op het altaar stond een hardhouten, met tientallen edelstenen afgezette kist.

Baltazar duwde het deksel omhoog en tilde er een kleiner, niet versierd houten kistje uit. In dit kistje lagen diverse perkamenten vellen, die Baltazar op het altaar uitspreidde. Zijn vader had hem de inhoud van het kistje getoond toen de hoofdzetel van de familie zich nog in Europa bevond. Het manuscript beschreef de familiegeschiedenis van voor de vlucht naar Cyprus. Maar pas toen hij veel ouder was en Aramees had geleerd, was hij in staat om de duistere geheimen te doorgronden die tot hun verbanning hadden geleid.

Terwijl hij de instructies las die door zijn oude voorvader waren opgetekend, voelde hij de druk van die eeuwenoude geschiedenis op zijn schouders. Even later borg hij het perkament weer voorzichtig in de dubbele behuizing op en sloot het deksel.

Hij richtte zijn ogen, die haast kleurloos waren, omhoog en zag de kille blik van Baäl. Het was alsof de oude god hem recht in zijn ziel keek. Er leek pure kracht van het beeld in Baltazar te stromen. Als een dorstige pelgrim zoog hij de onzichtbare uitstraling in zich op tot hij zich er tot barstens toe mee gevuld voelde.

Hij liep achteruit terug naar de deur, draaide zich om en beklom de trap naar zijn werkkamer. Nog licht geschokt door de intense ervaring dronk hij ter kalmering het glas cognac leeg. Vervolgens pakte hij de telefoon op. Nadat hij een nummer had ingetoetst, werd hij via diverse doorverbindingen, die een identificatie van de locatie van de beller moesten verhinderen, met Adriano verbonden.

Baltazar snakte naar meer details over de mislukte kaping en diefstal. Hij wilde weten wie de man was geweest die zijn plannen had gedwarsboomd. Wie het ook was, zijn lot zou hetzelfde zijn als dat van de honderden anderen die hem voor de voeten hadden gelopen: het vooruitzicht van een langzame, pijnlijke dood.

16

Voor een dermate geheime overheidsinstelling is de National Security Agency opmerkelijk zichtbaar voor de grote buitenwereld. Het hoofdkwartier van de NSA bevindt zich in Fort Meade, Maryland, halverwege Baltimore en Washington, in twee hoge, achter een blauwgetinte façade van glas gehulde kantoorgebouwen, die eruitzien alsof ze door een melancholieke kubist ontworpen zijn.

De kantoorgebouwen zijn puur gezichtsbedrog. De constructies geven maar een klein deel weer van een uitgestrekt ondergronds complex, waarvan wordt gezegd dat het een oppervlakte van minstens vier hectare beslaat. De NSA is de grootste werkgever van wiskundigen in de VS en waarschijnlijk de hele wereld. Onder de ruim 20.000 werknemers van de organisatie bevinden zich de beste cryptologen van het land.

Angela Worth, de bibliotheekassistente van het Amerikaans Filosofisch Genootschap, reed langs het NSA-complex en draaide het parkeerterrein van het National Cryptographic Museum op. Ze was 's morgens vroeg opgestaan, had zich ziek gemeld en was van Philadelphia naar het zuiden gereden. Ze vond een vrije parkeerplaats, greep een oude aktetas van de stoel naast haar en liep met snelle passen naar de ingang van het museum.

Aan de receptioniste in de hal van het museum vroeg ze of ze D. Grover Harris kon spreken. Een paar minuten later kwam er een broodmagere, in een spijkerpak geklede jongeman met een warrige haardos op haar af. Hij schudde haar hartelijk de hand.

'Hoi, Angela,' zei hij met een verlegen lachje. 'Aardig dat je hier helemaal naar toe komt.'

'Graag gedaan, Deeg. Jij bedankt dat je me wilt ontvangen.'

Angela had Deeg op een congres voor puzzelfans ontmoet. Ze hadden het onmiddellijk goed met elkaar kunnen vinden. Ze voelden zich allebei ondergewaardeerd. Deeg was innemend, zag er goed uit en was akelig intelligent. En net als Angela stond hij nog onder aan de maatschappelijke ladder. Hij leidde haar naar zijn rommelige kantoortje en bood haar een stoel aan. Het vertrek was nauwelijks groter dan een kast, een bevestiging van de lage positie die Harris innam in de hiërarchie van het museum.

Harris nam plaats achter een bureau dat zo vol lag met stapels papieren dat het door de eerste de beste arbo-inspecteur als brandgevaarlijk zou worden afgekeurd. 'Je klonk nogal opgewonden aan de telefoon. Wat heb je op je lever?'

Angela klapte haar aktetas open. Ze haalde de kopieën van het document van Jefferson eruit en overhandigde de papieren zonder commentaar aan Harris. Hij bladerde de pagina's vluchtig door en kwam bij het geperforeerde stuk karton onder op de stapel. Hij hield het tegen het licht en legde het vervolgens op een pagina.

'Zou dit de sjabloon van een geheimschrift zijn?'

'Ik hoopte juist dat jíj me dat zou kunnen vertellen,' antwoordde Angela. 'Jij bent de expert op het gebied van codes en geheimschriften.'

'Kom, kom. Ik ben een beginnend expert die cursussen volgt aan de National Cryptologic School.'

'Dat is voor mij meer dan voldoende,' zei Angela. De school van de NSA verzorgde opleidingen cryptografische analyse voor personeel van alle departementen.

'Doe jezelf nou niet te kort. Jíj bent degene die dit heeft ontdekt,' zei hij. 'Wat denk jij hiervan?'

'Volgens mij is dit op een verkeerde plek in het systeem verwerkt. Dit hoort eigenlijk bij de documenten van Jefferson.'

Hij schoot recht overeind. '*Jefferson?*'

'Nnjaa... Ik ben er vrij zeker van dat het zijn handschrift is. Ik heb het met de Onafhankelijkheidsverklaring vergeleken en er staat heel klein TJ rechtsonder op de titelpagina.'

Hij hield het blad vlak voor zijn ogen en floot onhoorbaar tussen zijn tanden. 'Jefferson. Het zou kunnen.'

'Ik ben blij dat je dat zegt,' zei Angela met een zucht van opluchting. 'Ik was al bang dat ik je tijd hier verdeed.'

'Mijn hemel, nee!' Harris schudde zijn hoofd. 'De meeste mensen weten niet dat Jefferson een ervaren cryptoloog was. Hij gebruikte geheimschriften bij zijn communicatie met James Madison en anderen uit de regering. Dat heeft hij geleerd in de tijd dat hij gezant in Frankrijk was.' Hij stond op. 'Kom, dan zal ik je iets laten zien.'

Hij ging haar voor naar de tentoonstellingsafdeling en bleef staan voor een vitrine waarin een bruine houten cilinder op een spoel lag. De cilinder had een doorsnede van zo'n vijf centimeter, was ruim twintig centimeter lang en opgebouwd uit een reeks schijven. In de randen waren letters gegraveerd.

'Dit is in een huis bij Monticello gevonden,' zei Harris. 'We denken dat dit een "coderingsrol" is, door Jefferson uitgevonden toen hij onder Washington minister van Buitenlandse Zaken was. Je schrijft een tekst en dan hussel je de letters tot een code door aan de schijven te draaien. Degene die de tekst wil lezen gebruikt ook een dergelijk apparaat.'

'Doet me wel erg aan *De Da Vinci Code* denken.'

Harris grinnikte. 'De oude Leonardo zou helemaal weg zijn geweest van de evolutie die de coderingsrol heeft doorgemaakt.'

Hij troonde haar mee naar een andere vitrine waarin een aantal apparaten stond die op grote typemachines leken.

Ze las het tekstbordje. 'Mysterieuze codeermachines,' zei ze met een opgewonden schittering in haar ogen. 'Daar heb ik wel eens iets over gehoord.'

'Deze dingen behoorden tot de best bewaarde geheimen van de Tweede Wereldoorlog. Er zijn lieden die voor deze dingen een moord zouden hebben gedaan. Dit zijn veredelde versies van Jeffersons coderingsrol. Hij was zijn tijd ver vooruit.'

'Jammer dat we zo'n ding niet kunnen gebruiken voor het ontcijferen van onze tekst,' zei Angela.

'Dat hoeven we misschien ook helemaal niet,' reageerde Harris.

Ze liepen terug naar zijn kantoortje, waar hij zich weer op de stoel achter zijn bureau liet vallen. Hij leunde achterover en drukte zijn vingertoppen tegen elkaar.

'Hoe ben jij in geheimschriften geïnteresseerd geraakt?' vroeg hij.

'Ik ben goed in wiskunde. Ik doe graag kruiswoordpuzzels en als kind maakte ik al graag acrostichons. Daardoor ben ik ook boeken over dat soort dingen gaan lezen. Zo heb ik ook over geheimschriften met sjablonen gelezen en over Jeffersons belangstelling voor cryptologie.'

'De helft van alle cryptologen ter wereld zou hetzelfde hebben geantwoord,' zei Harris. 'En omdat je er zo in geïnteresseerd bent, heb je kunnen aanvoelen dat hier een verborgen mededeling in verwerkt zit.'

Ze haalde haar schouders op. 'Het had gewoon iets wat ik raar vond.'

'Rare dingen, dat is precies waar de NSA voortdurend mee bezig is. Jefferson zou zich helemaal thuis hebben gevoeld op dit instituut.'

'En wat heeft de coderingsrol hiermee te maken?'

'Niets. Jefferson is later in zijn carrière van de coderingsapparaten afgestapt. Ik vermoed dat hij deze sjabloon uitsluitend heeft gebruikt voor een steganografisch systeem om te verhullen dat er in het verhaal over artisjokken een geheime mededeling verborgen zit. Hij heeft de boodschap in de gaatjes genoteerd en er zinnen omheen gebouwd.'

'Het viel me op dat de zinsbouw in de tekst nogal gekunsteld is en in sommige passages ronduit onzinnig.'

'Goed gezien. Laten we aannemen dat Jefferson dit als een extra versleuteling heeft gebruikt. Dan moeten we om te beginnen de letters in de gaatjes van de sjabloon kopiëren.'

Angela pakte een notitieblok uit haar tas en reikte het Deeg aan. 'Dat heb ik al gedaan.'

Harris bestudeerde de ogenschijnlijk onsamenhangende letterreeksen. 'Fantastisch! Dit bespaart ons een hoop tijd.'

'Waar beginnen we?'

'Zo'n tweeduizend jaar geleden.'

'Pardon?'

'Tijdens de Gallische oorlogen gebruikte Julius Caesar een vervangend schrift voor de communicatie met Cicero. Hij verving de Romeinse letters heel simpel door Griekse. Dat substitutiesysteem heeft hij later verbeterd. Uitgaande van het gewone alfabet creëerde hij een geheim alfabet door de letters drie plaatsen te verschuiven. Als je het ene alfabet op het andere legt, kun je de letters van de ene rij naar de andere verschuiven.

'Dat is hier ook het geval?'

'Niet helemaal. De Arabieren ontdekten dat je dergelijke geheimschriften kunt ontcijferen aan de hand van de frequentie waarmee bepaalde letters in een tekst voorkomen. Maria Stuart, de koningin van de Schotten, werd onthoofd nadat de ontcijferaars van koningin Elizabeth de code kraakten van de berichten die de door Babington geleide samenzweerders uitwisselden. Jefferson ontwikkelde een variatie op het systeem dat als de Vigenèrecode bekendstaat.'

'Dat is een uitbreiding van Caesars substitutiesysteem.'

'Klopt. Je maakt een vierkant door het alfabet steeds één letter verschoven in regels onder elkaar te zetten. Zo krijg je de *tabula recta* van Vigenère. Boven deze vierkante tabel noteer je een aantal malen een sleutelwoord achter elkaar. Met behulp van de letters in dat sleutelwoord kun je de verborgen letters in de tekst vinden, zoiets als de markeringspunten in een grafiek.'

'Dat zou betekenen dat de letters in de klare tekst in feite voor andere letters staan.'

'Dat is het mooie van het systeem. Het maakt het gebruik van letterfrequentietabellen overbodig.'

Harris trok het toetsenbord van een computer naar zich toe en nadat hij enige tijd verwoed had zitten typen, verscheen op de monitor een geheel uit letters opgebouwd vierkant. 'Dit is de standaardtabel van Vinegère. Het probleem is dat we het sleutelwoord niet kennen.'

'Wat dacht je van artisjok?'

Harris schoot in de lach. 'Het lijkt de "De gestolen brief" van Poe wel. Artisjok was het sleutelwoord dat Jefferson en Meriwether Lewis overeenkwamen voor de ontcijfering van de code die ze voor de expeditie door het Louisiana-territorium gebruikten.'

Hij schreef het woord artisjok een paar keer achter elkaar boven het vierkant en probeerde het versleutelde bericht zoals het door de sjabloon was verschenen te ontcijferen. Daarna probeerde hij de meervoudsvorm en schudde zijn hoofd.

'Dit ligt misschien iets te veel voor de hand,' zei Angela. Vervolgens probeerden ze het met *Adams, Washington, Franklin* en *onafhankelijkheid*. Allemaal met hetzelfde teleurstellende negatieve resultaat.

'Hier kunnen we de hele dag mee doorgaan,' zei Angela.

'Decennia als het moet. Maar het is zinloos, het sleutelwoord hoeft niet eens iets te betekenen.'

'Dus een Vigenèrecode is niet te kraken?'

'Alle geheimschriften zijn te kraken. Deze is in de negentiende eeuw gekraakt door een zekere Babbage, een genie die ook wel de vader van de computer wordt genoemd. Met zijn systeem zocht hij naar opeenvolgingen van letters. Als hij die eenmaal had, kon hij daarmee het sleutelwoord vinden. Maar dat gaat voor mij te ver. Gelukkig zitten we hier op een steenworp afstand van de beste decodeerders ter wereld.'

'Ken jij iemand bij de NSA?'

'Ik zal mijn professor bellen.'

De professor had net een college en Harris liet een bericht achter. Met Angela's toestemming kopieerde hij het manuscript. Hij was zo op de geschreven tekst gespitst geweest, dat hij nog nauwelijks aandacht aan de tekening had besteed.

Angela zag dat hij de lijnen en X'en bestudeerde. 'Dat is een ander deel van het mysterie. Eerst dacht ik dat het de plattegrond van een tuin was.' Ze vertelde hem wat ze op de website van het oudetalenwoordenboek had gevonden.

'Heel boeiend, maar laten we ons voorlopig op de boodschap in de hoofdtekst concentreren.'

Harris kopieerde de pagina's. Angela stopte de originelen terug in haar aktetas. Harris liep met haar mee naar de uitgang en zei dat hij, zodra hij iets hoorde, haar dat direct zou laten weten. Twee uur later werd hij gebeld door de professor. Harris vertelde hem over het dechiffreerprobleem. Nog voordat hij de naam Jefferson goed en wel had uitgesproken, zei de professor dat hij onmiddellijk langs moest komen.

Professor Pieter DeVries stond Harris al bij de incheckbalie van de beveiliging op te wachten. In zijn ongeduld om de tekst te zien sleurde de professor Harris haast letterlijk mee naar zijn kantoor.

De professor zag er helemaal uit als de briljante maar verstrooide wiskundige die hij was. Hij droeg vrijwel altijd een tweed kostuum, ook in de warme maanden, en had de gewoonte om aan zijn sneeuwwitte sik te plukken als hij diep in gedachten verwijlde, wat meestentijds het geval was.

Hij bestudeerde de artisjokkentekst. 'Je zei dat je dit van een jongedame van het Filosofisch Genootschap hebt gekregen?'

'Dat klopt. Ze werkt daar in de onderzoeksbibliotheek.'

'Hier was mij waarschijnlijk niets aan opgevallen als deze sjabloon' – die Angela bij Harris had achtergelaten – 'er niet bij was geweest.' Hij pakte het geperforeerde stuk karton op, keek er met een blik van afkeer naar en legde het weer weg. 'Het verbaast me dat Jefferson zo'n grof ding als dit zou hebben gebruikt.'

'Ik ben er nog niet zo zeker van dat hier een boodschap in verborgen zit,' zei Harris.

'Er is een manier om daar achter te komen,' reageerde de professor.

Hij scande de rijen letters in een computer en zat een paar minuten te typen. Op het scherm verwisselden de letters voortdurend van plaats tot er ten slotte een woord in beeld verscheen:

AREND.

Harris tuurde naar het scherm en schoot in de lach. 'Dat hadden we kunnen weten. Arend was de naam van Jeffersons lievelingspaard.'

De professor glimlachte. 'Babbage zou zijn ziel hebben verkocht voor een computer met nog niet een tiende van de capaciteit van deze.' Hij typte het sleutelwoord in en gaf de computer de opdracht de boodschap in het bericht, dat hij al had gescand, te ontcijferen.

De brief die Jefferson in 1809 aan Lewis had geschreven, verscheen in klare tekst in beeld.

Harris leunde over de schouder van de professor.

'Ik geloof mijn ogen niet,' zei hij. 'Dit is waanzinnig.' Harris haalde het papier met de merkwaardige tekening erop tevoorschijn. 'Volgens Angela zijn dit woorden in het Fenicisch.'

'Dat komt overeen met wat Jeffersons bron in Oxford in deze brief stelt.'

Harris voelde zich opeens heel erg moe. 'Ik heb het gevoel dat dit wel eens héél belangrijk zou kunnen zijn.'

'Aan de andere kant kan dit sprookje ook best bedrog zijn, een product van slimme fantasie.'

'Denkt u dat echt?'

'Nee. Dit manuscript is volgens mij echt. Het verhaal dat erachter zit, is een andere zaak.'

'Hoe gaan we dit aanpakken?'

De professor plukte zo hard aan zijn sik dat het haast een wonder leek dat hij niet het hele baardje van zijn kin trok.

'Héél voorzichtig,' zei hij.

17

Het was druk in P Street, waar in het beroemde negentiende-eeuwse Boardman House de ambassade van Irak was gevestigd. Voor de ingang van het drie verdiepingen tellende, in romaanse stijl opgetrokken gebouw vlak bij Dupont Circle passeerde een lange stoet limousines en andere luxe personenauto's die steeds even stopten om mannen in smokings en vrouwen in avondjurken in de gelegenheid te stellen uit te stappen voor een bezoek aan een officiële receptie.

De portier wenkte dat een taxi de plaats van een wegrijdende limousine in kon nemen, waarna hij het achterportier van de voorgereden taxi opende. Carina Mechadi stapte uit. Haar slanke figuurtje was gehuld in een tot op de enkels reikende fluwelen jurk, waarvan de zwartbruine kleur perfect paste bij het schouderlange haar dat ze naar achteren had opgestoken. De wijde halslijn van de jurk vormde een decolleté dat op de grens van netjes en sexy balanceerde. Een witte geborduurde sjaal bedekte haar blote schouders en stak scherp af tegen haar lichtbruine huid.

Ze bedankte de portier, een man van middelbare leeftijd, met een glimlach die zijn lichaamstemperatuur tot een ongezond niveau deed stijgen, en volgde de andere gasten door het gewelfde portaal naar binnen. Een mannelijk lid van het ambassadepersoneel wierp een blik op haar goudgerande uitnodiging en streepte op een lijst haar naam door.

'Dank u dat u onze uitnodiging heeft aangenomen, mevrouw Mechadi. De ambassadeur van Irak heet u van harte welkom.'

'Dank aan ú,' zei Carina. 'Ik ben blij dat ik hier mag zijn.'

In de hal klonk het geroezemoes van de vele tientallen gasten. Carina keek met haar levendige blauwe ogen om zich heen en vroeg zich af of ze hier zou blijven of naar een van de zijvertrekken zou doorlopen. Zodra de andere gasten haar aanwezigheid opmerkten, wendden ze zich van haar af en zakte het volume van hun stemmen.

Carina was niet groot, maar ze had wel een fysiek aanwezige uitstraling die de aandacht trok. De vrouwen in de zaal voelden haar vrouwelijke aantrekkelijkheid en grepen hun partners instinctief bij de arm om pas weer te ontspannen nadat een lange man van middelbare leeftijd zich van het gezelschap losmaakte en op de nieuw gearriveerde gast toestapte.

Hij klakte zijn hielen tegen elkaar en maakte een hoffelijke buiging. 'Carina Mechadi, de Engel der Oudheden, als ik me niet vergis.'

Een anonieme koppenmaker had Carina deze pompeuze titel toebedeeld boven een artikel in het *Smithsonian*-magazine. Ze glimlachte vriendelijk en nam het gesprek over. 'Met die betiteling ben ik helemaal niet zo blij, meneer...?'

'Neemt u mij niet kwalijk, mevrouw Mechadi. Ik ben Anthony Saxon en ik bied u mijn oprechte excuses aan als ik u beledigd mocht hebben.' Hij sprak met een licht Brits accent dat hem ooit op een dure Amerikaanse particuliere school was aangeleerd.

'Niet in het minst, meneer Saxon.' Ze stak haar hand naar hem uit. 'Hoe hebt u me herkend?'

'Uw foto heeft in diverse bladen gestaan. Het verheugt me dat ik u nu in levenden lijve ontmoet.' Hij nam haar hand en gaf er een galante kus op.

Met zijn gedistingeerde uiterlijk, barokke manier van praten en een perfect passende smoking leek Saxon op een ambassadeur uit het begin van de vorige eeuw. Hij was ruim een meter tachtig lang en zo mager als een lat. Zijn dikke roodachtig grijze haardos was vanaf een buitensporig krullende haarlok midden op zijn voorhoofd, die tot boven zijn dikke wenkbrauwen welfde, strak naar achteren gekamd. Een penseeldun snorretje van het model dat we van filmsterren en gigolo's uit de jaren veertig kennen, sierde zijn bovenlip. Zijn gezicht was door de woestijnzon glanzend gebruind.

'Behoort u tot het corps diplomatique hier in Washington, meneer Saxon?'

'Allesbehalve, ben ik bang. Ik ben avonturier uit vrije keus en schrijver-filmmaker om mijn brood te verdienen. Misschien hebt u mijn laatste boek gelezen, *Quest for the Queen*.' Er klonk iets van hoop in zijn stem door.

'Ik vrees van niet,' zei Carina. Maar omdat ze hem niet wilde kwetsen, voegde ze er haastig aan toe: 'Ik ben nogal vaak onderweg.'

'Dat zegt u heel eerlijk.' Saxon klakte opnieuw zijn hakken tegen elkaar. 'Het doet er niet toe dat u nooit van mij heeft gehoord, aangezien ik uw naam wel vaak ben tegengekomen en in het bijzonder in verband met het terugvinden van oudheden die uit het museum van Bagdad waren gestolen.'

'Heel attent van u, meneer Saxon.' Ze keek om zich heen. 'U kunt mij toevallig niet vertellen waar ik Viktor Baltazar kan vinden?'

Saxons wenkbrauwen zakten omlaag. 'Baltazar zal zo dadelijk in de grote ontvangstzaal zijn speech houden. Ik wijs u met alle genoegen de weg.'

Carina's lippen weken in een geamuseerde glimlach vaneen. 'U bent op en top een victoriaanse heer,' zei ze, terwijl ze zijn uitgestoken arm omvatte.

'Ik zie mezelf liever als een elizabethaan. Zwaarden en sonnetten. Maar ik waardeer het compliment.'

Hij leidde haar door de druk converserende menigte naar een groot, met kastanjebruine goudgerande draperieën versierd vertrek. Aan het uiteinde stond een podium omgeven door lampen, videocamera's en microfoons. Aan de muur achter de verhoging hing een reusachtige foto van het Nationale Museum van Irak. Voor het podium stonden in rijen pluchen stoelen opgesteld.

Saxon liep naar een tweezitsbankje tegen een van de zijmuren. Op een samenzweerderig toontje fluisterde hij dat ze vanaf die plek een fantastisch zicht hadden op de binnenkomende gasten en ze er ook gemakkelijk weg konden als de sprekers te langdradig werden.

Carina herkende verschillende lagere personeelsleden van het ministerie van BZ, politici en journalisten. En ze herkende ook diverse mannen en vrouwen die een aardige doorsnede vormden van de elite van oudheidkundigen uit het Midden-Oosten. Ze raakte enigszins opgewonden toen ze professor Nasir zag binnenkomen.

Ze stond op en zwaaide naar hem. De professor kwam met grote passen en een brede glimlach om zijn lippen dwars door de zaal op haar af.

'Mevrouw Mechadi, wat fantastisch om u hier te zien.'

'Ik hoopte dat ik u hier zou treffen, professor.' Ze draaide opzij naar Saxon. 'Professor, dit is Anthony Saxon. Meneer Saxon, professor Jassim Nasir.'

Saxon torende met zijn lange lijf hoog boven de Irakees uit. 'Een hele eer om kennis met u te mogen maken, dr. Nasir. Ik ben op de hoogte van uw werk voor het museum.'

Nasir straalde.

'Als u het niet erg vindt,' zei Carina tegen Saxon, 'maar dr. Nasir en ik hebben een boel te bespreken. We hebben elkaar al heel lang niet meer gezien.'

'Allerminst,' zei Saxon. In een vloeiende beweging griste hij twee glazen champagne van een passerend dienblad en gaf er een aan Carina. 'Laat het me alsjeblieft weten als ik op de een of andere manier van dienst kan zijn.'

Nasir keek hoe Saxon zich soepeltjes door de menigte bewoog. 'Er zijn maar weinig mensen buiten Irak die van mijn bestaan weten,' zei hij, onmiskenbaar geïmponeerd. 'Hoe lang kent u de heer Saxon al?'

'Een minuut of vijf. Hij overviel me bij de ingang. Maar wat belangrijker is, hoe lang is het geleden dat wij elkaar voor het laatst hebben gezien? Toch minstens drie jaar?'

'Hoe zou ik dat kunnen vergeten? Dat was in Bagdad, in het museum. Een vreselijke tijd.'

'Hij spijt me dat ik me niet wat vaker heb gemeld.'

'We hebben het museum nu aardig aan kant en dankzij mensen zoals u blijft men z'n best doen spullen terug te vinden. Er komt geld binnen, maar de kosten zijn gigantisch. En met de aanhoudende instabiele situatie in ons land zal het nog heel lang duren voordat er busladingen toeristen voor de deur staan.'

'Des te meer reden om blij te zijn met deze receptie.'

'O, jazeker,' zei hij glunderend. 'Ik wist niet hoe ik het had, toen u belde met de mededeling dat u een belangrijk deel van de artefacten had teruggevonden. Het idee voor deze tournee is geniaal. Ik had nooit gedacht dat ik hier nog eens in het gezelschap van zoveel gerespecteerde collega's zou verkeren. Daar hebben we er net een. Herinnert u zich dr. Shalawa nog?'

De corpulente vrouw die het podium betrad was een vooraanstaand deskundige op het gebied van de Assyrische archeologie. Dr. Shalawa was gekleed in een traditionele islamitische jurk die tot op haar enkels hing. Haar haren gingen schuil onder een hoofddoek. Ze schraapte haar keel om de aandacht te krijgen en nadat alle aanwezigen waren gaan zitten, stelde ze zich voor.

'Eerst wil ik de ambassade bedanken voor de organisatie van deze receptie en onze gasten voor hun financiële en morele steun. Onze eerste spreker is een goed voorbeeld van de genereuze geest die zo onmisbaar is bij het opnieuw op de kaart zetten van ons museum als een van de belangrijkste culturele instellingen ter wereld. Het is mij een geweldige eer nu het woord te geven aan Viktor Baltazar, voorzitter van de Bagdad Museum Stichting.'

Terwijl dr. Shalawa voorging in het applaus verhief een van de mannen op de eerste rij zich van zijn stoel en beklom het podium, waar hij haar de hand schudde.

Carina had geen flauw idee hoe Baltazar eruit zou zien; hij bezat een bijzonder talent waarmee hij erin slaagde zijn foto zorgvuldig uit de publieke media te houden. Ze wist echt niet wat ze kon verwachten, maar in ieder geval niet de krachtig gebouwde man in de maatsmoking die achter het spreekgestoelte plaatsnam. Zijn enorme hoofd deed haar aan een buldog denken. Maar terwijl ze hem bekeek, veranderde Baltazar. De trotse grijns werd een warme glimlach en de fletse ogen leken recht op alle aanwezigen gericht.

Toen het applaus ten slotte was weggeëbd, nam hij met een lage, melodieuze stem het woord: 'Om te beginnen moet ik u zeggen dat juist ík degene ben die vereerd is dat hij voor dit uitgelezen gezelschap mag spreken. U hebt met z'n allen deelgenomen aan de internationale inspanningen om de uit het Nationale Museum van Irak in Bagdad gestolen oudheden terug te vinden.'

Hij nam een tweede golf van applaus in ontvangst en vervolgde: 'Mijn stichting was slechts een bescheiden schakel in de ketting. Dankzij u worden er nog steeds veel artefacten teruggevonden. Het museum is druk bezig met de renovatie van de conservatielaboratoria, het opleiden van personeel en het opzetten van een digitaal archief. De door de Baltazar Foundation gesponsorde tournee zal nieuwe fondsen genereren. Het spijt me dat ik de receptie zal moeten verlaten voordat ik u allemaal persoonlijk heb kunnen bedanken, maar ik verheug me erop met u allen voor dit goede doel samen te mogen werken.'

Hij wierp de toehoorders een handkus toe, liep het podium af en verdween door de dichtstbijzijnde deur. Ook Carina verliet haastig de zaal en haalde haar prooi in de hal in.

'Meneer Baltazar, neemt u mij niet kwalijk. Ik weet dat u haast hebt, maar zou ik misschien een minuutje van uw tijd mogen stelen.'

Baltazars lippen verwijdden zich tot een innemende glimlach. 'Het zou wel heel onbeleefd en ook dwaas van me zijn om een zo bescheiden verzoek van zo'n lieftallige dame af te wijzen, mevrouw...?'

'Dat is heel aardig van u. Ik ben Carina Mechadi.'

Er verscheen een peinzende uitdrukking op Baltazars gezicht. 'Mevrouw *Mechadi*! Dat is een wel heel bijzondere verrassing. Van wat ik over uw pitbullachtige vasthoudendheid heb gehoord, had ik u als een kleine, stevige vrouw van middelbare leeftijd met misschien zelfs een snor voorgesteld.' Hij legde zijn wijsvinger langs zijn bovenlip.

'Sorry, dat ik u daarin teleurstel,' reageerde Carina.

'Absoluut geen kwestie van teleurstelling, of het moet zijn dat ik zo'n haast heb. Wat kan ik voor u doen?'

'Ik wilde u en uw stichting bedanken voor alle steun die u mij heeft gegeven.'

'Graag gedaan. Ik betreur het nu dat ik u niet eerder heb ontmoet en dat we alleen via tussenpersonen hebben gecommuniceerd. Mijn zakelijke en charitatieve beslommeringen nemen veel van mijn tijd in beslag.'

'Dat begrijp ik heel goed.'

'Dat is dan een pak van mijn hart. U bent kennelijk een echte speurneus. Bent u door de politie opgeleid?'

'Oorspronkelijk was ik journalist. Ik heb over een aantal belangrijke Italiaanse kunstdiefstallen geschreven waar uiteindelijk ook Europese en Amerikaanse musea bij betrokken bleken. Ik werd steeds kwader naarmate ik meer te weten kwam over hoe de wetenschappelijke instituten en musea bij die illegale handel betrokken zijn. En voordat ik het wist, zat ik achter gestolen voorwerpen aan in plaats van erover te schrijven.'

'Ik begrijp dat uw werk niet zonder gevaar is. Benoir heeft me over de kaping en poging tot diefstal van een artefact verteld. Schandalig! We mogen van een wonder spreken dat u het er heelhuids vanaf heeft gebracht.'

Ze knikte. 'Als Kurt Austin er niet was geweest, had ik hier nu niet gestaan.'

'Die naam zegt mij niets.'

'De heer Austin werkt bij de National Underwater and Marine Agency. Hij blijft liever buiten de schijnwerpers, maar hij heeft mijn leven gered, het schip en de Iraakse artefacten die we net terug hadden gevonden. Een van de kapers heeft hem neergeschoten. Maar godzijdank was hij slechts lichtgewond.'

'Die Austin is zo te horen een opmerkelijk heerschap,' zei Baltazar. 'Hoe is hij eigenlijk aan boord van het schip gekomen?'

'Puur toeval. Hij zat op een ander schip dat toevallig in de buurt was toen ze ons noodsignaal opvingen.'

'Opmerkelijk. Ik zou hem graag een keer willen ontmoeten om hem te bedanken.'

'Dat regel ik graag voor u.'

'Het is verbazingwekkend hoe veel van de verdwenen Iraakse antiquiteiten u hebt teruggevonden. Hoe hebt u dat voor elkaar gekregen?'

Carina dacht aan de talloze informanten die ze voor zich had weten te winnen, de smeergelden waar ze royaal mee was geweest en de weigerachtige regeringsmedewerkers die ze genadeloos net zolang had bestookt tot ze uiteindelijk alleen om van haar af te zijn toegaven.

'Dat is een lang verhaal,' zei ze met een schouderophalen. 'Een groot deel van mijn succes heb ik te danken aan mijn afkomst. Mijn wortels liggen in Europa en Afrika, waardoor ik gemakkelijk contacten maak op beide continenten.'

'Afrika, zei u? Dan was uw vader een Italiaan, neem ik aan?'

Ze knikte. 'Mijn grootvader ook. Hij diende in het leger van Mussolini toen dat Ethiopië binnenviel. Daar heeft hij mijn grootmoeder ontmoet. Mijn moeder heeft hem nooit gekend, ze wist alleen dat haar vader een Italiaan was. Toen ze naar Italië verhuisde, waar ik werd geboren, heeft ze haar meisjesnaam, Mekada, veritaliaanst.'

'Mekada? Dat is een prachtige naam.'

'Dank u. Ik heb begrepen dat hij in Ethiopië veel voorkomt.'

Baltazar dacht een ogenblik na alvorens hij het gesprek weer opnam. 'Vertel eens, mevrouw Mechadi, wat zijn uw plannen de komende tijd?'

'Ik ga het behoorlijk druk krijgen met de organisatie van de tournee. De artefacten zijn in het Smithsonian Institution in verzekerde bewaring. Nu moet ik de gegevens over de herkomst en verdere achtergrondinformatie voor de bijschriften in de tentoonstelling leveren. Ik heb afspraken gemaakt met mensen die me hun hulp daarbij hebben aangeboden. Morgen ga ik naar Virginia voor een ontmoeting met Jon Benson, een fotograaf van de *National Geographic* die aanwezig was bij de opgraving van een beeld dat de *Navigator* wordt genoemd. Misschien kunt u een keer langskomen om het beeld en de andere stukken in de collectie te bekijken.'

'Dat lijkt me een prima idee. Ik moet bekennen dat ik een leek ben op het gebied van de archeologie, maar ik bezit zelf ook een paar dingen. Volstrekt legaal, wel te verstaan. Ik zou ze u graag eens laten zien tijdens een lunch of dineetje.'

'Daar ga ik graag op in, meneer Baltazar.'

'Schitterend. Bel de stichting zodra u er tijd voor hebt. Zij zijn op de hoogte van mijn agenda.'

Ze schudden elkaar de hand, waarna Baltazar wegliep om van de ambassadeur en andere functionarissen van de ambassade afscheid te nemen. Carina ging terug naar de ontvangstzaal, waar ze Saxon tegen het lijf liep. Er lag een geamuseerde glimlach om zijn lippen.

'Ik zag u met de heer Baltazar praten,' zei hij.

'De heer Baltazar was de belangrijkste reden waarom ik hier naartoe ben gekomen. Hij is een charmante man.'

'Weet u waar het geld vandaan komt waar hij zo gul mee is?'

'Ik weet alleen dat hij mijnbouwbedrijven bezit.'

'Dat klopt, in zekere zin. Baltazar staat aan het hoofd van een delfstoffenconcern, waartoe ook de grootste goudmijnen ter wereld behoren. Hij is nogal controversieel. Zijn bedrijven zijn beschuldigd van milieudelicten en het uitbuiten van de arme lokale bevolking in minstens zes landen. Wat veel mensen niet weten is dat hij tevens een van de grootste particuliere beveiligingsbedrijven ter wereld bezit. Huurlingen.'

Carina had dergelijke ongunstige berichten over Baltazar gelezen toen ze zich in zijn achtergrond had verdiept, maar ze was zo belust op de financiële steun van de stichting dat ze het belang ervan had gebagatelliseerd. 'Wat ik wél weet, is dat hij uitzonderlijk gul is met betrekking tot het Iraakse museum.'

'Ik begrijp het. Of het bloedgeld is doet er niet toe zolang het een hoger doel dient.'

'Over morele zaken hoeft u mij de les niet te lezen,' reageerde Carina fel.

Saxon voelde de scherpte van haar woorden. 'Nee, zeker niet. Nogmaals, mijn excuses. Eigenlijk wilde ik het met u over de teruggekregen antiquiteiten hebben en dan met name over een beeld, de *Navigator*.'

Carina vroeg zich af of Saxon had gehoord wat ze met Baltazar had besproken, maar ze besefte dat hij ver buiten gehoorsafstand was geweest. 'U kent het beeld?'

Hij knikte. 'Ik weet dat het van brons is, bijna levensgroot en dat het een paar decennia geleden in Syrië is opgegraven. Het stelt een zeevaarder voor en men vermoedt dat het Fenicisch is, maar daar zijn twijfels over, wat de reden was waarom het naar de kelder van het museum in Bagdad was verbannen. Daar heeft het jarenlang gestaan tot het tijdens de Amerikaanse invasie in 2003 door dieven is gestolen. Vanaf dat moment was de verblijfplaats van het beeld onbekend totdat u het recentelijk in een collectie gestolen artefacten hebt teruggevonden.'

'Dit is waanzinnig! Hoe weet u dit allemaal?'

'Ik ben al op zoek naar dit ongrijpbare heerschap sinds ik hem voor het eerst in mijn onderzoek naar Salomo tegenkwam. Ik had hem in Cairo bijna in handen, maar u was me net een stap voor. Gefeliciteerd, trouwens.'

'Waarom bent u zo speciaal in dit artefact geïnteresseerd?'

Hij hief zijn handen op. 'Aha! Als u mijn boeken had gelezen, had u me dat niet hoeven vragen.'

'Ik zal uw boeken zeker op mijn lijst zetten.' Carina maakte er geen geheim van dat ze zijn koketterie niet op prijs stelde.

'U zult het zeker de moeite waard vinden,' zei hij grijnzend.

Ze was Saxons arrogantie inmiddels meer dan zat. 'Als u me wilt excuseren.'

'Zeker. Maar weet dat ik u gewaarschuwd heb. Wees voorzichtig met Baltazar.'

Carina ging hier niet meer op in en zocht professor Nasir weer op. Saxon keek haar na. Om zijn lippen krulde een glimlach, maar er lag onmiskenbaar een bezorgde blik in zijn ogen.

Toen Baltazar de ambassade van Irak uit liep, stopte er een zwarte Mercedes-limousine langs de stoeprand. De chauffeur stapte uit en duwde de portier van de ambassade met een schouder opzij om voor Baltazar de deur te openen. De portier was een ex-marinier en niet snel geïntimideerd. Uit kwaadheid omdat hij zo een fooi misliep, wilde hij protesteren, maar de forsgebouwde chauffeur wierp hem een dermate agressieve blik toe dat hij zijn woorden inslikte. Het volgende moment stoof de limo met gierende banden weg.

'Goedenavond, meneer Baltazar,' zei de chauffeur. 'De receptie verliep naar tevredenheid?'

'Jazeker, Adriano. Zo goed zelfs dat de afgang voor de kust van Newfoundland al bijna geen punt meer is.'

'Het spijt me verschrikkelijk, meneer Baltazar. Ik heb geen enkel excuus voor mijn falen.'

'Misschien heb ik er een voor je, Adriano. Hij heet Kurt Austin. Hij werkt voor de NUMA. Austin is de man die jullie bij de kaping voor de voeten liep.'

'Hoe wist die Austin wat we van plan waren?'

'Dat wist hij niet. Het was stom toeval dat hij in de buurt was. Helaas voor jou is die meneer Austin niet zo snel klein te krijgen. En hij heeft het geluk aan zijn kont. Hij was maar lichtgewond door dat schot van jou.'

Adriano herinnerde zich dat hij nog net een glimp van Austin had opgevangen door het vizier van zijn geweer en later nog een keer achter de ruit van de helikopter die de ertstanker was gevolgd. 'Ik zou die meneer Austin wel eens willen spreken.'

'Dat geloof ik best,' zei Baltazar met een duivels lachje. 'Maar we hebben belangrijker dingen te doen. Ik heb gehoord dat een fotograaf van de *National Geographic* foto's heeft die beslist ongezien moeten blijven. Ik wil dat je me die foto's bezorgt.'

'Wilt u dat ik de fotograaf uit de weg ruim?'

‘Alleen als het niet anders kan en zorg dan dat het een ongeluk lijkt. Maar ik heb liever dat je alleen die foto’s weghaalt.’

‘En wat doen we met die vrouw?’

Baltazar overwoog wat Carina’s lot moest zijn. Hij was niet iemand die moeilijk deed over een mensenleven meer of minder als hem dat zo te pas kwam, maar bij Carina speelden meer dingen mee dan alleen haar uiterlijk.

‘Zolang ze voor ons nog nuttig kan zijn, laten we haar met rust. Ik wil een uitvoerig onderzoek naar haar achtergrond.’

‘Kan ik me dan op Austin richten? Met hem heb ik nog even iets recht te zetten.’

Baltazar slaakte een diepe zucht. Wreedheden deden hem absoluut niets. Hij was een psychopaat in de klassieke betekenis van het woord en als zodanig ontbrak het hem aan enige vorm van empathie. Mensen bestonden uitsluitend om te worden gebruikt en af te danken. Maar Adriano’s opmerking was een onafhankelijke gedachte van een medewerker, van wie hij slechts onvoorwaardelijke gehoorzaamheid eiste. Daarnaast had hij wel enig begrip voor Adriano’s behoefte aan wraak. Ook hij had nog een appeltje met Austin te schillen.

‘Ik wil erachter komen wat hij weet, Adriano. Die afrekening komt later wel, dat beloof ik je.’

Handenwringend sloot Adriano zijn ogen. ‘La-ter,’ zei hij, waarbij hij het woord haast koesterend over zijn tong liet rollen.

18

Terwijl hij bij de ontvangstbalie van de afdeling Nabije Oosten van het ministerie van Buitenlandse Zaken zat te wachten, was professor Pieter DeVries met zijn gedachten bij het document van Jefferson. Hij had het regel voor regel gelezen en was geen enkele onsamenhangende passage tegengekomen.

De receptioniste pakte de hoorn van de intercom die overging op en wisselde een paar woorden met de persoon aan de andere kant van de lijn.

'De heer Evans kan u nu ontvangen, professor DeVries,' zei ze glimlachend. 'Derde deur rechts.'

'Dank u wel.' DeVries legde het vel dat hij aan het lezen was terug in een dossiermap, stak de map onder zijn arm en liep de gang in. Hij klopte zachtjes op de deur, deed hem open en stapte een kantoor in. Hij werd met een joviale handdruk begroet door een lange man met brede kaken van tegen de veertig.

'Goedemorgen, professor DeVries. Ik ben Joshua Evans en een van de analisten hier. Gaat u zitten.'

DeVries liet zich in een stoel zakken en zei: 'Dank u dat u tijd voor me heeft.'

Evans posteerde zich met zijn slungelige lijf achter een bureau, waarvan de klinische netheid het gevolg van een dwangneurose leek. 'Ik krijg hier niet iedere dag iemand van de NSA op bezoek,' zei Evans. 'Jullie zijn daar over het algemeen nogal op jezelf gericht. Wat brengt u naar Foggy Bottom?'

'Zoals ik al door de telefoon zei, werk ik als decodeerder bij de NSA. Ik ben op iets gestuit dat wellicht voor BZ van belang kan zijn. Ik klop liever rechtstreeks bij u aan dan dat ik eerst de hele NSA-bureaucratie door moet. De kwestie is delicaat.'

'U maakt me nieuwsgierig,' reageerde Evans.

De professor sloeg zijn dossiermap open en overhandigde de map met de kopieën van de tekst van Jefferson en de ontcijferde versie. Daarbij vertelde hij Evans in beknopte bewoordingen over het document en hoe het bij hem terecht was gekomen.

'Wat een verhaal,' zei Evans met een licht cynisch ondertoontje alsof hij naar een sprookje van Moeder de Gans had zitten luisteren. Hij bekeek het ruimzittende tweed colbertje en het puntbaardje van de professor. 'Het verband met het Nabije Oosten ontgaat me nog.'

De professor spreidde zijn handen uit. 'Fenicië lag geografisch gezien in het gebied dat onder uw afdeling valt.'

'Fenicië!' zei Evans met een wrange glimlach.

'Inderdaad. Dat was een van de grootste zeevarende naties aller tijden. Het grondgebied strekte zich uit van de kust van Spanje tot ver voorbij de zuilen van Hercules.'

Evans leunde naar achteren en vouwde zijn handen achter zijn hoofd. 'Dat mag dan zo zijn, dr. DeVries, maar Fenicië bestaat niet meer.'

'Dat weet ik, maar de afstammelingen van de Feniciërs bevolken nog altijd de landen Libanon en Syrië.'

'In tegenstelling tot die landen was Fenicië geen lid van de Verenigde Naties, voor zover ik weet,' reageerde Evans lankmoedig grinnikend.

DeVries vertrok zijn mond tot een glimlach. De professor was gepokt en gemazzeld in de strijd tegen de bureaucratie. Hij wist dat hij zich langs een lange ladder vol zelfingenomen medewerkers als Evans moest worstelen.

'Ik ben wiskundige en niet een diplomaat zoals u,' zei DeVries, niet vies voor wat vleierij. 'Maar het lijkt mij toch van belang dat we, als het om een dergelijke explosieve regio handelt, íedere ontwikkeling die diepgewortelde tradities betreft serieus nemen.'

'Neem me niet kwalijk dat ik ietwat sceptisch overkom. Maar artisjokken? Geheimschriften? Een teruggevonden document van Jefferson? U zult toch moeten toegeven dat uw verhaal weinig geloofwaardig klinkt.'

DeVries schoot in de lach. 'Ik ben de eerste om dat toe te geven.'

'En bovendien, hoe weten we of er iets van waar is?'

'De authenticiteit van de inhoud kunnen we niet vaststellen, maar de vertaling van de versleutelde boodschap in klare tekst is onomstreden. Het feit dat het document dat u in uw handen hebt afkomstig is van de derde president van de Verenigde Staten en de auteur van de Onafhankelijkheidsverklaring moet toch enig gewicht in de schaal leggen.'

Evans woog het stapeltje papieren in zijn hand alsof hij het gewicht ervan beproefde. 'U hebt kunnen vaststellen dat dit authentiek materiaal van Jefferson is?'

'Handschriftdeskundigen van de NSA zijn dat nog aan het onderzoeken. Maar er bestaat geen twijfel dat Jefferson dit heeft geschreven.'

Er verscheen een pijnlijke trek op het gezicht van Evans. DeVries had die uitdrukking van lichte paniek wel vaker bij bureaucraten gezien aan wie iets werd gevraagd wat buiten hun normale functie, namelijk het dwarsbomen van het functioneren van de overheid, viel. Dit was het ergste wat Evans kon overkomen. Hij zou een beslissing moeten nemen. De professor bood hem een uitweg aan.

'Ik besef dat het materiaal dat ik u hier voorleg nogal vergezocht lijkt. Daarom hoopte ik op begeleiding door het ministerie van BZ. Misschien zou u uw meerdere over ons gesprek willen inlichten.'

De verantwoordelijkheid afschuiven was een strategie die Evans kon volgen. De opluchting stond op zijn gezicht te lezen. 'Ik zal u bij mijn baas, Hank Douglas, introduceren. Hij is het hoofd culturele zaken van onze afdeling. Zodra ik hem gesproken heb, zal ik contact met u opnemen.'

'Dat is heel vriendelijk van u,' zei DeVries. 'Kunt u de heer Douglas niet bellen nu ik nog hier ben, dan hoef ik u later niet meer lastig te vallen?'

Evans zag dat DeVries geen aanstalten maakte om op te staan. Hij pakte de telefoon en toetste het nummer van Douglas in. Hij hoopte dat Douglas niet aanwezig zou zijn, maar tot zijn ergernis nam zijn collega op.

'Hallo, Hank, met Evans. Ik vroeg me af of je een paar minuutjes hebt.'

Douglas antwoordde dat hij pas over een uur een volgende afspraak had en vroeg hem naar zijn kantoor te komen. 'Prima,' zei Evans. Hij hing op en wendde zich tot DeVries: 'Hank heeft op het moment geen tijd. Ik spreek hem vanmiddag.'

DeVries stond op en stak zijn hand uit. 'Bedankt,' zei hij. 'Als u ooit iets van de NSA nodig hebt, kunt u bij mij op eenzelfde bereidwillige medewerking rekenen. Ik bel u in de loop van de middag.'

Nadat DeVries weg was, staarde Evans nog een ogenblik naar de gesloten deur, slaakte een zucht en pakte het stapeltje papieren van Jefferson op. Het doorgeven van de verantwoordelijkheid heeft zo zijn risico's. Terwijl hij zijn kantoor uitliep, bedacht hij zich dat dit een heet hangijzer was waarmee hij voorzichtig moest omgaan.

Douglas was een opgewekte Afro-Amerikaan van in de vijftig. De ronde kale plek boven op zijn hoofd leek op de tonsuur van een monnik. Hij was als historicus afgestudeerd aan de Howard Universiteit en had tijdens zijn studie altijd uitmuntende resultaten geboekt. De kasten in zijn kantoor stonden vol met boeken over de geschiedenis van de homo sapiens sinds de tijd van de cro-magnonmens.

Hij was een van de meest gerespecteerde werknemers op de afdeling. Zijn theoretische kennis had hij aangevuld met praktijkervaring opgedaan gedurende een verblijf van enkele jaren in het Nabije en Midden-Oosten. Hij had zich gespecialiseerd in de politiek en godsdienst van de regio, twee zaken die vaak met elkaar verweven waren, en hij sprak Hebreeuws en Arabisch.

Evans had een gezicht reddende tactiek ontwikkeld: *er de spot mee drijven*. Hij bolde zijn wangen toen hij het kantoor van Douglas binnenstapte. 'Je gelooft nooit wat voor raar gesprek ik zojuist heb gehad.'

Hierop volgde een tamelijk accuraat verslag van zijn gesprek met DeVries. Douglas luisterde aandachtig, terwijl Evans zijn best deed zich zoveel mogelijk als het slachtoffer van een ontmoeting met een krankzinnige professor af te schilderen. Douglas vroeg of hij het document mocht zien dat DeVries bij hem had achtergelaten. Gedurende enkele minuten bestudeerde hij de papieren.

'Eens kijken of ik begrijp wat uw professor wil zeggen,' zei Douglas, nadat hij de stapel had doorgebladerd. 'Een decoderingsdeskundige van de NSA heeft een geheime correspondentie tussen Thomas Jefferson en Meriwether Lewis ontcijferd. Uit de tekst zou blijken dat de Feniciërs in Noord-Amerika zijn geweest.'

Evans grinnikte. 'Sorry, dat ik je tijd hiermee verdoe. Ik dacht dat je dit wel amusant zou vinden.'

Douglas reageerde niet met een lach of zelfs maar een glimlach. Hij pakte de kopie van de artisjokkentuinplattegrond op en bekeek de vreemde woorden. Vervolgens herlas hij de vertalingen die de met Jefferson bevriende professor er zo lang geleden bij had gezet. Hij sprak het eerste woord hardop uit.

'*Ofir*,' zei hij.

'Dat zag ik. Wat betekent het?'

'Ofir was de legendarische plek waar de mijnen van koning Salomo zich bevonden.'

'Ik heb altijd gedacht dat dat pure verzinsels waren,' zei Evans.

'Misschien,' reageerde Douglas. 'Feit is dat Salomo gedurende zijn leven enorme hoeveelheden goud vergaarde. De herkomst van dat goud is altijd een mysterie gebleven.'

'Uit wat je nu zegt en dit materiaal concludeer ik dat Jefferson geloofde dat Ofir in Noord-Amerika lag. Dat is toch krankzinnig?'

Douglas antwoordde niet. Hij las de tweede vertaling.

'*Heilig relikwie.*'

'Nog dwazer. Wat betekent dat nu weer?'

'Moeilijk te zeggen. Hetj meest heilige relikwie in verband met Salomo zou de Ark des Verbonds moeten zijn.'

'Wil je hiermee zeggen dat het Bijbelse voorwerp van Jefferson de *Ark* is?'

'Niet per se. Het heilige relikwie zou ook Salomo's *sok* kunnen zijn.' Douglas frunnikte aan een ballpoint. 'Mijn god, ik wou dat ik op momenten als deze een pijp kon opsteken.'

'Wat is er nou, Hank? Jefferson of niet, dit verhaal over de Ark heeft echt een hoog sprookjesgehalte. Hier is toch geen woord van waar.'

'Het doet er niet toe of het waar is of niet,' zei Douglas. 'Het gaat hier om symbolen.'

'Dat begrijp ik niet. Waar zit de crux?'

'Dit is heikel, hoe je het ook bekijkt. Herinner je je nog wat er in 1969 op de Tempelberg is gebeurd, en later weer in 1982?'

'Zeker. Een Australische religieuze extremist stak de moskee op de berg in de fik en die tweede keer hebben ze een religieuze groepering gearresteerd die de moskee wilde opblazen.'

'Wat zou er zijn gebeurd als zij erin geslaagd waren de bergtop vrij te maken, zodat ze er de derde tempel van Salomo konden herbouwen?'

'Dat zou tot heftige reacties hebben geleid en dat is zacht uitgedrukt.'

'Denk je eens in wat er gebeurt wanneer men de ontdekking van Salomo's heilige relikwie als excuus gaat gebruiken om een nieuwe tempel te bouwen, waarbij dat attribuut zich bovendien nog in de VS blijkt te bevinden.'

'Gezien de paranoïde aard van veel mensen in dat deel van de wereld zouden ze het wel eens kunnen zien als een nieuwe Amerikaanse samenzwering tegen de islam.'

'Precies. De VS zouden zich blootstellen aan aantijgingen dat ze van plan zijn de Tempelberg van iedere islamitische aanwezigheid te zuiveren. Extremisten van alle grote godsdiensten zouden zich hier vol op storten.'

'Mijn hemel!' zei Evans. 'Dit ís alarmerend!'

'Verdomd glad ijs,' vulde Douglas aan.

Evans trok lijkbleek weg. 'Hoe gaan we dit aanpakken?' vroeg hij.

'We moeten hiermee naar de minister. Wie zijn er nog meer op de hoogte van het bestaan van dit document van Jefferson?'

'Professor DeVries en zijn assistent van het NSA-museum. En de onderzoeker van het Amerikaans Filosofisch Genootschap. De mensen van de NSA weten dat ze hun mond moeten houden.'

'In Washington blijft nooit iets langer dan zes maanden geheim,' zei Douglas. 'We moeten iets verzinnen waarmee we de angel uit het verhaal halen zodra het bekend wordt. Dit land is bedreven in plausibele ontkenningen.'

'Maar hoe? De NSA zegt dat het materiaal authentiek is.'

'De NSA is een geheime organisatie. Ze kunnen zeggen dat ze hier nooit iets over hebben geweten. Ik stel voor dat we de basisstelling onderuithalen. Dat het voor Fenicische schepen onmogelijk was om vanuit het oosten van de Middellandse Zee helemaal naar Noord-Amerika te varen. Hun zeilkunst en de technologische mogelijkheden van die tijd waren daar absoluut ontoereikend voor.'

'Is dat een aantoonbaar feit?'

'Nee. We hebben een bron nodig die ons helpt bij het onderbouwen van onze stelling.'

'Wat dacht je van de National Underwater and Marine Agency? De NUMA beschikt over deskundigen en archieven, en ze weten wat discretie is. Ik ken daar een paar mensen.'

Douglas knikte. 'Neem jij dat voor je rekening. Dan regel ik een vergadering met de staatssecretaris. Laten we hier over een uur weer afspreken.'

Nadat Evans weg was, trok Douglas een la van zijn bureau open en haalde een pijp en een tabakszak tevoorschijn. Hoewel er in het gebouw niet mocht worden gerookt, vulde hij de pijpenkop met tabak en stak hem op. Terwijl de rook om zijn hoofd kringelde, leunde hij achterover in zijn stoel en liet zijn gedachten de vrije loop.

Het leek allemaal toch wel erg onwaarschijnlijk. Misschien was het inderdaad pure nep, zoals Evans suggereerde. Hij nam het document van Jefferson er weer bij en las het ditmaal woord voor woord.

Net als veel Amerikanen van Afrikaanse afkomst dacht Douglas ambivalent over Thomas Jefferson. Hij erkende dat Jefferson een groot en geniaal staatsman was geweest, maar hij kon dat niet goed rijmen met het feit dat de man slaven had gehouden. Bij het lezen van het document bleef hij de auteur onwillekeurig als een normaal feilbaar mens zien.

Hoewel de brief van Jefferson aan Lewis blijk gaf van een koele, zakelijke deskundigheid, sprak er ook een onmiskenbare bezorgdheid uit.

Niemand had het Douglas kwalijk genomen als de hand die de papieren vasthield, had getrild. Het gevaar voor het uitbreken van chaos was in de huidige wereld vele malen groter dan Jefferson ooit had kunnen vermoeden.

19

Austin zat in zijn werkkamer achter de zeerovers aan die het containerschip hadden gekaapt. Het vliegende tapijt waarop hij over de virtuele zeeën vloog, was een op satellietopnames gebaseerd computerprogramma van de NUMA: het zogenaamde NUMASat, een geavanceerd, door wetenschappers en technici van de organisatie zelf ontwikkeld systeem dat een constante stroom beelden van de wereldzeeën leverde. De satellieten cirkelden op een hoogte van zo'n 650 kilometer rond de aarde in banen die het mogelijk maakten dat de camera's en andere op afstand bestuurbare waarnemingsapparatuur van alle plekken op de aardbol informatie registreerden.

De satellieten leverden optische en infrarode beelden met informatie over oppervlaktewatertemperaturen, stromingen, fytoplankton- en chlorofylgehaltes en het wolkendek, kortom over alle mogelijke meteorologische en andere belangrijke omstandigheden. Het programma was gratis beschikbaar voor iedereen in het bezit van een computer en er werd veelvuldig gebruik van gemaakt door wetenschappers en niet-wetenschappers van over de hele wereld.

Austin zat voor een 24inch-computermonitor. Hij was informeel gekleed in een hawaïhemd, korte broek en sandalen. Met een slok bier spoelde hij wat aspirines weg en drukte de entertoets in. Op het scherm verscheen een satellietfoto van de onregelmatige kust van Newfoundland.

'Oké, Joe,' zei hij in de microfoon van zijn headset. 'Ik heb St. John's voor me en kijk naar het oosten.'

'Hebbes.' Zavala had hetzelfde beeld voor zich op het computerscherm in zijn kantoor in het NUMA-gebouw. 'Ik zoom nu in.'

Op Austins scherm dook een wazige, blauwachtig witte rechthoek op die geleidelijk steeds scherper werd tot een deel van de Atlantische Oceaan herkenbaar was. Zavala vergrootte het ingekaderde beeld. Er verschenen zwarte stipjes. De stipjes werden groter en namen de lange slanke vorm van schepen aan. De datum- en tijdaanduiding in de linkerbovenhoek van het scherm gaf aan dat de foto een paar dagen geleden was gemaakt.

'Kun je nog dichterbij komen?' vroeg Austin.

'Wijs maar aan.'

Austin klikte met zijn muis op een stip. De camera leek recht op het doel af te duiken. Honderden versgevangen vissen vulden het scherm. Waarna de camera iets terugging tot er een visruim en een dek vol met de gieken en lieren van een zeewaardige vissersboot herkenbaar waren.

'Indrukwekkend,' zei Austin.

'Yeager en Max hebben wat extra hormonen in de normale zoekfunctie van NUMASat gepompt. Volgens hem kun je de kleur van de ogen van een zandvlo zien, als het moet.'

Hiram Yeager was het computergenie van de NUMA die het commando voerde over een omvangrijk computernetwerk, dat hij Max had gedoopt en de totale tiende verdieping in beslag nam van het met de groene glazen gevels hoog boven de rivier de Potomac uittorende hoofdkwartier van de NUMA.

'Die heeft blauwe ogen,' zei Austin.

'Echt?'

'Grapje. Maar de resolutie is beter dan ik ooit heb gezien.'

'Voordat Yeager het hele systeem heeft opgevijzeld, zagen we op z'n best één vierkante meter in zwart-wit of vier meter in kleur. Dat heeft hij verbeterd tot één vierkante meter in kleur,' zei Zavala. 'Wat je nu op het scherm ziet, is versterkt met informatie afkomstig van andere satellieten en systemen van militaire inlichtingendiensten.'

'Allemaal volstrekt legaal en volgens de regels van het spel,' zei Austin met een licht ironisch ondertoontje.

'Zo goed als. Yeager ziet het als een kwestie van geven en nemen, want het leger is zwaar afhankelijk van NUMASat. Ze hebben afgesproken dat ze beelden vervagen zodra er militaire operaties voor de deur staan. Ik heb hem verteld dat ik er gewoon niets van wilde weten en dat vond hij oké.'

'Wie zijn wij om kritiek te hebben,' zei Austin. De Speciale Eenheid opereerde soms onder de radar van het traditionele overheidstoezicht. 'Heb je onze lieve ertstanker al gelokaliseerd?' vroeg Austin

'Kijk zelf maar!' zei Zavala.

Het beeld zoomde langzaam uit. De schepen werden weer stippen.

Zavala markeerde een stip met een rechthoek. Austin klikte het met de muis aan. Op het scherm verscheen een reusachtig schip. Austin leunde naar voren.

'Dit is beslist de ertstanker die we vanuit de heli hebben gezien,' zei hij. 'Daar op de romp zie ik dat merkwaardige logo met die stierenkop.'

'Ik heb het nagezocht. Het schip is van een organisatie die zich PeaceCo noemt. Op hun website afficheren ze zich als een adviesbureau voor vredes- en stabiliteitsvraagstukken.'

Austin grinnikte. 'Dat is moderne taal voor huursoldaten.'

'Ze zijn heel open over de nieuwe functie van de ertstanker. Ze adverteren ermee als een mobiele uitvalsbasis. Ze beweren dat ze binnen achtenveertig uur overal ter wereld via de lucht troepen aan de grond kunnen zetten. Ze garanderen dat het schip met de complete eenheid binnen drie weken ter plaatse kan zijn.'

'Wie zit er achter PeaceCo?'

'Moeilijk te zeggen. Hun raad van bestuur bestaat uit een roulerende groep gepensioneerde Amerikaanse en Britse militairen. Het eigendom is verborgen achter diverse lagen van lege vennootschappen die in verschillende landen geregistreerd staan. Ik heb Yeager gevraagd om ook dit uit te pluizen.'

'Dit klinkt als munitie, nu alleen het wapen nog.'

'Verdorie, Kurt, we hebben een geladen houwitser! Ik heb een opeenvolgende reeks beelden uit het archief opgehaald, beginnend op een tijdstip vlak voor de kaping. De foto's zijn met tussenpozen gemaakt, dus ze dekken niet iedere minuut.'

De beelden flakkerden in een schokkerige opeenvolging als in een caleidoscoop over het scherm. Er bewogen figuren rond een dekluik. Het schoof opzij zodat het ruim als een donker vierkant zichtbaar werd. Onder uit het ruim steeg een platform op, net als de liften op vliegdekschepen. Op het platform stonden naast elkaar twee helikopters. Er stapten mannen in de helikopters en ze stegen op.

'Wie zegt dat tijdreizen onmogelijk zijn?' merkte Austin op. 'Dit klopt perfect met wat er later volgde.'

'Nu laat ik je het containerschip zien.'

Op het scherm verschenen beelden van het dek van de *Ocean Adventure*. Als uit het niets doken boven de containers opeens de beide helikopters op. Vanuit de toestellen renden mensen weg. Na een kleine sprong in de tijd toonden de satellietbeelden een helikopter die boven een witschuimende plek in de zee hing waar de andere heli was neergestort. Zavala ging met een sprong terug naar de ertstanker. Daar landde slecht één teruggekeerde helikopter op het platform. Er stapten mensen de heli uit, die weer in het binnenste van het schip wegzakte, waarna het dekluik over de opening dichtschoof. Een van de mensen, die langer was dan de anderen, zou de man geweest kunnen zijn die op Austin had geschoten, maar voortdurend was alleen zijn rug naar de camera gekeerd.

'Dit klopt als een bus,' zei Austin. 'Waar is dit schip nu?'

'Volgens de officiële scheepvaartberichten was ze een paar dagen voor de kaping uit New York vertrokken voor een reis naar Spanje. Zo rond het tijdstip van de kaping heeft ze een merkwaardige omweg buiten de route gemaakt, maar daarna hebben ze de oversteek over de Atlantische Oceaan voortgezet. Met één muisklik stuur ik dit allemaal zo naar de Kustwacht, als je wilt.'

'Klinkt verleidelijk,' reageerde Austin. 'Maar ze is in internationale wateren en zelfs als de Kustwacht nu ingrijpt, pakken we alleen de kleine jongens. Ik wil het brein dat achter de kaping zit.'

'Ik blijf rondsnuffelen. Tussen haakjes, hoe gaat het met je?'

'Een beetje stijf, maar ik heb er wel iets van geleerd.'

'Dat je mensen met wapens uit de weg moet gaan.'

'Nou nee. Dat ik snéller moet zijn. Hou me op de hoogte als je nog iets tegenkomt voordat je naar Istanbul vertrekt.' Austin hoorde dat er werd geklopt. 'Ik moet nu weg, er staat iemand voor de deur.'

'Bezoek?'

'Ja, en absoluut niet te versmaden. *Ciao*.'

Door die Italiaanse groet ging bij Zavala een lichtje op. '*Ciao*? Hé...'

'*Buona notte*, Joe,' zei Austin. Grinnikend verbrak hij de verbinding en liep naar de openstaande voordeur.

Carina Mechadi stond op het stoepje te wachten. Ze hief de fles wijn in haar hand op. 'Had ik hier niet voor vanavond een tafeltje gereserveerd?'

'Maar natuurlijk, alles staat voor u klaar, *signorina* Mechadi.'

'Informeel, had je gezegd. Hopelijk heb ik dat goed begrepen.'

Ze droeg een spijkerbroek met opgestikte bloemen en een turkooizen mouwloze blouse. Haar kleding accentueerde haar vrouwelijke vormen op een bijzonder flatteuze wijze.

'Heel modieus, hoor, een koningin zou het je niet beter nadoen,' reageerde Austin.

'Dank je,' bromde ze tevreden. Ze nam Austin met eenzelfde goedkeurende blik op. Hij droeg een witte korte broek, waaronder zijn gespierde zongebruinde benen sportief afstaken, en om zijn brede schouders spande een zijden hemd met bloemmotief. 'En jij hebt een schitterend hemd aan, zeg.'

'Bedankt. Elvis Presley droeg hetzelfde patroon in de film *Blue Hawaii*. Kom binnen.'

Carina liep het huis in en liet haar ogen over het knusse, koloniale donkerhouten meubilair gaan dat scherp contrasteerde met de witte muren, waaraan schilderijen hingen van een plaatselijke kunstenaar van wie Austin graag werk kocht. Ook hingen er een paar antieke zeekaarten en scheepsbouwwerktuigen, een foto van Austins zeiljacht en er stond een schaalmodel van zijn raceboot.

'Ik verwachtte oude ankers en een opgezette zwaardvis aan de muren. En misschien een oude duikhelm en scheepsmodellen in flessen.'

Austin schaterde het uit. 'Vroeger dronk ik wel eens margarita's in een duikerskroeg in Key West die er zo uitzag.'

'Je weet best wat ik bedoel,' zei Carina glimlachend. 'Je werkt voor het belangrijkste oceanografische instituut ter wereld. Ik verwachtte iets meer bewijzen van je liefde voor de zee.'

'Ik neem aan dat er in jouw woning in Parijs ook niet veel te zien zal zijn waar een vreemde uit kan afleiden wat jij voor werk doet.'

'Ik heb een paar reproducties van beroemde kunstwerken, maar de rest is nogal traditioneel.' Ze zweeg een moment. 'Ik begrijp je wel. Het is gezond om wat afstand van je werk te nemen.'

'Ik ben nog niet zover dat ik naar Kansas verhuis, maar de zee is een veeleisende maîtresse. Daarom bouwen oude zeekapiteins hun huis vaak ver in het binnenland.'

'Maar toch, het is heel gezellig hier.'

'Het is niet goed genoeg voor een fotoreportage in de *Architectural Digest*, maar voor een oude zeerob zoals ik is het een uitstekende plek om tussen het werk door op adem te komen. Dit was een bouwval toen ik het kocht, maar het ligt direct aan de rivier en vlak bij Langley.'

Carina haakte in op het feit dat hij Langley noemde. 'Heb je voor de CIA gewerkt?'

'Inlichtingenwerk onder water. Vooral het bespioneren van Russen. De afdeling werd gesloten toen er een eind aan de Koude Oorlog kwam. Daarna ben ik naar de NUMA overgestapt, waar ik als technicus werk.'

Ook al ging Austin het dan uit de weg, zijn affiniteit met de zee viel wel degelijk af te leiden uit zijn boekencollectie. Op de planken langs de muur stonden de zeeverhalen van Joseph Conrad en Herman Melville naast tientallen wetenschappelijke en historische werken over de wereldzeeën. De meest beduimelde boeken waren filosofisch van aard. Ze trok er een duidelijk veelgelezen exemplaar tussen uit.

'Aristoteles. Dat is zware kost,' zei ze.

'Door de grote filosofen te lezen heb ik steeds diepzinnige citaten paraat waardoor ik me slimmer kan voordoen dan ik ben.'

'Dit is meer dan alleen voor bon mots. Hier is veel in gelezen.'

'Je bent heel opmerkzaam. Ik heb er een mooie maritieme metafoor voor: de wijsheden in die boeken houden me verankerd als ik in ambigue wateren op drift dreig te raken.'

Carina dacht na over het contrast tussen Austins warme hartelijkheid en de manier waarop hij koelbloedig haar aanvaller had uitgeschakeld. Ze zette het boek op de plank terug. 'Maar er is niets dubbelzinnigs aan die pistolen boven de haard.'

'Je hebt mijn zwakte als verzamelaar ontdekt. Ik heb ongeveer tweehonderd paar duelleerpistolen, die voor het grootste deel in een brandkast liggen. De geschiedenis erachter vind ik fascinerend, maar ook het vakmanschap en de technologie die erbij komen kijken. Wat ze over de rol van het geluk in het leven zeggen intrigeert me mateloos.'

'Ben je zo fatalistisch?'

'Ik ben realist. Ik weet dat je je eigen geluk niet altijd in de hand hebt.' Hij glimlachte. 'Maar ik kan wél eten voor je maken. Je zult wel honger hebben.'

'Zelfs als dat niet zo was, zou ik van de verrukkelijke geuren die uit je keuken komen toch het gevoel krijgen dat ik sterf van de honger.' Ze gaf hem de fles wijn.

'Een Barolo,' zei Austin. 'Ik maak 'm meteen open, dan kan de wijn chambreren. We eten *al fresco*.'

Terwijl Austin wegliep om de fles te ontkurken, stapte Carina het terras op. De tafel werd verlicht door olielampen met gekleurd glas, wat het decor een extra feestelijke tintje gaf. Langs de Potomac glinsterden lichtjes en er hing een licht aromatische, maar niet onaangename, riviergeur. Austin zette een plaat op uit zijn enorme jazzcollectie, waarna de zachte pianotonen van een nummer van Oscar Peterson uit de Boseluidsprekerboxen klonken.

Austin kwam met twee gekoelde glazen Prosecco naar buiten. Ze dronken de mousserende Italiaanse wijn met een antipasto van *prosciutto di Parma* op partjes honingmeloen. Daarna excuseerde Austin zich en kwam terug met twee borden fettuccine met pesto. Carina raakte helemaal in vervoering toen hij de borden met in schijfjes gesneden witte truffels bestrooide.

'Mijn god! Waar vind je dit soort truffels in de VS?'

'Nergens. Een collega van de NUMA moest toch toevallig even naar Italië.'

Carina smulde van de fettuccine en evenzeer van de *secondi* gang, een gesauteerde kalfskotelet met een champignon-en-kaassalade, eveneens met witte truffels. Onderwijl werd ook de fles wijn vlot soldaat gemaakt. Tot ze ten slotte de *dolce*, ofwel het dessert, voorgeschoteld kreeg. Terwijl ze van een portie Ben & Jerry's Cherry Garcia snoepte, zei ze voor ongeveer de tiende keer die avond: 'Dit is *magnifico.* Je kunt met een gerust hart chef-kok aan je referenties toevoegen.'

'*Grazie*,' zei Austin. Hij had zich verbaasd, maar ook verheugd, over Carina's eetlust. Een gezonde passie voor eten ging ook vaak met een passie op andere terreinen gepaard. Ze sloten de maaltijd af met een ijsgekoeld glaasje *limoncello*-likeur.

Toen ze met de glazen klonken, zei Austin: 'Je hebt me nog niet verteld waarom je babysitter speelde voor een oud beeld op weg naar Amerika.'

'Dat is een lang verhaal.'

'Ik heb alle tijd en nog een hele fles *limoncello*.'

Ze lachte zachtjes en staarde over de rivier, terwijl ze haar gedachten ordende. 'Ik ben in Siena geboren. Mijn vader, een arts, was een amateurarcheoloog met een speciale belangstelling voor de Etrusken.'

'Begrijpelijk. De Etrusken waren een mysterieus volk.'

'Helaas was hun kunst erg in trek. Als klein meisje bezocht ik een opgraving die volledig door *tombaroli*, grafrovers, was leeggeplunderd. Er lag nog een arm van puur marmer op de grond. Later ben ik naar de universiteit van Milaan gegaan en vervolgens naar de London School of Economics, waarna ik in de journalistiek verzeild ben geraakt. Mijn belangstelling voor oudheden werd nieuw leven ingeblazen toen ik onderzoek deed voor een tijdschriftartikel over de rol van musea en handelaren bij kunstdiefstallen. Het beeld van die marmeren arm is me altijd bijgebleven. Op een gegeven moment ben ik voor de UNESCO gaan werken en werd daar rechercheur. Een land zijn geschiedenis ontnemen is het ergste wat iemand kan doen. Ik wilde die plundering een halt toeroepen.'

'Dat is een behoorlijke opgave.'

'Daar kwam ik snel achter. De handel in illegale antiquiteiten staat op de lijst van economische delicten op de derde plaats, na de drugssmokkel en de wapenhandel. De VN heeft de handel door verdragen en resoluties getracht te ontmoedigen, maar de mogelijkheden zijn gigantisch.

Het is ondoenlijk om de handel in cilinderzegels of kleitabletten aan banden te leggen.'

'Je hebt kennelijk toch aanzienlijke successen geboekt.'

'Ik werk met een aantal internationale organisaties als Interpol en regeringen samen bij het opsporen van bepaalde belangrijke objecten, en dat dan vooral via handelaren, veilinghuizen en musea.'

'En zo ben je in Irak terechtgekomen?'

Ze knikte. 'Enkele weken voor de inval waren er geruchten dat malafide handelaren contacten onderhielden met internationale kunsthandelaren en diplomaten die het met de wet niet zo nauw nemen. Ze plaatsten bestellingen voor specifieke artefacten. De dieven waren ter plaatse, klaar om toe te slaan zodra de Republikeinse Garde uit het museum weg zou zijn.'

'En de *Navigator*, waar moet ik die plaatsen?'

'Ik wist niet eens dat-ie bestond. Hij stond niet op de lijst van artefacten die ik via een louche handelaar, een zekere Ali, probeerde terug te krijgen. De man werd vermoord, waar de wereld niet zo heel veel aan verloren heeft, maar hij wist waar die voorwerpen waren. Ik heb het land verlaten nadat ik was gewaarschuwd dat ze me wilden kidnappen om me als gijzelaar uit te spelen. Niet lang daarna klopte de Baltazar Foundation bij me aan.'

'Dat is toch de stichting die je tournee sponsort?'

'De heer Baltazar is een schatrijke man die de Iraakse plunderingen verafschuwde. Ik heb hem gisteravond op de receptie voor het eerst ontmoet. Zijn stichting heeft de jacht op de artefacten gefinancierd die mij in Bagdad door de vingers waren geglipt. Niet zo lang geleden kreeg ik van een Egyptische informant te horen dat de Iraakse objecten in Cairo te koop werden aangeboden. Daarop ben ik naar Egypte gevlogen en heb de hele verzameling gekocht. Daar was ook de *Navigator* bij.'

'Wat weet je van het beeld?'

'Het is waarschijnlijk bij de plundering samen met de andere spullen uit het museum weggehaald. Professor Nasir, de directeur van het museum, kon zich herinneren dat het in de kelder opgeslagen was. Voor hem was het niet meer dan een curiositeit.'

'In welk opzicht.'

'Het lijkt een Fenicische zeevaarder, maar hij heeft een kompas. Bij mijn weten is er geen enkel bewijs dat de Feniciërs over een kompas beschikten.'

'Dat klopt. Die eer valt de Chinezen te beurt.'

'Professor Nasir dacht dat het een kopie was van het soort goederen waar de Feniciërs in handelden. Net zoiets als de klassieke beeldjes die in Egypte of Griekenland als souvenirs worden verkocht.'

'Weet die professor van jou waar het beeld is gevonden?'

'Het stamt uit een Hettitische opgraving bij de Zwarte Berg in het zuidoosten van Syrië. Dat was in 1970. Het kwam in Bagdad terecht, waar twijfel over de authenticiteit rees. Ik heb een fotograaf van de *National Geographic* gesproken die bij de opgraving aanwezig was.'

'Merkwaardig dat dieven er opeens zo'n belangstelling voor hadden en er nu zelfs kapers voor in actie komen, nadat het al die jaren in de kelder van een museum heeft gelegen.'

'Er zijn maar weinig mensen die er überhaupt van af weten. Daarom was ik ook zo verbaasd dat de heer Saxon er op de receptie in de Iraakse ambassade over begon.'

Austin richtte zich met een ruk op bij het horen van die naam. 'Toch niet Anthony Saxon?'

'Ja. Hij scheen goed op de hoogte over het beeld. Ken je hem?'

'Ik heb zijn boeken gelezen en ben een keer naar een lezing van hem geweest. Hij is een avonturier en schrijver met een onconventionele kijk op de geschiedenis die door de toonaangevende wetenschappers niet wordt erkend.'

'Kan hij iets met de kaping te maken hebben gehad?'

'Dat kan ik me niet voorstellen. Maar het is de moeite waard om uit te zoeken waarom hij zo in dat beeld is geïnteresseerd. En ik zou die *Navigator* zelf ook weleens willen zien.'

'Ik heb een select groepje uitgenodigd om het beeld te bekijken. Het bevindt zich in een depot van het Smithsonian Institution in Maryland. Wil je morgenochtend ook komen?'

'Daar laat ik me door nog geen tien paarden van weerhouden.'

Ze nam een laatste slok van haar *limoncello*. 'Ik heb een fantastische avond gehad.'

'Hoor ik daar iets van een "maar" bij?'

Ze schoot in de lach. 'Sorry. Ik zou dolgraag blijven, maar ik heb nog zoveel werk voor de tournee te doen.'

'Je breekt m'n hart, maar ik begrijp het. Ik zie je morgen.'

Ze kreeg een idee. 'Ik wil proberen een ontmoeting met die fotograaf van de *National Geographic* te regelen. Hij woont in Virginia. Zou je mee willen gaan?'

'Officieel ben ik met ziekteverlof, maar een ritje door het platteland komt het genezingsproces alleen maar ten goede.'

Ze stond op. 'Heel erg bedankt, Kurt. Voor álles!'

'Graag gedaan, Carina.' Hij liep met haar mee naar haar auto. Austin verwachtte de gebruikelijke Europese kus op beide wangen en die kreeg hij ook. Maar ze gaf hem daarna een warme, lange zoen op zijn lippen. Ze wierp hem nog een glimlach over haar schouder toe, stapte in de auto en reed weg.

Met een verheerlijkte glimlach op zijn gezicht keek Austin de auto na tot de achterlichten na een bocht in de oprijlaan verdwenen. Hij ging weer naar binnen en liep door naar het terras om de glazen op te ruimen. Hij deed de lampen uit en wierp een onwillekeurige blik op de rivier. Op het rimpelende water stak het silhouet van een menselijke gestalte tegen de spiegeling van de nachtelijke hemel af. Hij kende iedere centimeter van de oever en wist zeker dat hij niet naar een boom of struik keek.

Hij floot een deuntje en liep met de glazen het huis in. Daar zette hij het dienblad neer en begaf zich naar een afgesloten kast, waaruit hij zijn Bowen pakte. De handgemaakte *single action*-revolver was naast de duelleerpistolen een van de Bowen-modellen in zijn wapencollectie.

Hij laadde het wapen, pakte een zaklantaarn en daalde vanuit zijn woonkamer de trap af naar de begane grond, waar zijn wedstrijdskiff en speedboot lagen. Hij schoof een goed geoliede schuifdeur open en stapte naar buiten.

Hij wachtte tot zijn ogen aan het donker gewend waren en liep langs de gevel van het huis naar het grasveld, waar Zavala hem had aangetroffen bij het uittesten van zijn nieuwe duelleerpistolen. Hij bleef staan en tuurde naar een open plek tussen twee hoge bomen. De gestalte was verdwenen. Hij besloot om er verder niet zelf achteraan te gaan en sloop terug naar het huis en de woonkamer, waar hij de politie belde om te melden dat hij een insluiper op zijn terrein had gezien.

Precies acht minuten later stopte er een politiewagen voor het huis. Er klopten twee agenten aan. Samen met de politieagenten doorzocht hij het hele terrein rond zijn huis. In de modder bij de rivier vond Austin een voetafdruk. Voor de agenten een overtuigend bewijs dat hij geen spoken had gezien. Ze zeiden dat ze later die nacht nog een keer zouden komen kijken.

Austin controleerde of alle deuren goed afgesloten waren en zette het inbraakalarm aan. Hij ging niet naar bed in zijn slaapkamer in het torentje, maar strekte zich, volledig gekleed, op de bank in de woonkamer uit. Hij was ervan overtuigd dat degene die zijn huis had geobserveerd, was verdwenen. Maar voor alle zekerheid hield hij zijn Bowen binnen handbereik.

20

De volgende ochtend stond Austin vroeg op en trok een korte broek en een T-shirt aan. Nadat hij zijn voeten in sandalen had geschoven, liep hij naar de rivieroever en knielde naast de hakafdruk in de modder. De afdruk was nog vaag zichtbaar. Hij mat de omtrek door zijn voet ernaast te zetten. Een forse vent.

Austin bleef een minuut diep in gedachten verzonken staan en tuurde in de zilveren schittering van het zonlicht op de Potomac. Hij kon nu niet veel doen; de glurende Grote Voet was al lang verdwenen. Hij haalde zijn schouders op en haastte zich terug naar het botenhuis. Austin was heel wat minder gerust geweest als hij boven zich had gekeken en de kleine zender/ontvanger met een flinterdunne antenne had gezien die daar aan een tak van een eik was bevestigd.

Na een snelle douche verwisselde Austin zijn kleren voor een trainingsbroek en een polohemd. Hij vulde een reisthermoskan met zijn favoriete Jamaicaanse koffie, stapte achter het stuur van een turkooizen Jeep Cherokee uit het NUMA-wagenpark en reed naar de buitenwijken van Maryland.

Hij was een halfuur vroeger bij het uitgestrekte depot van het Smithsonian Institution dan hij met Carina had afgesproken. Hij wilde eerst even alleen zijn bij het beeld dat voor zoveel commotie had gezorgd. De beveiligingsbeambte keek of zijn naam op de lijst op zijn klembord voorkwam en gebaarde dat hij het uit golfplaten opgetrokken gebouw binnen kon gaan. In de lengte van de hal hingen lange rijen planken langs de wanden die vol stonden met keurig geordende en geëtiketteerde kartonnen dozen met daarin de overschotten van de uitgebreide collecties van het Smithsonian.

Een slanke man was druk in de weer met een camera op een statief dat naast een bronzen beeld stond opgesteld. De fotograaf keek op van zijn zoeker en fronste zijn voorhoofd.

Austin stak zijn hand uit. 'Anthony Saxon, neem ik aan.'

Saxon trok een borstelige wenkbrauw op. 'Kennen wij elkaar?'

'Ik ben Kurt Austin. Ik werk voor de NUMA. Een paar jaar geleden ben ik bij uw lezing over verdwenen steden in de Explorers Club geweest. Ik herkende u van het omslag van uw laatste boek *Quest for the Queen*.'

Saxons frons verdween, terwijl hij Austin de hand schudde alsof hij de zwengel van een pomp hanteerde.

'*Kurt Austin*. U hebt Christopher Columbus ontdekt. Wat een eer om kennis met u te maken.'

Austin relativeerde zijn reactie. 'Het was wel dankzij de inspanningen van een heel team dat we de oude Chris in zijn slaap hebben kunnen overvallen.'

'Maar toch, uw ontdekking van de mummie van Columbus op een Fenicisch schip in een graftombe van de Maya's vormt een wetenschappelijk bewijs voor precolumbiaans contact in de Nieuwe Wereld.'

'Dat wordt door veel mensen nog altijd niet als feit erkend.'

'Dat zijn cultuurbarbaren! Ik gebruik uw vondst als fundament voor mijn theorieën. Wat vindt u van mijn boek?'

'Onderhoudend en informatief. De uitgangspunten zijn bijzonder origineel.'

Saxon snoof geërgerd. 'Als mensen mijn werk origineel noemen, bedoelen ze over het algemeen dat ze het mesjokke vinden. Ze scheren mijn werk over één kam met al die boeken over ufo's, graancirkels en buitenaardse wezens.'

'Ik vond uw boek helemaal niet mesjokke. Uw theorie dat de Feniciërs de Grote Oceaan zijn overgestoken en ook het westelijk halfrond, is fascinerend. Toen u de koningin van Sheba daarbij opvoerde, moest dat wel tot controverses leiden. Maar ik denk dat u heel sterk staat met uw veronderstelling dat zij de sleutel vormt tot het oude raadsel van Ofir.'

'De koningin heeft in de geschiedschrijving eeuwenlang haar bevallige sporen nagelaten. Ik volg dat spoor al jaren.'

'Het is niet het eerste voorbeeld van een *cherchez la femme*. Het is eeuwig zonde dat uw replica van het Fenicische schip per ongeluk door brand is verwoest voordat u uw theorie hebt kunnen bewijzen.'

Er fonkelde woede in Saxons ogen. 'Dat was geen ongeluk,' zei hij.

'Dat begrijp ik niet.'

'Het was aangestoken. Maar dat is verleden tijd.' Zijn innemende glimlach was weer terug. 'Het idee van een oversteek van de Grote Oceaan heb ik losgelaten. Te kostbaar en te gecompliceerd. Ik probeer nu een wat eenvoudigere expeditie op touw te zetten. Ik wil met een schip van Libanon naar Amerika en terug varen, via Spanje, zoals de oude schepen van Tarsis dat mogelijk deden.'

'Ik zou een retouroversteek van de Atlantische Oceaan niet eenvoudig willen noemen, maar veel geluk ermee.'

'Dank u. Wat brengt u hiernaartoe?'

Austin knikte met zijn hoofd naar het beeld. 'Mevrouw Mechadi heeft me uitgenodigd om deze meneer te komen bekijken. En u?'

'Van mijn bronnen in het Smithsonian hoorde ik dat deze ouwe knaap in de stad was. Het leek me wel aardig om even goeiedag te zeggen.'

Gezien de uitgebreide apparatuur was Saxons belangstelling voor het beeld kennelijk toch meer dan hij deed voorkomen. Austin raakte de metalen arm van de *Navigator* aan. 'Mevrouw Mechadi vertelde dat u veel over het beeld weet. Hoe oud is-ie?'

Saxon draaide zich naar de *Navigator* om. 'Meer dan tweeduizend jaar.'

Nieuwsgierig bekeek Austin het donkergroene beeld dat honderden mensen bijna het leven had gekost. De figuur was ruim een meter tachtig hoog en stond met zijn in een sandaal gestoken linkervoet iets naar voren. Hij droeg een met ingewikkelde patronen versierde kilt die aan de bovenkant met een brede sjerp was omgegord. Over de rechterschouder was een dierenhuid gedrapeerd. Zijn haren staken in strengen onder een kegelvormige muts uit. De glimlach op zijn bebaarde gezicht straalde een haast boeddhistische vreedzaamheid uit. De ogen waren half gesloten.

In zijn rechterhand hield hij ter hoogte van zijn middel een doosachtig voorwerp. De linkerhand hield hij iets gekromd omhoog, net als de mijmerende Hamlet voor Yoricks schedel. Aan zijn voeten lag een magere kat met een kleine kop. De kunstenaar had de poten van het dier knap gebruikt om het beeld wat extra stabiliteit te geven.

'Als niemand me had verteld dat dit Fenicisch is,' zei Austin, 'had ik het niet zo snel als stammend uit een bepaalde cultuur of periode kunnen identificeren.'

'Dat komt omdat de Fenicische kunst geen specifieke stijl hééft. Ze hadden het te druk met hun handel om zelf mooie kunstwerken te kunnen maken. De Feniciërs produceerden goederen voor de verkoop, dus imiteerden ze de kunst van de landen waar ze handel mee dreven.

De houding van het beeld is Egyptisch. Het hoofd is Syrisch, haast oriëntaals. De natuurlijke manier waarop de plooien van zijn kilt zijn gevormd, is van de Grieken afgekeken. Het formaat is ongebruikelijk. De bronzen beelden van de Feniciërs zijn over het algemeen vrij klein.'

'Die poes is toch uitzonderlijk.'

'De Feniciërs namen katten aan boord van hun schepen mee om ratten te vangen en ook wel om te verhandelen. Ze prefereerden oranjegestreepte katers.'

Austin bestudeerde het doosachtige voorwerp in de rechterhand van de figuur. Het had een doorsnede van ongeveer vijftien centimeter. Bovenop stak een ronde vorm uit van zo'n anderhalve centimeter hoog. In de cirkel was een achtpuntige ster gegraveerd. Een van de punten was groter dan de andere. Een dikke lijn met punten aan beide uiteinden liep dwars door de ster van de ene naar de anderen kant.

Saxon zag de peinzende uitdrukking op Austins gezicht. 'Interessant, hè?'

'Carina had het over een kompas dat er niet bij zou passen. Men zegt dat de Chinezen het kompas hebben uitgevonden en dat honderden jaren na de hoogtijdagen van de Fenicische handel.'

'Dat is wat algemeen wordt aangenomen. Wat denkt u?'

'Ik sta open voor alles,' zei Austin. 'Het Fenicische rijk strekte zich tot ver voorbij de kusten van de Middellandse Zee uit. Ze moeten voortdurend in contact hebben gestaan met hun koloniën. Daarvoor moesten ze lange tochten over open zee maken. Van Tyrus naar het westelijke uiteinde van het Middellandse Zeegebied is ruim drieduizend kilometer. Dat vereist een voor die tijd ongekende navigatiekennis, goede kaarten en nautische instrumenten.'

'Bravo! Ik twijfel er niet aan dat deze vindingrijke, slimme lieden de specifieke mogelijkheden van de magneet kenden. Ze hadden de technische kennis om een gemagnetiseerde naald op een dergelijke windroos te monteren. *Voilà!* Een kompas.'

'Dan is het beeld dus authentiek?'

Saxon knikte. 'Ik vermoed dat het rond 850 voor Christus is gemaakt, toen het Fenicische rijk op haar hoogtepunt was.'

'De kompasnaald lijkt naar oost en west te wijzen.'

Saxon hief een wenkbrauw op. 'Wat valt u nog meer op?'

Austin bestudeerde het bronzen gezicht. De neus zag eruit alsof hij een flinke tik met de slagkant van een moker had gehad. Afgezien van die beschadiging had het gezicht de duidelijke trekken van een jongeman met een gelaagde baard. De trek om de lippen waarvan Austin aanvankelijk dacht dat het een glimlach was, bleek bij nadere beschouwing eerder een grimas te zijn. De ogen waren tot een turende blik samengeknepen. Austin ging achter het beeld staan en bekeek de opgeheven hand.

'Volgens mij kijkt hij naar de zon, alsof hij met een kromstaf navigeert.'

Saxon grinnikte. 'Dat is ronduit angstaanjagend, vrind.'

De cameralens was op het middengedeelte van het beeld gericht, op een zich herhalend motief in de sjerp. In het patroon kwam steeds een horizontale streep terug met een naar binnen gerichte Z aan het uiteinde.

'Dit teken stond ook in uw boek.'

Austin was zo op de details geconcentreerd dat hij de schrik op Saxons gezicht niet opmerkte. 'Dat klopt. Volgens mij symboliseert het een schip van Tarsis.'

'U hebt dergelijke motieven ook in Zuid-Amerika en het Heilige Land gevonden.'

Er flitste een steelse blik in Saxons grijze ogen op. 'Mijn lasteraars beweren dat dat toeval is.'

'Dat zijn cultuurbarbaren,' zei Austin.

Austin bekeek het ronde medaillon dat om de hals van de figuur hing. In het medaillon waren een paardenhoofd en een palmboom met blootliggende wortels gegraveerd. 'Dit stond ook in uw boek. Het paard en de palm.'

'Het paard is het symbool van Fenicië en de boom symboliseert een gegrondveste kolonie.'

Austin streek als iemand die braille las met zijn vingers over een aantal knobbels onderaan de palmboom. Een plotseling opgalmende vrouwenstem sneed zijn vraag af voordat hij hem had kunnen uitspreken.

'Hoe bent u hier binnengekomen?'

In de deuropening stond Carina met een trek van ongeloof op haar gezicht.

Saxon probeerde haar dreigende blik met een glimlach te verzachten. 'Ik begrijp dat u kwaad bent, mevrouw Mechadi. Maar geeft u de bewaker alstublieft niet de schuld. Ik heb hem mijn papieren van de Explorers Club getoond. En die zijn echt, overigens.'

'Voor mijn part staan ze op uw *derrière* getatoeëerd,' zei Carina. 'Hoe wist u dat het beeld hier was?'

'Ik heb bronnen die weten dat ik erin geïnteresseerd ben.'

Ze liep door tot bij het statief. 'Er komen foto's van dit beeld in een boek dat wij tijdens de tournee verkopen. Zonder toestemming mag u hier geen foto's maken.'

Saxon keek langs Carina en zijn gezichtsuitdrukking veranderde opvallend. Zijn glimlach verdween. Hij liet als een pitbull zijn tanden zien en zei grommend één enkel woord:

'*Baltazar*.'

De delfstoffenmagnaat was in de deuropening verschenen. Achter hem stond een jongeman met een leren koffertje in zijn hand. Baltazar stapte met grote passen op Carina af.

'Fijn dat ik u weer zie, mevrouw Mechadi.' Hij stak Saxon zijn hand toe. 'Viktor Baltazar. We kennen elkaar nog niet, geloof ik.'

Saxon negeerde de uitgestoken hand. 'Tony Saxon. U wilde een boot kopen die ik had gebouwd om er de Grote Oceaan mee over te steken.'

'O, ja,' reageerde Baltazar onbewogen op de laatdunkende bejegening. 'Ik wilde hem aan een museum schenken. Ik heb gehoord dat hij tot op de waterlijn is afgebrand. Wat zonde.'

Saxon wendde zich tot Carina. 'Het spijt me, mevrouw Mechadi. Ik hoop dat u ons gesprek in de ambassade niet vergeet.'

Hij klapte zijn statief in elkaar en tilde het op zijn schouder. Met een laatste felle blik op Baltazar liep hij met driftige passen naar de deur en verliet het depot.

Carina schudde geërgerd haar hoofd. 'Sorry dat ik iets te fel reageerde. Die man is de grootste hork die ik ooit heb ontmoet. Maar genoeg over hem. Kurt, mag ik je voorstellen aan Viktor Baltazar. Zijn stichting sponsort onze tournee.'

'Prettig kennis met u te maken, meneer Austin. Mevrouw Mechadi heeft me al verteld over uw rol bij het verijdelen van de kaping. Dank u zeer voor het redden van deze opmerkelijke jonge dame en het veiligstellen van de collectie.'

'Van Carina heb ik gehoord hoe vrijgevig uw stichting is geweest,' zei Austin.

Baltazar wuifde het compliment met een kort handgebaar weg en richtte zijn aandacht op het beeld.

'Eindelijk. De *Navigator*. Heel bijzonder. Uw besluit om hem het middelpunt van de tentoonstelling te maken juich ik toe, mevrouw Mechadi.'

'Dat lag voor de hand,' zei Carina. 'Zelfs met de beschadiging in zijn gezicht straalt hij een indrukwekkende waardigheid en intelligentie uit. En hij heeft ook iets mysterieus over zich.'

Baltazar knikte. 'Wat vindt u van onze zwijgende vriend hier, meneer Austin?'

Austin was met zijn gedachten nog bij zijn gesprek met Saxon. 'Misschien reageert hij minder zwijgzaam als we hem de juiste vragen stellen?'

Baltazar keek Austin even onderzoekend aan, waarna hij zijn aandacht weer op het beeld richtte. Hij liep om de *Navigator* heen en liet zijn blik over iedere vierkante centimeter van het brons gaan.

'Hebt u al een deskundige naar het beeld laten kijken?' vroeg hij aan Carina.

'Nog niet. Het zal naar het Smithsonian worden overgebracht, waar het wordt klaargemaakt voor de tournee.'

'Met het oog op de eerdere poging om het beeld te stelen, maak ik me toch enige zorgen over de beveiliging,' zei Baltazar. 'Zoals de onbevoegde aanwezigheid van de heer Saxon hier bewijst, is de beveiliging niet optimaal. Het beeld zal vooral tijdens het vervoer kwetsbaar zijn. Ik ben zo vrij geweest om een transportbedrijf te regelen dat het beeld vanochtend nog onder bewaking komt ophalen. Ze kunnen hier ieder moment zijn. Als u er geen bezwaar tegen heeft, uiteraard.'

Carina dacht over het aanbod na. Hoe meer mensen wisten waar het beeld was, hoe groter het risico werd.

'Dat is heel vriendelijk van u,' zei Carina. 'Ik neem uw aanbod graag aan.'

'Prima, dat is dan geregeld. Ik weet dat het nog vroeg op de dag is, maar ik stel voor dat we ons succes met een toost bezegelen.'

Hij wenkte zijn assistent, die het meegebrachte koffertje op een plank zette en het deksel openklapte. Er lag een fles Moët in. De assistent ontkurkte de fles, schonk drie champagneflûtes in en gaf ze rond.

Ze klonken met de glazen, waarna Baltazar de zijne ophief. 'Op de *Navigator*.'

Austin nam Carina's weldoener over de rand van zijn glas aandachtig op. Het leek alsof hij uit steen gehouwen was. Onder het antracietkleurige streepjeskostuum ging het gespierde lijf van een worstelaar schuil. Zelfs boven de brede schouders leek het hoofd, dat op een forse nek rustte, te groot voor de rest van zijn lichaam.

Baltazar merkte niets van Austins kritische observatie. Hij kon zijn ogen niet van Carina afhouden en leek iedere beweging van haar in zich op te zuigen. Austin voelde dat er achter die minzame glimlach van hem een versluierde vijandigheid verborgen lag. Hij vroeg zich af of Baltazar een oogje op Carina had en niet gelukkig was met Austins vriendschappelijke omgang met de bevallige Italiaanse vrouw.

De assistent begon de lege champagneflûtes weg te bergen. De aandacht van de anderen was op het beeld gericht en het viel niemand op dat de assistent het glas van Carina apart in een plastic zakje stopte en het zo in het koffertje teruglegde. Daarna stapte hij naar voren en fluisterde Baltazar iets in zijn oor. Het volgende moment keek Baltazar op zijn horloge en zei dat hij er weer eens vandoor moest.

Carina begeleidde hem naar de deur. Toen ze terugkwam, verontschuldigde ze zich bij Kurt dat ze zijn bezoek moesten beëindigen en dat ze het beeld moest voorbereiden op het transport. Ze spraken af dat ze via hun mobieltjes contact zouden houden en elkaar later die dag ergens zouden ontmoeten om dan samen naar Virginia te rijden voor hun bezoek aan de fotograaf van de *National Geographic*.

Vlak bij Austins Jeep stond een zwarte Yukon met donkergetinte ruiten geparkeerd. Uit de nummerplaat leidde Austin af dat het een auto van de Amerikaanse overheid was. Die conclusie werd bevestigd, toen het achterportier van de Yukon openzwaaide en er een man in een donkerblauw kostuum en een zonnebril uitstapte, die Austin een politiepenning onder zijn neus duwde.

Terwijl hij de deur voor hem openhield, zei de man: 'Er is iemand die u wil spreken.'

Austin ging niet zomaar op bevelen van ongemanierde vreemdelingen in. Hij glimlachte. 'Als u die speelgoedpenning niet onmiddellijk voor m'n gezicht weghaalt, douw ik 'm zonder pardon in uw onbeschofte muil.'

Austin verwachtte een agressieve reactie, maar tot zijn verbazing barstte de man in lachen uit en sprak vervolgens met iemand in de SUV. 'U hebt gelijk,' zei hij. 'Uw maat is inderdaad een harde noot.'

Er klonk een bulderende lach op uit de auto. Een stem die Austin al heel lang niet meer had gehoord riep: 'Niet te dichtbij komen, want hij bijt, hoor.'

Austin keek in de auto en zag een grote kerel achter het stuur zitten. Hij rookte een sigaar en er lag een brede grijns op het forse, hoekige gezicht.

'Ach, nee hè! Ik had moeten weten dat jij het was, Flagg. Wat doe jij hier, zo ver buiten Langley?'

'Lieden in de allerhoogste regeringskringen hebben me verzocht om je op te pikken. Stap in. Jake volgt ons wel in jouw NUMA-wagen.'

Austin wierp de sleutels van zijn Jeep naar de andere man en stapte in de Yukon. Hij had bij diverse CIA-operaties met John Flagg samengewerkt, maar had zijn voormalige collega al in geen jaren meer gezien. De Wampanoag-indiaan uit Martha's Vineyard werkte als troubleshooter achter de schermen en vertoonde zich zelden in het openbaar.

Ze schudden elkaar de hand en Austin zei: 'Waar gaan we heen?'

Grinnikend antwoordde Flagg: 'Je gaat een boottochtje maken.'

21

Twintig minuten nadat Austin in de Yukon was weggereden, arriveerde de verhuiswagen voor het magazijn van het Smithsonian. Voor Carina was het een hele opluchting toen ze de opschriftloze vrachtwagen voor de ingang zag stoppen. Ze had zelf ervaren hoe ingenieus en vastberaden de scheepskapers te werk waren gegaan.

De achterdeuren van de vrachtwagen zwaaiden open en er sprongen twee mannen in een merkloos grijs uniform met bijpassende honkbalpet uit de laadruimte. Een van beiden bediende de hendel van de laadlift en de ander pakte een steekwagen en een grote houten kist van de lift. De chauffeur stapte uit de cabine en liep met een vierde man langs de vrachtwagen naar achteren.

'Dan moet u mevrouw Mechadi zijn,' zei hij op het lijzige toontje van een zuiderling. 'Ik ben Ridley en heb de leiding over dit stel gorilla's. Sorry, dat we zo laat zijn.'

Ridley was een potige vent met blond, kortgeknipt stekeltjeshaar. Hij en zijn mannen droegen pistolen in holsters aan hun riem en ze hadden allemaal een mobilofoon aan hun borstzak geklemd.

'Dat geeft niet,' zei Carina. 'Ik ben net klaar met het inpakken van het beeld zodat het vervoerd kan worden.'

Ze ging hem voor het depot in. Ridley gniffelde toen hij de van top tot teen in gewatteerd verpakkingsmateriaal gewikkelde en met touwen dichtgebonden figuur zag staan. 'Wauw! Dat is een vette worst.'

Carina glimlachte om de passende vergelijking. 'Het beeld is meer dan tweeduizend jaar oud. Het is al beschadigd en ik doe er alles aan om het te houden zoals het is.'

'Dat begrijp ik best, mevrouw Mechadi. We zullen er héél voorzichtig mee zijn.'

Ridley stak een gekromde duim en wijsvinger tussen zijn lippen en floot schel. Zijn mannen kwamen het depot binnen, zetten de kist op de steekwagen en legden er nog wat extra stootkussens in. Nadat ze het beeld met riemen hadden gestabiliseerd, lieten ze het voorzichtig in de kist zakken, die ze vervolgens op de steekwagen naar buiten duwden. Op de laadlift werd de kist op gelijke hoogte met de laadvloer getild, waarna de mannen hem de vrachtwagen in reden.

Twee mannen bleven in de laadruimte achter. Een van beiden pakte een geweer tevoorschijn en ging op de kist zitten, als een bewaker op de bok van een postkoets. De andere man trok de deuren dicht en Carina hoorde hoe ze aan de binnenkant werden vergrendeld. De chauffeur stapte achter het stuur en Ridley kwam met een klembord teruggelopen dat hij aan Carina overhandigde.

'Ik moet u vragen dit te tekenen, dan is het helemaal reglementair.'

Carina krabbelde haar handtekening onder aan het formulier en gaf het klembord aan Ridley terug.

'Daar staat mijn auto,' zei ze. 'Ik rij achter u aan naar het Smithsonian.'

'Dat is niet nodig, mevrouw Mechadi. We kennen de weg. We zorgen voor alles en dan kunt u zich weer op uw werk concentreren.'

'Dit ís mijn werk,' zei ze met de haar kenmerkende kordaatheid.

Ridleys ogen verhardden zich toen hij Carina naar haar auto zag lopen. Hij vloekte zachtjes en klom op de stoel naast de chauffeur, waar hij zijn mobieltje pakte en haastig een nummer koos. Hij voerde een kort gesprek en verbrak de verbinding. Hij wendde zich tot de chauffeur en snauwde: 'Rijden!'

Met Carina's auto er vlak achter draaide de vrachtwagen van het terrein van het depot de weg op. In elkaars spoor zochten de beide auto's een weg door de buitenwijken van Maryland. Carina begon zich te ontspannen. Ridley en zijn mannen deden kundig en efficiënt hun werk, bijna als bij een militaire operatie. Hoewel ze niet van vuurwapens hield, vond ze het een geruststellende gedachte dat de mannen gewapend waren. In tegenstelling tot de machteloze bemanning op het containerschip zouden zij zich kunnen verdedigen.

Carina kende Washington wel een beetje, maar de omringende slaapsteden vormden een ondoorzichtig netwerk van woonwijken en industriegebieden. De vrachtwagen reed langs winkelcentra, benzinestations en viaducten. Ze verwachtte dat ze uiteindelijk de Ringweg zouden nemen of een andere snelweg die de stad uit leidde. Maar tot haar verbazing stopte de vrachtwagen voor een supermarkt.

Ridley stapte uit en kwam naar haar toe.

'Hoe gaat het, mevrouw Mechadi?'

'Prima. Is er iets?'

Hij knikte. 'Op de radio zeiden ze dat er een opstopping is op de snelweg naar het centrum. Er is een vrachtwagen gekanteld en er staan kilometers lange files. We gaan nu via een sluiproute de stad in. Die kronkelt nogal, dus ik dacht dat ik u dat beter even kon laten weten.'

'Dat is heel attent van u. Ik zorg dat ik vlak achter u blijf.'

Ridley slenterde naar de vrachtwagen terug alsof hij alle tijd van de wereld had. Gevolgd door Carina draaide de vrachtwagen de parkeerhaven uit. Zij had niets over een ongeluk of files gehoord, maar misschien was ze te veel in gedachten verzonken geweest. Ze zette de radio uit en concentreerde zich geheel en al op de vrachtwagen.

De verhuiswagen sloeg van de vierbaansweg een drukke zijstraat in met aan beide kanten een onafgebroken rij amusementshallen en fastfoodrestaurants. Om de paar honderd meter stopte het verkeer voor stoplichten. Carina was blij dat de knipperlichten van de vrachtauto na een paar kilometer stoppen en optrekken eindelijk een afslag naar rechts aankondigden.

Maar ze voelde zich een stuk minder prettig toen ze merkte dat ze nu door een achterstandswijk reden tussen verwaarloosde woonflats en vervallen winkelblokken die eruitzagen of ze nog uit de crisisjaren van de vorige eeuw stamden. Ieder stukje vlakke muur was met graffiti volgekalkt en de goten lagen vol met afval. De somber kijkende mensen die ze zag, leken onder invloed van drugs, wat ze waarschijnlijk ook waren, gezien de omgeving waarin ze leefden.

Een paar minuten later reden ze door een wijk waar ze zich in een oorlogsgebied waande. Wat ooit een bedrijvige woonwerkomgeving was geweest, was nu een verlaten buurt met lege winkels, dichtgetimmerde garages en met hangsloten vergrendelde bakstenen loodsen. Braakliggende terreinen waren met onkruid overwoekerd en lagen vol met bijeengewaaid vuilnis.

Het ergerde Carina dat ze niet met de mannen in de vrachtwagen kon communiceren. Ze toeterde. Ridley stak een gespierde arm uit het zijraam en zwaaide, maar de vrachtwagen maakte geen aanstalten om te stoppen. Net toen ze keek of de straat niet ergens breed genoeg was, zodat ze ernaast kon komen, draaide de vrachtwagen het ongeplaveide parkeerterrein van een restaurant op. Op het verbleekte bord aan de gevel van het vervallen bakstenen gebouw was nog vaag het woord PIZZA herkenbaar.

Carina verwachtte dat Ridley weer naar haar toe zou komen om te vertellen dat ze verdwaald waren. Toen dat niet gebeurde, raakte ze geïrriteerd en werd vervolgens kwaad. Ze omklemde het stuur alsof ze het los wilde rukken. De vrachtwagen stond daar maar. Ze overwoog of ze uit zou stappen, maar met één blik op de desolate omgeving waarin ze zich bevond, was ze ervan overtuigd dat dat geen goed idee was.

Ze boog opzij om het knopje van het slot van de deur in te drukken. Op dat moment dook er van achter een oude afvalcontainer een figuur op die het linkerachterportier van haar auto opentrok en op de achterbank plaatsnam.

'Hallo,' zei de man met een zachte, licht hijgerige stem.

Carina keek in de achteruitkijkspiegel. Ze zag een stel ronde ogen in een babyface. Het was de kaper die ze had gezien toen ze geboeid in de container op het schip lag. De moed zonk haar in de schoenen, maar ze had de tegenwoordigheid van geest om de deurgreep te pakken. Ze voelde iets kouds in haar nek en hoorde een laag gesis. Ze verloor het bewustzijn en haar kin zakte op haar borst.

De man stapte de auto uit en liep naar de achterkant van de vrachtwagen. Hij klopte op de deur, die even later openging. De bewakers in de laadruimte boden geen tegenstand toen hij naar binnen klom en de inhoud van de kist inspecteerde. Hij sprak in zijn mobilofoon. Het volgende ogenblik reed er van achter het bouwvallige pizzarestaurant een bestelwagen met een logo en de woorden SNELDIENST op de zijkant. Het beeld werd snel uitgeladen en omgeruild voor vier slappe lichamen die uit de tweede vrachtwagen kwamen.

De man met de babyface liep terug naar de personenauto en keek naar Carina. Wat lag ze daar mooi en vredig. Hij rekte zijn vingers die haar kloppende hart in een handomdraai het zwijgen op konden leggen. Hij sloot zijn ogen en ademde diep in. Met moeite zijn moordneigingen onderdrukkend klom hij de laadruimte van de verhuiswagen weer in. Waarna de vrachtauto, direct gevolgd door de bestelwagen, het parkeerterrein afreed.

22

De Yukon stopte op het parkeerterrein van een jachthaven aan de oever van de Potomac en Austin stapte uit. De tweede agent was hen gevolgd in de Jeep van de NUMA. Hij parkeerde de auto, wierp Austin de sleutels toe en stapte in de SUV.

Flagg leunde uit het zijraam. 'Laten we een keer samen lunchen bij Langley. Dan kunnen we Jake de oren van z'n kop lullen met onze avonturen uit de Koude Oorlog.'

'Toen hadden we zo'n grote mond helemaal nog niet,' zei Austin hoofdschuddend.

Flagg lachte. 'Maar geluk hadden we wel.' Hij schakelde en reed weg.

Austin kuierde naar de botensteiger. Er waren wat mensen bezig, maar verder was er weinig drukte aan de rivieroever. Hij bleef staan bij een antieke motorkruiser.

De houten boot met witte romp was een meter of vijftien lang en het mahoniehout van het dek en de reling was blinkend geboend. Op de romp stond de naam: LOVELY LADY. Op het dek zat een man de *Washington Post* te lezen. Toen hij Austin zag, legde hij de krant weg en stond op uit zijn stoel.

'Hoe vindt u d'r?' vroeg de man.

Austin was een liefhebber van oude jachten en de bescheiden luxe die ze uitstraalden, zo volledig verschillend van de protserige praal die sommige van de moderne schepen die in de jachthaven afgemeerd lagen, tentoonspreidden. 'Haar naam zegt genoeg.'

'Ja, inderdaad.'

'Ik weet dat het niet beleefd is om een dame naar haar leeftijd te vragen, maar ik vroeg me af hoe oud ze is.'

'Mijn oude vriendin is niet zo snel beledigd, hoor. Ze weet al dat ze mooi is sinds de dag dat ze in 1931 geboren werd.'

Austin liet zijn ogen over de slanke lijnen van de boot gaan. 'Als ik goed gok komt ze van de Stephens-werf in Californië.'

De man trok een wenkbrauw op. 'Dat is niet zomaar een gok. Stephens heeft haar voor een van de minder bekende Vanderbilts gebouwd. Wilt u niet aan boord komen om haar nog wat beter te bekijken, meneer Austin?'

Austins lippen verbreedden zich tot een glimlachje. Het was geen toeval dat Flagg hem in de buurt van deze boot had afgezet. Hij liep over een korte loopplank het dek op en ze schudden elkaar de hand, waarbij de man zich als Elwood Nickerson voorstelde.

Nickerson was lang en pezig met het uiterlijk van een tennisser. Zijn gebruinde gezicht was niet erg doorgroefd en hij leek een jaar of zestig, zeventig. Hij droeg een afgedragen, verschoten korte broek, verweerde bootschoenen en een tot op de draad versleten T-shirt van de GEORGETOWN UNIVERSITY. Van zijn kortgeknipte witte haren, goed verzorgde vingernagels en licht studentikoos accent viel af te leiden dat hij niet echt een varende zwerver was.

Hij nam Austin met harde, grijze ogen op. 'Prettig kennis met u te maken, meneer Austin. Ik dank u voor uw komst. Sorry voor dit ietwat theatrale decor. Ik bied u graag een Barbancourt-rum on the rocks aan, maar daar is het misschien iets te vroeg voor.'

Nickerson kende Austins nieuwste voorkeur op drankgebied. Hij had dus in zijn huisbar rondgesnuffeld of hij had toegang tot geheime overheidsdossiers. 'Het is nooit te vroeg voor een goed glas rum, maar ik heb nu toch liever een glas water en een verklaring,' zei Austin.

'Dat water heb ik meteen voor u, maar die verklaring zal iets meer tijd vergen.'

'Ik heb geen haast.'

Nickerson riep de kapitein van de boot en zei dat ze konden vertrekken. De kapitein startte de motoren en zijn stuurman gooide de trossen los. Terwijl de boot de rivier opvoer en stroomafwaarts koerste, ging Nickerson Austin voor naar een ruim dekhuis waarin een langwerpige mahoniehouten tafel met een spiegelend glad geboend blad het middelpunt vormde.

Nickerson bood Austin een stoel aan de tafel aan. Vervolgens pakte hij een fles mineraalwater uit een koelkast en schonk voor Austin een glas in.

'Ik werk voor de afdeling Nabije Oosten van het ministerie van BZ, waar ik als belangrijkste puinruimer en algemeen manusje-van-alles fungeer,' zei Nickerson. 'Dat ik nu op deze manier naar buiten treed, heeft de zegen van mijn baas, de minister van Buitenlandse Zaken. Het leek hem beter dat hij zich hier in dit stadium buiten houdt.'

'U hebt in mijn privédossier gesnuffeld en daar is toestemming van een hoger niveau dan het ministerie van BZ voor nodig.'

Nickerson knikte. 'Toen we deze kwestie onder de aandacht van het Witte Huis brachten, stelde de vicepresident Sandecker voor om contact met uw baas, directeur Pitt, op te nemen. En hij heeft gezegd dat we u hiervoor moesten hebben.'

'Dat was heel genereus van de directeur,' zei Austin. Typisch Pitt, mijmerde hij. Dirk hield ervan om beslissingen door te schuiven naar degene die er waarschijnlijk ook de gevolgen van te verwerken kreeg.

Nickerson hoorde de ironie in Austins stem. 'De heer Pitt stond open voor wat wij vroegen. Hij had het grootste vertrouwen in uw competentie. Het besluit om uw achtergrond te controleren, kwam van mij. Ik sta bekend om het feit dat ik nogal omzichtig te werk ga.'

'En stiekem.'

'Uit uw dossier komt naar voren dat u weinig geduld voor prietpraat hebt. Dus kom ik maar meteen ter zake. Twee dagen geleden kwam er een zekere Pieter DeVries van de NSA bij ons langs. DeVries is een van de beste cryptoanalisten ter wereld. Hij kwam met nogal schokkende informatie.'

In de hieropvolgende twintig minuten beschreef Nickerson tot in de kleinste details de ontdekking van het document van Jefferson in het archief van het Amerikaans Filosofisch Genootschap en de ontcijfering van het geheime bericht dat erin verborgen zat. Nadat hij zijn verhaal had afgerond, wachtte Nickerson op Austins reactie.

'Eerst eens kijken of ik het begrijp,' zei Austin. 'Een onderzoeker van een instituut dat door Ben Franklin is opgericht, stuit op een verloren gewaand document dat een versleutelde correspondentie tussen Thomas Jefferson en Meriwether Lewis bevat. Jefferson schreef aan Lewis dat hij dacht dat de Feniciërs in Noord-Amerika waren geweest en daar in Salomo's goudmijn een heilig relikwie hebben verborgen. Lewis antwoordt aan Jefferson dat hij naar hem toe zal komen. Maar Lewis sterft onderweg.'

Nickerson slaakte een diepe zucht. 'Ik weet het. Het klinkt volkomen bizar.'

'Wat heeft de NUMA met dit bizarre verhaal van doen?'

'Heb nog even geduld, dan zal ik mijn motieven verklaren.' Hij overhandigde Austin een dik losbladig notitieboek. 'Dit zijn kopieën van het document van Jefferson en de ontcijferde berichten. De informatie is geannoteerd met verwijzingen naar de bronnen.'

Austin sloeg het notitieboek open en las het strakke, verzorgde handschrift van Jefferson. Nadat hij een aantal pagina's had doorgebladerd, zei hij: 'U weet zeker dat dit echt is?'

'Het document van Jefferson is authentiek. De historische juistheid moet nog geverifieerd worden.'

'Hoe dan ook, deze ontdekking zet vraagtekens achter alle bestaande theorieën,' zei Austin. 'Enig idee wat voor relikwie dat zou kunnen zijn?'

'Onder de analisten die dit onder ogen hebben gehad, hebben er een paar gesuggereerd dat het de Ark des Verbonds zou kunnen zijn. Wat denkt u?'

'Het is heel goed mogelijk dat de Ark tijdens de Babylonische bezetting van Jeruzalem is vernietigd. Er gaan ook verhalen dat hij onder het puin van een Afrikaanse mijn zou liggen. De Ethiopiërs zeggen dat zij hem hebben, maar geen mens heeft 'm daar ooit gezien. Ark of niet, deze historische vondst zal als een bom inslaan.'

'Beslist. De Ark zal ondertussen wel tot stof vergaan zijn. Maar hieruit blijkt wel dat Jefferson zich grote zorgen maakte om wat er in Noord-Amerika verborgen is.'

'En u klinkt niet minder bezorgd.'

'Dan bén ik ook. Uw vergelijking met een inslaande bom zou wel eens heel toepasselijk kunnen zijn.'

'Bent u bang voor schatgravers?'

'Nee. We maken ons zorgen over een brandhaard die in het Midden-Oosten kan oplaaien om zich vervolgens over Europa, Azië en Noord-Amerika te verspreiden.'

Austin tikte op het omslag van het notitieboek. 'Waarom zou dit zoveel stof doen opwaaien?'

'Bepaalde groeperingen zouden deze ontdekking als een teken kunnen zien dat Salomo's derde tempel voor dit relikwie moet worden gebouwd. Voor de bouw van die tempel moet eerst de moskee op de Tempelberg worden afgebroken. Die moskee is de op twee na heiligste plaats voor de islam. Alleen al geruchten over deze vondst zouden gewelddadige reacties van moslims over de hele wereld kunnen oproepen. Berichten over het feit dat de Ark in Noord-Amerika is gevonden, zou als een Amerikaanse samenzwering worden opgevat. Ze zouden de Verenigde Staten beschuldigen van het opstoken van anti-islamitische sentimenten tot het vernietigen van iets dat voor de islam heilig is. Alle conflicten tot nu toe in die regio zouden erbij in het niet zinken.'

'Is dit niet een beetje overdreven? U weet nog niet eens wat het relikwie precies is.'

'Dat doet er niet toe. De beeldvorming is doorslaggevend. Een paar jaar geleden werd een in Israël geboren rood kalf dat een aantal mensen gezien meenden te hebben, de aanzet tot een keten van gebeurtenissen die bijna tot het einde van de wereld hebben geleid. En daarbij ging het verdorie om een bloedende koe!'

Austin dacht een moment diep na. 'Wat is precies uw eerste zorg?'

'Er zijn al te veel mensen van het bestaan van dit document op de hoogte. We kunnen ons best doen lekken tegen te gaan, maar het komt een keer aan het licht. Het ministerie van BZ zal diplomatieke stappen ondernemen om de klap te sussen als het zover is, maar we zullen voorzorgsmaatregelen moeten nemen.'

Austin wist uit ervaring dat de regeringskringen zo lek waren als een mandje. 'En hoe kan ik daarbij helpen?' vroeg hij.

Nickerson glimlachte. 'Ik begrijp waarom Dirk Pitt deze kwestie in uw handen heeft gelegd. Onze beste verdediging is de waarheid. We moeten uit zien te vinden wat de Feniciërs hier naartoe hebben gebracht. Als dat de Ark blijkt te zijn, stoppen we hem zo diep weg dat hij in geen duizend jaar gevonden wordt. En is het 'm niet, dan kunnen we het verhaal ontzenuwen zodra het naar buiten komt.'

'Het vinden van een naald in een hooiberg is er een eitje bij. De NUMA is een organisatie die zich met zeeonderzoek bezighoudt. Kunt u dit niet beter aan een op het land gerichte inlichtingendienst vragen?'

'Dat hebben we geprobeerd. Maar zonder verdere informatie is dat zinloos. De NUMA verkeert in een unieke positie voor de oplossing van dit probleem. We willen ons meer op het schip en de reis concentreren en niet zozeer op het artefact. Uw ervaring in het verleden met de graftombe van Columbus maakt u tot de ideale persoon om deze actie te leiden.'

Austins ogen versmalden zich. 'Als we de route van de reis kunnen reconstrueren, reduceren we daarmee de locaties op het land. Dat is een idee.'

'We hopen dat het meer is dan een idee.'

'We kunnen een poging wagen. We hebben het over een reis die tweeduizend jaar geleden heeft plaatsgevonden. Ik zal het mijn collega Paul Trout voorleggen. Hij is een expert in de constructie van computermodellen en zou de route misschien kunnen herleiden.'

Nickerson fleurde op alsof er een enorme last van zijn smalle schouders was gegleden. 'Dank u. Ik zal de kapitein vragen terug te varen.'

Austin dacht over hun gesprek na. Er was iets aan Nickerson dat hem niet beviel. De BZ-man leek oprecht, maar zijn verklaringen waren te gelikt. Austin vond hem net iets te sluw overkomen. Misschien was sluw zijn wel een doeltreffend middel om in de hogere regeringskringen te overleven. Hij besloot om zich op het directe probleem te concentreren en zijn twijfels van zich af te zetten, maar ze wel binnen handbereik te houden.

Het ging dus weer om Feniciërs.

Het leek alsof die oude zeevaarders nu opeens overal opdoken. Hij begon een strategie te ontwikkelen. Tony Saxon zou uit zijn bol gaan als hij wist dat er ieder moment een internationale crisis kon uitbreken die tot een rehabilitatie van zijn omstreden theorie over precolumbiaanse contacten tussen Europa en de Amerikaanse continenten zou leiden. Austin wilde de *Navigator* nog eens nader bekijken, alleen zou hij nu zijn eigen Fenicië-expert meenemen.

Het mobieltje in zijn jaszak trilde. Hij nam op en zei: 'Kurt Austin.'

Hij hoorde een mannenstem. 'Met brigadier Colby van de districtspolitie. Meneer Austin, we hebben uw naam gevonden in de portefeuille van mevrouw Mechadi.'

Austins kaakspieren maalden terwijl hij naar de agent luisterde die hem in voor de politie zo kenmerkende monotone, eufemistische bewoordingen op de hoogte stelde van wat ze hadden aangetroffen.

'Ik ben in een halfuur bij u,' zei hij, waarna hij naar de stuurhut liep. Terwijl Austin er bij de kapitein op aandrong al het vermogen uit de motoren van de *Lovely Lady* te persen dat er maar enigszins inzat, voerde Nickerson in de salon een telefoongesprek.

'Austin heeft toegehapt,' zei hij. 'Hij neemt de opdracht aan.'

'Voor zover ik Austin ken, had ik ook niet anders verwacht,' zei de stem aan de andere kant van de lijn.

'Denk je dat het zo gaat lukken?'

'Een betere mogelijkheid is er niet. Ik licht de anderen in,' zei hij, waarna hij ophing.

Nickerson legde de telefoon neer en staarde voor zich uit. Het drieduizend jaar oude geheim zou tijdens zijn leven worden opgelost. De teerling was geworpen. Hij liep naar zijn huisbar en pakte er een fles en een glas uit. De pot op met de dokter en zijn waarschuwing om van de drank af te blijven, dacht hij, terwijl hij voor zichzelf een flink glas brandy inschonk.

23

Brigadier Colby stond Austin bij de verpleegkamer van de noodhulp van het Academisch Ziekenhuis van Georgetown op te wachten. De politieagent was in gesprek met een man in een groene doktersjas. Colby zag de resolute manier waarop Austin hem naderde en concludeerde dat dit de man moest zijn die hem door de telefoon met vragen had bestookt.

'Meneer Austin?'

'Bedankt dat u me hebt gebeld, brigadier. Hoe is het met mevrouw Mechadi?'

'Redelijk, gezien de omstandigheden. We patrouilleerden in die achterbuurt en daar hebben we haar in haar auto met het hoofd op het stuur liggend aangetroffen.'

'Weet iemand wat er is gebeurd?'

'Ze sprak nogal wartaal toen ze bijkwam,' zei de politieman hoofdschuddend. 'Ik had het juist met dokter Sid over haar fysieke toestand.'

Hij doelde op de man die naast hem stond, dr. Siddhartha 'Sid' Choudary. Dokter Sid was een aan het ziekenhuis verbonden anesthesist die voor overleg was opgeroepen. 'Uit de bloedtest blijkt dat haar een dosis natriumthiopentaan is toegediend, door de neus of door de huid. Daarmee is ze binnen enkele seconden buiten bewustzijn geraakt.'

'We hebben niet het idee dat een beroving het motief is geweest,' zei Colby. 'In haar portefeuille zit nog geld, plus haar identiteitspapieren en uw telefoonnummer. Haar auto is naar de technische recherche gebracht. Maar ik zeg er eerlijk bij dat dat onderzoek nog wel even op zich zal laten wachten. Moordzaken hebben voorrang en bij het mortuarium is een wachtlijst.'

'Ik zou haar graag willen spreken,' zei Austin.

De arts knikte. 'Ze is nu klaarwakker. Zodra dat spul uit haar aderen verdwenen is, is ze weer de oude. Het is alsof je net één martini te veel hebt gehad. Een lichte kater, duizelig en een beetje misselijk. Als ze zich goed genoeg voelt om te lopen, mag ze gaan, als er iemand bij haar is. Voorlopig nog even niet zelf rijden. Derde deur rechts.'

Austin bedankte de beide mannen en liep de gang in. 'Ik zou niet al te dichtbij komen,' waarschuwde de politieman. 'Ze spuwt vuur van woede.'

Carina zat op de rand van haar bed en probeerde een schoen aan te trekken. Ze had het nog knap lastig met haar hand-oogcoördinatie. Het leek alsof haar kwaadheid vooral op haar voet was gericht en niet zozeer op iemand in het bijzonder.

Austin bleef in de deuropening staan. 'Hulp nodig?'

De diepe frons op Carina's voorhoofd verdween. Er verscheen een brede glimlach om haar lippen en ze gromde triomfantelijk, terwijl de schoen om haar voet schoof. Ze probeerde te gaan staan, maar haar benen waren nog te zwak. Terwijl Austin de kamer inliep, zakte ze op de grond. Hij tilde haar op en legde haar terug op het bed.

'*Grazie*,' zei ze. 'Ik voel me alsof ik te veel wijn heb gedronken.'

'De dokter zei dat het middel snel is uitgewerkt.'

'Middel? Waar heeft hij het over? Ik heb helemaal niks genomen.'

'Dat weten we. Je hebt een verdovingsmiddel toegediend gekregen. Je hebt het ingeademd of het is geïnjecteerd. Kun je me vertellen wat er is gebeurd?'

Er kwam een angstige blik in haar ogen. 'Ik heb de kaper van het containerschip gezien. Die grote vent met dat duivelse babygezicht.'

'Het is handiger als je bij het begin begint,' zei Austin.

'Goed idee. Help me even overeind.'

Austin pakte Carina bij haar middel en trok haar omhoog tot ze rechtop zat. Terwijl hij een glas water voor haar inschonk, schoof ze naar de rand van haar bed en vertelde tussen een paar slokken door wat haar was overkomen.

'De verhuizers kwamen de *Navigator* ophalen. Een zekere Ridley was de baas. Ik ben de vrachtwagen in mijn auto gevolgd. Die reed op een gegeven moment een verschrikkelijk vervallen achterbuurt in. Daar is-ie ergens gestopt. Ik kan me nog een oud uithangbord met pizza herinneren. Het achterportier ging open. Toen zag ik de kaper in mijn achteruitkijkspiegel.'

Austin zag in een flits de forse voetafdruk in de modder bij zijn huis voor zich. 'Ga door.'

'Ik hoorde iets sissen. Het volgende wat ik weet, is dat ik hier wakker werd.' Er drong opeens iets tot haar door. 'Ze hebben het beeld meegenomen. Dat moet ik bij de politie melden.' Ze stond op en leunde tegen haar bed. 'Ben nog steeds een beetje duizelig.'

Austin kuste haar op haar voorhoofd. 'Rust jij nog even uit, dan ga ik met de politieagent praten.'

Colby beëindigde net een telefoongesprek toen Austin op hem afkwam en zei: 'Heeft ze u iets over een vrachtwagen en een vermist beeld verteld?'

'Ja. Ik dacht dat ze hallucineerde. Ik heb het op het bureau laten uitzoeken. Er is een vrachtwagen die aan haar omschrijving voldeed, van de snelweg af geraakt en in brand gevlogen. Er zijn vier onherkenbaar verbrande lijken gevonden.'

'En een bronzen beeld?'

'Nee. Het vuur is behoorlijk fel geweest. Misschien is het door de hitte gesmolten.'

Austin bedankte Colby en liep naar Carina terug om te vertellen wat hij had gehoord. Hij zei haar niets over de lijken in de verbrande vrachtwagen. Ze keek op de klok aan de muur. 'Ik moet hier weg. Zo mis ik mijn afspraak met Jon Benson, de fotograaf van de *National Geographic* over wie ik het had.'

'Hoe laat heb je met hem afgesproken?'

'Over een uur.' Ze gaf Austin een adres. 'Halen we dat nog?'

'Als we nu meteen gaan. Hangt ervan af hoe je je voelt.'

'Ik voel me prima.' Ze liet het bed los en deed een paar wankele stappen. 'Maar ik zou het niet erg vinden als je me een beetje helpt.'

Ze gaven elkaar een arm en schuifelden de gang door. Colby had bij de verpleging een bericht achtergelaten dat Carina hem moest bellen zodra ze zich goed genoeg voelde voor een verhoor. Tegen de tijd dat ze alle ontslagpapieren had getekend, leek ze al aardig aangesterkt. De verpleegster stond erop dat ze in een rolstoel naar de uitgang werd gebracht. Toen Carina het ziekenhuis uitliep, wankelde ze nauwelijks nog.

Tijdens de rit naar Virginia probeerde Carina de fotograaf te bellen. Er werd niet opgenomen. Ze ging ervan uit dat Benson van huis was gegaan en op tijd voor de afspraak terug zou zijn.

In de frisse landlucht die door het zijraam naar binnen waaide, knapte Carina zienderogen op. Ze belde Baltazar om hem over de diefstal in te lichten. Ze kreeg een antwoordapparaat en sprak een boodschap in.

'Je denkt toch niet dat Saxon hier iets mee te maken heeft?' vroeg ze, nadat ze een ogenblik had nagedacht.

'Daar lijkt Saxon me het type niet voor. Misschien kan hij ons helpen. We zouden de foto's die hij van het beeld heeft genomen bij het persbericht over de diefstal kunnen gebruiken.'

Carina bladerde in haar adresboek tot ze het kaartje vond dat Saxon haar op de receptie in de Iraakse ambassade had gegeven. Ze belde het nummer dat hij op de achterkant had geschreven en kreeg het Willard Hotel aan de lijn. De baliemedewerker zei dat de heer Saxon al was vertrokken. Carina gaf die informatie met een zelfvoldaan glimlachje aan Austin door.

Tien minuten later sloeg Austin van de hoofdweg een lange ongeplaveide oprijlaan in die hen bij een lage, uit overnaadse planken opgetrokken boerderij bracht. Ze stopten naast een stoffige pick-up en liepen de veranda op. Op hun herhaalde kloppen op de deur kwam geen reactie. Nadat ze in de schuur hadden gekeken, keerden ze terug bij de veranda aan de voorkant van het huis. Austin drukte op de deurklink. De deur was niet afgesloten. Hij duwde hem open. Carina stak haar hoofd naar binnen en riep: 'Meneer Benson?'

Er klonk zacht gekreun vanuit het huis. Austin stapte naar binnen en liep door een gangetje naar de knusse woonkamer, waar hij bij de open haard een pook pakte. Behoedzaam liepen ze door naar het einde van de gang. Op de vloer van een atelier zagen ze een man op zijn rug liggen.

Carina knielde naast de man. Het bloed van een hoofdwond te midden van een akelige zwartblauwe kneuzing was gestold.

Het atelier zag eruit alsof er een orkaan doorheen was geraasd. Alle lades van archiefkasten waren opengetrokken. De vloer lag bezaaid met foto's. De computermonitor lag in scherven. Alleen de omslagen van de *National Geographic* die aan de muur hingen, waren ongemoeid gelaten. Austin belde 112 en inspecteerde de overige kamers. Er was verder niemand in huis.

Toen Austin in het atelier terugkeerde, zat Benson rechtop met zijn rug tegen de muur. Carina hield een handdoek vol ijsblokjes tegen zijn hoofd. Ze had het speeksel van zijn lippen geveegd. Hij had zijn ogen open en was bij bewustzijn.

Benson was een forse man van middelbare leeftijd met een leerachtig gebruinde huid als gevolg van het felle zonlicht op de exotische plekken waar hij had gewerkt. Zijn lange grijze haren waren in een paardenstaart bijeengebonden. Hij droeg een spijkerbroek, een T-shirt en een fotografenvest met veel vakjes voor fotorolletjes, een anachronisme in deze tijd van digitale fotografie.

Austin knielde naast hem. 'Hoe voelt u zich?'

'Klote,' zei Benson. 'Hoe zie ik eruit?'

'Klote,' zei Austin.

Benson verwrong zijn lippen tot een flauw glimlachje. 'Klootzakken! Ze hebben me opgewacht toen ik van een wandeling terugkwam voor een afspraak met een dame van de VN. Bent u dat?'

'Ik ben Carina Mechadi. Ik ben rechercheur bij de UNESCO. Meneer Austin is van de National Underwater and Marine Agency.'

Er glinsterde een glimp van herkenning in Bensons grijze ogen. 'Heb jaren geleden over beide organisaties reportages gemaakt.'

'Vertel eens wat er is gebeurd nadat u van uw wandeling thuiskwam,' zei Austin.

'Ik zag een auto voor de deur staan. Een zwarte SUV. Met nummerplaten uit Virginia. Ik sluit de boel hier nooit af. Binnen haalden ze mijn spullen overhoop.' Er verscheen een pijnlijke trek op zijn gezicht. 'Voor het geval ik weer van mijn stokje ga, zeg de politie dat ze met z'n vieren waren. Allemaal gemaskerd. Allemaal gewapend. Er was één opvallend grote vent bij. Volgens mij was hij de leider.'

Austin en Carina keken elkaar veelbetekenend aan.

'Heeft hij iets gezegd?'

Benson knikte. 'Hij wilde al mijn negatieven. Ik zei dat hij de kolere kon krijgen. Toen drukte hij de loop van zijn pistool tegen mijn hoofd. Ik denk dat ik blij mag zijn dat hij me niet heeft neergeschoten. Alleen verrot geslagen. Heb me dood gehouden. Zag hem en zijn maatjes de kasten met mijn negatieven te lijf gaan. Ze hebben het allemaal in plastic vuilniszakken gepropt. Hebben ze m'n computer? De laptop?'

Austin keek om zich heen. 'Zo te zien hebben ze de boel grondig leeggehaald.'

'Ze dachten wel dat ik een back-up had gemaakt. Alle foto's die ik ooit heb gemaakt, het is allemaal opgeslagen. Vijfentwintig jaar werk.' Benson grinnikte. 'Sukkels. Ze hadden het zo druk met mij aftuigen dat ze niet op het idee kwamen dat ik nog ergens een back-up van de back-up heb. Maar wat wilden ze in hemelsnaam?'

'We vermoeden dat ze de foto's zochten die u van een archeologische opgraving in Syrië hebt gemaakt,' antwoordde Carina.

Hij fronste zijn wenkbrauwen. 'Dat weet ik nog. Fotografen herinneren zich iedere foto die ze ooit hebben gemaakt. Negentientweeënzeventig. Coverstory. Het was er zo heet als de hel.'

'Die back-up, kunnen we die lenen?' vroeg Austin.

'Helpt het mee om die klootzakken te pakken?'

'Misschien.' Austin trok zijn hemd omhoog om het verband om zijn ribben te laten zien. 'U bent niet de enige die nog een rekening met ze te vereffenen heeft.'

Bensons ogen verwijdden zich. 'Zozo, ik geloof dat ze u écht niet mochten.' Hij grijnsde. 'Kijk maar in mijn stal. Derde box aan de rechterkant. Daar zit een stalen deur onder het hooi. De sleutels hangen in de keuken, die met het labeltje ACHTERDEUR.'

'In Syrië is toen een groot beeld opgegraven,' zei Carina. 'De *Navigator*.'

'Zeker. Zag eruit als de indiaan met puntmuts die je bij tabakwinkels ziet. Weet niet wat ermee is gebeurd.' Zijn ogen rolden alsof hij op het punt stond het bewustzijn te verliezen, maar hij herstelde zich. 'Kijk eens op de schoorsteenmantel in de woonkamer.'

In de keuken vond Austin de sleutel van de kluis, waarna hij naar de woonkamer liep. De schoorsteenmantel stond vol met brokken steen en beeldjes die Benson op zijn reizen had verzameld. Een van de figuurtjes trok Austins aandacht. Hij pakte een ongeveer tien centimeter hoog schaalmodel van de *Navigator* op.

Van de oprijlaan klonk het knarsende geluid van banden. Er stopte een ambulance met ingeschakelde zwaailichten voor de veranda. Austin stak het beeldje in zijn zak en liep de mensen van de ziekenwagen tegemoet. Het waren twee noodartsen: een jongeman en een vrouw. Austin leidde hen naar het atelier.

De vrouwelijke arts bekeek de puinhoop om haar heen. 'Wat is hier gebeurd?'

Carina keek op van haar verpleegsterswerk. 'Hij is overvallen en zijn atelier is gesloopt.'

Terwijl de arts Benson onderzocht, belde haar collega de politie. Nadat ze Bensons belangrijkste levensfuncties hadden gecontroleerd en een drukverband om zijn hoofd hadden aangelegd, legden ze de fotograaf op een brancard en brachten hem naar de ziekenwagen. Ze zeiden dat Benson er nog wel een tijdje last van zou hebben, maar dat hij dankzij zijn uitstekende lichamelijke conditie weer helemaal de oude zou worden.

Austin zei tegen de noodartsen dat Carina en hij op de komst van de politie zouden wachten. Zodra de ambulance was weggereden, liepen zij naar de stal. Toen ze het hooi in de derde box opzijschoven, kwam er een ijzeren luik tevoorschijn. Austin draaide hem van het slot en trok hem open. Een korte trap omlaag kwam uit in een geklimatiseerde ruimte ter grootte van een inloopkast. Langs de muren stonden op jaartal gerubriceerde ladekasten. Al snel vond Austin een cd-rom met het opschrift: HETTIETENOPGRAVING 1972 SYRIË.

Austin stak het schijfje in zijn zak, waarna hij met Carina naar het huis terugliep. Een paar minuten later kwam er over de oprijlaan een politiewagen aangereden. De slungelachtige man in uniform die aan de bestuurderskant uitstapte, leek rechtstreeks uit Mayberry USA weggelopen. Hij kwam met een trage schuifelende pas op hen toegelopen en stelde zich voor als commissaris Becker. Hij noteerde hun namen in een opschrijfboekje.

'De noodarts zei dat de heer Benson is overvallen.'

'Dat heeft hij ons verteld,' zei Carina. 'Toen hij van een wandeling terugkwam, trof hij vier mannen in zijn huis aan. Hij heeft zich verzet toen hij zag dat ze zijn foto's wilden stelen en is met een pistool bewusteloos geslagen.'

De commissaris schudde zijn hoofd. 'Ik wist dat hij een bekende fotograaf van de *Geographic* was, maar ik heb nooit gedacht dat zijn foto's een overval op klaarlichte dag waard waren.' Hij zweeg een moment, waarin hij zich afvroeg waar deze uitzonderlijke vrouw en haar gespierde metgezel in het plaatje pasten. 'Mag ik u vragen wat uw relatie tot Benson is?'

'Ik ben van de NUMA,' antwoordde Austin. 'Mevrouw Mechadi werkt voor de VN en doet onderzoek naar gestolen antiquiteiten. De heer Benson heeft jaren geleden foto's gemaakt van een vermist artefact en we hoopten dat hij ons zou kunnen helpen bij het terugvinden ervan.'

'Denkt u dat dit iets met de overval te maken kan hebben?'

De commissaris was pienterder dan hij eruitzag. Hij bestudeerde aandachtig hun reacties.

Austin vertelde hem de waarheid. 'Dat weet ik niet.'

De commissaris leek tevreden met hun verklaring. 'Zou u me willen vertellen waar u de heer Benson heeft gevonden?'

Austin en Carina gingen hem voor het huis in. De commissaris floot zachtjes toen hij de chaos in het atelier zag.

'Hebt u iets aangeraakt?'

'Nee,' antwoordde Austin. 'Had dat iets uitgemaakt?'

De commissaris grinnikte. 'Ik haal hier het sporenonderzoekteam bij.' Hij noteerde hun personalia in zijn opschrijfboekje en zei dat ze mogelijk nog gebeld zouden worden voor een verder verhoor.

Toen Austin de auto de weg opdraaide, zei Carina: 'Je was niet helemaal eerlijk tegen de commissaris.'

'Het had de boel alleen maar onnodig ingewikkeld gemaakt als ik over de kaping van het schip en de diefstal van het beeld was begonnen. En dat de *Navigator* hierbij de gemene deler is.'

Carina zakte in haar stoel onderuit en sloot haar ogen. 'Op de een of andere manier voel ik me verantwoordelijk voor dit alles.'

'Niet doen. De enigen die hier iets te verwijten valt, zijn de schurken die verregaand asociaal gedrag aan de dag leggen. Wie wist buiten ons van het bestaan van de foto's van Benson?'

'De enigen aan wie ik het heb verteld zijn jij en de heer Baltazar. Je denkt toch niet...'

'Nog zo'n gemene deler.'

Carina opende haar ogen en staarde omhoog. Na een paar minuten diep te hebben nagedacht leek ze het allemaal weer wat helderder te zien.

'Goed. Hoe gaan we nu verder?'

Austin diepte de cd-rom uit zijn zak op en gaf hem aan haar. 'We gaan een archeologische opgraving bekijken.'

24

Toen Austin de Jeep op de gereserveerde plek in de ondergrondse garage parkeerde, drukte Carina zich met knipperende ogen in haar stoel overeind. Er hadden waarschijnlijk nog sporen van het verdovingsmiddel in haar bloed gezeten, want ze was binnen enkele minuten na hun vertrek van Bensons huis weggedoezeld. Het laatste wat ze zich herinnerde was het langs glijdende heuvelland van Virginia.

Ze keek verwonderd om zich heen. 'Waar zijn we?'

'In het hol van koning Neptunus,' antwoordde hij met een strak gezicht.

Hij stapte uit en opende het portier aan haar kant. Hij pakte Carina voorzichtig bij haar arm en leidde haar naar de dichtstbijzijnde lift, waarin ze naar de begane grond zoefden. De deuren schoven open en ze stapten de hal in die het middelpunt vormde van het imposante, dertig verdiepingen tellende en in groen getint glas gehulde NUMA-gebouw in Arlington, Virginia.

Carina bekeek het atrium dat zich met watervallen, metershoge aquaria en een gigantische wereldbol in het centrum van de zeegroene marmeren vloer voor haar uitstrekte. Het gonsde er van bedrijvigheid, een drukte die vooral werd veroorzaakt door de talloze groepjes druk fotograferende toeristen.

'Dit is schitterend,' zei ze met wijd opengesperde ogen van bewondering.

'Welkom in het hoofdkantoor van de National Underwater and Marine Agency,' zei Austin trots. 'In dit gebouw werken ruim tweeduizend oceanologisch geschoolde wetenschappers en technici. Deze mensen staan ten dienste van nog eens drieduizend NUMA-werknemers op schepen die verspreid over alle wereldzeeën actief zijn.'

Carina draaide als een ballerina om haar as. 'Hier zou ik de hele dag wel kunnen rondkijken.'

'Je bent niet de eerste die dat zegt. Maar nu gaan we van subliem naar belachelijk.'

Ze stapten de lift weer in die hen geruisloos naar een andere etage bracht. Ze betraden een dik gestoffeerde gang en liepen naar een deur zonder opschrift. Austin nodigde haar met een theatrale armzwaai uit zijn kantoor binnen te gaan.

Austins bescheiden hoekkamertje was het absolute tegengestelde van het overweldigend weidse decor dat zich voor de bezoekers ontvouwde als zij het NUMA-gebouw door de hoofdingang betraden. Deze ruimte was wat een makelaar als functioneel en knus zou omschrijven. Er lag een donkergroen tapijt op de vloer. Het meubilair bestond uit twee stoelen, een archiefkast en een tweezitsbank. In een lage boekenkast stonden voornamelijk naslagwerken op het gebied van de zeewetenschappen en filosofie.

In tegenstelling tot de veelal meterslange tafels die het middelpunt van de meeste kantoren in Washington vormden, kon de omvang van Austins bureau in vierkante centimeters worden uitgedrukt. Aan de muur hingen foto's van Austin met een ruig ogende oudere man, die qua uiterlijk een tweelingbroer had kunnen zijn, maar overduidelijk zijn vader was, en van diverse onderzoeksschepen van de NUMA. Ondanks de nogal schamele afmetingen bood het kantoor een indrukwekkend uitzicht over de Potomac en Washington.

'Mijn binnenhuisarchitect is op vakantie,' zei Austin ter verontschuldiging. Hij pakte twee flesjes mineraalwater uit een kleine koelkast, gaf er een aan Carina en zei haar op een stoel plaats te nemen. Zelf ging hij achter zijn bureau zitten en hief zijn flesje op. 'Proost.'

'*Santé*,' zei ze om zich heen kijkend. 'Dit is helemaal niet belachelijk. Het is heel praktisch en gezellig.'

'Dank je. Met anderen deel ik een secretaresse die boodschappen voor me aanneemt. Ik ben veel weg en zit hier ook niet zo vaak, alleen als ik hier iets specifieks te doen heb, zoals vandaag.'

Hij haalde de foto-cd uit zijn zak en schoof hem in de computer op zijn bureau. Op het scherm verscheen het logo van de *National Geographic* gevolgd door de titel van de inhoud: 'Graven in het verleden van een vergeten beschaving.' Het bleek de kop van een artikel over de opgravingen in een nederzetting van de Hettieten. Austin klikte door naar de foto's op de cd. Op het scherm verschenen in keurige rijen gerangschikte, piepkleine rechthoekjes.

Benson had daar honderden foto's gemaakt. Austin klikte op diashow met intervallen van drie seconden en draaide de monitor iets, zodat Carina kon meekijken.

Na een paar minuten wees Carina naar het scherm en zei: 'Die is het!'

Op de foto waren verschillende met vuil besmeurde arbeiders te zien die met schoppen in hun hand aan de rand van een kuil stonden. Ernaast stond de opzichter, een gezette Europeaan met een tropenhelm, gekleed in een smetteloze korte broek en dito hemd. Op de bodem van de kuil stak uit de aarde een taps toelopende vorm op.

Austin doorliep een serie van zo'n vijfentwintig foto's. De reeks toonde het blootleggen van het hoofd van het beeld. Vervolgens was te zien hoe de schouders vrijkwamen tot de arbeiders touwen onder de oksels konden doortrekken waaraan ze het beeld uit het gat omhoog hesen. Op volgende foto's was het beeld schoongemaakt. Benson had diverse close-ups van het gezicht met de kapotgeslagen neus gemaakt: van voren, van achteren en van opzij.

'Dit ziet er in ieder geval heel erg uit als ons beeld,' zei Carina. 'Helaas is het alles wat we hebben. Een foto. Meer zit er niet in.'

Austin stak zijn hand in zijn zak en diepte het beeldje op dat hij van Bensons schoorsteenmantel had meegenomen. Hij zette het voor Carina op het bureaublad neer. 'Misschien toch wel.'

Carina haalde diep adem. 'Een miniatuur van de *Navigator*. Waar heb je die vandaan?'

'Bij Benson gevonden.'

Ze pakte het beeldje op. 'Alleen al het feit dat het bestaat, betekent dat het van het origineel is nagemaakt.' Ze trok haar wenkbrauwen samen. 'Voor zover wij weten, is het beeld van Syrië naar Bagdad gebracht en is het verder nooit in de openbaarheid geweest. Wanneer zouden ze deze kopie dan hebben gemaakt?'

Austin pakte zijn telefoon. 'Laten we het aan de man vragen die het moet weten.'

Via een servicelijn kreeg hij de naam van het ziekenhuis dat het dichtst in de buurt van Bensons huis lag. De receptioniste verbond hem door met de kamer van Benson. Austin zette de telefoon op de luidsprekerstand. De fotograaf nam op met een zwak 'Hallo'. Maar hij leefde meteen op toen Austin zijn naam zei. Hij vertelde dat hij een hersenschudding had en kneuzingen, maar dat er niets gebroken was.

'Over een paar dagen kan ik hier weg. Al iets over die klootzakken gehoord?'

'Niets concreets. We vroegen ons af hoe u aan dat beeldje op uw schoorsteenmantel komt? Het miniatuurtje van het beeld waar u bij de opgraving in Syrië foto's van heeft gemaakt. Heeft iemand bij die opgraving al een kopie van het beeld gemaakt?'

'Neuh. Dat ding is direct afgevoerd. Misschien heeft iemand het gekopieerd van het andere beeld.'

Austin en Carina keken elkaar verbaasd aan. 'Welk ander beeld?' vroeg ze. 'We hadden het idee dat er toch maar één *Navigator* was.'

'Dat spijt me dan. Ik wilde het vertellen, maar zoals u weet, was ik niet bepaald in goeden doen toen u bij me langskwam. Maar er was een tweede beeld. De Duitser die de opgraving in Syrië leidde, zei dat de beelden mogelijk ooit de ingang van een belangrijk gebouw of graftombe flankeerden. Ook daar heb ik foto's van gemaakt, maar het was allemaal nog voor het digitale tijdperk. Dat filmpje heeft de helse hitte daar niet overleefd.'

'Wat is er met dat tweede beeld gebeurd?' vroeg Austin.

'Al schiet u me dood. Ik kreeg een andere opdracht. De *Geographic* wilde foto's van inheemse vrouwen met blote borsten en daarvoor stuurden ze me naar Samoa. Een paar jaar geleden was ik in Istanbul voor een reportage over het Ottomaanse Rijk. Daar zag ik het kleine beeldje op een markt. De verkoper was een dief, maar ik heb het toch van die gozer gekocht.'

'Weet u waar die markt was?'

'Ergens in de overdekte bazaar. Een winkel stampvol beelden. Verdomme. Die pijnstillers zijn uitgewerkt. Ik moet een zuster roepen. Laat me weten wanneer u die griezels te pakken hebt die me te grazen hebben genomen.'

'Doe ik.' Austin bedankte Benson, wenste hem sterkte en verbrak de verbinding.

Carina zat opeens op hete kolen. 'Een twééde beeld! Daar moeten we achteraan.'

Austin zag de immense uitgestrektheid van de binnenstad van Istanbul voor zich zoals hij zich die herinnerde van een operatie in het Zwarte Zeegebied van een aantal jaren geleden. De overdekte bazaar was een meerdere hectare grote gigantische doolhof van winkelsteegjes. Het schoot hem te binnen dat Zavala er voor de Subvette naartoe wilde.

'Er is net een groep NUMA-mensen die naar Istanbul gaan om bij een onderzoek naar een oude haven te assisteren. Joe Zavala zou voor ons een kijkje in de bazaar kunnen nemen.'

'En wat dan?' vroeg Carina. 'Stel dat hij die handelaar vindt, dan zitten wij hier en hij daar. Wat hebben wíj daar nu aan?'

Daar had Carina gelijk in. 'Ik zal kijken of er nog een plaats vrij is in het vliegtuig.'

'Maak er twee van.' Met een handgebaar kapte ze Austins poging tot weerwoord resoluut af. 'Ik kan me echt heel nuttig maken. Ik ken iemand in Istanbul die de handel in antiek daar heel goed kent.' Ze haalde haar schouders op. 'Goed, het is een smokkelaar, maar alleen van minder belangrijke artefacten. Ik heb hem een aantal keren gebruikt om bij de zwaardere jongens te komen. Hij kent alle louche handelaren in Istanbul. Hij kan ons een hoop tijd besparen. Maar dat doet hij alleen via mij.'

Austin dacht een ogenblik over haar voorstel na. Het zou heel gezellig zijn als deze aantrekkelijke Italiaanse hem zou vergezellen, maar er waren andere redenen die absoluut niets met het mannelijke libido te maken hadden. Hij maakte zich zorgen over Carina's veiligheid als ze alleen achterbleef. Het leek alsof de jonge vrouw problemen aantrok. Hij zou zich een stuk geruster voelen als hij een oogje op haar kon houden. Bovendien kon haar informant hen een hoop zweetdruppels besparen. Carina had de *Navigator* met succes opgespoord, terwijl anderen dat niet was gelukt.

Ze spreidde nog een onnodige dosis volharding ten toon en bedolf Austin onder een stortvloed van andere redenen om haar mee te nemen, waar pas een eind aan kwam toen Austin sussend zijn wijsvinger tegen zijn lippen drukte. Hij belde Zavala en vroeg of hij nog twee plaatsen over had. Na een kort gesprek hing Austin op en wendde zich tot Carina, die gespannen had meegeluisterd.

'Pak je koffers maar,' zei hij. 'Het toestel vertrekt vanavond om acht uur. Ik breng je naar je hotel en pik je om vijf uur weer op.'

Carina leunde naar voren en gaf Austin een lange, zinderende zoen die hij tot in zijn tenen voelde tintelen. 'Het gaat sneller als ik een taxi neem. Dan wacht ik op je.'

Een paar seconden later was ze de deur uitgesneld en hoorde hij haar haastig door de gang trippelen. Hij keek op zijn horloge. Hij had altijd een ingepakte plunjezak klaarstaan. Hij hoefde die alleen maar op te halen.

Tijdens de rit naar het botenhuis belde hij zijn secretaresse om te zeggen dat hij een paar dagen weg zou zijn. Daarna belde hij Elwood Nickerson en sprak een dergelijke mededeling in. Hij ging niet op de details in. Op de een of andere manier leek het hem geen goed idee om de staatssecretaris van BZ te laten weten dat de sleutel voor het afwenden van een internationale crisis een beeldje van speelgoedformaat was dat zich op achtduizend kilometer afstand aan de andere kant van de oceaan bevond.

25

'Vandaag is het mijn dag,' stelde Paul Trout met een onwrikbare beslistheid vast.

Trout stond wijdbeens in een roeiboot en reikte visspullen aan zijn vrouw Gamay aan, die op het dek van hun zes meter lange motorkruiser stond. Gamay zette de hengels in een rek en zei: 'Haha…' Ze bracht haar handpalm naar haar lippen en deed alsof ze een geeuw onderdrukte. 'Ik herinner me dat mannelijk gebral van jou nog geen vierentwintig uur geleden, hier, op dezelfde plek, nog heel goed. Grootspraak, net als de dag daarvoor.'

Trout klauterde met een behendigheid aan boord die je van iemand met het forse lijf als van een profhonkballer niet zou verwachten. Hoewel hij toch ruim een meter negentig was, bewoog hij zich met een katachtige souplesse die hij zich in de talloze jaren op schepen aan de zijde van zijn vader, die beroepsvisser was, had eigen gemaakt. Hij drukte de startknop op het bedieningspaneel in. Met wat schor gesputter en een blauwe rookwolk uit de uitlaat sprong de binnenboordmotor aan.

'Geen gebral. Als je uit een oud Cape Cod-geslacht stamt dat in de loop der jaren ettelijke tonnen vis heeft gevangen, dan accepteer je dat het ook wel eens tegenzit.' Hij stak als een bloedhond zijn neus in de lucht. 'Er ligt een joekel van een zeebaars in zijn schuilhol te wachten om door mij aan de haak te worden geslagen.'

'Jaja, ik begin zo langzamerhand steeds beter te begrijpen waarom vissers altijd sterke verhalen vertellen.' Gamay gooide de meertouwen los.

Trout gaf een lichte dot gas en stuurde de boot met een rustig vaartje over de Eel Pond naar de ophaalbrug in Water Street. Ze passeerden een café waarvan het terras over het meer uitkeek en Trout smakte met zijn lippen. 'Een lekker koud biertje lijkt me wel wat.'

'Laten we de inzet nog iets opkrikken,' zei Gamay. 'De verliezer trakteert ook op het eten.'

'Akkoord,' reageerde Trout zonder aarzeling. 'Gebakken mosselen zijn heerlijk bij bier.'

De boot voer langzaam onder de ophaalbrug door de haven in, langs de aanlegplaats van de veerdienst van rederij Martha's Vineyard en het onderzoeksschip de *Atlantis*, dat aan de steiger van het wereldberoemde Woods Hole Oceanographic Institution lag, waar al op heel jeugdige leeftijd Trouts belangstelling voor de zeewetenschappen was gewekt.

Ze voeren de haven uit en Trout trok de gashendel verder open. De boeg kwam uit het water en hij stuurde op de Elizabeth Eilanden aan, een langgerekte eilandengroep ten zuidwesten van Cape Cod. Gamay was op het dek met de visspullen in de weer.

Voor Trout waren er maar weinig dingen in het leven die het genot overtroffen van het op deze manier over de golven scheren met de zilte zeelucht in het gezicht en het vooruitzicht van een heerlijk dagje vissen op zee. Nu alleen nog een grotere vis vangen dan Gamay, dan was het helemaal volmaakt. De competitie met zijn vrouw verliep altijd heel gemoedelijk, maar nu irriteerde het hem mateloos dat ze hem de afgelopen twee dagen had afgetroefd.

Gamay was aan de oever van Lake Michigan opgegroeid en beslist geen doetje als het om boten en vissen ging. Hoewel ze een bijzonder aantrekkelijke, vrouwelijke uitstraling had, schemerde er altijd nog iets van de wildebras in haar door die ze als jonge meid was geweest. Haar opgewekte pesterige opmerkingen over Trouts gebrek aan succes botsten met zijn New Englandse neiging tot understatement. Hij knarsetandde. Vandaag moest het verdomme zijn dag zijn, anders kon hij een revanche verder wel vergeten.

Bij het eiland Naushon, dat niet meer dan een lage bult was, richtte Trout de steven van de boot op een zwerm meeuwen die in het water doken op jacht naar aas dat door grotere schakels in de voedselketen naar de oppervlakte werd gedreven. Op het scherm van de visdetector doken vormeloze gele vlekjes op. Er hing een scherpe visgeur in de lucht. Hij zette de motor uit en de boot kwam schommelend tot stilstand.

Gamay gaf Trout een hengel aan en nam het stuurrad over. Het was gebruikelijk dat de beste van de vorige tocht de mindere liet voorgaan. Trout ging in de draaistoel zitten en wierp zijn hengel uit. Met rukjes bewoog hij de hengel op en neer, er zo voor zorgend dat het lokaas in het water voortdurend in beweging bleef.

'Beet!' gilde hij.

Fel zwengelend aan de molen haalde hij een tachtig centimeter lange gestreepte zeebaars op. Na het meten gooide hij de vis terug. Gamay ving er al snel een van zeventig centimeter. Ook nu gooiden ze de vis weer overboord. Om beurten vingen ze zeebaarzen van ongeveer gelijke grootte tot de school verdween. Daarna verkasten ze naar een andere plek waar de vangst niet minder was.

Ze bleven de score trouw bijhouden en het ging nog altijd gelijk op toen Trout een zo harde ruk aan de lijn voelde dat zijn arm haast uit de kom werd getrokken. Deze zou de beslissing gaan brengen. Hij was zo geconcentreerd dat hij zijn mobieltje niet hoorde afgaan. Gamay nam op en zei, na even te hebben geluisterd: 'Kurt wil je spreken.'

Trout zwengelde als een bezetene aan de molen. Het zilverachtig glinsterende lijf van een gigantische vis flitste onderlangs de waterspiegel. Verdorie. Dit leek wel een walvis. Hij probeerde zich te concentreren.

'Laat 'm maar even wachten,' riep hij over zijn schouder.

'Hij kan niet wachten,' zei Gamay. 'Hij is met Joe onderweg naar Turkije.'

Turkije? Het laatste wat Trout van Austin en Zavala had gehoord, was dat ze ergens bij Newfoundland waren. Op datzelfde ogenblik verloor Trout zijn concentratie en de vis. De lijn viel slap. O, klote... Hij stond op, gaf de hengel aan Gamay en nam de telefoon van haar over.

'Hopelijk stoor ik je niet,' zei Austin.

'Ach...' antwoordde Trout. Verongelijkt staarde hij naar de rimpels waar hij de reuzenbaars had zien verdwijnen. 'Wat is er, Kurt?'

'Kun jij een computermodel voor ons maken, een reconstructie van een trans-Atlantische scheepsreis? Ik weet dat het een flinke klus is.'

'Ik kan het proberen,' antwoordde Trout. 'Als ik de datum heb, kan ik stromingen, weersomstandigheden en snelheden in een model verwerken, voor zover die informatie beschikbaar is tenminste.'

'Ik vrees dat er niet veel beschikbaar zal zijn. Het gaat om een Fenicisch schip. En de oversteek was ongeveer negenhonderd voor Christus.'

Trout raakte hierdoor eerder geïntrigeerd dan ontmoedigd. 'Wat weet je nog meer?' vroeg Trout.

'Ik heb je met een speciale koerier een heel pakket gestuurd. Het zal er ondertussen wel zijn. Dan weet je alles. Het is urgent. Ik bel je zo gauw het weer kan. Hoi.'

'Wat gaat het over?' vroeg Gamay, nadat Trout had opgehangen.

Hij vertelde wat Kurt van hem wilde. Ze moesten ermee kappen voor die dag. Verlangend staarde hij naar een krioelende zwerm meeuwen. ‘Eeuwig zonde van die vis.’

Gamay kneep hem in zijn wang. ‘Ik heb ’m gezien. Het was een monster. Ik geloof dat het nu mijn beurt voor een rondje is.’

Het pakket van Austin stond tegen de voordeur van zijn tweehonderd jaar oude woonboerderij aan de oever van een rond ketelmeer. Trout had zijn hele jeugd in dit huis met langgerekt puntdak gewoond. Het lag op loopafstand van het oceanografisch instituut, waar de wetenschappelijke medewerkers zijn jeugdige interesse in de zee hadden gestimuleerd.

Gezeten aan de houten keukentafel verorberden hij en Gamay de broodjes ham en kaas die ze voor de lunch onderweg hadden meegenomen, voordat ze zich op het document van Jefferson concentreerden. Op een gegeven moment keek Gamay op van het vel papier dat ze aan het lezen was en veegde een lok donkerrode haren uit haar ogen.

‘Dit is ongelooflijk!’

Trout nam een slok van een blikje Buzzards Bay-bier. ‘Ik probeer te verzinnen wat we kunnen doen. Mijn ervaring met computermodellen blijft toch voornamelijk tot diepzeegeologie beperkt. Jij bent van nautische archeologie naar zeebiologie overgestapt. Samen kunnen we wel iets uitvogelen, maar dat lijkt me toch niet genoeg. Hier hebben we hulp bij nodig.’

Gamay glimlachte, waardoor het spleetje tussen haar voortanden zichtbaar werd dat weliswaar een tandtechnisch schoonheidsfoutje was, maar bij haar juist extra verlokkend werkte. ‘Heb je gisteravond niet goed naar de roddels geluisterd?’

Trout herinnerde zich de onschuldige plagerijen die hij naar aanleiding van zijn viswedstrijd met Gamay van de stamgasten te verduren had gekregen. Daarbij schoot hem opeens te binnen dat iemand een bekende naam had genoemd. Hij knipte met zijn vingers. ‘Charlie Summers is hier ook.’

Gamay gaf Trout de telefoon aan en hij belde de werf waar het onderzoeksschip lag. Hij werd doorverbonden met Summers, die daar aan een modernisering van de *Atlantis* werkte, en vertelde wat het probleem was.

‘Dat is heel wat interessanter dan waar ik nu mee bezig ben,’ zei Summers. ‘Kun je nu meteen hiernaartoe komen?’

Een paar minuten later liepen Trout en zijn vrouw de werf op. Daar werden ze door een gedrongen man met een hoekige kin en dun strogeel haar met een uitbundige omhelzing begroet.

Summers was een gerenommeerde scheepsarchitect gespecialiseerd in het ontwerpen van onderzoeks- en opleidingsschepen. Zijn expertise werd ook vaak bij de bouw van luxejachten ingeroepen en hij was vooral deskundig met betrekking tot de stabiliteit van grote zeilschepen.

Hij gaf Gamay een vette knipoog. 'Ik dacht dat jullie vandaag aan het vissen waren?'

'Dat we een wedstrijdje doen, gaat hier snel rond,' reageerde Trout meesmuilend.

'Het gesprek van de dag. Je weet wat voor roddelaars vissers en wetenschappers zijn.'

'Vandaag had Paul bijna van me gewonnen,' zei Gamay vergoelijkend.

Summers schaterde het uit. 'Ga me nou alsjeblieft niet vertellen dat die juist is ontsnapt.' Hij wreef de tranen uit zijn ogen. 'Maar goed, hoe zit het met die Feniciërs?'

Trout haakte gretig in op deze kans van onderwerp te veranderen. 'We zijn vanochtend door de NUMA gebeld. Iemand doet daar onderzoek naar precolumbiaanse contacten en heeft hulp nodig bij de reconstructie van een reis. Wij krijgen echt de raarste verzoeken.'

'Helemaal niet zo raar. Over Fenicische scheepsbouw heb ik enorm veel gelezen. Er bestaat geen enkele twijfel dat zij scheepsbouwtechnisch gezien in staat waren overal te komen waar ze naartoe wilden.'

'Dus dan kun je ons helpen bij het uitzetten van een mogelijke route?' vroeg Gamay.

Summers schudde zijn hoofd. 'Dat is niet zo simpel,' zei hij. 'Van de Feniciërs zijn geen plattegronden of zeekaarten overgeleverd. Ze hebben hun kennis van de zeeën mee het graf in genomen.' Omdat hij de teleurstelling op Gamays gezicht zag, voegde hij er aan toe: 'Maar we kunnen er een gooi naar doen. Laten we een schip gaan bouwen.'

Summers ging hen voor naar een bakstenen gebouw, waarin hij zijn tijdelijke kantoor had ingericht. Hij ging voor een computer zitten en klikte de bouwtekening van de *Atlantis* weg die op het scherm te zien was.

'Ik begrijp dat we een virtueel schip gaan bouwen,' zei Trout.

'Dat zijn de beste,' zei Summers grijnzend. 'Ze zinken nooit en over muiterijen hoef je je ook geen zorgen te maken.' Hij klikte een programma aan en haalde een bestand op, waarna er een tekening van een schip met een vierkant zeil op de monitor verscheen.

'Is dat een Fenicisch schip?' vroeg Gamay.

'Dit is een bepaald type, gebaseerd op afbeeldingen op vazen, munten en beeldhouwwerken. Het is een vroeg ontwerp. Het heeft een kiel, een gebogen romp, roeiriemen en een verhoogde plaats voor de roerganger.'

'We zoeken naar iets waar je oceanen mee over kunt steken,' zei Trout.

Summers leunde achterover in zijn stoel. 'Hun scheepsontwerpen waren aan de behoefte aangepast. De Feniciërs groeiden van kustvaarders die 's nachts voor anker gingen, uit tot zeevaarders die lange, ononderbroken reizen maakten. Ik maak gebruik van een programma dat is ontwikkeld voor architecten die in Portugal en aan de Texas A&M University onderzoek doen. Zij hebben een methode ontworpen voor het testen en evalueren van de zeileigenschappen van schepen waar geen bouwtekeningen van beschikbaar zijn. Het doel was daar een zo breed mogelijk beeld van te krijgen. Ze gingen uit van de Portugese *nau*'s, de handelsschepen die van Europa om Afrika heen naar India en terug voeren. Kijk!'

Summers boog voorover en na een muisklik verscheen er een driemaster op het scherm.

'Dat lijkt wel een spookschip,' merkte Gamay op.

'Dit is nog maar een fundament. Ze hebben alle onderzoeksgegevens van een gevonden wrak in de computer ingevoerd. Met behulp van deze software hebben ze modules ontwikkeld voor het reconstrueren van de tuigages, zeilen en het rondhout van schepen. Wat je nu ziet is het resultaat van zo'n reconstructie. Aan de hand van een hypothetische reconstructie van de scheepsromp hebben ze het gedrag van het schip op zee en in slechte weersomstandigheden geanalyseerd. Het model dat ze met die berekeningen konden maken, hebben ze vervolgens in een windtunnel getest.'

'En dat zou u ook voor een Fenicisch schip kunnen doen?' vroeg Trout.

'Geen probleem. We gaan uit van drie Fenicische wrakken die in het westelijk Middellandse Zeegebied voor de kust van Israël zijn gevonden. De schepen lagen rechtop en waren in het koude water perfect geconserveerd. Met de *Jason*, de onbemande duikrobot waarmee men ook de *Titanic* heeft gefotografeerd, hebben we een fotomontage gemaakt. Al die gegevens heb ik in mijn computer ingevoerd.'

Op het scherm verschenen schetsen die op blauwdrukken voor scheepsbouwers leken. Achtereenvolgens zagen ze de tekeningen van een schip van bovenaf gezien, van opzij en van voren.

'Volgens deze bouwtekeningen is het schip maar zestien meter lang,' concludeerde Trout.

'Dit is een reconstructie van de Israëlische schepen. Ik zal 'm iets langer maken. Het programma zit zodanig in elkaar dat het automatisch alle benodigde aanpassingen die het gevolg zijn van een vergroting van het formaat van het schip in het ontwerp verwerkt.'

Op de monitor verscheen het geraamte van een schip, een driedimensionale voorstelling van de spanten en andere structurele elementen. Vervolgens werden een voor een de ruimtes tussen de spanten ingevuld. Zo werden dekken, riemen, tuigage en zeilen zichtbaar, evenals een stormram op de voorsteven. De laatste toevoeging was een gebeeldhouwde paardenkop op de boeg.

'*Voilà!* Een schip van Tarsis.'

'Wat fantastisch,' zei Gamay. 'De bouw is functioneel, maar toch ook gracieus.'

'Ze is een meter of zestig lang. Daar ben ik van uitgegaan,' zei Summers. 'Met dit schip kun je alle plaatsen op deze aardbol bereiken.'

'En daarmee zijn we terug bij ons oorspronkelijke probleem,' zei Trout. 'Hoe komen we erachter langs welke routes ze de Atlantische Oceaan zijn overgestoken?'

Summers tuitte zijn lippen en zei: 'We zouden het op dezelfde manier kunnen doen als die gasten het met hun *nau* hebben gedaan. Daar heb je de gegevens van stromingen en weersomstandigheden voor nodig, plus berekeningen van de mogelijke snelheden van het schip, de conclusies die de stuurman op basis van het scheepsontwerp zou trekken, en ook historische gegevens moeten worden toegevoegd.'

Gamay slaakte een diepe zucht. 'We hebben een hoop werk te doen.'

Summers keek op zijn horloge. 'Ik ook. De *Atlantis* moet over drie dagen klaar zijn om uit te varen.'

Trout en zijn vrouw bedankten Summers en liepen terug naar de hoofdstraat van Woods Hole. 'Hoe moeten we nu verder, dacht je?' vroeg Gamay.

'Moeilijk te zeggen. Kurt heeft ons ook maar een paar kruimels informatie gegeven. Hier gaat hij niet blij mee zijn, maar we hebben gewoon niet genoeg om er iets van te maken. Misschien moeten we het op een andere manier aanpakken.'

Net als veel getrouwde stellen kenden Paul en Gamay elkaar zo goed dat ze elkaars gedachten konden lezen. Door hun werk voor de Speciale Eenheid van de NUMA, waarbij communicatie zonder woorden van levensbelang kon zijn, had zich dit bij hen haast tot een tweede natuur ontwikkeld.

'Dat dacht ik ook,' zei Gamay. 'Iedere zeereis begint op het land. Laten we het document van Jefferson nog eens onder de loep nemen. Misschien hebben we iets over het hoofd gezien.'

Thuisgekomen gingen ze aan de keukentafel zitten, lazen allebei een helft van het document en daarna het deel dat de ander gelezen had. Ze waren ongeveer tegelijk klaar met lezen.

Gamay legde de papieren neer en zei: 'Wat is jou opgevallen?'

'Meriwether Lewis,' antwoordde Trout. 'Hij was onderweg om Jefferson te vertellen wat hij had ontdekt toen hij stierf.'

'Ja, dat intrigeerde mij ook.' Ze bladerde door de stapel papieren die voor haar lag. 'Lewis had *tastbaar* bewijs dat hij aan Jefferson wilde laten zien. Ik stel voor dat we proberen uit te vinden wat daarmee is gebeurd.'

'Dat zou wel eens net zo lastig kunnen zijn als het reconstrueren van een Fenicische zeereis,' zei Trout.

'Er is een aanknopingspunt waar we misschien iets aan hebben,' zei Gamay. 'Jefferson was voorzitter van het Amerikaans Filosofisch Genootschap in Philadelphia. Hij stuurde Lewis er heen om er de wetenschappelijke kennis op te doen voor zijn historische expeditie. Terwijl Lewis in Philadelphia was, creëerde Jefferson de geheimtaal die ze zouden gebruiken.'

Trout knipperde met zijn grote bruine ogen als een nauwelijks waarneembare uiting van zijn herwonnen enthousiasme en trok de lijn door. 'Jefferson schreef een brief aan de leden van het genootschap waarin hij hen over zijn onderzoek naar Indiaanse talen vertelde en over de diefstal van zijn werk. Hij nam contact op met een wetenschapper van het genootschap, die de woorden bij de op het vellum getekende plattegrond als Fenicisch identificeerde. Het document over de artisjokken is in het archief van het genootschap gevonden.'

'Dat brengt ons verder dan de zes stappen in het spel van Kevin Bacon,' zei Gamay. Ze keek het dossier door en vond het nummer van het Filosofisch Genootschap en de naam van de onderzoeker die het document had ontdekt. Ze belde Angela Worth, stelde zich voor en maakte een afspraak voor een ontmoeting de volgende dag.

Toen Gamay de verbinding verbrak, zei Trout grinnikend: 'Je beseft dat we onze vakantie verder kunnen vergeten.'

'Dat vind ik best,' reageerde Gamay. 'Ik geloof dat ik dat vissen onderhand wel heb gezien.'

Trout haalde futloos zijn schouders op.

'Dat weet ik wel zeker,' zei hij.

26

Met een kruissnelheid van ruim achthonderd kilometer per uur vloog de turkooizen Cessna Citation X na een korte tankstop in Parijs in drie uur naar Istanbul. Het toestel met de pijlstaart landde op het internationale vliegveld Kemal Atatürk en taxiede naar een plek opzij van de hoofdterminal. De zes passagiers betraden het gebouw via een ingang speciaal voor vips en werden uiterst vriendelijk door de douane geleid.

De Subvette was al eerder in een speciaal vrachtvliegtuig van de NUMA gearriveerd en stond nu in een opslagloods van het vliegveld. Zavala wilde de duikboot zien om te kijken hoe hij de reis had doorstaan. Hij sprak met Austin af dat hij eerst het vervoer van de duikboot wilde regelen en daarna in een taxi naar de opgraving zou komen.

Er stonden twee personenbusjes voor hen klaar. Een van de twee zou hun bagage naar het hotel brengen, terwijl ze in de andere rechtstreeks naar de opgraving zouden gaan. De wetenschappers van de NUMA waren benieuwd wat ze daar zouden aantreffen. De leider van de groep, Martin Hanley, was een ervaren marien archeoloog.

Tijdens hun vlucht over de Atlantische Oceaan had Hanley de anderen uitgelegd waarom er haast geboden was. Hij was al een keer eerder in Istanbul geweest om de haven te bekijken die was gebouwd in de tijd dat de stad nog Constantinopel heette. De haven was ontdekt in Yenikapi aan de Europese kant van de Bosporus, de smalle zeestraat tussen Istanbul en de rest van Turkije, toen daar voor de bouw van een nieuw station illegale sloppen werden gesloopt. De opgraving werd door de archeologen de Haven van Theodosius genoemd.

Het archeologische onderzoek zou de aanleg van een tunnel tussen het Europese en Aziatische deel van de stad kunnen vertragen. Hanley en de Turkse archeologen waren bang dat ze door de haast waarmee hun werk moest worden uitgevoerd, belangrijke zaken over het hoofd zouden zien. Waarop Hanley naar Washington was teruggekeerd om een team te formeren.

De Amerikaanse wetenschappers werden hartelijk begroet door hun Turkse collega's, die in wisseldiensten in de modderige opgraving dag en nacht doorwerkten.

'Wilt u hier echt niet even rondkijken?' vroeg Hanley. 'Ze hebben een kerk gevonden, acht boten, schoenen, ankers, trossen en een deel van de oude stadsmuur. Wie weet wat voor schatten we hier nog meer vinden?'

'Bedankt, later misschien, maar we willen eerst wat van de stad zien.'

Austin hield een taxi aan, waarmee ze over de Kennedy Caddesi reden, de drukke verkeersader die langs de oever van de Bosporus loopt. Er lag een eindeloze rij vrachtschepen op hun beurt te wachten voor de doorvaart door de overvolle zeestraat die de Zwarte Zee met de Middellandse Zee verbindt. Austin wendde zich tot Carina en zei: 'Hoe lang ken je die Turkse relatie al?'

'Een jaar ongeveer. Cemil heeft me geholpen bij het opsporen van Anatolische kunst die uit het Topkapi Paleis was gestolen. Hij is vroeger smokkelaar geweest. Geen wapens of drugs, naar eigen zeggen, maar sigaretten en dergelijke, spullen waar hoge invoerrechten op geheven werden.'

'Heeft hij banden met de Turkse maffia?'

Ze lachte. 'Dat heb ik hem gevraagd. Hij zei dat in Turkije iedereéén bij de maffia is. Op mij kwam hij heel oprecht over, maar hij is een beetje...' Carina's Engelse woordenschat liet haar in de steek. 'Hoe zeg je dat ook alweer? Mysterieus.'

'Dat dacht ik al. Dus we hebben echt een afspraak met hem bij de "ondersteboven vrouw met de stenen ogen"?'

'Zeker weten. Hij praat graag in raadsels. Om gek van te worden soms.'

Austin vroeg de taxichauffeur om hen naar Sultanamet te brengen. Daar aangekomen stapten ze uit en staken de drukke straat over. 'We vinden die vriend van jou dus recht onder onze voeten, als ik me niet vergis,' zei Austin.

'Hij is duidelijk niet de enige die in raadsels praat.'

Austin liep naar een kiosk en kocht twee toegangskaartjes voor de Bassilica Cisternen. Vervolgens daalden ze een trap af. De koele vochtige lucht die hen tegemoetkwam, voelde verfrissend aan na de hitte van de stad.

Ze betraden een reusachtig, schemerig verlicht gewelf dat aan een ondergronds paleis deed denken. Er zwommen vissen in het donkergroene water op de bodem. Tussen de zuilenrijen liepen verhoogde plankieren. In de grotachtige ruimte galmden de stemmen van de bezoekers. Op de achtergrond klonk klassieke muziek en op tientallen plekken druppelde water.

'De Romeinen hebben deze cisternen gebouwd als wateropslag voor het Grote Paleis,' zei Austin. 'Ze werden door de Byzantijnen ontdekt toen de mensen die erboven woonden steeds vaker vis vingen door gaten in de vloeren van hun huizen. De stenen dame is deze kant op.'

Ze liepen naar het einde van een plankier en daalden een paar treden af naar een platform. Er stonden twee zuilen op sokkels waarin gezichten van Medusa waren uitgehakt. Het ene gezicht lag op zijn kant en het andere stond ondersteboven. Er liep net een lange stoet toeristen langs die om beurten even bleven staan om er kiekjes van te maken.

Nadat de groep vertrokken was, stond er alleen nog een man van middelbare leeftijd, die er al die tijd al had gestaan. Hij had een fototoestel bij zich, maar maakte er geen gebruik van. Hij was gekleed in een donkere wijde broek en een wit overhemd met korte mouwen zonder stropdas, de standaardkleding van veel Turkse mannen. Ondanks de duistere omgeving droeg hij een pilotenbril met donkere glazen.

'Weet u waarom de Romeinen die hoofden in zo'n vreemde positie hebben afgebeeld?' vroeg hij aan Carina. Hij sprak Engels met een licht accent.

Carina bekeek de beelden. 'Als grap misschien. Het ene gezicht beziet de wereld zoals die zou moeten zijn, en de andere zoals hij is. Op zijn kop gezet.'

'Heel goed. Signorita Mechadi, als ik het wel heb?' vroeg de man.

'Cemil?'

'Tot uw dienst,' zei hij glimlachend. 'En dat is uw vriend, de heer Austin?'

Austin gaf hem een hand. Na de verhalen over zijn licht criminele verleden in de onderwereld had hij een op Turkse leest geschoeide Damon Runyon-achtige figuur verwacht. Maar deze man zag er eerder uit als een aardige oom.

'Leuk om u eindelijk eens te ontmoeten na alle zaken die we hebben gedaan, señora Mechadi. Wat kan ik voor u doen?'

'We zijn op zoek naar een beeld dat identiek is aan een uit het Nationaal Museum van Irak gestolen beeld.'

Cemil zag een nieuwe groep toeristen naderen en stelde voor om door te lopen. Terwijl ze tussen de zuilenrijen slenterden, zei hij: 'Er is een constante stroom van handelswaar uit Bagdad die in Istanbul wordt doorverkocht. Dat drukt de prijzen. Hebt u er een foto van?'

Austin overhandigde hem het beeldje van de *Navigator*. 'Dit is een miniatuurversie. Het eigenlijke beeld is manshoog.'

Cemil diepte een kleine loep met ingebouwde zaklamp op en bestudeerde het beeldje. Hij grinnikte. 'Ik hoop dat u voor dit ding niet al te veel geld heeft betaald.'

'Herkent u het?' vroeg Carina.

'O, jazeker. Kom maar mee.'

Cemil ging hen voor naar de uitgang, waar ze het felle zonlicht weer instapten. De Grote Bazaar bereikten ze na een korte rit met de tram. De bazaar is een labyrint van steegjes met honderden winkeltjes, restaurants, cafeetjes en vroegere opslagplaatsen voor karavaangoederen, de zogenaamde *hans*. Beleefd opdringerige winkeleigenaren zitten alert als spinnen in hun web op de uitkijk naar passerende toeristen om hen zoveel mogelijk Turkse lira's uit hun zak te praten.

Ze liepen door de Carsikapi Poort en vervolgden hun weg door de wirwar van hete, slecht geventileerde, overdekte straatjes. Cemil voerde hen als door een eigen radar gestuurd langs een kronkelende route naar het hart van de bazaar, waar hij voor een winkeltje bleef staan.

'*Merhaba*,' zei hij tegen een man van in de zestig die voor de winkel van een glas thee nippend een Turkse krant zat te lezen. Er verscheen een brede glimlach op het gezicht van de winkelier. Hij legde zijn krant weg, stond op uit zijn stoel en schudde Cemil hartelijk de hand.

'*Merhaba*,' zei hij.

'Dit is Mehmet,' zei Cemil. 'Hij is een goede vriend van me.'

Mehmet haalde een paar comfortabele kussens tevoorschijn, nodigde zijn gasten uit te gaan zitten en schonk voor iedereen een glas thee in. Hij sprak in het Turks met Cemil. Na een gesprek van een paar minuten vroeg hij aan Austin het beeldje, dat hij vervolgens aan Mehmet gaf. De winkelier bekeek de miniatuur-*Navigator* aandachtig en knikte heftig. Met uitbundige handgebaren nodigde hij het gezelschap uit naar binnen te gaan. De planken langs de muren en de vloer stond barstensvol met sieraden, theedozen, aardewerk, tapijten, sjaals en rode fezzen. Hij liep naar een plank met aardewerk en zette het figuurtje naast een rij van vier identieke beeldjes.

Cemil vertaalde de woorden van zijn vriend. 'Mehmet zegt dat hij u een speciale aanbieding kan doen. Normaal kosten ze acht lira, maar als u er meer dan één koopt, kunt u ze voor vijf krijgen.'

'Kan Mehmet zich herinneren of hij een paar jaar geleden zo'n beeldje aan een Amerikaanse fotograaf heeft verkocht?' vroeg Austin.

Cemil vertaalde de vraag en het antwoord. 'Mehmet is een Turk. Hij weet alles nog van al zijn verkopen. De fotograaf kan hij zich goed herinneren. Vooral omdat hij deze dingen niet zo heel vaak verkoopt. Maar hij is oud en zijn geheugen is de laatste tijd niet zo heel goed meer.'

'Misschien kan ik het geheugen een beetje helpen,' zei Austin. 'Ik neem ze alle vier.'

Stralend wikkelde Mehmet de beeldjes een voor een in vloeipapier en deed ze in een plastic zak, die hij aan Carina gaf.

'Weet uw vriend misschien nog hoe hij aan die beeldjes is gekomen?' vroeg Carina.

Mehmet legde uit dat hij de figuurtjes in het zuiden, waar zijn moeder woont, had gekocht. Tegen de kopers zegt hij dat het haremeunuchen zijn. Ze zijn niet bijster mooi gemaakt en de afwerking kan ook beter, maar hij mag de man die ze maakt wel. Hij koopt er steeds een paar in als hij zijn oude moeder bezoekt en dat is ongeveer één keer in de maand. De kunstenaar verkoopt ze in een verlaten dorp, zei hij.

'Waar is dat?' vroeg Austin.

'Het dorp heet Kayakoy, in de buurt van de stad Fethiye. Tot het Verdrag van Lausanne, dat in 1923 werd getekend, was het een Grieks dorp. In het kader van de overeengekomen ruil keerden de Grieken naar Griekenland terug en kwamen de in Griekenland wonende Turken naar Anatolië. Maar na een zware aardbeving zijn die er weer weggetrokken. Het is nu een toeristenattractie.'

Austin vroeg de naam van de kunstenaar. Mehmet antwoordde dat hij daar beslist nog wel op zou komen en stelde voor dat Austin en de mooie dame ondertussen een beetje in de winkel rondkeken. Austin begreep de hint. Hij kocht een zijden sjaal voor Carina en een fez voor zichzelf, hoewel hij wist dat iedere Turk met ook maar enig zelfrespect van zijn leven niet met zo'n rond mutsje op zijn hoofd gezien wilde worden.

Nadat ze afscheid van Mehmet hadden genomen, begaven ze zich op voorstel van Cemil naar de wijk rond de Aya Sophia, waar ze voor de lunch het prettig in de schaduw gelegen terras van een restaurant opzochten. Terwijl ze op het eten wachtten, zei Cemil: 'Het spijt me dat u voor niets hier helemaal naartoe bent gekomen.'

'Dat spijt me helemaal niet, hoor,' zei Carina. 'Zo heb ik u eindelijk eens in levenden lijve kunnen ontmoeten, ook om u te bedanken voor alles wat u voor me hebt gedaan. Bovendien zijn we hier nog niet klaar.'

'Maar u hebt toch zelf gezien dat die beeldjes souvenirs voor toeristen zijn.'

Austin zette de figuurtjes in een rij op tafel. 'Is het ver naar het dorpje waar ze zijn gemaakt?'

'Het ligt aan de Turkooizen Kust. Zo'n achthonderd kilometer. Was u van plan om uw bezoek aan Turkije te verlengen?'

Austin pakte een van de figuurtjes op. 'Ik wil graag de man spreken die ze heeft gemaakt.'

'En ik ook,' zei Carina. 'Het is goed mogelijk dat hij er een levensgroot model voor gebruikt.'

'Dat zou dan een heel duur beeld moeten zijn.'

'Misschien,' zei Austin. 'Maar misschien ook niet.'

'Ik begrijp dat het discreet moet,' zei Cemil, terwijl hij opstond. 'Dalyan is van hier maar een uur vliegen. Vandaar kom je met een auto vrij redelijk in Kayakoy. Als u me wilt excuseren, ik heb veel te doen, maar laat het me alstublieft weten als u me nodig hebt. Ik heb een massa relaties in Istanbul.'

Een paar minuten na het vertrek van Cemil riepen Austin en Carina een taxi aan, waarin ze naar het hotel terugreden. De baliemedewerker reserveerde twee tickets voor de ochtendvlucht naar Dalyan en regelde ook dat daar een huurauto voor hen klaarstond. Terwijl ze besluiteloos in de lobby om zich heen keken, vroeg Carina: 'En wat nu, meneer De Reisgids?'

Austin dacht diep na en zei: 'Ik denk dat we wel iets buiten de betreden paden kunnen doen.'

In een taxi reden ze terug naar de archeologische opgraving. Austin vroeg aan Hanley of hij geen vrijwilligers kon gebruiken, waarop hij hen aan het werk zette. Ze kregen allebei een zeef, waar ze modder doorheen moesten zeven. Het scheen Carina weinig uit te maken dat ze daarbij van top tot teen met modder uit de Bosporus besmeurd raakte. Ze sprong iedere keer weer als een opgewonden schoolmeisje op als ze een munt of een potscherf uit de derrie opviste.

Ze werkten tot laat in de avond door tot het busje kwam om het NUMA-team naar het hotel terug te brengen. Toen ze door de lobby liepen, waren Austin en Carina zo moe dat ze nauwelijks acht sloegen op de twee mannen die in de pluchen fauteuils de krant zaten te lezen. Ook merkten ze niet dat ze op weg naar de lift door twee paar ogen aandachtig werden gadegeslagen.

27

Austin draaide de gehuurde Renault van de snelweg langs de Turkooizen Kust een zijweg in die hen kronkelend als een spastische slang het binnenland invoerde. De weg liep een aantal kilometers door een boerenlandschap met slaperige dorpjes. Na het uitkomen van een bocht zagen ze op de kam van een heuvel een ruïne.

Austin parkeerde de auto bij een verzameling gebouwtjes. Het verlaten dorp was een door de staat beheerde toeristenattractie geworden. De onvermijdelijke kaartjesverkoper stond al klaar om een bescheiden toegangsprijs te incasseren. Hij wees de weg naar het dorp en kuierde weg naar een auto met twee mannen erin die naast de Renault was gestopt.

Het muilezelpad liep langs een openluchtrestaurant, een souvenirwinkel en een paar straatverkopers die hun waar al leurend aan de man probeerden te brengen. Na een paar minuten lopen hadden Austin en Carina een vrij uitzicht op het dorp.

Een paar honderd dakloze huizen lagen in de hete zon te bakken. Het pleisterwerk was van de buitenmuren gebladderd waardoor de ruwe stenen van de stille bouwvallen zichtbaar waren. Een aantal huizen was door krakers in bezit genomen, die hun wasgoed te drogen hadden gelegd. Het enige andere teken van leven was een saterachtige geit die tevreden kauwend in een door onkruid overwoekerde tuin stond.

'Je kunt je nauwelijks voorstellen dat het hier ooit vol leven is geweest,' zei Carina. 'Mensen die de liefde bedreven. Vrouwen die luid schreeuwend kinderen baarden. Vaders die trots over hun pasgeboren nakomelingen opschepten. Kinderen die verjaardagen en doopfeesten vierden. En rouwden bij het overlijden van de ouderen.'

Austin luisterde maar half naar Carina's lyrische commentaar. Op zo'n dertig meter achter hen waren twee mannen op het pad stil blijven staan. Een van hen maakte foto's van de geit. Ze waren in de twintig, schatte Austin, en allebei gekleed in een zwarte broek en een wit overhemd met korte mouwen. Ze hadden dikke, gespierde armen. Hun gezichten gingen schuil achter een zonnebril en de klep van een pet.

Carina was over het muilezelpad doorgelopen. Toen Austin haar weer inhaalde, liep ze over het erf van een verlaten kerk naar een oude man die in de schaduw van een boom tegen een muurtje geleund stond. Op het muurtje stond een rij vazen en borden uitgestald.

Austin groette de man en vroeg of hij Mehmets vriend Salim was.

De man glimlachte. 'Mehmet koopt mijn spullen voor de overdekte bazaar.'

Austin diepte de miniatuur-*Navigator* uit zijn zak op. 'We zoeken eigenlijk zoiets als dit.'

'Aha,' zei Salim en hij begon te stralen. 'De *eunuch*.' Met een denkbeeldig mes maakte hij een horizontale snijbeweging. 'Daar ben ik mee gestopt. Niemand koopt ze.'

Austin dacht even na over hoe hij zijn volgende vraag het best kon stellen. 'Heeft de eunuch een grootvader?'

Salim keek hem even verbaasd aan, tot er opeens een brede grijns op zijn gezicht verscheen. Hij zwaaide zijn armen rond alsof hij een grote cirkel beschreef. '*Büyük*. Grote eunuch.'

'Inderdaad. *Büyük*. Waar?'

'In Lycisch graf. Begrijpt u?'

Austin waren de merkwaardige, hoog in steile rotswanden uitgehakte, Lycische graven inderdaad opgevallen. De toegangspoorten werden net als bij de oude Griekse en Romeinse tempels geflankeerd door sierzuilen met een driehoekige latei erop.

In gebrekkig Engels vertelde Salim dat hij altijd al in kunst was geïnteresseerd. Als jongeman was hij gewapend met houtskool en een schetsblok de natuur ingetrokken op zoek naar onderwerpen voor zijn tekeningen. Op een van zijn tochten had hij een Lycisch graf ontdekt dat bij de overige dorpsbewoners onbekend was. De graftombe was uitgehakt in een uit de zee oprijzende rotswand en was door dik struikgewas aan het oog onttrokken. Hij was er naar binnen gegaan en had in de grot een beeld gevonden. Hij had er een tekening van gemaakt. Toen hij later een onderwerp zocht voor een kleibeeldje, had hij de schets als voorbeeld genomen.

'Waar is dat beeld nu?' vroeg Carina, die steeds enthousiaster werd.

Salim wees naar de grond. 'Aardbeving.' De rotswand was in de zee gestort.

Carina reageerde zichtbaar teleurgesteld, maar Austin gaf niet op. Hij liet Salim een kaart van de kust zien en vroeg of de man de plek kon aanwijzen waar het graf zich had bevonden. Salim tikte met zijn vinger op de kaart.

Carina greep Austin bij zijn arm. 'Kurt,' zei ze. 'Die mannen heb ik gisteravond in het hotel gezien.'

De Turken waren aan de rand van het erf blijven staan en keken nu ongegeneerd naar Carina en Austin. Ook Austin herinnerde zich nu dat hij de twee mannen in de lobby van het hotel had zien rondhangen. Dat ze hier in het dorp opdoken was geen toeval.

'Je hebt gelijk,' zei hij. 'Istanbul is hier niet naast de deur.'

Hij diepte een handvol lira's uit zijn zak op en legde de biljetten naast Salim. Hij pakte een aardewerken bord, bedankte de man voor zijn uitleg en sloeg een arm om Carina's middel. Tegen haar zei hij dat ze zo nonchalant mogelijk naar de kerk moesten lopen.

Hij leidde haar door de hoofdingang het lege gebouw in en liep door naar een raam waar het glas en het kozijn uit verwijderd waren. Voorzichtig langs de rand glurend zag hij dat de mannen met Salim spraken. De oude kunstenaar wees naar de kerk. De mannen beëindigden het gesprek en liepen door naar de kerk. Ze slenterden niet meer, maar stevenden haastig en doelbewust op het gebouw af.

Austin zei tegen Carina dat ze door een raam in de tegenoverliggende muur naar buiten moest klimmen. Hij volgde haar en vervolgens slopen ze over een grindpad naar een heuvel vanwaar ze vrij uitzicht op de kerk hadden.

Carina verborg zich in een kapelletje dat op de top van de heuvel stond en Austin ging plat op de grond liggen. De achtervolgers hadden zich gesplitst en liepen ieder in tegenovergestelde richting om de kerk heen. Toen ze weer bij elkaar waren, voerden ze een verhit gesprek. Opnieuw splitsten ze zich en verdwenen in de doolhof van straatjes tussen de verlaten huizen.

Austin haalde Carina op uit de kapel, waarna hij haar voorging en langs de andere kant van de heuvelkam een weg omlaag zocht. Ze vingen een glimp op van iets zwarts dat tussen hen en hoofdweg bewoog. Aan de voet van de kam zagen ze hoe een van de mannen van huis naar huis liep. Austin trok Carina een deuropening in.

Hij had het bord dat hij van Salim had gekocht, nog bij zich. Hij stapte de deuropening uit, draaide het bord tegen zijn pols en keilde het als een frisbee over de nok van een naburig huis. Het bord sloeg luid kletterend tegen de grond, direct gevolgd door het geluid van over grind weghollende voeten.

Austin en Carina vermeden de hoofdroute door het dorp en volgden een rotsachtig geitenpad terug naar de weg. Daarna liepen ze zo dicht mogelijk langs de gevels ongeveer een halve kilometer terug naar de ingang van het dorp.

Toen ze bij de Renault terugkwamen, zagen ze de auto die de beide mannen zo vlak naast die van hen hadden geparkeerd. Austin zei tegen Carina dat ze even moest wachten, waarna hij naar het restaurantje liep. Een minuut later kwam hij terug met een kurkentrekker in zijn hand.

'We gaan nu toch niet aan de wijn?' zei Carina licht verontwaardigd.

'Natuurlijk niet,' antwoordde Austin. Hij wreef het zweet van zijn voorhoofd. 'Een koud biertje lijkt me lekkerder.'

Hij vroeg Carina hem te waarschuwen als er iemand aankwam. Hij hurkte tussen de auto alsof hij zijn veter strikte en ramde de punt van de kurkentrekker in de band van de andere auto. Hij wrikte net zo lang tot hij een ontsnappende luchtstroom langs zijn hand voelde en vernielde voor de zekerheid ook het ventiel.

'Wat doe je?' vroeg Carina.

'Ik laat onze vrienden even weten dat we ze doorhebben,' antwoordde Austin met een gemene grijns.

Hij stapte achter het stuur van de Renault, startte en scheurde met gierende banden de parkeerplaats af.

Austin reed alsof ze aan een rally deelnamen. Op aanwijzingen van Carina, die de kaart las, volgden ze de weg naar Fethiye, een handels- en vakantiestadje aan de kust. Hij reed rechtstreeks naar de haven. Daar liepen ze over de kade naar de brede houten boten van bedrijfjes die dagtochten aanboden voor toeristen die wilde vissen of duiken.

Hij bleef staan bij de aanlegplaats van een houten, ongeveer vijftien meter lange boot. Op een bord stond dat de *Iztuzu*, Turks voor schildpad, te huur was, per uur of per dag.

Austin liep de loopplank op en riep: 'Hallo!' Uit de hut stapte een man van in de veertig het dek op. 'Ik ben kapitein Mustafa,' zei hij vriendelijk glimlachend. 'Wilt u de boot huren?'

De boot was niet nieuw, maar wel goed onderhouden. Op de ijzeren delen was nergens roest te zien en het hout was glimmend geboend. De trossen waren keurig opgerold. Austin concludeerde dat Mustafa een competente zeeman moest zijn. Gezien het feit dat hij nog in de haven lag, wilde hij waarschijnlijk dolgraag zaken doen. Austin haalde de kaart tevoorschijn die hij aan Salim had laten zien, en wees op de kustlijn.

'Kunt u ons hier naartoe brengen, kapitein? Daar willen we graag wat snorkelen.'

'Ja, natuurlijk. Ik ken alle goede plekken. Wanneer?'

'Zou het nu meteen kunnen?'

Austin ging akkoord met de prijs die Mustafa noemde en wenkte Carina dat ze aan boord moest komen. Mustafa gooide de meertouwen los en duwde de boot weg van de ligplaats. Vervolgens richtte hij de boeg op het open water van de baai. Ze volgden de grillige kustlijn. Ze passeerden een groot hotelcomplex, een vuurtoren en luxueuze villa's hoger op de hellingen. Na enige tijd waren alle tekenen van leven uit het landschap verdwenen.

Mustafa stuurde de boot een halvemaanvormige baai in en zette de motor uit. Hij liet het anker zakken en haalde een stel versleten snorkels, duikmaskers en vinnen tevoorschijn.

'U wilde gaan zwemmen?'

Austin had op de helling een kale plek ontdekt waar het steen als een open wond tegen de omringende begroeiing afstak. 'Later misschien. Ik wil graag aan land gaan.'

Mustafa haalde zijn schouders op en legde de snorkels weer weg. Hij hing een touwladder over de rand en trok er de sloep naartoe. Austin roeide het kleine stukje naar de oever en trok de sloep het steenachtige strand op. Op zo'n vier meter van de waterlijn liep het terrein steil omhoog. Houvast zoekend aan boomstammen en struiken klauterde Austin de helling op tot hij zich op een meter of vijftig boven de lagune bevond.

Hij stond op een rand die als de wenkbrauwen van een neanderthaler uit de rotswand naar voren sprong. Uit de helling was een gedeelte van zo'n dertig meter breed afgebroken alsof het gesteente keurig met een beitel was weggehakt. Austin vermoedde dat de klip, verzwakt door het uitgeholde graf in combinatie met natuurlijke breuklijnen, door de krachtige aardschokken was ondermijnd. Aan de voet van de helling lagen reusachtige rotsblokken tot in het water.

Austin vroeg zich af of het mogelijk was dat het beeld de klap van het neerstorten had overleefd. Hij zwaaide naar Carina, die zijn klauterpartij vanaf het schip had gevolgd, en begon aan de afdaling. Hij transpireerde hevig van de hitte en de inspanning, en zijn korte broek en hemd zaten onder het stof. Hij dook met al zijn kleren het water in om zo zowel zijn lichaam als zijn kleren wat op te frissen. Wat betreft het gedrag van buitenlandse toeristen keek Mustafa nergens meer van op. Hij startte de motor en voer terug naar de haven.

Austin trok twee blikjes Turks bier uit de koelkast open en gaf er een aan Carina. 'En?' vroeg ze.

Hij nam een ferme slok en genoot van het verrukkelijk koude vocht dat door zijn keel gleed. 'We gaan er nu wel van uit dat Salim de waarheid sprak en het beeld ten tijde van de aardbeving nog in het graf was. Toch is het niet zeker dat het tussen die tonnenzware rotsblokken verborgen ligt. Zelfs als we het daar vinden, is de *Navigator* waarschijnlijk zo zwaar beschadigd dat we er weinig aan hebben.'

'Dan hebben we dit dus allemaal voor niks gedaan?'

'Helemaal niet. Ik wil hier nog een keer naartoe om het beter te bekijken.'

Tegen Mustafa zei hij dat hij de boot nog een keer wilde huren.

'Kunnen we morgen terugkomen?' zei Austin. 'Ik wil graag wat duiken.'

'Ja, natuurlijk. Bent u wetenschappers?' vroeg Mustafa.

Austin liet hem zijn legitimatie van de NUMA zien. Mustafa had nooit van die organisatie gehoord, maar het feit dat Austin een dergelijk speciaal identiteitsbewijs bezat, maakte wel indruk. Mustafa was blij met deze klandizie. Hij had de eigenaren van de boot laten weten dat hij ermee zou kappen als ze niet spoedig een knecht voor hem in dienst namen. Austin haalde een satelliettelefoon uit zijn rugzak en toetste Zavala's nummer in. Zavala zat bij de havenopgraving te wachten tot Hanley hem het groene licht gaf om met de Subvette aan het werk te gaan.

'Zeg maar tegen Hanley dat we de duikboot nu even ergens anders nodig hebben,' zei Austin.

Hij vertelde Zavala waar hij zich bevond en ratelde snel een hele boodschappenlijst af. Zavala zei dat hij, als hij het logistiek voor elkaar kreeg, de volgende ochtend naar Dalyan zou vliegen.

In de avondschemering meerde de boot aan haar ligplaats af. Austin vroeg Mustafa of hij een rustig hotel voor hen wist. De kapitein stelde een vakantiehotel voor dat buiten Fethiye op zo'n twintig minuten rijden aan het eind van een kronkelende weg door de beboste heuvels lag. De receptionist zei dat reserveren normaal gesproken noodzakelijk was, maar dat ze toevallig een kamer met een tweepersoonsbed vrij hadden. Over het al dan niet delen van een slaapkamer had Austin nog geen moment nagedacht. Hij vroeg aan Carina of ze wilde dat ze naar een ander hotel op zoek gingen.

'Ik ben doodop,' antwoordde ze. 'Ik heb nog last van de jetlag. Zeg maar dat we 'm nemen.'

In het restaurant van het hotel genoten ze aan een hoektafel met uitzicht op zee van een rustige avondmaaltijd. Sis kebab met rijst. In de verte glinsterden de lichtjes van Fethiye als de diamanten in een halsketting.

'Ik vind het helemaal niet leuk om een romantisch moment zoals dit te moeten verstoren,' zei Austin, 'maar er zijn toch een paar dingen waar we het echt over moeten hebben. Om te beginnen, hoe hebben die halvezolen ons in dat verlaten dorp kunnen vinden?'

Als door de bliksem getroffen keek ze op. '*Baltazar!*'

Austin glimlachte flauwtjes. 'Je hebt me zelf verteld dat die weldoener van jou boven alle verdenking verheven was.'

'Hij móét er wel iets mee te maken hebben. Hij was de enige die ik over de fotograaf van de *National Geographic* heb verteld. Hij had de verplaatsing van het beeld geregeld. Saxon heeft me voor hem gewaarschuwd.'

'Dat wisten we allemaal al. Waarom ben je nu pas van gedachten veranderd?'

Ze wiebelde zenuwachtig op haar stoel. 'Voordat we naar Istanbul vertrokken, heb ik de secretaris van Baltazar gebeld en hem verteld waar we heen gingen en waarom. Dat ben ik hem volgens onze financiële overeenkomst verplicht en het leek me op dat moment ook geen probleem. Baltazar was degene die het terugvinden van de verzameling oude kunst uit Bagdad heeft gefinancierd.' Het drong tot haar door wat dit betekende. 'Mijn god. Baltazar had het van het begin af aan op het beeld gemunt. Maar waarom?'

'Even een stapje terug,' zei Austin. 'Stel dat hij achter de diefstal zit. Waarom zou hij er ons dan van proberen te weerhouden het andere beeld op te sporen?'

'Kennelijk wil hij niet dat anderen het te zien krijgen, om de een of andere reden.'

'Misschien komen we daar morgen wel achter.' Hij keek op zijn horloge. 'Weet je zeker dat het oké voor jou is dat we in één bed slapen? Zo goed kennen we elkaar tenslotte nog niet.'

Carina boog voorover en legde haar hand op de zijne. 'Ik heb het gevoel of ik je al jaren ken, meneer Austin. Zullen we gaan slapen?'

Ze gingen met de lift naar hun kamer en Austin liep het balkon op om Carina de gelegenheid te geven zich om te kleden. Hij keek naar de spiegeling van de lichtjes in de zee toen Carina achter hem opdook en haar armen om zijn middel sloeg. Hij voelde de warmte van haar lichaam tegen zijn rug. Hij draaide zich om en kreeg een zijdezachte zoen. Ze droeg een lange witte katoenen nachtjapon, maar het eenvoudige kledingstuk verhulde maar weinig van haar strakke lichaam.

'Hoe is het met je jetlag?' vroeg Austin.

Terwijl Carina haar armen om zijn hals legde, zei ze met een zachte, koele stem: 'Die is net helemaal verdwenen.'

28

Austin ontwaakte uit een diepe slaap en graaide zijn zoemende gsm van het nachtkastje. Hij sprong het bed uit en wikkelde het bovenlaken als een Romeinse senator om zijn gespierde lichaam. Bij het zien van Carina's zandkleurige haren die over haar kussen uitgespreid lagen, verscheen er een bewonderende glimlach op zijn zongebruinde gezicht.

Hij liep het balkon op en hield de telefoon tegen zijn oor. 'De "eagle" is geland op het vliegveld van Dalyan,' meldde Zavala. 'De aanhanger met de Subvette is het toestel al uit en staat klaar om te vertrekken.'

'Goed werk, Joe,' zei Austin. 'Ik zie je over anderhalf uur.' Hij vertelde Zavala hoe hij op de plek moest komen waar ze de duikboot te water zouden laten.

'Het kan iets langer duren, Kurt. Ik sta hier op straat en ben op zoek naar een vrachtwagen voor de aanhanger. Op dit vliegveld zijn maar weinig auto's te huur. Ik moet ophangen. Ik geloof dat ik iets zie aankomen.'

Austin twijfelde er geen seconde aan dat Zavala dit niet zou oplossen. Voor de Mexicaanse Amerikaan met zijn zachte innemende stem was werkelijk niets onmogelijk.

Uit de badkamer klonk het geluid van stromend water. Carina was door het overgaan van de telefoon wakker geworden en was stilletjes het bed uitgeglipt. Austin hoorde haar zingen onder de douche.

'Is er iemand die mijn rug wast?' riep ze.

Daar had Austin geen tweede aansporing voor nodig. Zijn geïmproviseerde toga viel flapperend van hem af. Na het douchen wreven ze elkaar droog en kleedden ze zich aan. Austin droeg een geelbruine korte broek met een ouderwets hawaïhemd waar Don Ho zich niet voor had geschaamd. Carina trok een zongele hemdjurk over haar zwarte bikini aan. Na het via de roomservice bestelde continentale ontbijt met broodjes, hardgekookte eieren en koffie reden ze naar de jachthaven.

Austin had tegenover kapitein Mustafa open kaart gespeeld. Voordat ze de vorige avond afscheid hadden genomen, had hij de kapitein verteld dat hij en Carina op zoek waren naar een antiek artefact zonder dat ze daar officieel toestemming voor hadden. Het was niet hun bedoeling het artefact, als ze het vonden, voor zichzelf te houden, maar hij wilde dat Mustafa wist waarmee hij zich inliet. Daar stond tegenover dat hij een ruime vergoeding kon verwachten voor het extra risico dat hij liep.

Mustafa zei dat hij niet zo bang was voor regeltjes van de overheid. Austin had de boot gehuurd. Mustafa bracht hem waar hij heen wilde. Wat ze daar deden was hun zaak.

Austin had de kapitein verder verteld dat ze een onopvallende plek met een botenhelling nodig hadden. Daarop had Mustafa hem een verlaten werf gewezen waarvan de eigenaar failliet was gegaan. De werf lag tegenover de jachthaven aan de andere kant van het stadje. Carina bleef bij Mustafa en dan zouden ze Austin daar later treffen.

De werf lag aan een ongeplaveide weg met een kratergehalte dat dat van de donkere kant van de maan overtrof. Austin liep tussen de houten geraamtes van onafgebouwde boten door en inspecteerde de helling. De bovenkant was langs de randen verrot, maar het middendeel verkeerde in relatief goede staat.

Zavala was al een kwartier over tijd. Austin wachtte aan de kant van de weg en vroeg zich af of de vindingrijkheid van zijn vriend ditmaal te zwaar op de proef was gesteld. Hij spitste zijn oren toen hij motorgeronk hoorde. Hij zag een wolk van stof en veren zijn kant op komen. Hobbelend door de kuilen naderde knarsend en piepend een vrachtwagen met een astmatisch pruttelende motor. In een zwartpaarse wolk van uitlaatgassen en het kakofonisch gekakel van de kippen in de kooien die in de bak achter de cabine opgestapeld stonden, kwam de wagen tot stilstand.

Zavala stapte uit de cabine en stelde de chauffeur voor, een gespierde Turk met een glunderende glimlach en een ongeschoren kin.

'Goeiemorgen, Kurt,' zei Zavala. 'Dit is m'n maatje Achmed.'

Ze gaven elkaar een hand en liepen naar de achterkant van de vrachtwagen. De duikboot stond onder een groen met touwen vastgesjord plastic zeil. Zavala had het geheel met extra touwen nog eens degelijk verankerd tegen de schokken van het oude vehikel. 'Daar heb ik een ingenieus knopensysteem voor moeten bedenken,' zei Zavala met een trotse blik op zijn handwerk. 'Niet slecht toch, voor een ambtenaar.'

'Helemaal niet slecht,' reageerde Austin met zijn ogen rollend. Met dit geïmproviseerde knutselwerk moesten ze in de scherpe bochten af en toe behoorlijk in de rats hebben gezeten. Hij vroeg zich af hoe de cententellers van de NUMA gereageerd zouden hebben als ze geweten hadden op welke wijze de vele miljoenen kostende duikboot aan de bumper van een aftandse kippenvervoerder was vastgemaakt.

Achmed manoeuvreerde de vrachtwagen achteruit naar de helling. Over motorisch aangedreven rollen gleed het lanceerplatform van de vrachtwagen langs de helling het water in, waar hij op twee lange drijvers rustte.

Ondertussen was Mustafa met Carina gearriveerd. Hij wierp een meertouw naar Zavala, die het uiteinde aan het lanceerplatform bevestigde. Austin telde een heel rolletje Turkse lira's voor de gelukkige chauffeur uit en bedankte hem voor de moeite.

Voordat hij vertrok om zijn kippen af te leveren, parkeerde hij de vrachtwagen in een onopvallend hoekje van de werf. Austin en Zavala roeiden in de sloep naar de motorkruiser, waarna Mustafa onmiddellijk gas gaf. Met de duikboot op sleeptouw voer de motorkruiser de haven uit.

Nadat de vissersboten en pleziervaartuigen geleidelijk uit het zicht waren verdwenen en er alleen in de verte nog een enkel zeil te zien was, riep Austin zijn vrienden bijeen in de schaduw van een luifel op het achterdek. Onder het genot van een kopje sterke koffie praatte Austin Zavala bij over hun overhaaste vertrek uit het verlaten dorp en het uitstapje met Mustafa van de vorige dag.

'Je hebt heel wat gedaan in die korte tijd,' reageerde Zavala.

'Een goede tijdsplanning, dat is het geheim,' zei Austin.

De boot minderde vaart toen ze de grijsbruine kale plek naderden waar een deel van de rotswand in zee was gestort. Niet al te ver van de voet van de klip wierp de kapitein het anker uit. Austin en Zavala roeiden in de sloep naar het drijvende platform en trokken het zeildoek weg.

Austin liet zijn ogen over de glimmende romp van glasvezel gaan. Afgezien van de kleur had Zavala zijn Corvette-cabrio tot in de details gekopieerd en er aanpassingen aan toegevoegd die het mogelijk maakten er onder water mee te varen.

Austin schudde verwonderd zijn hoofd. 'Dat ding ziet eruit alsof hij zo van de Chevy-productielijn is gerold. Heb je vijf minuten om me de lanceerprocedure uit te leggen, Joe?'

'Dat is in één minuut gebeurd. Het Lanceer-, Oppik- en Transportvoertuig heeft een eigen motor. Het bedieningspaneel zit aan de buitenkant aan stuurboordzijde. Laat de drijvers vollopen. Zodra het platform op de gewenste duikdiepte is, pomp je er wat water uit zodat hij op niveau blijft. Manoeuvreren gebeurt met de stuwschroeven van de LOT.

Ontsluit de bevestigingshaken. Dan vaar ik weg. Jij kunt beneden blijven of met de LOT naar het wateroppervlak teruggaan.'

'En het weer oppikken?'

'Dezelfde procedure in omgekeerde volgorde. Ik kom terug als een toestel dat op een vliegdekschip landt. Jij zet hem vast op het platform en we gaan omhoog.'

'Je bent een genie,' zei Austin. 'Krankzinnig misschien, maar wel een genie.'

'Bedankt voor je vertrouwen. Ik was bang dat het project als een frivole verspilling van NUMA-gelden zou worden gezien.'

'Het is wel iets anders dan de ALVIN,' zei Austin, doelend op de duikboot die voor het onderzoek naar de *Titanic* was gebruikt. 'Maar ik weet zeker dat Pitt hier helemaal achter staat.' Dirk Pitt, de directeur van de NUMA, was een gepassioneerde verzamelaar van oude auto's. 'Laten we deze nieuwste aanwinst in de duikbotenvloot van de NUMA maar eens te water gaan laten.'

Ze roeiden terug naar de motorkruiser en hesen zich in hun scuba-uitrusting. Austin had Zavala gevraagd om een duikuitrusting mee te nemen die voorzien was van een communicatiesysteem. De door Ocean Technology Systems ontwikkelde headset was in de riempjes van het duikmasker geïntegreerd.

Mustafa roeide de beide mannen naar het platform. Ze klommen aan boord en sjorden de persluchtflessen op hun rug. Zavala nam achter het stuur van de Subvette plaats. Hij had de stoelen zo ontworpen dat de flessen in de rugleuning pasten. Austin vatte post op een aan stuurboordzijde van de LOT ingebouwd uitklapstoeltje. Hij bekeek het bedieningspaneel en drukte op de startknop van de door accu's aangedreven pompen. De drijvers vulden zich met water, waarop het platform en de duikboot langzaam onder water zakten.

Op een diepte van twaalf meter stelde Austin de pompregeling zo in dat het platform op hetzelfde niveau bleef zweven. Met andere knoppen kon hij de metalen klemmen waarmee de duikboot op de LOT vastzat, losklikken. De lichten van de duikboot flitsten aan. Met een luid gezoem van de verticale stuwschroeven steeg de Subvette van het platform op en bleef erboven hangen.

Austin duwde zich van het platform af en nam boven de duikboot een zittende positie in. Hij liet wat lucht uit zijn trimvest ontsnappen, waarna hij zachtjes op de passagiersstoel neerzeeg. Zavala had er bij de constructie rekening mee gehouden dat de voeten met vinnen extra ruimte nodig hadden.

Omdat hij ook begreep dat je met vinnen aan je voeten geen pedalen kan bedienen, had hij het bedieningsmechanisme van de stuwschroeven in de stuurkolom verwerkt.

Zavala draaide de duikboot een halve slag tot de voorsteven naar de kust wees. De twee lichtbundels uit de ultrasterke verstralers aan de voorkant van de duikboot verlichtten het rommelige puin van een aardverschuiving die onder een hoek van vijfenveertig graden tot op de bodem doorliep. De afgebroken klip was in stukken gebroken die qua omvang varieerden van een krop sla tot reusachtige keien waarbij de duikboot in het niet verdween.

'Jouw *Navigator* is een verrekt harde kerel als hij dit heelhuids heeft overleefd,' zei Zavala. 'Scherven zo groot als een bierblikje, meer is er echt niet van hem over.'

'Die oude knar was drieduizend jaar oud, dan ben je geen watje,' reageerde Austin.

Door Austins koptelefoon klonk gorgelend gegrinnik van Zavala. 'Tegen onredelijk en ongerechtvaardigd optimisme houdt alles op. Wat is nou een paar honderd ton steen? Niks toch? En waar zullen we beginnen met het zoeken naar die vriend van jou met zijn ongelooflijk harde kop?'

Een paar meter terzijde van de voet van de aardverschuiving lag een platte steen met ongeveer de omvang en vorm van een flink dressoir. 'Als we die steen nu eens als startpunt nemen,' zei Austin. 'Eerst werken we ons aan de rechterkant daarvan geleidelijk zigzaggend omhoog tot aan de oppervlakte en daarna herhalen we dat op dezelfde manier aan de linkerkant. Let vooral op zuilen, een lateisteen of een timpaan. Alles wat er als door de mens gemaakt uitziet.'

Zavala stuurde de Subvette langs de voet van de aardverschuiving. Opgeschrokken door de plotselinge verschijning van de duikboot schoten hele scholen prooivisjes alle kanten op. Aan de buitenrand van de aardverschuiving gekomen draaide Zavala met een gracieuze bocht naar een iets hoger niveau. Dit grasmaaipatroon volgend bestreken ze heen en weer varend geleidelijk het halve oppervlak van de aardverschuiving. Zo nu en dan stopte hij bij een vorm die veelbelovend leek en draaide de duikboot zodanig dat de koplampen er recht op schenen.

Het donkerblauwe water veranderde geleidelijk in glinsterend groen naarmate ze dichter bij het oppervlak kwamen.

De duikboot zakte weer omlaag en koerste onderlangs de voet van de aardverschuiving naar links. Austin zag een ronde vorm liggen, het leek een hoek van een voorwerp dat verder onder zand bedolven lag. Hij vroeg Zavala om dat zand er met behulp van de stuwschroeven van weg te blazen. Dit was een onder schatgravers gangbare techniek om wrakken bloot te leggen. Nadat het opgedwarrelde stof weer naar de bodem was gezonken, zagen ze de cilindrische vorm van een stenen zuil liggen.

'Probeer vanaf de zuil zo recht mogelijk langs de helling omhoog te gaan,' raadde Austin aan.

Zavala versmalde de breedte van het zigzagtraject, en heen en weer gaand ging de duikboot weer geleidelijk omhoog. Bij een van de draaien zwiepten de stralenbundels van de koplampen over een driehoekige timpaan die nogal scheef op delen van zuilen rustte. Austins priemende blik ontdekte een vreemde schaduw. Hij drukte zich uit de duikboot op en zwom naar een grotachtige opening. Met zijn duiklamp scheen hij in de holte.

Een seconde later hoorde Zavala hoe Austin in lachen uitbarstte.

'Hé, Joe, heb jij misschien kattenvoer bij je?' vroeg Austin.

'Dronkemanspraat is een symptoom van stikstofnarcose!'

'Ik heb geen last van een diepteroes, hoor. Maar er ligt hier een bronzen Fenicische kat.'

Door de koptelefoons klonk een vrouwelijke vreugdekreet. Carina had het gesprek gevolgd.

'Jullie hebben het!'

Austin tastte met de lichtbundel van de duiklamp de wanden van de grot af. Het beeld lag met het gezicht omhoog, als een lijk op een baar. De nis was ongeveer drie meter breed en diep, en een meter of anderhalf hoog. Austin perste zich door de opening. De taps toelopende muts was gedeukte en de armen waren afgebroken. In tegenstelling tot het andere beeld was de neus nog heel.

Austin duwde zich weer naar buiten en maakte met een gekromde duim en wijsvinger het internationale oké-teken.

'Voor een verpletterd bierblikje verkeert hij in een prima conditie. Laten we hem er uittrekken.'

'In het vak aan bakboordzijde liggen touwen en hefzakken,' zei Zavala.

Austin zwom naar het lanceerplatform en haalde een tros nylon touw uit het bagagevak tevoorschijn. Het ene uiteinde bevestigde hij aan de achterbumper van de stil hangende Subvette. Aan het touw maakte hij vier hefzakken met open onderzijden vast, waarna hij de grot weer inging en het vrije uiteinde van het touw aan de voet van het beeld bond.

Met lucht uit zijn persluchtfles blies hij de zakken op en wenkte Zavala, die wat meer gas gaf. Het touw trok strak als een vioolsnaar. Het beeld verschoof een paar centimeter. Austin maakte het afkapgebaar voor zijn keel en zwom terug naar de grot. Zijn persluchtfles schraapte langs de rotsen en hij had net voldoende ruimte om zich zo om te draaien dat hij met zijn gezicht naar de opening zat. Hij duwde tegen het beeld en vroeg Zavala harder te trekken.

Het beeld schoof naar de opening en bleef weer steken. Het ruwe breukvlak van de linkerarmstomp zat achter stenen vast. Zavala stopte met trekken. Met zijn duikmes wrikte Austin de arm uit de rotsbodem los.

Bij de volgende poging kwam het beeld helemaal vrij en Austin geleidde het door de opening, waarbij hij zich met zijn voeten schrap zette tegen de achterwand van de grot. Langzaam schoof het beeld zijn gevangenis uit… maar toen Austin er achteraan wilde gaan, voelde hij dat zijn rechtervoet vastzat. Rond zijn zwemvin was een deel van de rotswand ingezakt.

Toen hij zich omdraaide om met zijn mes het riempje van de vin los te snijden daalde er vanuit het plafond een regen van steentjes op hem neer. De stenen schampten zijn benen en raakten zijn hoofd met zo'n kracht dat zijn tanden op elkaar klapten. Hij strekte zijn armen en wist het hoofd van het beeld nog net te grijpen voordat het wegglipte.

Een seconde nadat de duikboot Austin en de *Navigator* de grot uit had getrokken, stortte het plafond in.

Zodra Zavala zag dat Austin veilig was, gaf hij gas. De grotopening verdween onder een inzakkende muur van stenen. Austin hield zijn hand tegen zijn hoofd waar hij door een vuistdikke steen was geraakt.

'Kurt, alles goed met jou?'

'Had ik ook maar een bronzen kop!'

Zonder verder nog acht te slaan op het bonzen in zijn hoofd zwom Austin naar het beeld. De *Navigator* hing scheef in het water, omdat hij niet gelijkmatig door de hefzakken in evenwicht werd gehouden. Zavala stuurde de duikboot tot boven het lanceerplatform. Vervolgens manoeuvreerde Austin het beeld naar een laadvlak aan de achterzijde en maakte het touw van de duikboot los. Door de hefzakken rustte het beeld niet met zijn volle gewicht op het lanceerplatform, dat anders gevaar liep te zinken.

Austin nam achter het bedieningspaneel plaats en trof de voorbereidingen voor de terugkeer naar het wateroppervlak. Zijn vingers verstarden boven de knoppen toen hij met zijn scherpe gehoor het hoge zoemgeluid van een motor opving dat door de nadering door het water aanzwol.

'Carina,' riep hij in zijn microfoon, 'zie jij een boot aankomen?'

'Ja, er komt er een recht op ons af. Heel snel.'

Austin reageerde heel kalm. 'Luister goed. Vraag kapitein Mustafa het anker op te halen en meteen weg te varen.'

'We kunnen jullie toch niet achterlaten,' zei Carina.

'Wij redden ons wel. Wegwezen!'

De urgentie die in Austins stem doorklonk was onmiskenbaar. Carina gaf Austins opdracht aan Mustafa door. Austin hoorde vaag Mustafa's reactie. Maar zijn woorden werd door geschreeuw overstemd, direct gevolgd door het scherpe geratel van mitrailleurvuur.

De verbinding werd verbroken.

Austin zwom naar de Subvette. 'Doof de lampen,' zei hij.

Austin maakte zich zorgen over Carina, maar hij en Zavala wisten heel goed dat ze beter niet meteen konden reageren. Tegelijkertijd was nietsdoen hen allebei absoluut vreemd.

'Wat nu?' vroeg Zavala.

'We gaan omhoog om te kijken wie de ongenode gasten zijn.'

Zavala richtte de lange neus van de duikboot op en gaf zo min mogelijk gas. Austin zag aan de oppervlakte boven hen naast de boot van Mustafa het silhouet van een kleiner schip en gebaarde Zavala te stoppen. Er klonk een klik in de koptelefoons. Er was weer radioverbinding met de boot.

Met het lijzige accent van een Texaan zei een stem: 'Hoe gaat het, jongens? Ik zie jullie luchtbelletjes. Waarom komen jullie er niet gezellig bij?'

'Ik ga niet in op uitnodigingen van vreemden,' antwoordde Austin. 'Wie bent u?'

'Een vriend van mevrouw Mechadi. Kom nou maar. Jullie lucht raakt anders toch op.'

Zavala klikte een notitieleitje van zijn trimvest los en schreef er een vraagteken op.

Austin zweeg een moment en overwoog wat te doen. Als ze deden wat de vreemdeling wilde, werden ze onherroepelijk voor hun kop geschoten.

Hij pakte het leitje over en schreef in hoofdletters: MOBY-DICK?

Zavala liet het voorstel van Austin even op zich inwerken en zijn maag draaide zich om bij het idee alleen al. Hij veegde Austins opmerking weg en schreef: AU!

Waarop Austin schreef: SUGGESTIES?

Zavala schudde zijn hoofd en krabbelde op het leitje: AHAB, WE KOMEN ERAAN.

Hij klikte het leitje weer vast en liet de Subvette tot op de bodem zakken. Daar draaide hij de duikboot een halve slag en richtte de neus onder een schuine hoek omhoog. Met luid geraas van de stuwschroeven schoot de duikboot razendsnel accelererend naar de oppervlakte.

Zavala en Austin zetten zich schrap in hun stoelen.

29

Een paar minuten voordat de Subvette omhoogkwam, had Carina gezien hoe de onbekende boot een landtong rondde en met opgeheven boeg als een platte werpsteen over de golven ketsend op Mustafa's motorkruiser afraasde.

Ze had Austins dringende oproep om de plek te verlaten doorgegeven. Maar het was te laat. De snel naderende boot had de afstand al overbrugd. Enkele seconden voor een haast onvermijdelijke aanvaring zwenkte de speedboot weg en stopte de stuurman de krachtige binnenboordmotor. Het schip bonkte op een paar meter vanwaar ze stond tegen de zijkant van Mustafa's boot.

Een van de mannen op het schip loste een salvo met zijn pistoolmitrailleur in de lucht. Ze liet de microfoon op het dek vallen.

Er waren vier mannen aan boord, allemaal gekleed in een legergroen uniform en gewapend met automatische wapens met korte loop. Hun ogen gingen achter grote zonnebrillen schuil en de rest van hun gezicht werd grotendeels overschaduwd door de klep van een legerpet. Alleen hun strak op elkaar geperste lippen waren zichtbaar.

Drie mannen sprongen over de reling aan boord van Mustafa's boot. De man die als laatste volgde, nam zijn pet af. Hij had kort blond stekeltjeshaar. Carina herkende Ridley, die de roof van de *Navigator* had geleid. Breeduit grijnzend begroette hij Carina met een povere Minnie Pearl-imitatie.

'*How-dee*, mevrouw Mechadi.'

Haar aanvankelijke schrik sloeg over in woede. 'Wat doet u hier?' snauwde ze.

'Ik hoorde dat u in de buurt was, mevrouw Mechadi. Toen leek het me wel aardig om eens gezellig met de jongens bij u op bezoek te gaan.'

'Hou me alsjeblieft niet voor de gek met dat nep-hillbillyaccent,' zei Carina. 'Waar is mijn beeld?'

Met nog altijd die grijns op zijn gezicht liep Ridley naar de reling en keek met doffe ogen naar de luchtbelletjes die naar de oppervlakte stegen. 'Is er iemand aan het zwemmen, mevrouw Mechadi?'

'Als u dat zo graag wilt weten, spring er dan in en ga zelf kijken.' Carina merkte dat haar woede met haar aan de haal ging, maar ze kon zich niet meer inhouden.

'Ik heb een beter idee,' zei Ridley. Hij raapte de microfoon van het dek op, klikte hem aan en sprak met Austin.

Ridleys grijns werd alleen nog maar breder toen hij aanmerkelijk meer luchtbelletjes zag opborrelen. Met zijn hand trok hij een handgranaat los van de bevestiging aan zijn riem en hield hem omhoog als een honkbalpitcher die klaarstaat voor een worp. Carina probeerde hem de microfoon te ontfutselen, maar Ridley gaf haar met de rug van zijn hand zo'n venijnige mep op haar mond dat er bloed over haar lippen vloeide. De andere mannen lachten om Ridleys gewelddadige reactie en zagen de turkooizen flits pas toen het te laat was.

De duikboot brak als een springende walvis door de waterspiegel. De voorbumper raakte de speedboot met de kracht van een stormram.

De speedboot helde krankzinnig ver over. De man achter het stuurrad slaakte een gil van schrik toen hij met woest maaiende armen in de lucht werd gekatapulteerd. Hij kwam op het water neer, zakte een meter diep weg en worstelde zich omhoog. Gillend om hulp liet hij zijn wapen uit zijn handen glippen.

De duikboot was na de klap tegen de speedboot teruggeketst en Zavala probeerde uit alle macht de Subvette weer onder controle te krijgen.

Austin zag een stel trappelende benen in een woest schuimende plek aan het wateroppervlak. Er zakte iets door het water omlaag. Hij zette zich af tegen de cockpit en greep het zinkende machinepistool.

Hij liet zich weer in de cockpit zakken en gebaarde met zijn duim omhoog.

Ridley was een professionele soldaat. Hij zette de schrik onmiddellijk van zich af en wees naar de man in het water.

'Haal die idioot eruit,' snauwde hij.

Zijn mannen sloegen hun wapens over hun schouder en wierpen een ringvormige reddingsboei naar hun collega. Ridley had de granaat nog in zijn hand, klaar om hem als een geïmproviseerde dieptebom over de reling te gooien. Terwijl hij met zijn kille ogen het water afzocht, hoorde hij iets dat op een autotoeter leek. Met een ruk van zijn hoofd keek hij achter zich.

'Jezus!' bracht hij naar lucht happend uit.

Er kwam een turkooizen Corvette cabrio met ingedeukte voorbumper en Zavala achter het stuur over het water scherend op Mustafa's schip af. Austin had het machinepistool op de bovenrand van de voorruit gelegd en vuurde een paar, expres te hoog gerichte salvo's af.

Ridley's mannen trokken hun wapens van hun schouder, lieten ze op het dek vallen en staken hun handen in de lucht, terwijl ze de man in het water aan zijn lot overlieten. Ook Ridley hief langzaam zijn handen op.

Kapitein Mustafa hielp Carina overeind en Austin werd afgeleid door het bloed dat hij uit haar mond zag vloeien. Ondertussen had Ridley zijn handen boven zijn hoofd bij elkaar gebracht, zodat hij de pin uit de granaat kon trekken, waarna hij een arm naar achteren bewoog om de granaat naar het aanstormende vaartuig te werpen.

Austins ogen zwenkten terug naar Ridley en zijn vinger verstrakte om de trekker. Hij aarzelde, omdat hij bang was dat Ridley de granaat dan op het dek zou laten vallen. Kapitein Mustafa had de granaat in Ridleys hand ook gezien. Toen Ridley zijn arm voor de worp naar achteren zwaaide, graaide de kapitein een bootshaak uit een rek en haalde met het zware houten handvat uit naar Ridleys pols. De granaat vloog uit zijn vingers, sloeg tegen de reling en rolde over het dek.

Als een bliksemflits dook Mustafa op de granaat af en keilde hem overboord.

Ridley brulde van pijn en woede. Met zijn linkerhand frunnikte hij aan zijn riem om een tweede granaat te pakken. Austins wapen ratelde en doorzeefde Ridleys borst met kogels. Ridley klapte achterwaarts over de reling en raakte het water op het moment dat de granaat explodeerde en een hoge waterzuil opwierp die kletterend op het dek neersloeg.

Austin zwenkte de loop van de mitrailleur op de twee overige mannen.

'Spring!' beval hij.

Hij vuurde een salvo op de luifel af, waarna er een als confetti warrelende wolk van flarden zeildoek op het achterdek neerdaalde. De mannen sprongen overboord en voegden zich bij hun collega die daar al lag. Austin haalde nogmaals de trekker over voor een salvo dat slechts op enkele decimeters van de zwemmers in het water spatte.

Austin keek het gedemoraliseerde trio na en zag hoe ze richting land zwommen, het strand bereikten en zich in de struiken uit de voeten maakten. Nadat hij nog wat extra gaten in de zinkende speedboot had geschoten, richtte hij zijn aandacht op Carina.

Mustafa wikkelde wat ijsblokjes in een handdoek, waarna zij het geïmproviseerde kompres tegen haar mond hield. Austin zag dat ze niet al te ernstig gewond was en gaf het wapen aan Mustafa met de opdracht zonodig direct te schieten en pas later vragen te stellen.

Zavala legde de Subvette langszij de motorkruiser zodat Austin weer over kon stappen. Vervolgens zakten ze onder water en daalden af naar het lanceerplatform. Daar zwom Austin naar het bedieningspaneel, waarna Zavala de duikboot recht boven het platform manoeuvreerde en Austin met een druk op een knop de bevestigingsklemmen vastklikte. Vervolgens startte Austin het wegpompen van het water uit de drijvers.

Het lanceerplatform kwam niet al te ver van de motorkruiser boven water en het lag nogal schuin door het gewicht van het beeld op de achterkant. Mustafa gaf het wapen aan Carina en bracht zijn boot dichterbij het LOT-platform. Hij wierp Austin en Zavala een sleeplijn toe. Vervolgens lieten ze zich in het water zakken en zwommen met een paar krachtige schoolslagslagen naar de bootladder.

Terug aan boord wrong Zavala zich uit zijn wetsuit en tuurde naar de beboste kust. ‘Hoe hebben die gasten ons hier kunnen vinden?’

Austin pakte zijn hemd op en haalde de satelliettelefoon uit het borstzakje. ‘Misschien hebben ze het telefoonsignaal getraceerd. We moeten echt op onze tellen passen.’

Hij slingerde de telefoon zover als hij maar kon van zich af en keek hoe het ding in het water plonsde. Daarna bedankte hij Mustafa voor zijn doortastende actie met de bootshaak en verontschuldigde zich voor het feit dat ze hem en zijn boot in gevaar hadden gebracht en zijn luifel daarbij was vernield. De Turk nam het welgemoed op, maar hij vroeg wel naar zijn centen en of ze nu niet meteen terug konden gaan. Austin telde een dik pak Turkse lira’s neer.

‘Nog één gunst. We moeten ergens heen waar we niet gestoord worden,’ zei hij.

‘Geen probleem.’ De kapitein stak de biljetten in zijn zak. ‘Een paar kilometer hier vandaan is een prima plek.’

Nog geen halfuur later stuurde Mustafa zijn boot een stille inham in en ging achter een landtong voor anker. Mustafa zei dat de lokale kapiteins deze inham vermeden omdat er bij de ingang onder de waterspiegel slecht waarneembare rotsen lagen waardoor het binnenvaren vrij riskant was.

Zavala zat op het voordek met het machinepistool op zijn schoot. Carina haalde een plastic zak met conserveringsspullen tevoorschijn die ze de vorige dag had gekocht en stapte met Austin in de sloep. Hij roeide naar het lanceerplatform en ze klommen aan boord.

Carina boog zich over het beeld. 'Ik voel me schuldig dat ik hem na al die jaren in zijn slaap stoor,' zei ze met een onverholen tederheid.

'Hij is waarschijnlijk dolblij dat zo'n prachtige vrouw zich om hem bekommert,' reageerde Austin. 'Kijk maar naar die lach op zijn gezicht.'

Carina veegde het gedroogde zeewier weg dat rond de mond van het beeld kleefde. Ze zagen het gezicht van een jongeman met baard en een stevige neus en kin. Net als het andere beeld droeg hij een hanger om zijn hals waarin een paardenhoofd met palmboom waren gegraveerd. Verder had hij eveneens een kilt om zijn middel en sandalen aan zijn voeten. Door de afgebroken armen leek hij het slachtoffer van een vreselijk ongeluk.

Carina opende haar plastic zak, haalde er twee sponzen uit en gaf er een aan Austin. Eendrachtig samenwerkend maakten ze het bronzen oppervlak grondig schoon. Carina stalde naast elkaar een borsteltje, een vierkant stuk kaasdoek en een pot vloeibare latex uit. Vervolgens bracht ze diverse lagen latex aan op het gezicht van het beeld, de hanger en andere delen, waarna ze de latex met de kaasdoek hard liet worden. De gedroogde latexlagen pelde ze weer van het beeld, nummerde ze met een markeerstift en stopte ze voorzichtig in de tas.

'Klaar,' zei ze, terwijl ze de laatste afdruk lostrok.

'En die kat dan?' vroeg Austin. 'Die hoort er toch ook bij?'

'Je hebt helemaal gelijk,' antwoordde Carina glimlachend, waarna ze het latexprocédé ook op de zijkant en half opzij gewende kop van de kat uitvoerde.

Nadat ook deze afdruk hard was geworden, haalde ze hem er af. Nu was ze echt klaar, maar aarzelde nog.

'Wat zullen we met hem doen?' vroeg ze.

'We kunnen het beeld niet terugleggen,' antwoordde Austin. 'Hij is te zwaar om zonder gespecialiseerde apparatuur te vervoeren en transport over land is problematisch. Dat lukt niet ongezien. De Turkse autoriteiten zijn niet bepaald vriendelijk tegen buitenlanders die ze op het smokkelen van antiquiteiten betrappen.'

Met een trieste blik in haar ogen kuste Carina het beeld op beide wangen. Na een laatste tikje op het voorhoofd stapte ze in de sloep. Terug op de motorkruiser vroeg Austin aan Mustafa hoe diep de inham was. Een meter of zestien, zeventien antwoordde de Turk.

Austin en Zavala roeiden terug naar het lanceerplatform, waar ze met hun rug tegen de duikboot gingen zitten en het beeld vervolgens zich zo schrap zettend met hun voeten van zich af duwden. Het schoof naar de rand en met een laatste duw kantelde het eroverheen. De *Navigator* plonsde in het water en zakte weg alsof hij blij was in de zee terug te zijn, waar hij vrijwel onmiddellijk uit het zicht verdween.

30

Duizenden kilometers buiten de Turkse wateren draaide de tweelingbroer van de *Navigator* op een ronde, ongeveer dertig centimeter hoge sokkel langzaam om zijn as en glansde als een kwade god in het licht van een hele batterij schijnwerpers die zijn bronzen huid in een gepolariseerde gloed hulden.

Op een reusachtige monitor aan de muur draaide een spookachtig witte, driedimensionaal röntgenbeeld van de *Navigator* in de rondte. Het antieke beeld werd van alle kanten door de stralen van elektronische sondes afgetast.

Er zaten drie mannen in leren fauteuils voor het scherm. Baltazar troonde in het midden. Aan zijn rechterzijde zat dr. Morris Gray, een expert op het gebied van computergestuurde tomografie, en links van Baltazar zat dr. John Defoe, een autoriteit op het gebied van de Fenicische geschiedenis en cultuur. Beide wetenschappers hadden zich aan Baltazars onderneming verbonden in de verwachting dat het beeld op een gegeven moment zou worden gevonden.

Gray richtte zijn laserpen op het scherm. 'De röntgentechniek die we hiervoor gebruiken is in wezen identiek aan de CT-scans die in ziekenhuizen worden gemaakt,' zei hij. 'We fotograferen het voorwerp in schijven. De computer maakt van al die foto's een driedimensionale weergave.'

Baltazar zat onderuitgezakt in zijn stoel met zijn dikke vingers in elkaar gehaakt en zijn blik strak op het fletse beeld gericht dat tegen een donkerblauwe achtergrond werd geprojecteerd. Op dit moment had hij jaren gewacht.

'En wat leren we van die toverlantaarn van u, dr. Gray?' gromde hij.

Gray glimlachte flauwtjes. Hij bewoog de rode stip van de laserpen naar een bedieningspaneel dat van boven naar beneden langs de rechterkant van de monitor liep.

'Met deze knoppen kan ik steeds andere door de sondes ingewonnen informatie oproepen. Dit is bijvoorbeeld een weergave van de metaallegering van het beeld. Het brons heeft de standaardsamenstelling van negentig procent koper en tien procent tin. Maar ik kan u ook de dichtheid, trekvastheid en minder relevante informatie laten zien.'

'Wat zijn die donkere plekken op het beeld?' vroeg Baltazar.

'Het beeld is gemaakt volgens het verloren-wasgietprocédé,' legde Defoe uit. 'De kunstenaar maakte een vorm van klei, die in was werd verpakt en daarna weer in klei. Op de röntgenfoto's zijn de gangen en openingen te zien die in de buitenste laag werden geboord, zodat de was en gassen uit de mal weg konden en het gesmolten metaal erin kon worden gegoten. Het beeld is uit verschillende delen opgebouwd en daarom zoeken we ook naar aanhechtingspunten en hamersporen.'

'Heel interessant allemaal,' zei Baltazar, 'maar wat zit er in het beeld?'

'Met de röntgenstralen is binnen het bronzen omhulsel uitsluitend een holle ruimte waarneembaar,' antwoordde Gray.

'En hoe zit het met het omhulsel?'

'Dat biedt aanmerkelijk meer perspectief.' Gray diepte een kleine afstandsbediening uit een zak van zijn colbertje op en wees op het scherm. De spookachtige figuur verdween en maakte plaats voor een beeldvullende close-up van het gelaat van het beeld. 'Dit aspect laat ik graag aan dr. Defoe over.'

Defoe tuurde door een bril met ronde glazen naar het scherm. 'Door de beschadiging is het lastig om de leeftijd van de afgebeelde persoon te bepalen, maar met het oog op het gespierde lichaam is hij waarschijnlijk in de twintig.'

'Eeuwige jeugd,' merkte Baltazar in een zeldzame poëtische opwelling op.

'De taps toelopende muts is identiek aan de hoofddeksels die we van tekeningen en sculpturen van Fenicische zeevaarders kennen. De baard en de haren vind ik verwarrend. De manier waarop ze in lagen liggen duidt op iemand uit de hogere kringen van de Fenicische maatschappij, maar daarnaast draagt hij de kilt en sandalen van een eenvoudige matroos.'

'Ga door,' zei Baltazar. Hoewel hij steeds opgewondener raakte, was er geen enkele verandering in zijn gezichtsuitdrukking waarneembaar.

De afbeelding op het scherm vloeide over in een close-up van de hanger die om de hals van de *Navigator* hing. 'De tekening op de hanger is een replica van de voorstelling die ook op Fenicische munten voorkomt,' zei Defoe. 'Het paard is het symbool van Fenicië. De met wortels afgebeelde palmboom rechts van het paard staat voor een kolonie. En hier begint het interessant te worden.'

De rode punt sprong naar een halfronde plek onder het paardenhoofd met de palm, waarin een horizontale reeks kronkellijntjes zichtbaar was.

'Runentekens?' vroeg Baltazar.

'Dat was wat men algemeen aannam toen dit soort tekens op de munten werden aangetroffen. Maar ze komen op geen enkele manier overeen met de bekende Fenicische schrifttekens. Ze zijn al die jaren een raadsel gebleven. Tot een geoloog van het Mount Holyoke College, een zekere Mark McMenamin, met een opzienbarende nieuwe theorie kwam. Met behulp van digitale computertechnieken maakte hij sterke uitvergrotingen van de symbolen, zoals ik nu ook doe.'

De tekens op het scherm werden groter en scherper.

'Die vormen komen me bekend voor,' zei Baltazar.

'Misschien wordt het zo duidelijker.' Naast de vormen op het beeld verschenen de vertrouwde omtrekken van de continenten.

Baltazar leunde naar voren. 'Ongelooflijk. Het zijn de werelddelen!'

'Dat was de conclusie die McMenamin trok. Als geoloog herkende hij de vormen van de landgebieden als zodanig. De rechthoekige vorm van het Iberisch schiereiland is als een schuin uitsteeksel van Europa herkenbaar, zoals het met Noord-Afrika de Middellandse Zee omsluit. Dat daar rechts is Azië. Die kleinere symbolen ten westen van Europa zouden de Britse Eilanden kunnen zijn. Noord-Amerika is het landgebied aan de linkerkant. Zuid-Amerika ontbreekt of is in het noordelijk continent opgenomen. De computeranalyses zijn op diverse manieren interpreteerbaar, maar als McMenamin het bij het rechte eind heeft, bevat deze hanger een indicatie van de omvang en het bereik van de Fenicische koloniën.'

'Krijg nou wat, een wereldkaart,' zei Baltazar grijnzend.

'En wat voor wereldkaart?! De gouden munten waar ik het over had, zijn rond 300 voor Christus geslagen. Het brons van dit beeld is zo'n drieduizend jaar oud en daarmee is dit de oudste wereldkaart die we ooit hebben gevonden. Belangrijker nog, dit is een aanwijzing dat er al in 900 voor Christus, want uit die tijd stamt dit beeld, reizen naar de Nieuwe Wereld werden gemaakt.'

Baltazar voelde het bloed in zijn aderen kolken.

'Ik zou Noord-Amerika wel eens van nog dichterbij willen zien,' zei hij.

De uitvergroting die op het scherm verscheen, had veel weg van een vlezige kandelaarcactus. Uit een brede stam staken twee dikke armen omhoog.

Baltazar snoof. 'U zult toch moeten toegeven dat er een flinke dosis verbeeldingskracht voor nodig is om in deze abstracte vlek het Noord-Amerikaanse continent te zien.'

'Misschien wordt het zo duidelijker,' zei Defoe. De omtrek van Noord-Amerika werd op het symbool geprojecteerd. 'De stam is het grote middendeel van het continent. Dat daar aan de linkerkant is Alaska en die uitstulping rechts is Newfoundland.'

'Is er ook iets van handelsroutes tussen het oostelijke en westelijke halfrond herkenbaar?'

'Niet specifiek. Maar dat is ook niet zo verwonderlijk gezien de Fenicische neiging alles zoveel mogelijk geheim te houden, plus het feit dat oceaanroutes werden uitgezet aan de hand van de sterrenstanden die eenvoudig te onthouden waren. Maar als we naar het kompas kijken dat de figuur in zijn hand heeft,' zei hij, terwijl hij op de afstandsbediening drukte, 'kunnen we de conclusie trekken dat er handelsroutes van het oosten naar het westen en van het westen naar het oosten bestonden. De positie van de figuur ten opzichte van de noordpunt van de kompasroos wijst erop dat hij naar het westen kijkt.'

'Naar de Amerika's,' zei Baltazar.

'Correct.'

'Kunt u er een landingsplaats uit opmaken?'

Defoe schudde zijn hoofd. 'Dit beeld is net zoiets als de wereldkaarten die je in de tijdschriften van de luchtvaartmaatschappijen ziet. Informatief, maar in geen enkel opzicht bruikbaar voor een piloot.'

'Die zou een veel gedetailleerdere kaart nodig hebben zodra hij in de buurt van land komt,' bracht Baltazar naar voren.

'Inderdaad. Op zee hadden ze weinig aan kaarten. En bij de kust gekomen hadden ze een afbeelding van die kust nodig met markante punten waarop de reizigers zich konden oriënteren. In de buurt van kusten zijn richtingen belangrijker dan afstanden.'

'Is er enig bewijs dat ze over kustafbeeldingen beschikten?'

Opnieuw schudde Defoe zijn hoofd. 'Ik heb niets gevonden wat op een voor de scheepvaart geschikte plaatsbepaling wees. Maar ik heb wel iets anders gevonden.'

Op het scherm verscheen een volgende afbeelding. 'Dit symbool staat meerdere malen op de sjaal waarmee de zeeman zijn kilt om zijn middel heeft gebonden.'

'Het heeft wel iets van een schip,' zei Baltazar. 'Een vrij grove weergave van een boeg en een achtersteven.'

'Dit symbool kwam me bekend voor. Ik herinnerde me dat ik het in een boek van Anthony Saxon had gezien. Hij is een amateurarcheoloog en ontdekkingsreiziger die een paar waanzinnige theorieën heeft uitgedacht.'

'Ik weet wie de heer Saxon is,' zei Baltazar op een toon waar de ijspegels vanaf dropen.

'Saxon is een onverbeterlijke showfiguur, maar hij weet wel waar hij het over heeft. Volgens hem is dit het symbool voor de schepen van Tarsis. Zowel op de Amerikaanse continenten als in het Midden-Oosten heeft hij er voorbeelden van gevonden, wat vervolgens op een band tussen beide regio's wijst.'

'Ik ben niet geïnteresseerd in de halfbakken theorieën die door dwazen worden verspreid,' zei Baltazar. 'Wat ik wil weten is of er iets aan dit beeld wijst op een landingsplaats in Noord-Amerika.'

'Het antwoord is ja en nee.'

Er verscheen een getergde blik in de ogen van Baltazar. 'Ik ben een drukbezet man, dr. Defoe. Ik betaal u vorstelijk voor uw expertise. Verdoe mijn tijd niet met raadseltjes alstublieft.'

Defoe was zich maar al te goed bewust van de dreiging die achter Baltazars ogenschijnlijk hoffelijke taalgebruik schuilging. 'Sorry,' zei hij. 'Ik zal u laten zien wat ik bedoel.' Hij drukte op de afstandsbediening, waarna op het scherm een vaag netwerk van kronkelende lijnen verscheen. 'Volgens ons is dit een topografische kaart.'

'Op welk deel van het beeld hebt u dit gevonden?'

De cameralens zoomde uit tot de kat die een deel van het voetstuk vormde zichtbaar was.

'Vertelt u mij nu dat de informatie waar ik naar op zoek ben op de zijkant van een kát geschreven staat?'

'Zo vergezocht is dat niet. In Egypte waren katten heilig en vooral in hun religieuze gebruiken hebben de Feniciërs veel van de Egyptenaren overgenomen.'

'En wat is er op de computervergroting te zien?'

'Dit ís de computervergroting.'

'Ik zie niks.'

'Beter kunnen we het niet laten zien. Het brons van het beeld is voor het grootste deel afgesleten, op een klein stukje na en dat ziet u hier. We zullen alles wat we gevonden hebben in het eindverslag opnemen, maar hoe je het ook wendt of keert, alle in het brons gegraveerde informatie is voorgoed verloren gegaan.'

'Daar moet ik me bij aansluiten,' zei dr. Gray. 'Er is geen enkele technologie op aarde waarmee je iets kunt reconstrueren wat er niet meer is.'

Wat hier niet is, kan ergens anders zijn, dacht Baltazar.

'Dat verloren-wasgietprocédé waar u het over had. Kun je daar een duplicaat van het beeld mee maken?'

'Dat hoeft geen probleem te zijn mits de beeldhouwer volgens het indirecte procédé te werk is gegaan, waarbij de was om een zeer fijn uitgehakte kern is gemodelleerd.'

Baltazar keek naar het nietszeggende beeld op het scherm en stond op uit zijn stoel. 'Dank u, heren. Mijn bediende zal u uitlaten.'

Nadat de twee mannen waren vertrokken, liep Baltazar rusteloos voor het beeld op en neer. Hij piekerde over hoeveel tijd en geld het in handen krijgen van dit nutteloze beeld hem wel niet had gekost. De bevroren glimlach leek hem te bespotten. Benoir had hem verteld dat Carina naar Turkije was gegaan om daar naar een replica van het beeld te zoeken. Hij had zijn mannen opdracht gegeven haar daarvan te weerhouden. Hij was niet iemand die ook maar iets aan het toeval overliet. Toch was hij er tegelijkertijd van overtuigd geweest dat het bezit van het oorspronkelijke beeld voor hem voldoende was.

Hij schrok uit zijn sombere gedachten op door het overgaan van zijn telefoon. Hij werd gebeld vanuit Istanbul. Hij luisterde naar het verslag van de mislukte aanval en gaf de beller te verstaan dat zijn opdracht onveranderd uitgevoerd moest worden, waarna hij de hoorn op de haak smeet.

Austin had meer levens dan een kat.

Kat.

Hij tuurde naar het bronzen dier aan de voet van het beeld. Langzaam ging zijn blik omhoog en daar zag hij in zijn verbeelding niet de beschadigde vormen van een oude Feniciër maar het gezicht van Austin.

Baltazar liep naar een goedendag die tussen ander dodelijk middeleeuws wapentuig aan de muur hing. Hij pakte de goedendag uit het rek en slingerde de met spijkers beslagen bol aan het einde van de ketting in de rondte. Vervolgens stapte hij tussen de camerastatieven, hief het gevest tot boven zijn schouders en gaf een krachtige slinger.

De bol zwiepte aan de ketting weg, raakte het beeld en ketste terug. De klap ging met het geluid van een valse gong gepaard. Ieder levend wezen dat een uithaal van dit moordwapen te verwerken kreeg, werd onverbiddelijk tot moes geslagen. In de borstkas van het beeld had de bol diepe putten geslagen, maar de serene glimlach op het gelaat was niet verdwenen.

Met een knetterende vloek gooide Baltazar de goedendag van zich af, liep met woedende passen het vertrek uit en knalde de deur achter zich dicht.

31

Paul en Gamay Trout liepen met haastige passen langs de toeristen die voor een rondleiding in de rij stonden, sloegen een zijstraat in en stevenden weg van de drukte rond de Independence Hall naar de bibliotheek van het Amerikaans Filosofisch Genootschap, een twee verdiepingen hoog stenen gebouw tegenover een rustig park.

Angela Worth zat op haar werkplek in een hoekje van een leeszaal. Ze keek op van haar werk en trok een wenkbrauw op. Het opvallende stel dat op haar bureau afkwam, zag er heel anders uit dan haar gebruikelijke bezoekers.

De minstens een meter negentig lange man was gekleed in een kakikleurige broek met een messcherpe vouw en een blauwgroene linnen blazer over een vaalgroen hemd. Een bijpassende vlinderdas sierde zijn hals. De lange vrouw aan zijn zijde leek als model voor triatlonkleding zo uit de *Vogue* gestapt. Haar olijfgroene zijden broekpak zat als gegoten om haar atletische lichaam en ze leek meer te zweven dan te lopen.

De vrouw bleef voor Angela's bureau staan en stak haar hand uit.

'Mevrouw Worth? Ik ben Gamay Morgan-Trout. Dit is mijn man Paul.' Ze glimlachte het spleetje tussen haar voortanden bloot dat absoluut geen afbreuk deed aan haar aantrekkelijkheid.

Angela besefte dat ze met open mond opkeek. Ze hervond haar waardigheid en stond op om handen te schudden.

'U bent van de NUMA. U hebt gisteren gebeld.'

'Klopt,' zei Paul. 'Bedankt dat u tijd voor ons heeft. Ik hoop dat het niet ongelegen komt.'

'Helemaal niet. Wat kan ik voor u doen?'

'We hebben begrepen dat u degene bent die het verloren gewaande manuscript van Jefferson heeft ontdekt,' zei Gamay.

'Dat klopt. Hoe weet u dat?'

'Het ministerie van Buitenlandse Zaken heeft nadat de NSA de tekst had ontcijferd contact met de NUMA opgenomen.'

Angela had geprobeerd haar vriend in het cryptografisch museum van de NSA te bereiken. Maar Deeg had niet op haar ingesproken bericht gereageerd.

'Zei u het ministerie van BZ?'

'Inderdaad,' antwoordde Gamay.

'Dat begrijp ik niet. Wat hebben zij daarmee te maken?'

'Hebt u enig idee wat er in de tekst stond?' vroeg Gamay.

'Ik heb geprobeerd het document te ontcijferen. Ik ben maar een amateur. Daarna heb ik het aan een kennis bij de NSA gegeven. Wat is ermee?'

Paul en Gamay wisselden een blik van verstandhouding.

'Kunnen we hier ergens rustig onder elkaar praten?' vroeg Gamay.

'Ja, natuurlijk. Daar is mijn kantoor.'

Angela's kantoor was klein maar keurig opgeruimd. Ze bood Paul en Gamay twee stoelen aan en zelf ging ze achter haar bureau zitten. Paul Trout opende een leren aktetas en haalde er een map uit. De map legde hij op het bureau.

'Dit is de enige kopie die we hebben, dus we zullen de inhoud even kort samenvatten,' zei Trout. 'Uit het document dat u hebt gevonden, blijkt dat Jefferson en Meriwether Lewis het er samen over eens waren dat er zo'n drieduizend jaar geleden een Fenicisch schip de Atlantische Oceaan is overgestoken en dat er een heilig, mogelijk Bijbels, relikwie mee naar Noord-Amerika is gebracht. Het ministerie van BZ is bang dat dit verhaal, of het waar is of niet, een ernstige verslechtering van de situatie in het Midden-Oosten ten gevolge kan hebben.'

Angela luisterde geboeid naar Paul en Gamay, die om beurten over de inhoud van het document vertelden. Haar hoofd gloeide. Haar tong leek tegen haar gehemelte gekleefd. Haar ogen waren glazig alsof ze in een shock verkeerde.

'Angela,' zei Gamay. 'Gaat het wel goed met je?'

Angela schraapte haar keel. 'Ja hoor, het gaat wel, geloof ik.' Ze vermande zich.

Gamay vervolgde haar verhaal. 'We beseften dat we op zijn hoogst kunnen proberen zo'n oude reis te reconstrueren. Wij kregen de indruk dat het Amerikaans Filosofisch Genootschap het raakvlak is van de verschillende aspecten van het verhaal. Jefferson was voorzitter van het genootschap. Lewis studeerde hier als voorbereiding op zijn grote expeditie. Een collega-lid vertelde Jefferson dat de woorden op het vellum Fenicisch waren. En ga zo maar door.'

'Dat verbaast me niets,' zei Angela. 'Hoewel de meeste mensen niet eens weten dat het bestaat, heeft het genootschap een enorme geschiedenis. Het is opgericht door Franklin. George Washington was lid, evenals John Adams, Alexander Hamilton, Thomas Paine, Benjamin Rush en John Marshall. Later volgden Thomas Edison, Robert Frost, George Marshall en Linus Pauling. Maar ook vrouwen. Margaret Mead. Elizabeth Agassiz. Onze bibliotheek bezit miljoenen documenten en geschriften, zoals het origineel van Newtons *Principia*, Franklins experimenten en Darwins *Origin of Species*. Het is echt adembenemend.'

'Die omvang van de collectie is voor ons zowel een zegen als een vloek,' zei Paul. 'We zijn op zoek naar een naald in een intellectuele hooiberg van werkelijk gigantische afmetingen.'

'Ons catalogiseringssysteem is van ongeëvenaard niveau. Zeg maar in welke richting ik moet zoeken.'

'Meriwether Lewis,' zei Gamay. 'Volgens het artisjokkendocument beschikte Lewis over belangrijke informatie die hij aan Jefferson wilde doorgeven.'

'Na ons telefoongesprek heb ik al het een en ander over Lewis opgezocht. Er bestaat een hoop onenigheid over zijn dood. Sommigen zeggen dat het zelfmoord was, maar volgens anderen was het moord.'

'Dat past goed bij de geheimzinnigheid waarmee ook het document van Jefferson omgeven is,' zei Paul. 'Waar beginnen we?'

Angela sloeg een map open. 'Al in zijn jeugd was Lewis een slimme, avontuurlijke en ondernemende jongen. Hij ging het leger in, was op zijn drieëntwintigste kapitein en was zevenentwintig toen hij privésecretaris van Jefferson werd. Jefferson vond Lewis doortastend, onverschrokken en intelligent. Drie jaar later koos Jefferson Lewis als leider van een van de belangrijkste expedities uit de geschiedenis. Als voorbereiding op die reis stuurde hij hem naar het Filosofisch Genootschap.'

'Alles wat Lewis moest weten, was hier te vinden?' vroeg Paul.

Angela knikte. 'De leden onderwezen hem in de plantkunde, astronomie, geografie en andere wetenschappen. Hij was een goede leerling. De expeditie werd een geweldig succes.'

'Wat gebeurde er na de expeditie met hem?' vroeg Gamay.

'Hij deed iets wat waarschijnlijk de grootste fout van zijn leven is geweest. In 1807 accepteerde hij een aanstelling als gouverneur van het Louisiana-territorium.'

'Fout?' vroeg Paul. 'Ik zou juist denken dat hij voor die baan geschapen was.'

'Lewis was beter geschikt voor trektochten door de wildernis. St.

Louis was een afgelegen grenspost vol losgeslagen lieden, bedriegers en gelukszoekers. Hij had te maken met intriges, vetes en samenzweringen. Hij werd dwarsgezeten door zijn assistent. Maar tot zijn dood heeft hij het toch nog tweeënhalf jaar als gouverneur volgehouden.'

'Niet slecht, gezien de problemen waar hij zich mee geconfronteerd zag,' zei Paul.

'Het was zittend en plaatsgebonden werk,' zei Angela. 'Maar uit verschillende verslagen blijkt dat hij het niet slecht deed.'

'Wat was de aanleiding voor zijn besluit om naar Washington te gaan?' vroeg Gamay.

'Lewis had een Mandan-opperhoofd gerepatrieerd. Er was sprake van een budgetoverschrijding van vijfhonderd dollar en de federale regering wees zijn vordering af. Er gingen geruchten over onregelmatigheden bij landverkopen. Lewis zei dat hij in financiële problemen verkeerde en naar Washington terug moest om zijn goede naam te zuiveren. Ook had hij belangrijke documenten die hij daar moest afleveren.'

'Vertel eens iets meer over de reis die met zijn dood eindigde,' zei Gamay.

'Het hele gebeuren zit vol tegenstrijdigheden en dingen die niet kloppen,' zei Angela.

'In welk opzicht?' vroeg Gamay.

Angela schoof een map over het bureau. 'Lewis vertrekt eind augustus 1809 uit St. Louis. Hij vaart de Mississippi af en komt op 15 september in Fort Pickering, Tennessee, aan. Lewis is uitgeput door de hitte en heeft mogelijk een lichte malaria-aanval. Het gerucht gaat dat hij tijdens die reis buiten zinnen raakte en een zelfmoordpoging deed. Volgens andere geruchten was hij gedurende de hele reis met een stel oude legervrienden zwaar aan de drank. Dat is merkwaardig, want hij had helemaal geen legervrienden in dat fort.'

'Is er iets waar van die geruchten?' vroeg Gamay.

'Het zijn verhalen uit de tweede hand. In het fort schreef Lewis een brief aan president Madison waaruit blijkt dat hij behoorlijk helder in het hoofd was. Hij vertelt Madison dat hij doodop was, maar dat hij zich nu veel beter voelt. En dat hij van plan is zijn reis over land via Tennessee en Virginia te vervolgen. Hij zegt dat hij de originele documenten van zijn expeditie naar de Grote Oceaan bij zich heeft en dat hij niet wil dat die in handen van de Britten vallen, van wie verwacht werd dat ze hun de oorlog zouden verklaren.'

'Wat gebeurde er toen?' vroeg Paul.

'Twee weken na zijn aankomst in het fort,' vervolgde Angela, 'ging

Lewis weer op pad. Hij had twee hutkoffers bij zich met onder andere zijn verslagen van de expeditie naar de Grote Oceaan, een dossier, notitieboek en documenten van zowel persoonlijke als publieke aard. De expeditiejournaals waren samengebracht in zestien, in rood Marokkaans leer gebonden opschrijfboeken.'

'Dat moet een hele hijs zijn geweest om al die spullen over land met zich mee te sjouwen,' zei Paul.

'Vrijwel onmogelijk. Daarom accepteerde hij het paard dat hem werd aangeboden door James Neelly, een indiaan en voormalige woordvoerder van de Chickasaw-stam. Op 29 september vertrokken ze uit het fort: Lewis, zijn bediende Pernia, een slaaf en Neelly.'

'Nou niet bepaald het escorte dat je bij een territoriaal gouverneur verwacht,' merkte Gamay op.

'Ik begrijp dat ook niet zo goed,' zei Angela. 'Vooral niet in het licht van de legende over een geheimzinnige goudmijn van Lewis.'

'We komen in de buurt,' zei Paul. 'Vertel eens wat meer over die mijn?'

'Er wordt beweerd dat Lewis op zijn expeditie naar de Grote Oceaan een goudmijn heeft ontdekt. Dat heeft hij aan een paar vrienden verteld en hij zou de gegevens van die mijn hebben opgeschreven opdat het land, in het geval hij zou sterven, er toch nog baat van kon hebben. Ik weet zeker dat het verhaal over die goudmijn algemeen bekend was. En ook wist iedereen langs de route die hij volgde dat hij onderweg was.'

'Dus Lewis was wel degelijk in gevaar,' concludeerde Gamay.

'Iedere bandiet langs de route wist van die plattegrond en dacht erover na hoe hij die van Lewis te pakken kon krijgen,' bevestigde Angela.

'Was Lewis zich bewust van het gevaar dat hij liep?' vroeg Gamay.

'Lewis kende de risico's van reizen door de wildernis. Hij had heel wat gevaren overleefd en heeft waarschijnlijk gedacht dat hij het wel aankon.'

'Of,' benadrukte Gamay, 'hij wilde zo graag snel in Washington zijn dat hij de risico's op de koop toe nam.'

'Misschien zat het gevaar hem veel dichter op de huid dan hij vermoedde,' zei Paul. 'Neelly!'

'Er zijn meer tegenstrijdigheden,' zei Angela. 'Neelly zei later dat Lewis ze niet allemaal meer op een rijtje had, maar het gezelschap had in drie dagen tweehonderdveertig kilometer afgelegd.'

'Dat is een stevig resultaat voor iemand die krankzinnig zou zijn,' merkte Paul op.

Angela knikte instemmend.

'De commandant van Fort Pickering reageerde geschokt op verslagen dat Neelly Lewis tot buitensporig drinken had aangezet. Ook de Spaanse bediende Pernia stimuleerde het drankgebruik van Lewis. Vervolgens raakte Neelly twee paarden kwijt en zei dat Lewis met de twee bedienden verder moest gaan, terwijl hij naar de dieren op zoek ging.'

Gamay schoot in de lach. 'Als Lewis krankzinnig was, dan laat je hem toch niet alleen met de bedienden vooruit gaan?'

'Goeie vraag,' zei Angela. 'Maar het gebeurde wel en Lewis vertrok met Pernia en zijn slaaf naar Grinder's Stand.'

'Dat Grinder's Stand klinkt als de naam van een oord waar ze megaburgers verkopen,' zei Paul.

'Met een broodjeszaak was Lewis inderdaad een stuk beter af geweest,' vervolgde Angela. 'Grinder's Stand bestond uit twee hutten. Mevrouw Grinder woonde daar met haar kinderen en een stel slaven. Haar man was van huis. Lewis sliep in een van de hutten en zijn bedienden in de stal. Mevrouw Grinder verklaarde later dat ze om een uur of drie 's nachts twee pistoolschoten hoorde… en dat Lewis zichzelf in zijn hoofd en zijn borst had geschoten. Dodelijk gewond klopte hij bij haar hut aan, vroeg om een slok water, riep om hulp en stierf een paar uur later. Neelly dook de volgende dag op.'

'Dat kwam goed uit,' zei Gamay.

'Bijzonder goed! Hij sprak met mevrouw Grinder en de bedienden, en een week later schreef hij aan Jefferson dat Lewis uit frustratie over zijn problemen met de regering zelfmoord had gepleegd.'

'Als iedereen zo dacht, had de halve bevolking zich over de kling gejaagd. Dit klinkt verdacht,' zei Paul.

'Dat ís het ook. Lewis had zijn hele leven vuurwapens bij zich gehad. Maar toen hij zich voor z'n kop probeerde te schieten, was het een schampschot,' zei Angela. 'Vervolgens nam hij een vuursteengeweer met lange loop om zichzelf in zijn borst te schieten.'

'Klinkt eerder alsof iemand hem in die donkere hut overhoop heeft geschoten,' zei Paul. 'Wat weten we over die Neelly?'

'Neelly was na problemen met de Chickasaws ontslagen als onderhandelaar voor de indianen. Volgens de commandant van Fort Pickering was hij een leugenaar en dief. Neelly beweerde dat hij Lewis geld had geleend, terwijl Lewis honderdtwintig dollar in contanten bij zich had, die na zijn dood waren verdwenen. Ook beweerde Neelly dat de pistolen van Lewis in feite van hem waren.'

'En die Pernia?' vroeg Gamay.

'Pernia was een Spanjaard of een Fransman. Hij dook op uit het niets als reisgezelschap voor Lewis. Later heeft Neelly hem met de paarden van Lewis naar Jefferson gestuurd. Hij zei dat hij de hutkoffers later naar de familie zou sturen, wat hij kennelijk ook heeft gedaan. Pernia heeft de moeder van Lewis bezocht, maar zij dacht dat hij iets met de dood van haar zoon te maken had.'

'Is er ooit iets van een onderzoek naar gedaan?'

'Mevrouw Grinder was de enige ooggetuige en zij heeft daarna drie verschillende versies van het gebeuren verteld. Buren vermoedden dat haar man er iets mee te maken had, maar toen Jefferson verklaarde dat het zelfmoord was, heeft men het daar verder bij gelaten.'

'Zei u niet dat Jeffersons conclusie volledig op het verslag van Neelly was gebaseerd?' vroeg Paul.

'Dat is juist zo raar. Jefferson heeft publiekelijk verklaard dat Lewis in zijn jeugd een hypochonder was, maar Jefferson kende hem toen niet. Hij zei dat Lewis aan depressies leed, maar hij liet hem wel de expeditie naar de Grote Oceaan leiden. Hij zei dat die depressies terugkwamen toen Lewis gouverneur werd, maar daar is geen enkel bewijs van. Afgaand op uitlatingen van derden concludeerde hij dat Lewis krankzinnig was tijdens zijn verblijf in Grinder's Stand. Dat komt absoluut niet overeen met de bedachtzame aard die we normaal gesproken van Jefferson kennen.'

'Ik heb een geheel eigen theorie,' zei Paul. 'Jefferson heeft die zelfmoord als een dekmantel gebruikt. Hij weet dat het moord is geweest, maar daar kan hij niets aan veranderen. Wel wil hij per se de documenten die Lewis voor hem had.'

'Goed mogelijk. Jaren later heeft Jefferson gezegd dat Lewis was vermoord. Er is nog een heel ander verhaal over de jonge slaaf. Toen hij overleed was hij bijna vijfennegentig en op zijn sterfbed heeft hij gezegd dat het moord was, maar hij heeft geen namen genoemd.'

Paul kwam met een korte samenvatting. 'Dus er zijn drie mogelijke moordenaars: Neelly, Grinder en Pernia. Of alle drie samen. Pernia is de hoofdverdachte. Hij had een motief: Lewis had hem geld geleend. En de gelegenheid om het te doen. Er is nog een andere mogelijkheid. Een van hen deed het, wellicht in samenwerking met de anderen, in opdracht van iemand anders.'

'Lewis was met iets belangrijks op weg naar Monticello,' zei Gamay. 'We gaan ervan uit dat Lewis werd vermoord om te verhinderen dat hij zijn missie volbracht. Laten we ons concentreren op wat er met de documenten is gebeurd die Lewis naar Jefferson wilde brengen.'

'Als Lewis wist dat hij in gevaar verkeerde,' zei Paul, 'had hij die documenten niet zelf meegenomen.'

'Je hebt het, dat is het!' zei Gamay.

'Dank je, maar wat heb ik dan precies?'

'Lewis gaf de documenten aan een ander mee. Wie is degene van wie je het minst verwacht dat hij iets waardevols bij zich heeft?'

Angela schoot in de lach. 'De slavenjongen.'

'Verrekt, wat ben ik goed, zeg,' zei Paul. 'De slaaf heeft Pernia geholpen bij het transport van de koffers naar Monticello. Daardoor was hij in de gelegenheid de spullen aan Jefferson te geven.'

'Wat zijn dat voor verhalen over slaven en Monticello?'

Helen Woolsey, de cheffin van Angela, had het druk pratende gezelschap in Angela's kantoor zien zitten. Met een starre glimlach om haar lippen stond ze in de deuropening.

Angela sprong meteen op. 'O, hoi, Helen. We hebben het over het feit dat Jefferson slaven had, terwijl hij toch altijd zei dat alle mensen gelijk zijn.'

'Interessant. Stel je me niet aan je vrienden voor?'

'Sorry. Dit zijn Paul en Gamay Trout. Dit is mijn baas, Helen Woolsey.'

Ze gaven elkaar een hand. Woolsey wierp een blik op het bureau en de map die door het opschrift duidelijk als het dossier over Jefferson herkenbaar was. 'Is dat hetzelfde materiaal dat je mij laatst ook heb gegeven, Angela?'

Snel trok Gamay de map naar zich toe en legde hem op haar schoot met haar handen er bovenop. 'Deze map is van ons,' zei ze. 'Angela heeft ons goed geholpen met wat achtergrondinformatie over Meriwether Lewis.'

'Gamay en ik zijn van de NUMA,' zei Paul. Een halve waarheid leek hem nu beter dan een hele leugen. 'We werken momenteel aan een historisch onderzoek naar het belang van de Grote Oceaan voor de Verenigde Staten. Het leek ons verstandig om met Lewis te beginnen, want hij heeft tenslotte de eerste expeditie geleid die tot aan de oceaan ging.'

'Dan bent u hier op het juiste adres,' zei Woolsey.

'Angela is ons uitstekend van dienst geweest,' zei Gamay.

Woolsey zei dat ze het moesten laten weten wanneer zij nog iets voor hen kon doen.

Gamay keek haar na terwijl ze door de leeszaal liep. 'Kouwe kikker,' zei ze.

Angela schoot in de lach. 'Ik noem haar juffrouw Wijsneus, maar uw naam bevalt me beter.' Er verscheen een serieuze trek op haar gezicht. 'Er is iets met haar. Een paar dagen geleden heb ik haar een kopie van het document van Jefferson gegeven. Ze zei dat ze de directie zou inlichten, maar voor zover ik weet heeft ze er niets mee gedaan.'

'Ze had dit dossier over Jefferson meteen in de smiezen.' Gamay klopte op de map.

Angela zocht het materiaal over Lewis bij elkaar. 'Ik ga dat slavenverhaal uitzoeken. Kunt u over een paar uur terugkomen, als juf Wijsneus hier niet meer rondsnuffelt?'

'Heel graag,' antwoordde Paul.

Angela keek hen na. Ze had een hoop nieuwe energie opgedaan. Ze borg de map over Lewis in een bureaula op en concentreerde zich op een paar routinekarweitjes tot Woolsey weer in de leeszaal verscheen, overduidelijk om te zien of Paul en Gamay Trout er nog waren. Toen ze weer weg was, pakte Angela haar computer.

Met een paar roffels op het toetsenbord draaide ze de klok terug naar 1809.

32

Zavala beëindigde zijn uitvoerige inspectie van de Subvette en stapte met een brede glimlach op zijn gezicht terug op de aanhanger. Austin interpreteerde die montere gelaatsuitdrukking als een goed teken. Tijdens de terugreis naar de verlaten werf had Zavala zijn best gedaan niets te laten merken, maar de bedroefde blik in zijn ogen over de schade aan zijn creatie had hij niet kunnen verbergen.

'Ze is zo sterk als een tank,' zei hij, 'dus het chassis is nog volledig intact en het voortstuwingsmechanisme is ook prima in orde, maar de lampen zijn stuk en er zijn een paar sensoren beschadigd. Ze is voorlopig uit de running en ik neem haar mee terug naar de States.'

Austin legde zijn hand op Zavala's schouder. 'Het was voor een goed doel. Anders waren we nu hartstikke dood geweest. Je kunt te allen tijde een nieuwe maken en deze aan het Cussler Automobielmuseum schenken. Kijk eens aan, daar is je lift.'

Er draaide een trekker het terrein van de werf op. Austin had Mustafa gevraagd een robuuster exemplaar dan die kippenwagen van Achmed op te trommelen voor het transport van de aanhanger met de duikboot naar het vliegveld. Na een paar telefoontjes had de kapitein iemand gevonden die het op zich wilde nemen. Terwijl de aanhanger aan de trekker werd gekoppeld, bedankte Austin Mustafa nogmaals voor al zijn hulp. Zavala reed met de trekker mee, waarna Austin en Carina in de huurauto stapten en de aanhanger over de kustweg naar het vliegveld van Dalyan volgden.

Austin en Carina liftten mee met Zavala in het vrachtvliegtuig naar Istanbul. Op het vliegveld scheidden hun wegen. Zavala wilde doorwerken aan de voorbereidingen voor het transport van de duikboot terug naar huis en zou in de buurt van het vliegveld overnachten. Austin en Carina gingen terug naar het hotel waar ze hun eerste nacht in Istanbul hadden doorgebracht. Ditmaal deelden ze een kamer.

De volgende morgen nam Austin een taxi naar de opgraving aan de Bosporus en liep naar een houten loopbrug die speciaal voor de kruiwagens was aangelegd. Hij werkte zich langs de honderden arbeiders die met spades en houwelen op de drooggelegde zeebodem inhakten.

Hanley zat op de hard geworden modder gehurkt een paar scherven aardewerk te bestuderen. De archeoloog kwam overeind en stak een bemodderde hand uit.

'Goed dat ik je zie, Kurt. Heb je zin om weer wat in deze heerlijke oude Marmara-drek te graaien?'

'Dat hou ik nog even van je tegoed,' antwoordde Austin. Hij bekeek de bedrijvigheid om hen heen. 'Zo te zien zit er aardig vaart in.'

Hanleys gezicht liep rood aan van enthousiasme. 'Dit is de meest fantastische opgraving waar ik ooit aan heb meegewerkt.'

'Dan hoop ik dat je toch nog de tijd hebt om iets voor me te doen,' zei Kurt.

'Ik sta bij jou en de jonge dame nog in het krijt voor het vrijwilligerswerk dat jullie hebben gedaan. Waar is Carina trouwens?'

'Die is zich aan het opfrissen. We gaan samen lunchen.'

'Doe haar mijn hartelijke groeten. Maar goed, wat kan ik voor je doen?'

Austin diepte uit de canvas tas die hij van kapitein Mustafa had geleend de latex mallen van de tweede *Navigator* op. 'Kun je hier gipsen afdrukken van maken?'

Hanley hield een van de mallen schuin omhoog om het reliëf te bekijken. 'Geen probleem. Het duurt een paar uur voordat dat spul droog is.'

'Dan halen we ze na de lunch op.'

Hanley nam de zak met de mallen van Austin over. 'Waar is Joe?'

'Hij verpleegt zijn duikboot. Die heeft bij een duik wat klappen opgelopen en is voor jou waarschijnlijk niet meer inzetbaar.'

'Dat is niet zo fijn om te horen,' zei Hanley. 'Voor een verkenning van de directe omgeving van de opgraving hadden we hem heel goed kunnen gebruiken, maar zoals je ziet, ligt het grootste deel op het droge.'

Nadat Austin nog eens had benadrukt dat hij na de lunch terug zou komen, riep hij een taxi aan en vroeg de chauffeur hem naar het Topkapi Paleis te brengen. Een ingewikkeld web van gebouwen, binnenplaatsen, paviljoens en parken domineert Seraglio Punt, een heuvelachtige landtong op de plek waar de Gouden Hoorn, de Zee van Marmara en de Bosporus bij elkaar komen. Vierhonderd jaar lang, in de machtigste tijden van het Ottomaanse Rijk, hadden de Ottomaanse sultans en hun hofhouding in het Topkapi geleefd.

Het paleis was nu één groot museum. Austin wandelde door de Keizerlijke Poort met de twee karakteristieke torens en kwam in een schaduwrijk park met loofbomen vol rondslenterende toeristen uit alle delen van de wereld. Hij passeerde de schatkamer, waarin een fortuin aan kostbare juwelen werd bewaard, en liep door naar het gebouw waarin het Konyali-restaurant was gevestigd.

Carina zat aan een tafeltje op de binnenplaats en staarde over het in de zon glinsterende water. Ze had haar vrijetijdskleding die ze aan de Turkooizen Kust had gedragen verwisseld voor een lange hemdjurk van een grove roodbruine stof die schitterend bij de geelbruine tint van haar gezicht kleurde. Austin droeg een geelbruine lange broek en had zijn favoriete wilde Hawaïaanse bloemenweelde verruild voor een minder opvallend donkergroen polohemd.

Hij trok een stoel bij het tafeltje. 'Die sultans hadden dondersgoed door wat bij onroerend goed het belangrijkste is. De ligging, de ligging en nogmaals de ligging.'

Ze begroette hem met een betoverende glimlach. 'Het is echt spectaculair!'

'De prijzen zijn exorbitant en het eten is allesbehalve eersteklas. Daarbij is het zelfbediening. Maar het uitzicht is het mooiste van heel Istanbul. En met de salades en de kebabs is niks mis hier.'

Austin bood aan de consumpties te gaan halen. Hij kwam terug met twee verse groene salades en twee grote glazen citroenlimonade.

Carina nam een voorzichtig hapje van de sla. 'Je hebt dit perfect uitgekozen. Zijn er nog plekken waar je níet bent geweest?'

'Ik moet veel reizen voor mijn werk.'

'Wat doe je nu eigenlijk precies voor werk?'

'Zoals ik al eerder zei, ik ben technisch ingenieur.'

Ze trok een fijn getekende wenkbrauw op. 'De NUMA geniet wereldfaam op het gebied van zeeonderzoek. Maar jij en Joe zijn het grootste deel van jullie tijd bezig met vechten tegen boeven en het redden van in nood verkerende dames, waar ik je heel dankbaar voor ben.'

'Geen dank,' zei Austin. 'Ik ben ook leider van de Speciale Eenheid van de NUMA. Die bestaat uit Joe en nog twee anderen. We onderzoeken mysterieuze kwesties op, onder en boven de zee die niet zo een-twee-drie in het normale plaatje passen.'

'En hoe verhoudt zich dit mysterie tot wat je in het verleden hebt meegemaakt?'

Austin staarde naar de vrachtschepen die in de verte een lange rij vormden.

'Objectief bezien zou ik zeggen dat het hier om een kwestie gaat waarbij iemand iets wil en bereid is om alles en iedereen die hem daarbij hindert, uit de weg te ruimen. Subjectief gezien vrees ik dat het nog veel dieper gaat.'

'Wat bedoel je daarmee?'

'Als je veel onder water bent, krijg je daar een zesde zintuig voor. En dat zegt me dat hier meer achter steekt dan we zien. Achter dat agressieve geweld loert een groter onheil.'

'Alsof het allemaal nog niet bizar genoeg is,' zei ze met een zenuwachtig lachje. 'Wat gaan we nu doen?'

'Eet lekker je lunch en geniet van het uitzicht en de zon, dan gaan we straks de gipsen afgietsels die Hanley voor ons heeft gemaakt bekijken.'

'Denk je dat we daar nog iets aan hebben?'

'Dat hoop ik. Er is iemand die niet wilde dat we dat tweede beeld zouden vinden. Ik denk dat we hier verder in Turkije wel klaar zijn. Het vliegtuig van de NUMA gaat morgen terug naar de States. Thuis kunnen we de koppen weer bij elkaar steken. Ik wil me wat meer in die hele zaak rond Baltazar verdiepen.'

'En ik moet van de stukken voor de tournee nog een toonbare expositie maken. Kurt,' zei ze op fluistertoon. 'Niet omdraaien. Volgens mij zit een van de mannen die ons op de boot hebben aangevallen daar aan een tafeltje.'

'Nu moet je niet paranoia worden.'

Hij stond op en ging achter Carina staan. Hij legde strelend zijn handen op haar achterhoofd en wierp daarbij een onopvallende blik op de overige tafeltjes. Een alleen zittende man zag dat Austin zijn kant op keek en tilde zijn krant iets op alsof hij zat te lezen.

'Je hebt gelijk. Ik ga kijken wat hij in zijn schild voert.'

Carina keek geschrokken toe hoe Austin naar het tafeltje slenterde. Hij stak zijn hoofd over de rand van de krant en keek de man recht in het gezicht. 'Kiekeboe!'

De man liet de krant zakken en door zijn samengeperste lippen klonk een grom.

'We hebben elkaar nu vaak genoeg gezien,' zei Austin. 'Maar uw naam ken ik nog niet.'

'De naam is Buck. Maar die zult u niet lang hoeven te onthouden. U bent zo goed als dood, Austin.'

'Hoe bent u uit dat bos weggekomen?'

'Kwestie van hulptroepen oproepen.'

Austin mat het potige lichaam met het kortgeknipte militaire kapsel. 'Amerikaans accent. Green Beret of Delta Force?'

'Geen van beide, flapdrol. Navy SEAL's,' zei hij met een trotse glimlach.

'Dat verklaart waarom je zo goed kon zwemmen. De SEAL's zijn een fantastisch team. Waarom hebben ze je eruit gegooid?'

Met die gok had Austin een gevoelige snaar geraakt, want zijn glimlach was op slag verdwenen.

'Onnodig gebruik van geweld.'

'Voor wie werk je nu?' vroeg Austin.

'Voor iemand die jou dood wil hebben.'

'Sorry dat ik je werkgever daarin niet tegemoet kan komen.'

De man grinnikte minachtend. 'Ze gunnen je een langzame marteldood, maar ik zal het snel doen. Dat ben ik je schuldig. Omdat jij Ridley hebt gedood, ben ik nu de leider van de groep. Kijk maar om je heen.'

Austin speurde het terrasrestaurant af. Hij ontdekte ook de andere twee die hij naar de kust had zien zwemmen. De ene leunde verveeld tegen een muur en de andere zat aan een tafeltje. Ze keken naar Austin met een blik of ze hem rauw lustten.

'Ik zie dat je de overige leden van de Turkse zwemploeg hebt meegenomen.'

'Ga rustig met ons mee. Dan is het wat minder erg voor de dame.'

'Dood je haar ook snel en geruisloos?'

Buck schudde zijn hoofd. 'Met haar heeft mijn werkgever andere plannen.'

'Leuk je even gesproken te hebben, Buck. Maar dan ga ik mevrouw Mechadi nu eerst van de hopeloosheid van onze situatie op de hoogte brengen.'

Austin kuierde terug naar het tafeltje waaraan Carina met een van angst vertrokken gezicht zat te wachten.

'Dat had je goed gezien,' zei hij. 'Ze zijn met z'n drieën. Mij willen ze uit de weg ruimen, maar jou willen ze levend.'

'Mijn god! Wat moeten we nu?'

'Ze zullen nu nog niets doen. Hier is het te druk. Laten we wat gaan wandelen.'

Austin leidde Carina in de richting van de toegangspoort van het paleisterrein. Hun achtervolgers hielden een meter of dertig afstand. Hij pijnigde zijn geheugen in een poging zich de plattegrond van het enorme terrein voor de geest te halen op zoek naar een schuilplek waar ze tijdelijk veilig zouden zijn.

Hij kreeg een idee. Het bood geen volledige ontsnapping, maar ze zouden er wel kostbare tijd door kunnen winnen.

Carina zag het flauwe glimlachje om Austins lippen en vroeg zich af of haar vriend nog wel goed snik was.

'Wat denk je?' vroeg ze bezorgd.

'Geen tijd voor vragen nu. Doe precies wat ik zeg.'

Carina was een onafhankelijke vrouw die gepikeerd reageerde op iedereen die haar de les voorschreef, maar Austin scheen over een gave te beschikken waarmee hij zich steeds weer uit de meest netelige situaties wist te redden. Ze voelde een zachte druk van hem op haar arm en versnelde haar pas om hem bij te houden.

Austin leidde haar door de met fototoestellen zwaaiende mensenmenigte die zich op de binnenplaats voor de schatkamer verdrong. Ze glipten om de hoek van een fraai vrijstaand marmeren gebouw, waarin ooit de bibliotheek van de sultan gehuisvest was, en zetten het op een rennen. Ze holden door de rijkelijk versierde Poort van Geluk naar een volgende enorme binnenplaats. Austin leidde haar naar rechts, snelde door een open vertrek waar de viziers van de sultan vroeger bijeenkwamen, en hield zijn ogen strak op een lange zuilenrij en de kaartjescontrole bij de ingang van de harem gericht.

Ze hadden geluk! De controleur die normaal altijd bij de ingang stond, was voor het roken van een sigaret weg gewandeld.

Zonder ook maar even in te houden duwde Austin Carina door het onbewaakte poortje naar een deur. Die bleek niet op slot. Austin trok hem open, duwde Carina naar binnen en stapte achter haar door de portiek de harem van de sultan in. Hij sloot de deur achter zich.

'Wat nu?' vroeg Carina. Ze was buiten adem van deze laatste snelle actie. Austins wond speelde op en hij drukte zijn hand op zijn ribben.

'Dat laat ik je weten zodra ik iets verzonnen heb,' zei hij.

33

Ten tijde van het Ottomaanse Rijk, toen de Topkapi-harem met honderden gesluierde schoonheden was bevolkt, zou een ongenode binnenkomst onmiddellijk door een van de Afrikaanse eunuchen die de harem bewaakten, met een paar halen van een messcherp kromzwaard zijn afgestraft.

Toen Austin en Carina een lange smalle binnenplaats opliepen, onderbrak een knappe jonge gids zijn woordenstroom en keek hen met een ijzige blik aan.

'Ja?' vroeg hij.

Austin beantwoordde zijn blik met de meest onnozele Stan Laurelgrijns die hij in huis had. 'Sorry dat we te laat zijn.'

De gids fronste zijn voorhoofd. De rondleidingen door de harem verliepen volgens een strikt tijdsschema. Van de kaartjesverkoop had niemand hem verwittigd dat er nog twee zouden bijkomen. Hij pakte zijn mobilofoon om een bewaker op te roepen.

Carina stapte naar voren en keek hem met een verleidelijke glimlach aan. Ze frommelde in haar portefeuille en trok een biljet van honderd lira tevoorschijn. 'De fooi, geven we die nu meteen of achteraf?'

De gids glimlachte en klemde de mobilofoon weer aan zijn riem. 'Gewoonlijk worden de fooien aan het einde van de rondleiding gegeven, maar alleen als u tevreden bent.'

'Daar twijfel ik niet aan,' zei Carina met haar lange wimpers knipperend.

De gids schraapte zijn keel en wendde zich weer tot de gemengde groep van zo'n vijfentwintig Turken en een bonte collectie buitenlanders die om hem heen stond.

'Op een bepaald moment werd de harem door ruim duizend concubines, slaven, vrouwen van de sultan en de moeder van de sultan bevolkt.

De harem was een kleine stad met meer dan vierhonderd vertrekken. Links zijn de verblijven van de Zwarte Eunuchen en de hoofdeunuch, die de harem bewaakten. De andere deuren geven toegang tot de verblijven van de keizerlijke schatmeester en de kamerheer. Als u door die deur gaat, kunt u een blik op de onderkomens van de eunuchen werpen,' zei de gids.

Hij herhaalde het verhaal in het Turks en ging de groep als de Rattenvanger van Hamelen voor naar de slaapvertrekken van de bewakers.

Austin hield Carina tegen tot ze alleen in de binnenplaats waren achtergebleven. Met zijn blauwgroene ogen speurde hij de deuren af op zoek naar een mogelijke vluchtroute. Hij probeerde een klink. De deur zat niet op slot. Hij hoopte zijn achtervolgers in het uitgestrekte labyrint van vertrekken en binnenplaatsen te kunnen afschudden.

'Kurt!' zei Carina.

De Koetspoort zwaaide open. Het was Buck die met zijn hardvochtig ogende vrienden de binnenplaats opliep en zijn mannen gebaarde zich te verspreiden. Met z'n drieën zij aan zij kwamen ze op hun prooi af.

Vanuit de woonvertrekken van de eunuchen kwamen de gids en zijn groep de binnenplaats weer opgelopen en vormden een menselijke barrière van druk fotograferende toeristen. Austin en Carina mengden zich in de groep en liepen met hen door een deur in een voorportaal aan het verre uiteinde van de binnenplaats.

Austin keek over zijn schouder. Buck en zijn mannen baanden zich een weg door de groep.

'Wat doen we?' fluisterde Carina.

'Volg voorlopig de rondleiding tot ik zeg: rennen!'

'En waar ren ik dan heen?'

'Daar wordt aan gewerkt,' antwoordde Austin.

Carina mompelde in het Italiaans. Dat ze vloekte, begreep Austin ook zonder tolk. Voor hem was haar woede een goed teken dat ze nog niet helemaal aan wanhoop ten prooi was.

De gids ging de groep voor naar een vierkant gewelfd vertrek. Om de paar minuten bleef hij staan en vertelde zijn verhaal in het Turks en het Engels. De gids liet zien waar de concubines huisden, waar de kinderen van de haremvrouwen naar school gingen en waar het eten voor de bewoners van het enorme complex werd bereid.

Austin keek verlangend naar de deuren en gangen in de hoop dat ze een mogelijke vluchtroute boden. Maar er was geen denken aan dat hij en Carina ongemerkt uit de groep konden wegglippen. Bij ieder oponthoud drongen Buck en zijn vriendjes dichterbij.

Austin verplaatste zich in de positie van zijn achtervolgers. De drie mannen zouden zich aan hem opdringen en hem van de groep afscheiden. Twee van hen zouden hem met hun messen afmaken en de derde zou Carina grijpen.

Buck en zijn boeven waren alle drie voormalige commando's. Vechten met een mes en geruisloos moorden was onderdeel van hun opleiding geweest. Ze zouden een hand op zijn mond drukken om te verhinderen dat hij alarm sloeg. Dan een flitsende messteek tussen zijn ribben. Tegen de tijd dat de omstanders beseften dat er een moord was gepleegd, had Austin zijn laatste adem al uitgeblazen. In de daaropvolgende commotie zouden Buck en zijn mannen er ongezien tussenuit knijpen.

Als hij nog iets wilde ondernemen, dan moest het nu snel gebeuren.

De groep betrad een grote, met tapijten beklede ruimte. De muren waren met zeventiende-eeuwse blauwwitte tegels versierd. Op een podium stond onder een op vier zuilen rustend verguld baldakijn een met goudbrokaat beklede bank. In de decoraties aan de muren waren zowel barok- als rococo-invloeden herkenbaar. Door het gebrandschilderde glas in de ramen langs de bovenrand van de koepelvormige ruimte viel gefilterd daglicht.

De gids vertelde dat ze zich in de troonzaal bevonden, ofwel de keizerlijke salon. Aan de andere kant van de ruimte stond nog een podium, waarop de concubines, haremvrouwen en de moeder van de sultan het afhandelen van staatzaken bijwoonden of zich met muziek en dans vermaakten.

De groep begon zich te verspreiden, waardoor de menselijke buffer oploste die Austin en Carina hadden benut om Buck en zijn mannen van zich af te houden. Even later zag Austin dat er zich nog maar een paar toeristen tussen hen en de drie mannen bevonden.

Nu of nooit.

Austin fluisterde Carina in dat ze het spelletje mee moest spelen. Hij nam haar bij de hand en stapte op de gids af.

'Zouden we van de rondleiding weg kunnen?' vroeg Austin. 'Mijn vrouw voelt zich niet goed. Ze is zwanger.'

De gids wierp een blik op Carina's slanke lichaam. 'Zwanger?'

'Ja,' zei Carina met een timide lachje. 'Pas een paar maanden.'

Carina spreidde haar vingers op haar platte buik. De gids bloosde en wees haastig naar een deuropening. 'Door die deur kunt u naar buiten.'

Ze bedankten hem en snelden naar de uitgang.

'Wacht!' riep de gids. Hij bracht zijn walkietalkie naar zijn mond. 'Ik roep een bewaker om met u mee te gaan.'

Hij sprak in zijn mobilofoon. De bewaker zou er over een paar minuten zijn. Hij zei dat ze in de tussentijd bij de groep moesten blijven.

Buck had Austin met de gids zien praten. Toen de gids zijn mobilofoon pakte, dacht hij dat Austin om hulp had gevraagd.

'Eropaf!' zei hij tegen zijn mannen.

Austin leidde Carina van de ene kant van de zaal naar de andere in een poging de afstand tussen hen en hun achtervolgers zo groot mogelijk te houden. Hij merkte snel dat een open ruimte niet de ideale omgeving was om verstoppertje te spelen.

De drie mannen kwamen steeds dichterbij. Austin zag de moordlust in Bucks ogen glinsteren. Buck stak zijn hand onder zijn jas.

Er verscheen een potige beveiligingsman in de troonzaal en de gids wees op Austin en Carina. Austin speelde zijn troef uit.

Met een beschuldigende vinger op Buck en de twee mannen wijzend, schreeuwde hij zo hard als hij kon: 'PKK! PKK!'

PKK is de afkorting van *Partiya Kerkerên Kerdistan* ofwel de Koerdische Arbeiderspartij, een militaristische afscheidingsbeweging die in Zuidoost-Turkije voor een onafhankelijke Koerdische staat strijdt. De PKK voert sinds 1978 een gewelddadige campagne tegen de Turkse overheid.

De vriendelijke uitdrukking op het gezicht van de bewaker verdween en hij tastte naar zijn revolver in een holster aan zijn riem. In Turkije stond het roepen van PKK zo'n beetje gelijk aan het gooien van olie op vuur. De bewaker had intussen zijn wapen te pakken.

De bewaker zag het mes in de handen van Buck. De revolver met twee handen voor zich uit houdend riep hij een bevel in het Turks. Buck draaide zich om en zag de loop op zijn borst gericht. Het mes viel kletterend op de grond en hij stak zijn handen in de lucht.

Een van Bucks mannen hield een pistool op de bewaker gericht. Austin beukte zijn schouder als een stormram in zijn middenrif, waarop het wapen uit zijn hand vloog. Samen sloegen ze tegen de grond. Austin kreeg zijn arm te pakken en draaide die op zijn rug. Met nog een felle tik tegen zijn kaak drukte hij de man klemvast tegen de vloer.

De omstanders waren uit de troonzaal weggevlucht. De gids was in een deuropening weggedoken en riep in zijn mobilofoon om versterking.

Buck reikte met zijn hand onder zijn jas en trok een pistool tevoorschijn. Dat was een fatale fout. De bewaker van middelbare leeftijd was een legerveteraan. Hoewel hij rond zijn middel de nodige pondjes te veel had, stond hem de discipline die hem in het leger was ingeprent nog helder voor de geest. Austin krabbelde overeind, gilde nogmaals 'PKK!' en wees op Buck.

De bewaker draaide zich om, richtte kalm op Bucks bovenlichaam en haalde de trekker over. De kogel trof Buck recht in zijn borst en hij klapte achterover tegen de bank van de sultan.

Austin greep Carina, die verstijfd van schrik was blijven staan, bij haar arm en leidde haar naar de uitgang. Ze renden door een gang die om een hoek doodliep, waarna ze op hun schreden terugkeerden en een klein zijvertrek in schoten. In een hoek was een deur die uitkwam op een in fel zonlicht badend terras.

Op het terras stonden de twee mannen die hen in het verlaten dorp hadden achtervolgd. Austin posteerde zich als een schild voor Carina. Terwijl de beide mannen op Austin en Carina afkwamen, zwaaide de deur naar de harem achter hen open en stapten Bucks mannen met getrokken pistolen naar buiten. Ze knipperden met hun ogen tegen de felle zon en zagen niet dat de Turken vanonder hun jas vuurwapens met geluiddempers tevoorschijn trokken. Er klonken vrijwel gelijktijdig twee doffe knallen, waarop Bucks mannen in elkaar zakten.

Terwijl een van de Turken zijn wapen op de deur gericht hield, pakte de ander Austin bij zijn arm.

'Kom,' zei hij. 'Het is oké. We zijn vrienden.' Hij gaf Austin een vriendelijk klopje op zijn rug en knipoogde naar Carina.

De andere man dekte hen in de rug. Hij sprak in een mobieltje en keek voortdurend over zijn schouder om te kijken of ze werden gevolgd.

De Turken staken hun wapens weg toen ze het voor het publiek toegankelijke terrein opliepen en voerden hen door een wirwar van gebouwen en binnenplaatsen naar de paleispoort. Langs de stoeprand stond een zilvergrijze Mercedes met draaiende motor. De voorste Turk opende het achterportier.

Austin en Carina stapten in en zagen dat er al iemand zat. Hun oude vriend Cemil glimlachte en zei op zachte toon iets tegen de chauffeur. De Mercedes reed weg van het paleis en mengde zich in het drukke verkeer van Istanbul.

'Waren dat mensen van u?' vroeg Carina.

'Maakt u geen zorgen. Ze zijn niet kwaad over de band die uw vriend heeft vernield. Het was hun eigen schuld. Ik had ze gevraagd een oogje in het zeil te houden, maar ze zijn te dichtbij gekomen.'

'De band betaal ik wel,' zei Austin.

Cemil grinnikte. Als Turk, zo verklaarde hij, kon hij een dergelijk aanbod natuurlijk niet afslaan.

'Mijn excuses als mijn mannen u bang hebben gemaakt,' zei hij.

Hij legde uit dat hij na hun ontmoeting in de cisternen onrustbarende geruchten te horen kreeg. Er waren keiharde huurlingen in de stad gesignaleerd. Ze waren het land zonder wapens binnengekomen om niet te veel aandacht te trekken en hadden bij een plaatselijke handelaar, een vriend van Cemil, wapens gekocht. Het meest verontrustend vond hij dat ze op dezelfde dag als Austin en Carina waren aangekomen en in hetzelfde hotel logeerden.

Hij had zijn mannen op pad gestuurd met de opdracht zijn vrienden in de gaten te houden. Nadat ze zich in het verlaten dorp hadden laten afschudden, waren ze naar Istanbul teruggekeerd. Daar hadden ze zich bij het hotel geposteerd in de verwachting dat Austin en Carina er zouden terugkomen om hun bagage op te halen. Daarna hadden ze Austin van de opgraving naar het Topkapi gevolgd, waar ze hem waren kwijtgeraakt toen hij met Carina de harem was in gevlucht. Toen ze Buck en zijn mannen daar ook naar binnen zagen gaan, waren ze naar de uitgang gerend.

Carina gaf Cemil een dikke zoen op zijn wang. 'Hoe kan ik u hier ooit voor bedanken?'

'Ik weet wel iets. Bij een zakelijke transactie ben ik in de fout gegaan en dat heeft in officiële internationale kringen de aandacht gewekt. En ik zou heel erg geholpen zijn als u een goed woordje voor me doet in het geval de kwestie vervelend voor me uitpakt.'

'Afgesproken,' zei Carina.

Cemils opgewekte toon veranderde. 'Uw hotel is voor u niet veilig meer. Mijn mannen zullen uw bagage ophalen en naar een pension brengen waar u vannacht niets te vrezen hebt. Ik heb veel vrienden in Turkije, maar de mensen zijn gevoelig voor omkoping en op den duur kan ik niet meer voor uw veiligheid instaan.'

'Ik geloof dat Cemil wil zeggen dat het klimaat hier voor ons niet zo gezond meer is,' zei Austin.

'Uw vriend heeft dat heel goed gezien,' zei Cemil. 'Ik raad u aan om zo snel mogelijk uit Istanbul te vertrekken.'

Austin is er de man niet naar een goede raad in de wind te slaan. Maar er was nog een klus die moest worden afgemaakt. De Mercedes zette hen af bij de opgraving aan de Bosporus en ze spraken af dat ze daar over twee uur weer werden opgepikt.

Hanley was in een loods die als conserveringslaboratorium was ingericht. De gipsen afgietsels lagen op een tafel. Ze waren donkergrijs van kleur.

'Ik heb de gleuven en opstaande randjes een kleur gegeven om ze beter zichtbaar te maken,' verklaarde Hanley. 'Fascinerend spul. Waar zei u dat dit vandaan komt?'

'Deze patronen zijn in een Fenicisch beeld gegraveerd. Zodra we thuis zijn, zetten we er een deskundige op,' antwoordde Austin.

Hanley boog over het afgietsel van de kat die om de benen van de *Navigator* lag. 'Ik heb thuis drie katten en daarom ben ik hier helemaal weg van,' zei hij.

Austin keek naar de kronkelende lijnen die de strepen van de kat voorstelden, en ontwaarde er patronen in die niet zomaar toevallig leken. Hij hield een vergrootglas boven de borstkas van de poes. Heel onopvallend zag hij in de kattenstrepen een omgekeerde Z. In tegenstelling tot de andere lijnen, die horizontaal liepen, stond deze ondersteboven.

Hij gaf het vergrootglas aan Carina, die het teken bekeek en zei: 'Wat kan dit betekenen?'

'Als dit inderdaad een symbool voor een schip voorstelt, is het gezonken of zinkende.' Austin tuurde naar het patroon van lijnen en krullen. 'Volgens mij is dit meer dan zomaar een artistieke impressie. Dit is een plattegrond. Die strepen vormen een kustlijn en die bochten zijn baaien en inhammen.'

Hij leende een digitale camera en een statief. Carina hield de afgietsels verticaal op. Austin maakte zo tientallen foto's, die hij vervolgens in een geleende laptop laadde en naar een e-mailadres van de NUMA verstuurde.

Terwijl Hanley en Carina de afgietsels in schuimplastic verpakten, belde Austin met Zavala op het vliegveld. Ze spraken af dat ze elkaar de volgende ochtend zouden ontmoeten om vervolgens samen naar de VS terug te vliegen. De beschadigde Subvette was inmiddels in het vrachttoestel geladen.

De Mercedes met hun bagage kwam terug en bracht Austin en Carina naar een klein hotel met uitzicht over de Bosporus. Te vermoeid om van het panorama te kunnen genieten, kropen ze al vroeg onder de wol en vielen zodra ze hun hoofd op het kussen legden in een diepe slaap. Toen ze de volgende morgen wakker werden, stond de Mercedes al klaar om hen naar het vliegveld te brengen.

Zavala verwelkomde hen aan boord met een kan verse koffie. Nog geen uur later was de Citation opgestegen en vloog met een snelheid van zo'n achthonderd kilometer per uur westwaarts.

'Hoe was Istanbul?' vroeg Zavala toen ze boven de Egeïsche Zee vlogen.

Austin vertelde over hun confrontatie met Buck en zijn bende in het Topkapi-paleis, hun krankzinnige vlucht door de harem en de redding door Cemil en zijn mannen.

'De harem?! Ik wou dat ik erbij was geweest,' zei Zavala.

'Ik ook. We hadden je goed kunnen gebruiken bij die schietpartij,' reageerde Austin.

'Dat bedoelde ik niet. Ik wou dat ik er was geweest toen de harem nog vol zat met mooie vrouwen.'

Austin had kunnen weten dat hij van meneer de rokkenjager geen medeleven hoefde te verwachten.

'Ik heb begrepen dat er voor een eunuch wel een mogelijkheid is,' zei Austin.

Zavala klemde krampachtig zijn knieën tegen elkaar. 'Auwww,' zei hij. 'Nou, bedankt, daar ben ik echt blij mee. Ik denk dat ik even een praatje met de piloot ga maken.'

Austin reageerde met een brede grijns op het pijnlijke gezicht dat zijn compagnon trok. Maar die opgewekte stemming ebde onmiddellijk weer weg. Buck en Rodley waren dood en hun trawanten uitgeschakeld, maar als Austins argwaan jegens Viktor Baltazar terecht was, moesten ze er rekening mee houden dat er de komende tijd meer van dat soort kille moordenaars opdoken die het op hem gemunt hadden.

Erger nog, de killer met de babyface liep nog vrij rond.

34

Angela voelde zich alsof er iemand over haar graf liep. Er was geen enkele reden voor de ijzige kou tussen haar schouderbladen. Ze bleef wel vaker overwerken en had nooit zo'n onrustig gevoel gehad als ze alleen werkte; het had juist altijd iets vertrouwds gehad dat je je door die uit vele eeuwen vergaarde wijsheid omringd wist.

Ze dacht dat ze een stem had horen roepen. Maar ze was er niet zeker van. Ze was te zeer op het materiaal over Meriwether Lewis geconcentreerd.

De enige andere aanwezige in het gebouw was haar baas. Misschien had Helen Woolsey haar goedenacht gewenst.

Angela leunde achterover in haar stoel en slaakte een zucht van verlichting. Hier had ze op gegokt en gehoopt dat Woolsey vertrokken was voordat Paul en Gamay terugkeerden. Ze hield haar opwinding nauwelijks in toom. Ze had hun zoveel te vertellen.

Ze spitste haar oren. Stilte. Toch klopte er iets niet.

Angela stond op en liep door de verlaten leeszaal. Ze stapte een donkere gang in en drukte op het lichtknopje. Het bleef donker. Dit moest ze morgen even bij de conciërge melden. Ze liep de gang in naar het licht dat door de kieren om de deur van Helens kantoor scheen.

Ze bleef staan en klopte zachtjes op de deur. Geen reactie. Helen had waarschijnlijk het licht vergeten uit te doen. Angela duwde de deur open en liep naar binnen tot ze verstijfd van schrik bleef staan.

Woolsey zat nog achter haar bureau met haar handen keurig op haar schoot gevouwen en haar hoofd als een gebroken pop schuin opzij geknakt. Haar mond hing open en de dode ogen staarden naar het plafond. Roodbruine bloeduitstortingen ontsierden haar bleke hals.

In Angela's schedel bonsde een stille schreeuw. Ze drukte haar hand tegen haar mond en vocht tegen een opkomende misselijkheid.

Terugdeinzend stapte ze het kantoor uit. Instinctief voelde ze de drang hard naar de uitgang te rennen. Ze keek de duistere gang in, maar een onbestemd oergevoel van gevaar weerhield haar ervan zomaar de duisternis in te snellen. In plaats van naar de uitgang te hollen, sprintte ze terug dieper het gebouw in.

Uit het donker stapte Adriano's imposante gestalte tevoorschijn. Hij had de lichtschakelaar met zijn zakmes onklaar gemaakt in de verwachting dat de jonge vrouw hem in paniek in de armen zou lopen. Maar ze had zich omgedraaid en rende als een opgejaagd konijn de andere kant op, terug naar haar hol.

Adriano was na de moord op de Waarnemer pas goed in de stemming geraakt. Dat was te gemakkelijk geweest. De gedachte aan een uitdaging vrolijkte hem op. Een moord was veel leuker als die als de afronding van een jacht kwam.

Hij passeerde het kantoor van Woolsey en wierp een blik op zijn handwerk. Woolsey was de laatste geweest van een hele reeks Waarnemers binnen de organisatie van het Filosofisch Genootschap. Het werken met Waarnemers was een systeem dat al eeuwen bestond. De Waarnemers werden overal ter wereld in alle wetenschappelijke centra in het geheim geronseld met als enige taak dat ze alarm sloegen bij de eerste de beste aanwijzing dat het Geheim was ontdekt.

Twee eeuwen eerder had een andere Waarnemer melding gemaakt van de bevindingen van Jefferson. Die Waarnemer was een van de wetenschappers die Jefferson had gevraagd de woorden op het vellum te vertalen. Men was ervan uitgegaan dat er met de vernietiging van Jeffersons documenten een einde aan zijn speurtocht was gekomen, maar de connectie met Meriwether Lewis werd ontdekt en die onvolkomenheid moest door naar het Louisiana-territorium gezonden moordenaars worden rechtgezet.

Woolsey had er geen flauw benul van gehad dat haar eerste melding als Waarnemer een keten van gebeurtenissen in gang had gezet die tot haar dood zouden leiden. Het was haar taak alle serieuze onderzoeken naar Fenicische reizen naar Amerika te melden. Plichtsgetrouw had ze de ontdekking van het document van Jefferson gerapporteerd. Voordat ze de instructies ontving het document aan een koerier te overhandigen, was het materiaal van Jefferson door een vertegenwoordiger van het ministerie van BZ opgehaald. Zij gaf de schuld aan haar assistente, waarop haar op het hart werd gedrukt dat Angela niet te laten merken. Toen ze nogmaals belde om het bezoek van het echtpaar Trout aan Angela te melden, tekende ze daarmee haar doodvonnis.

Woolsey kreeg te horen dat ze ervoor moest zorgen dat Angela lang bleef doorwerken. Een paar uur later was Adriano bij het museum gearriveerd, had de bibliothecaresse uit de weg geruimd en vergeefs geprobeerd haar assistente in een hinderlaag te lokken.

Hij vervolgde zijn weg door de gang, waarbij hij systematisch alle deuren controleerde. Alle kantoren waren afgesloten. Hij kwam op een kruispunt van twee gangen en snoof als een speurhond de lucht op.

Klik.

Het geluid van een deurklink die werd omgedraaid was nauwelijks hoorbaar. Tijdens een jacht waren Adriano's zintuigen op z'n scherpst. Hij stapte de rechtergang in, liep naar een deur, die hij opende, en betrad een donker vertrek.

Adriano was nooit eerder in de bibliotheek geweest, maar hij kende de plattegrond uit zijn hoofd. Nadat Angela het document had gevonden, had hij mensen op pad gestuurd om het gebouw te verkennen. Hij zag zichzelf als iemand die professioneel te werk ging en wilde goed op de hoogte zijn van zijn werkterrein, de mogelijke plaats van executie.

Hij wist dat er in deze donkere ruimte op lange, in evenwijdige rijen opgestelde rekken vele duizenden boeken stonden opgeslagen.

Angela was tussen twee rijen weggedoken toen ze de deur open en dicht hoorde gaan. Ze was op weg naar een uitgang helemaal achter in het vertrek. Ze was ervan overtuigd dat het bonken van haar hart haar zou verraden.

Adriano drukte op de muurschakelaar en in een flits baadde de ruimte in het licht. Angela liet zich op handen en knieën zakken en kroop naar het einde van de rekken, waar ze zich in een smalle zijgang tussen de planken en de muur verborg.

Met zijn scherpe jachtgehoor pikte Adriano het zachte schuifelen van handen en knieën over de grond op. Hij liep door het middenpad. Hij nam er alle tijd voor, bleef herhaaldelijk staan en tuurde tussen de boekenplanken alvorens weer door te lopen. Als hij had gewild, had hij Angela binnen enkele seconden gevonden, maar hij wilde de jacht rekken en de angst van zijn prooi zo hoog mogelijk opvoeren.

Nadat hij diverse rijen had afgezocht, zag hij iets op de grond liggen en stapte tussen de planken om te zien wat het was. Het bleek een schoen. Er niet ver vandaan lag er nog een. Om zo min mogelijk geluid te maken was Angela op kousenvoeten verdergegaan.

Adriano grinnikte zachtjes en rekte zijn vingers.

'Kom maar bij me, Angela,' zei hij zachtjes zingend als een moeder die haar kind bij zich riep.

Toen ze zo onverwacht haar naam hoorde noemen, krabbelde Angela geschrokken overeind en snelde naar de uitgang. Achter zich hoorde ze rennende voetstappen. Er strekte zich een arm naar haar uit en een hand graaide naar de achterkant van haar blouse. Ze gilde en trok zich los. Adriano liet haar expres weer gaan. Hij speelde graag met zijn slachtoffers.

Angela dook tussen twee rekken ineen en perste haar rug tegen de muur. Adriano boog zich om de volgende rij planken en tuurde met zijn babyface over de boeken heen.

'Hallo,' zei hij.

Angela draaide zich opzij en zag de ronde blauwe ogen. Ze wilde schreeuwen, maar de kreet stokte in haar keel.

'*Angela.*'

Het was een vrouwenstem die haar riep.

Instinctief richtte Adriano zich nu eerst op de indringer. Hij liep op het geluid van de stem af. Hij zou de nieuwkomer tegen de grond slaan, zich snel van haar ontdoen en zich dan weer op Angela concentreren.

Hij liep een hoek om en zag bij de deur twee mensen staan. Een roodharige vrouw en een man die langer was dan hijzelf. Ze schenen te schrikken van zijn plotselinge verschijning, maar hadden dat meteen weer onder controle.

'Waar is Angela?' vroeg de vrouw.

Hij zei niets. Maar vanachter de rekken klonk een duidelijk hoorbare snik. Angela.

Uit hun zelfverzekerde houding viel af te leiden dat ze zich niet lieten afschrikken. De man stapte op hem af. Achter de man keek de vrouw speurend om zich heen.

Adriano was geen tegenstand gewend. De situatie begon ingewikkeld te worden. Hij deed alsof hij op de man toe stapte, maar draaide zich opeens om en rende naar de uitgang. Hij sloeg op een lichtschakelaar en vluchtte het vertrek uit.

'Angela, alles oké?' vroeg Gamay. 'Wij zijn het, de Trouts.'

'Pas op,' waarschuwde Angela. 'Hij heeft het op mij gemunt.'

De verlichting flitste weer aan.

Angela stoof tevoorschijn en viel Gamay om haar hals. Haar lichaam schokte van het snikken.

Haastig inspecteerde Paul het vertrek. Daarna trok hij de toegangsdeur open en stapte de gang in. Alles was stil. Hij liep terug naar het magazijn. 'Hij is weg. Wie was die engerd?'

'Dat weet ik niet,' antwoordde Angela. 'Hij heeft Helen vermoord. Daarna zat hij achter mij aan. Hij kende mijn naam.'

'De voordeur was niet op slot,' zei Paul. 'We konden je kantoor niet vinden en hoorden je gillen. Zei je dat hij je baas heeft vermoord?'

Hoewel ze het verschrikkelijk vond om naar de plaats van de moord terug te gaan, ging ze hen voor naar het kantoor van Woolsey. Trout duwde de deur met de neus van zijn schon open en stapte naar binnen. Hij liep naar het bureau en hield zijn oor vlak bij Woolseys openhangende mond, maar hoorde noch voelde haar ademen. Dat ze nog leefde, had hij ook niet verwacht na het zien van haar weggeknikte hoofd en de vlekken op haar keel.

Hij liep terug de gang in. Gamay had een arm om de schouders van de jonge vrouw geslagen. Ze zag het ernstige gezicht van haar man en belde 112 op haar mobiel. Daarna liepen ze naar buiten en wachtten op de traptreden voor de ingang op de komst van de politie.

De patrouillewagen verscheen binnen vijf minuten. Er stapten twee agenten uit, die nadat ze met Paul en Angela hadden gesproken, bijstand opriepen. Ze trokken hun vuurwapens. De ene stapte naar binnen, terwijl de andere om het gebouw heen liep.

Vanuit de beschutting van een boom in een parkje tegenover de hoofdingang van de bibliotheek stapte Adriano naar voren. De rode en blauwe zwaailichten van de politieauto weerkaatsten op de zachte rondingen van zijn gezicht. Nieuwsgierig bekeek hij de lange man en de roodharige vrouw die hem bij zijn jacht hadden gestoord.

Met gierende banden stopte er een tweede politiewagen, waaruit nog twee agenten sprongen.

Adriano trok zich weer terug in de duisternis en verliet ongezien het terrein van de bibliotheek. Hij had geduld. Hij wist waar Angela woonde en als ze die avond thuiskwam zou hij haar daar opwachten.

35

Austin verkeerde in de sluimertoestand tussen slapen en ontwaken toen hij een verandering in de hoogte en snelheid van de Citation voelde. Hij opende zijn ogen en tuurde door het raampje. Het tapijt van lichtjes in de diepte herkende hij als dat van Washington en de dichtbevolkte buitenwijken in de staat Virginia.

Carina sliep met haar hoofd op zijn schouder. Hij tikte op haar arm. 'We zijn er.'

Ze werd wakker en gaapte. 'Het laatste wat ik me herinner is dat we uit Parijs vertrokken.'

'Je vertelde me over je plannen met de tentoonstelling.'

'Sorry.' Ze wreef de slaap uit haar ogen. 'Ik zoek nu meteen mijn hotel op en ga eerst eens lekker uitslapen. Morgen neem ik de trein naar New York. Ik moet met mensen van het Metropolitan Museum of Art nog van alles over de opening bespreken.'

'Je laat de tentoonstelling ook zonder de *Navigator* toch doorgaan?'

'Ik heb weinig keus. Van de positieve kant bezien, zou het bericht over de diefstal van het beeld voor extra publiciteit kunnen zorgen.'

Austin zocht naar een formulering die niet als te vaderlijk zou overkomen. 'Denk je dat het met het oog op wat er in de afgelopen dagen is gebeurd verstandig is om alleen op reis te gaan?'

Ze kuste hem op zijn wang. 'Bedankt, Kurt, maar er zijn slechts een paar mensen op de hoogte van mijn plannen.' Ze geeuwde nogmaals. 'Denk je dat ik nog steeds gevaar loop?'

Austin perste zijn lippen tot een strak glimlachje. Hij wilde Carina geen schrik aanjagen, maar ze moest zich wel bewust zijn dat ze nog altijd een wandelend doelwit was.

'Onze vriend Buck zei dat ze je willen ontvoeren. De mensen voor wie hij werkte hebben een lange arm. Dat hebben we in Turkije gezien.'

Carina stak uitdagend en koppig haar kin naar voren. 'Ik laat me er door niemand toe dwingen de rest van mijn leven verstopt in een kast door te brengen.'

'Dat kan ik je ook niet kwalijk nemen. Maar ik wil je een compromis voorstellen,' zei Austin. 'Blijf vannacht in het botenhuis. Dan maak ik een heerlijke maaltijd van de afhaal-Thai voor je klaar. Slaap lekker je jetlag uit en ga morgen weer fris aan de slag.'

'Dat klinkt goed,' reageerde Carina zonder aarzeling.

De piloot meldde dat het toestel de landing naar Dulles Airport had ingezet en over vijftien minuten zou landen. Austin keek naar de andere kant van het gangpad. Zavala lag als voor dood te slapen. Hij kon op een spijkerbed in slaap vallen en bij de minste vorm van onraad weer klaarwakker zijn, in staat om onmiddellijk in actie te komen.

Austin pakte het mobieltje uit Zavala's jaszak en belde Trout. Paul nam op. Austin vertelde dat hij uit Turkije terug was en vroeg of hij en Gamay het dossier over Jefferson hadden ontvangen.

'We hebben het gelezen,' zei Paul. 'We hebben inmiddels een goed beeld van hoe de schepen van Tarsis eruit hebben gezien, maar voor het uitzetten van een route hebben we meer informatie nodig. Maar er is iets wat je moet weten, Kurt. We volgden een spoor dat ons bij het Amerikaans Filosofisch Genootschap bracht en daar zijn we op een beerput gestuit.'

'Ik kan me toch nauwelijks voorstellen dat een dergelijk eerbiedwaardig instituut zich als een wespennest ontpopt.'

'De tijden zijn veranderd. Vrij kort na ons bezoek is er een bibliothecaresse vermoord. Haar assistente was hetzelfde overkomen als Gamay en ik niet net op tijd tussenbeide waren gekomen en de moordenaar hadden verjaagd.'

'Heb je hem gezien?'

'Ja. Een boom van een kerel met een babyface en ronde blauwe ogen.'

'Ik ken die vent. Is met de assistente alles oké?'

'Een beetje trillerig nog. We hebben haar kunnen overreden na het verhoor door de politie niet in Philadelphia te blijven. Ze wilde eerst nog bij haar flat langs. Maar wij hebben erop aangedrongen dat niet te doen en direct met ons mee te gaan naar Georgetown. Gamay heeft haar wat kleren geleend die haar enigszins passen.'

'Ik wil haar graag spreken. Wat dacht je van zeven uur morgenochtend?'

'Dan zorgen wij voor koffie en donuts. Je hebt me nog niets over je avonturen in Istanbul verteld.'

'In Turkije hebben ze ook last van een wespenplaag. Ik zie je morgen.'

Door de schok van het landingsgestel op de baan ontwaakte Zavala uit zijn diepe slaap. Hij keek uit het raam. 'Nu al thuis?'

Austin gaf hem het mobieltje terug. 'Jij bent de Atlantische Oceaan in dromenland overgestoken.'

Zavala blies zijn wangen bol. 'Nachtmerries over eunuchen zal je bedoelen, dankzij jou.'

Het toestel taxiede van het hoofdplatform naar een speciale NUMA-hangaar. De drie passagiers gingen van boord en legden de gipsen afgietsels voorzichtig met de overige bagage in een Jeep Cherokee van het NUMA-wagenpark. Austin zette Zavala bij zijn woning af en reed door naar het botenhuis, nadat hij onderweg bij een Thais restaurant het avondeten had gehaald.

Ze aten op het terras met muziek uit Austins jazzcollectie op de achtergrond. Op de klanken van John Coltrane en Oscar Peterson nipten ze van hun brandy en besloten het nu niet over de mysteries rond de *Navigator* te hebben. In plaats daarvan spraken ze over hun werk. Tegenover alle NUMA-avonturen stelde Carina steeds weer een fascinerende episode uit haar eigen werkzame leven.

Het drinken van brandy na zo'n lange reis eiste al spoedig zijn tol en Carina begon weg te doezelen. Austin bracht haar naar de slaapkamer in het victoriaanse torentje en omdat hij zelf de slaap niet kon vatten, ging hij terug naar zijn werkkamer. Daar maakte hij het zich in een comfortabele leren fauteuil gemakkelijk en tuurde naar de amberkleurige vloeistof in zijn glas alsof hij in een kristallen bol keek. In zijn hoofd liet hij alle details van wat er de afgelopen dagen was gebeurd nog eens de revue passeren, beginnend bij het noodsignaal van het booreiland.

Hij hoopte dat zijn overpeinzingen een overzichtelijk beeld van de gebeurtenissen zouden opleveren dat zo herkenbaar was als de voorstelling op een schilderij van Rembrandt, maar wat hij voor zich zag was als een abstract werk van Jackson Pollock. Hij stond op uit zijn stoel, liep naar een boekenkast en vond het boek van Anthony Saxon. Hij nestelde zich weer in zijn stoel en begon te lezen.

Anthony Saxon was een echte avonturier. In Zuid-Amerika had hij zich op zoek naar oude ruïnes letterlijk een weg door de jungle gehakt. In het Midden-Oosten was hij in handen van een nomadisch woestijnvolk gevallen en op het nippertje aan de dood ontsnapt. Hij had in talloze stoffige graven gesnuffeld en was daarbij op een eindeloze reeks mummies gestuit. Als zelfs maar een tiende van wat hij schreef waar was, was

Saxon uit hetzelfde hout gesneden als de beroemde ontdekkingsreizigers Hiram Bingham, Stanley, Livingstone en Indiana Jones.

Een aantal jaren geleden was Saxon begonnen met wat zijn grootste avontuur had moeten worden. Zijn plan was om met een replica van een Fenicisch schip van de Rode Zee naar de kust van Noord-Amerika te varen. Met deze oversteek van de Grote Oceaan wilde hij zijn theorie bewijzen dat Ofir, de mythische locatie van koning Salomo's mijnen, zich op het Amerikaanse continent zou bevinden. Maar op een nacht brandde het schip onder mysterieuze omstandigheden tot op de waterlijn af.

Saxon meende dat Ofir niet één bepaalde plek was, maar de codenaam voor diverse bronnen van Salomo's rijkdommen. Volgens zijn theorie stuurde Salomo twee vloten onder leiding van Hiram, een Fenicische admiraal, op pad. Het ene flottielje vertrok uit de Rode Zee. Het andere voer door de Straat van Gibraltar en stak de Atlantische Oceaan over.

Saxon had in een Peruviaanse ruïne een vreemde hiëroglief ontdekt die overeenkwam met dergelijke symbolen op in Libanon en Syrië gevonden tabletten. Dit teken noemde hij het Tarsis-symbool en dacht dat het wellicht een afkorting van 'Ofir' was. In zijn boek waren diverse foto's van de hiëroglief afgedrukt.

Austin bekeek de foto's aandachtig.

Het symbool bestond uit een horizontale lijn met een ruggelings naar elkaar geplaatste Z aan beide uiteinden. Het was identiek aan het teken dat in de kilt van de *Navigator* en in de flank van de bronzen kat was gegraveerd.

Saxon had alles wat over Salomo en Ofir te vinden was boven tafel gehaald. En in het hoofdstuk Epifanie beschreef hij hoe hij op het idee was gekomen om naar de koningin van Sheba op zoek te gaan. Niemand stond zo dichtbij Salomo als Sheba. Wellicht deelden zij zelfs bedgeheimen. Zijn speurtocht naar Ofir raakte door het zoeken naar het graf van Sheba op de achtergrond.

Jarenlang had Saxon vele duizenden kilometers gereisd op zoek naar de koningin van Sheba. Hij was volslagen bezeten geraakt van de dode koningin. Saxon geloofde dat Sheba werkelijk had bestaan en niet een verzinsel was zoals sommige deskundigen beweerden; dat ze een donkere huidskleur had en waarschijnlijk uit de buurt van Jemen afkomstig was. Hij ging nog eens uitvoerig op de legende van Salomo en Sheba in. Nieuwsgierig geworden door de verhalen die ze over Salomo's wijsheid had gehoord, besloot ze hem te bezoeken. Er bloeide een liefde tussen hen op en ze kregen een kind. Later keerde ze naar huis terug om haar eigen koninkrijk te besturen. Hun zoon zou later koning van Ethiopië zijn geworden.

Een donkerkleurige schoonheid met banden met Ethiopië, peinsde Austin. Hij wierp een blik op de trap naar de slaapkamer in het torentje. Een uur later had hij het boek uit en legde het weg. Hij controleerde of de deuren op slot zaten, deed de lichten uit en liep zachtjes de wenteltrap naar de slaapkamer op. Hij kleedde zich uit, gleed zonder Carina te wekken onder de lakens, legde zijn arm beschermend om haar warme lichaam en viel vrijwel onmiddellijk in slaap.

Carina's stem wekte hem de volgende ochtend al vroeg. Ze had koffie gezet en was druk aan het telefoneren. Ze had de trein geboekt en afspraken gemaakt met mensen van het Metropolitan Museum of Art. Nadat ze hadden gedoucht, zich hadden aangekleed en snel wat hadden ontbeten reed Austin naar het Union Station, waar hij Carina afzette. Ze drukte een zoen op zijn lippen en zei dat ze diezelfde avond naar Washington zou terugkomen. Ze zou hem bellen als de trein uit New York vertrok.

Van het Union Station reed Austin naar het hoofdkwartier van de NUMA. Van de ondergrondse garage nam hij de lift naar de vijftiende etage, liep een gang door en betrad een grote, schemerig verlichte ruimte. Een enorme, hol gebogen muur hing vol met glanzende tv-schermen waarop door NUMASat gegenereerde beelden te zien waren.

Het alziend systeem werd door de meer literair geschoolde werknemers van de NUMA ook wel het Oog van Sauron genoemd. Jack Wilmut, de beheerder van het oog, leek in de verste verte niet op de angstaanjagende creaturen uit de verhalen van Tolkien. Wilmut was een mild gestemde man die gezeten voor een indrukwekkend bedieningspaneel in het midden van de ruimte het NUMASat-systeem onder zijn hoede had.

Aan beide kanten van het paneel stonden computers opgesteld. Speciale ontvangers verwerkten de via satellietverbindingen binnenkomende informatiestroom afkomstig van wetenschappers, universiteiten en op zeevraagstukken gespecialiseerde instellingen vanuit de hele wereld.

Austin vroeg zich af waarom de excentriciteit van genieën toch vrijwel altijd vooral via hun haardracht tot uiting kwam. Einstein. Beethoven. Mark Twain. Lex Luthor, de geestelijke vader van Superman. Hiram Yeager, de bebaarde geniale computertechneut van de NUMA. En ook Wilmut. Deze mollige man van in de veertig droeg zijn haar met een dubbele scheiding net boven de beide oren.

Austin liep op Wilmut af en zei met een zo laag mogelijke stem: 'Gegroet, o alziende Sauron.'

Wilmut zwenkte een halve slag met zijn stoel en grinnikte van plezier.

'Gegroet, sterveling. Ik verwachtte je al.'

'Het Oog van Sauron ziet alles en weet alles,' zei Austin.

'Vergeet het,' reageerde Wilmut. 'Ik heb je e-mail gekregen met de foto's uit Turkije. Pak een stoel en vertel wat ik voor je kan betekenen.'

Austin liet zich op een draaistoel vallen. 'Het zijn foto's van afgietsels die we van markeringen op een oud beeld hebben gemaakt. Volgens mij zijn al die kronkellijnen de contouren van een plattegrond. Het zou een plek aan de oostkust kunnen zijn. Ik vroeg me af of je deze contouren met satellietfoto's kunt vergelijken.'

Wilmut reageerde met een muisklik. De foto die Austin van de kat aan de voeten van de *Navigator* had gemaakt, verscheen in een rechthoek. De afbeelding was scherper dan de oorspronkelijke foto. 'Ik heb het beeld wat opgeblazen,' legde Wilmut uit. 'De grijze vlekken heb ik weggehaald, net als de kartelige randjes en meer van dat soort verontreinigingen. Dat komt de visualisatie ten goede.'

Austin tikte met zijn wijsvinger op het scherm. 'Dit zou een symbool voor een gezonken schip kunnen zijn. Het probleem is dat ik niet weet of dit vierkant een gebied met een doorsnede van een kilometer voorstelt of van tien kilometer, of zelfs van honderd.'

'Dit is net zoiets als een vingerafdruk,' zei Wilmut. 'Afdrukken worden met elkaar vergeleken met behulp van het zogenaamde Galton-systeem, dat is gebaseerd op details van het huidlijnenpatroon die typica worden genoemd. Een identiteit kun je vaststellen aan de hand van punten van overeenkomst, waarbij naar gelijke typica en hun onderlinge posities wordt gekeken. Huidlijnpatronen. Eilanden. Vertakkingen. Ik heb een algoritme ontwikkeld waarmee ik punten op de primitieve kaart met satellietfoto's kan vergelijken. Ik heb de NUMASat-computer nu opdracht gegeven alle mogelijkheden te controleren. Dat kan wel even duren.'

Austin zei tegen Wilmut dat hij in bespreking zou zijn, maar dat hij toch direct moest bellen zodra er nieuws was. Daarna ging hij met de lift naar een andere etage. Hij kwam Zavala in de gang tegen en samen liepen ze naar de vergaderzaal. Aan de muren hingen schilderijen van zeilschepen. Centraal in het vertrek stond een lange eikenhouten tafel die boven het dikke blauwe tapijt wel iets weghad van een schip op volle zee.

Het echtpaar Trout zat al aan tafel met een ernstig kijkende jonge vrouw, van wie Austin aannam dat zij Angela Worth was. Angela verkeerde nog altijd in een lichte shocktoestand. In een tijdsbestek van enkele uren had ze het echtpaar Trout ontmoet, was haar baas vermoord en had een belager ook haar naar het leven gestaan. Nog voordat ze goed en wel van alle schrik bekomen was, hadden ze haar naar het hart van de NUMA gebracht, een organisatie die ze alleen van horen zeggen kende.

Toen de deur openging leken de twee mannen die binnenkwamen in haar ogen zo uit een avonturenroman gestapt. De gespierde man met zijn indringende blauwgroene ogen en merkwaardig bleke haar kwam op haar af en stelde zich en zijn knappe donkere collega voor. Ze kwam nauwelijks uit haar woorden.

Zavala en Austin namen aan tafel plaats en Paul overhandigde hen kopieën van de computertekeningen van het schip van Tarsis. 'We denken dat dit het type schip is dat naar Noord-Amerika kon varen. Wat betreft de trans-Atlantische route liepen we vast, daarom hebben we het via een andere insteek geprobeerd. We stuitten op diverse sporen die naar het Filosofische Genootschap leidden en zo kwamen we bij Angela terecht.'

'Gefeliciteerd met de vondst van het document van Jefferson,' zei Austin met een vriendelijke glimlach die haar enigszins op haar gemak stelde.

'Dank u,' zei Angela. 'Het was stom geluk, eigenlijk.'

'Angela heeft wel vaker stom geluk,' zei Gamay. 'Vertel Kurt en Joe wat je nog meer hebt ontdekt.'

'Volgens ons werd Meriwether Lewis vermoord om te voorkomen dat hij belangrijke informatie naar Thomas Jefferson zou brengen.'

'Dan ben ik heel benieuwd hoe jullie tot die conclusie zijn gekomen,' reageerde Austin.

Angela diepte uit een versleten leren aktetas een dossiermap op.

'Ik ben in het archief op zoek gegaan naar informatie over de jeugdige slaaf van Lewis, een zekere Zeb. Uit de verslagen blijkt dat hij een paar weken na de dood van Lewis in Monticello arriveerde. Het is mogelijk dat hij is meegereisd met een zekere Neelly, die het nieuws over de dood van Lewis naar Monticello bracht. Neelly moet bij het vervoer van de bezittingen van Lewis hulp nodig hebben gehad en heeft daarom de slaaf meegenomen. Ik vroeg me af wat er daarna van Zeb was geworden.'

'In die tijd zullen ze de slaaf als een deel van Lewis' eigendom hebben beschouwd,' merkte Austin op.

'Dat dacht ik ook. Normaal gesproken is hij met de andere bezittingen naar de nabestaanden van Lewis gebracht. Ik kreeg de ingeving om de slavenregistratie van Monticello eens na te trekken. En daarbij heb ik iets heel boeiends gevonden.'

Ze gaf Austin een vel papier met de namen van slaven, hun geslacht, leeftijd en werkzaamheden. Austin keek de lijst door en legde hem zonder commentaar op tafel.

'Zeb staat genoteerd als *vrij man*. Hij was daar in dienst.'

'Hoe is het mogelijk dat hij al op zijn achttiende vrij was?' vroeg Austin.

'Misschien als beloning,' suggereerde Angela.

'Dat zou kunnen,' zei Austin. 'Op die manier heeft Jefferson de jongeman bedankt voor iets wat hij voor hem had gedaan.'

'De documenten van Lewis,' zei Gamay. 'Ik durf te wedden dat hij die bij Jefferson heeft bezorgd.'

'Weet u wat er van hem is geworden?' vroeg Austin aan Angela.

'Hij is in Monticello gebleven en heeft daar in loondienst gewerkt. Jaren later is hij opeens uit het dienstrooster verdwenen, maar dat is nog niet het einde van het verhaal.'

Ze haalde een kopie van een krantenartikel tevoorschijn.

Gamay las het artikel door. 'Onze vrije man?'

'Er staat in dat hij voor president Jefferson had gewerkt,' antwoordde Angela.

Gamay gaf het artikel aan Paul door. 'Dit gaat voor consternatie zorgen. Hij is in de negentig en wordt geïnterviewd vlak voordat hij overlijdt. Op zijn sterfbed zegt hij zonder voorbehoud dat Lewis werd vermoord.'

'Hoe groot is de kans dat hij dat eerder ook aan Jefferson had verteld?' vroeg Austin.

'Wij denken dat Jefferson al die tijd heeft geweten dat het moord was,' antwoordde Paul, 'maar tegenover de buitenwereld volhield dat het zelfmoord was, ondanks dat het de reputatie van zijn vriend niet ten goede kwam.'

'Jefferson ging spitsvondige verweermiddelen niet uit de weg, maar in dit geval moet hij een goede reden hebben gehad,' zei Austin.

Paul pakte het afgietsel met het zinkende schip op. 'We denken dat hij de aandacht wilde afleiden van het feit dat hij *hiervan* op de hoogte was.'

'Volgens mij is onze volgende stap nu wel duidelijk,' zei Gamay. 'Op naar Monticello om te kijken of we daar meer over de jonge Zeb te weten kunnen komen.'

Austin wilde zeggen dat hij het daarmee eens was, maar zijn telefoon ging en die nam hij, nadat hij zich had verontschuldigd, op. Het was Wilmut.

'Ik heb het gevonden,' zei Wilmut haast juichend.

'De locatie van het schip?'

'Beter nog, Kurt. Ik heb het schip gevonden!'

36

Austin stond op het dek van zijn katschip en keek uit over de Chesapeake Bay. Dit was bekend terrein voor Austin. In de ruim zeven meter lange platboomde zeilboot, die hij eigenhandig had gerestaureerd, had hij alle inhammetjes en kreken langs beide oevers verkend. Ondanks de breedte was het katschip opmerkelijk snel en wendbaar en voldeed volledig aan haar reputatie: ze was inderdaad 'zo snel als een kat'. Austin hield van snelheid en zeilde het liefst met het grote gaffelzeil zo strak mogelijk scherp aan de wind.

Maar vandaag niet. Austin stapte van de zeilboot af en liep naar het parkeerterrein terug. Hij hielp Zavala bij het uitladen van hun plunjezakken uit de Jeep. Na de bijeenkomst op het hoofdkwartier van de NUMA hadden ze wat spullen opgehaald en waren naar de jachthaven ten zuiden van Annapolis gereden. Austin had van tevoren gebeld en met de havenmeester geregeld dat er een zes meter lange polyester speedboot voor hem klaarlag.

Zavala droeg de plunjezakken met hun duikuitrusting. Austin ontfermde zich over twee plastic dozen. Ze sjouwden de spullen naar de aanlegsteiger en verstouwden alles aan boord van de speedboot. Daarna maakten ze de meertouwen los en voeren in zuidelijke richting de baai in. Zavala zat achter het stuur. Austin bepaalde de koers aan de hand van een kaart en een handzaam gps-apparaat.

Chesapeake Bay is de grootste riviermonding van de Verenigde Staten en strekt zich over een lengte van ruim driehonderd kilometer uit tussen Havre de Grace in Maryland, waar de rivier de Susquehanna in de baai uitkomt, en Norfolk in de staat Virginia. De baai varieert in breedte van vijfenvijftig kilometer bij de monding van de Potomac tot nauwelijks zes kilometer bij Aberdeen in Maryland.

Zavala speurde het weidse in het zonlicht glinsterende wateroppervlak af. 'Hoeveel wrakken liggen er op de bodem van Chesapeake Bay?' vroeg hij met luide stem boven het geluid van de motor uit.

Austin keek op van de kaart. 'Zo'n achttienhonderd volgens de laatste telling, variërend van een zestiende-eeuws wrak bij Tangier Island tot de *Cuyahoga*, een schip van de Kustwacht dat na een aanvaring is gezonken. Maar de historicus van de NUMA begreep niets van het object dat de satelliet heeft waargenomen.'

'Over welke diepte praten we?'

'De Chesapeake is voor het grootste deel vrij ondiep,' antwoordde Austin. 'Gemiddeld tussen de zes en zeven meter, maar er zijn ook troggen van wel zestig meter diep.' Hij tikte met een vinger op de kaart. 'Volgens de kaart ligt ons object in een van die diepe gaten.'

De speedboot voer over de ongeveer een halve meter hoge golven ketsend in zuidelijke richting door en passeerde daarbij oesterboten en zeiljachten. Er was in beide richtingen veel scheepvaart op de Intercoastal Waterway die door het midden van de baai liep.

Nog geen uur nadat ze uit de jachthaven waren vertrokken, keek Austin weer op zijn gps en gebaarde naar Zavala, die daarop gas terugnam en de boot in de richting stuurde die Austin aanwees. Toen ze op de juiste plek waren, wees Austin omlaag en riep:

'Hier!'

De boot kwam schommelend tot stilstand en Zavala zette de motor uit. Austin legde de gps weg en wierp het anker overboord. Op een paar honderd meter voor de kust van een eiland lag de boot deinend op de golven. De dieptemeter van de boot gaf aan dat de romp zich veertien meter boven de bodem bevond. Austin en Zavala bogen zich over de satellietfoto die ze van Wilmut hadden gekregen. Ze herkenden de vage omtrekken van een schip. Het moest hier recht onder hen liggen.

Austin opende een plastic box en tilde er een SeaBotix Remote-Operated Vehicle uit, een op afstand bestuurbaar toestel ongeveer ter grootte van een stofzuiger. De NUMA beschikte over ROV's die zo groot als personenauto's waren, en Austin had uit een heel scala aan de meest moderne op afstand bedienbare verkenningstoestellen kunnen kiezen, maar hij wilde vooral snel zijn. Hij had het voor ondiep water geschikte toestel, dat draagbaar en gemakkelijk te vervoeren was, verkozen boven tijdrovende apparatuur op basis van een magnetometer of een side-scansonar.

Aan een van de uiteinden van de rode plastic behuizing bevond zich een hoge-resolutiecamera met een stel halogeenlampen. Aan het andere uiteinde zaten twee krachtige stuwschroeven. De ROV beschikte bovendien over een aan de zijkant bevestigde stuwschroef waarmee hij zich zijwaarts kon bewegen, en een verticaal gerichte stuwschroef voor het omlaag- en omhooggaan. Een metalen frame aan beide zijkanten had een dubbele functie als glijder en bumper.

Zavala trok het deksel van de andere box open, die de acht-inchmonitor en de afstandsbediening bevatte. Hij was een ervaren piloot en de console met één joystick was eenvoudig te bedienen. Samen met Austin koppelde hij de negentig meter lange lichtgewicht voedingslijn aan het toestel en de console. Austin tilde de ROV aan een handvat boven op de behuizing op en liet hem in het water zakken. Zavala maakte een paar ingewikkelde manoeuvres met het ding om aan de besturing te wennen. Vervolgens bracht hij de ROV in duikpositie en voerde de kracht van de stuwschroeven op.

De ROV daalde snel naar twaalf meter diepte. Daar legde hij het toestel recht en keek op de monitor. Twee lichtbundels bestreken de modderige bodem. Er was geen spoor van een wrak. Hij stuurde het toestel een paar maal in parallelle banen op en neer alsof hij een gazon aan het maaien was. Nog altijd geen wrak.

'Hopelijk was het niet een toevallige oprisping van NUMASat,' zei hij. Hij draaide zich om naar Austin, die over zijn schouder meekeek.

'Uitgesloten,' reageerde Austin. 'Zet aan stuurboordzijde maar een nieuw zoekpatroon uit. Hou het strak.'

Zavala activeerde de zijwaartse stuwschroef en verplaatste de mini-ROV naar rechts. Daar begon hij aan een nieuw patroon met halen van zeveneneenhalve meter. Halverwege dit patroon viel het licht van de lampen op een gebogen vorm die uit de bodem omhoogstak.

Zavala legde het toestel stil. 'Als dat niet een rib van een zeeslang is, is het een spant van een schip.'

Er verscheen een grijns op Austins gezicht om wat hij op de monitor zag.

'Ik zou zeggen, we hebben een wrak,' zei hij. 'Help me herinneren dat ik een Hobbit offer voor het Oog van Sauron.'

Zavala stuurde de ROV langs het voorwerp. Er verschenen steeds meer ribben in beeld. Geleidelijk werd het hele geraamte van een wrak herkenbaar. De spanten werden steeds korter naarmate de ROV dichter bij de voorsteven kwam.

'Het hout is behoorlijk goed geconserveerd, afgezien van de uiteinden die verkoold lijken,' merkte Zavala op.

'Dat zou overeenkomen met de wijze waarop ze gezonken is. Ze is tot op de waterlijn afgebrand.'

'Hoe lang denk je dat ze is?'

Austin tuurde naar het scherm. 'Een meter of vijfenveertig. Misschien iets meer. Wat is dat, daar rechts?'

Zavala draaide de ROV naar opzij. In het schijnsel van de lampen zagen ze iets wat op de bek van een houten dier leek. De bovenkant van de kop was volledig weggebrand.

'Het lijkt wel een stuk van een enorm hobbelpaard,' zei Zavala.

Austins hartslag versnelde. Uit zijn plunjezak diepte hij een waterdichte map van doorzichtig plastic op. Erin zat de computertekening van het schip die Paul en Gamay hem hadden meegegeven. Hij hield de tekening naast het scherm. De paardensnuit op de monitor en die op de tekening waren vrijwel identiek.

'Weer raak, amigo. We zijn waarschijnlijk de eerste mensen die na tweeduizend jaar een blik op een Fenicisch schip van Tarsis werpen.'

Zavala's gezicht klaarde op. 'Ik geef zo een hele kist *anejo*-tequila voor een korte blik op deze dame toen ze nog fier op het water voer.'

Hij stuurde het toestel langzaam langs de bakboordzijde van het wrak.

Austin zag vrijwel exact in het midden van de romp een donkere ronde vorm liggen. Hij tikte op het scherm. 'Wat is dat?'

Zavala stuurde het toestel een tiental centimeters naar voren.

In het licht van de lampen zagen ze een deels door algengroei overwoekerd metalen rooster. Hij draaide het toestel om en blies met de kracht van de stuwmotoren het zand rond het voorwerp weg.

'Het is een duikhelm,' zei Austin.

'Ik weet dat de Feniciërs een hoog ontwikkeld volk waren, maar ik wist niet dat ze al aan diepzeeduiken deden.'

'Dat deden ze ook niet. Iemand is ons voor geweest en zo te zien is hij daar nog.'

Zavala legde de ROV in een zodanige zwevende positie dat de helm in beeld bleef. Austin spreidde zijn scuba-uitrusting op het dek uit. Hij kleedde zich tot op zijn zwembroek uit en hulde zich in een neopreen wetsuit, laarzen, handschoenen en kap. Vervolgens trok hij zijn vinnen aan. Zavala hielp hem met zijn loodgordel en de persluchtfles. Austin voerde een snelle controle uit en testte de ademautomaat. Ten slotte zette hij het duikmasker op en klemde het mondstuk tussen zijn tanden. Hij ging met zijn rug naar het water op het dolboord zitten en duikelde achterover het water in.

In een wolk van luchtbelletjes zakte Austin ruim een meter in het water weg. Het voelde even koud aan tot het water dat tussen het pak en zijn huid drong op lichaamstemperatuur was. Met een paar krachtige slagen van zijn gespierde benen zwom hij door het steeds donkerder wordende water naar het zilvergroene schijnsel van de lampen van de ROV.

Austin kwam praktisch recht boven het toestel uit, waarna hij in een boog tot voor de lens van de camera zwom en zijn duim opstak ten teken dat alles in orde was. Zavala bewoog de neus van de ROV op en neer alsof hij knikte. Austin zwaaide terug en zwom naar de spanten. Het hout was aan de uiteinden inderdaad verkoold.

Terwijl hij zich naar de helm omdraaide, zag hij er vlak bij een rechthoekig voorwerp liggen. Toen hij het oppakte, bleek het een tablet van steen of klei te zijn van ongeveer twintig bij twintig centimeter en zo'n vijf centimeter dik. Aan één kant waren lijnen in het oppervlak gegraveerd.

Austin stopte het tablet in een aan zijn trimvest bevestigde duiktas en richtte zijn aandacht weer op de helm. Hij verwijderde alle algengroei eromheen. De helm zat vast aan een borststuk. Hij groef dieper in de modder. Langs de buitenrand van het borststuk zag hij de rafels van weggerotte stof. Austin voelde de koude rillingen over zijn rug lopen en dat kwam niet door de watertemperatuur.

Hij haakte zijn waterdichte zaklamp van zijn trimvest los, knipte hem aan en richtte de lichtstraal op het ijzeren rooster. Hij keek recht in de holle oogkassen van een menselijke schedel.

Austin bedacht wat hij nu moest doen. Net als de meeste mensen die zich bezighouden met de zee, had hij een groot respect voor zeemansgraven. Hij kon naar boven gaan en de vondst bij de autoriteiten melden. Maar de grove inzet van politieduikers zou de mogelijke geheimen die het wrak nog in petto had, vernietigen.

Hij sloeg zijn armen om de helm en wrikte hem voorzichtig los. De schedel viel eruit en kwam rechtopstaand neer. Austin troostte zich met het feit dat de dode duiker hem nog altijd grinnikend aankeek.

Hij negeerde de onheilspellende oogholtes en pakte een hefzak uit de duiktas. De touwen van de zak bond hij aan de halsrand van de helm en vulde de hefzak met lucht uit zijn fles. Hij blies het trimvest op, greep de helm beet en steeg langzaam naar de oppervlakte.

Zavala had de primitieve bergingsactie op de monitor gevolgd. Hij zag Austins hoofd boven water komen en wierp hem een lijn toe. Austin maakte de lijn aan de helm vast, opdat hij niet opnieuw zou zinken. Vervolgens gaf hij Zavala zijn persluchtfles, loodgordel en zwemvinnen aan en klauterde via een ladder aan boord.

Samen bogen ze voorover naar de lijn en trokken de helm de boot in.

Austin schoof zijn kap af en knielde naast de helm. 'Dit is een antieke,' zei hij. 'Die heeft daar waarschijnlijk heel wat jaartjes gelegen.'

Zavala bekeek het bevestigingsstuk van de luchtslang en de gezichts- en oorplaten. Hij streek met zijn vingers over de metalen bol. 'Ongelooflijk mooi, echt vakwerk. Hij is van geel- en roodkoper gemaakt.' Hij probeerde de helm met het eraan vast zittende borststuk op te tillen. 'Deze knaap weegt minstens vijfentwintig kilo. De vent die dit ding op zijn kop heeft gehad, moet zo sterk als een beer zijn geweest.'

'Kennelijk toch niet sterk genoeg,' zei Austin.

'Dat vreesde ik al,' zei Zavala, terwijl hij over de rand van de boot in het water keek. 'Wie zou dit zijn?'

Austin krabde midden op de voorkant van het borststuk wat aangekoekte algengroei weg, waardoor er een ovaal metalen plaatje zichtbaar werd met de naam van de fabrikant erop. Uit de inscriptie viel af te leiden dat de helm door de MORSE DIVING EQUIPMENT COMPANY te Boston was gemaakt. Eronder stond een serienummer.

'Misschien is dit een aanknopingspunt.'

Hij pakte zijn mobiele telefoon en belde de historische afdeling van de NUMA. Hij stelde zich voor aan een onderzoekster, die zei dat ze Jennifer heette, en gaf haar de informatie door die op de plaquette van de fabrikant stond. Jennifer vroeg naar de nummers op de bevestigingsrepen, waarna ze zei dat ze het uit zou zoeken en hem dan terug zou bellen.

Zavala had de bedieningsconsole van de ROV weer opgepakt en het toestel naar de oppervlakte laten komen. Hij tilde het compacte toestel uit het water, terwijl Austin de voedingslijn oprolde en op het dek legde. Daarbij viel zijn oog op de duiktas, waaruit hij onmiddellijk het tablet tevoorschijn haalde. Onder water had het groenachtig grijs geleken, maar nu het opdroogde bleek het eerder bruin te zijn. Aan één kant liepen diverse rechte lijnen van ongeveer een centimeter diep dwars over het oppervlak. Hij gaf het ding aan Zavala.

'Dit lag bij de helm. Ik dacht dat de lijnen natuurlijke strata in het gesteente waren, maar daar twijfel ik nu aan.'

Zavala hield het tablet in verschillende hoeken omhoog om het effect van de lichtval op het oppervlak te zien. 'Die lijnen zijn te recht en te diep om natuurlijk te zijn,' zei hij. 'Ze lopen volmaakt parallel. Beslist mensenwerk. Hoe is het met jouw Fenicisch gesteld?'

'Vrij slecht,' antwoordde Austin. Hij pakte het tablet weer aan en stopte het in de tas terug.

Ze bekeken de beelden van de ROV nog eens die bij de eerste passage langs het wrak waren gemaakt en leidden daar een nieuwe inschatting van de lengte van het schip uit af. Nu concludeerde Austin dat die toch eerder een meter of zestig moest zijn.

'Eén ding is zeker,' zei Zavala. 'Dit was geen roeiboot.'

Austins mobiele telefoon ging.

'Zo te zien bent u met uw neus in de boter gevallen,' zei Jennifer, de onderzoekster van de NUMA. 'Wat u daar hebt is een authentieke twaalf bouts, vier venster MK duikhelm van de marine. Morse was een in Boston gevestigde koperwerkfabriek die ten tijde van de Burgeroorlog met het ontwerpen van helmen is gaan experimenteren.'

'Deze lijkt een stuk nieuwer,' zei Austin.

'Dat is-ie ook. Deze helm is in 1944 gemaakt. Dit MK-ontwerp was sinds de eeuwwisseling in productie. Ze hebben het in de loop der jaren steeds verbeterd. Voor de marine was het een echt werkpaard dat ze in de Tweede Wereldoorlog bij al hun onderwateroperaties hebben ingezet.'

'Begrijp ik hieruit dat deze helmen voor het laatst in de oorlog zijn gebruikt?'

'Niet per se. Iedereen kan zo'n ding in een militaire dump of andere tweedehandszaak hebben gekocht. Als hij in goede staat verkeert, kan hij op de markt voor verzamelaars nog een flink bedrag opbrengen.'

'Jammer dat we niet weten van wie dit exemplaar is geweest,' zei Austin.

'Ik kan u niet zeggen wie ermee heeft gedoken, maar in marinedossiers heb ik gevonden wie hem in de oorlog heeft gebruikt. Een zekere Chester Hutchins, een duiker van de marine, die de helm volgens het marinedossier na de oorlog als afgeschreven materiaal heeft gekocht. Als woonplaats staat Havre de Grace, Maryland, vermeld.'

Austin kende het stadje vlak bij de monding van de Susquehanna. 'Ik weet waar dat is. Bedankt. Misschien woont er nog familie van hem.'

'Ik heb er in ieder geval één gevonden. Een mevrouw Chester Hutchins. Heb je een pen bij de hand?'

In een kist met reserveonderdelen vond Austin een balpen en krabbelde het telefoonnummer in de kantlijn van de kaart. Nadat hij Jennifer had bedankt, vertelde hij aan Zavala wat hij had gehoord.

'Dit klinkt als een serieus spoor,' zei hij.

'Serieuzer zul je het niet snel krijgen,' reageerde Austin. Hij toetste het nummer in. Een vrouw nam op. Austin aarzelde. Hij wilde niet graag iemand een hartaanval bezorgen. Maar er was nu eenmaal geen pijnloze manier om dit soort nieuws over te brengen.

Hij vroeg of ze familie was van Chester Hutchins.
'Dat ben ik. Althans, dat was ik. Hij is al jaren dood. Met wie spreek ik, als ik vragen mag?'
'U spreekt met Kurt Austin van de National Underwater and Marine Agency. Mijn collega en ik hebben vandaag in Chesapeake Bay naar een wrak gedoken en daar hebben we een duikhelm gevonden. Het blijkt dat hij van uw man is geweest.'
'Mijn god,' zei ze. 'Na al die tijd nog.'
'Vindt u het prettig als wij u die helm komen brengen, mevrouw Hutchins?'
'Ja, graag. Ik zal u mijn adres geven.'
Ze spraken nog een paar minuten met elkaar alvorens Austin ophing. Zavala had meegeluisterd. 'En?' vroeg hij.
Austin kromde zijn wijsvinger en duim tot een O. 'Bingo,' zei hij grijnzend.

37

Carina voelde zich alsof ze op wolken liep. De lunch met de twee expositieorganisatoren op het caféterras van het Metropolitan Museum of Art was veel beter verlopen dan ze had verwacht. Er zat schot in de zaak. Eindelijk.

De organisatoren hadden bijzonder positief gereageerd op haar suggestie dat een goede publiciteitscampagne rond de diefstal van de *Navigator* meer mensen naar het museum zou trekken. Ze hadden met nauwelijks ingehouden enthousiasme geluisterd naar haar verhalen over de lange zoektocht naar het beeld, de mislukte kaping en de uiteindelijk geslaagde roof van het beeld.

Als tafeltennissers hadden ze elkaar het ene idee na het andere toegespeeld en voortdurend van alles en nog wat in hun elektronische organizers genoteerd.

De *Navigator* zou een eigen zaal krijgen. Het zou een expositie binnen een expositie worden met de tot reusachtig formaat opgeblazen *National Geographic*-foto's van de opgraving van het beeld in Syrië. Plus foto's van het museum in Irak, de Egyptische piramiden, het containerschip en het Smithsonian Institution. Allemaal stukjes van de puzzel. Het middelpunt zou een leeg, voor het beeld gereserveerd voetstuk zijn, dat het geheel een mysterieuze lading zou geven.

Het thema van de expositie was uiteraard: *Vermist.*

De tentoonstelling zou binnen de museumwereld als een ongekend huzarenstukje worden gezien. Een geheid kassucces.

Terwijl ze met de lift van het dakterras naar beneden ging, moest ze in zichzelf lachen. Amerikanen! Al hadden ze dan hun problemen om in de huidige wereldeconomie op de been te blijven, hun fabelachtige vermogen om lucht te verkopen waren ze nog lang niet kwijt.

Door het denken aan Amerikanen schoot het haar opeens te binnen dat ze Austin moest bellen. Ze voelde de verleiding om delen van de indrukwekkende collectie van het museum te gaan bekijken, maar na een blik op haar horloge besefte ze dat de lunch langer had geduurd dan verwacht.

Met driftige pasjes liep ze door de Grote Hal naar de hoofduitgang. Tussen de enorme zuilen boven aan de brede trap die tot aan de stoep van Fifth Avenue doorliep, bleef ze staan en diepte haar mobieltje uit haar tas op. Ze bladerde haar telefoonboek door, maar hield daar al snel mee op toen ze zich herinnerde dat Austin zijn telefoon in Turkije in zee had gegooid.

Carina belde een servicelijn en vroeg het nummer van de NUMA. Tot haar vreugde kreeg ze een levend persoon aan de lijn. Admiraal Sandecker had de pest aan automatische antwoordapparaten en de NUMA was waarschijnlijk de enige overheidsinstelling in Washington die nog met telefonistes werkte.

Ze werd met Austins toestel doorverbonden en sprak een boodschap in op zijn antwoordapparaat, waarin ze hem zei dat ze een taxi naar het Penn Station zou nemen en dat ze hem vanuit de trein of bij aankomst in Washington zou bellen. Dezelfde mededeling sprak ze ook in op zijn antwoordapparaat in het botenhuis. Als ze hem niet kon bereiken, zou ze een taxi naar haar hotel nemen en daar op hem wachten.

Terwijl Carina telefoneerde, werden al haar bewegingen gadegeslagen van achter het stuur van een gele taxi die bij de hoofdingang van het museum langs de stoep geparkeerd stond.

Met zijn ogen strak op zijn doelwit gericht sprak de chauffeur in een mobilofoon.

'Pik een klant op bij de Met.'

Carina stopte het mobieltje terug in haar tas en liep de trap af.

De taxi reed langzaam naar voren en de chauffeur deed de verlichting van de dakbalk aan ten teken dat de taxi vrij was. Perfect uitgekiend stopte hij voor Carina op het moment dat ze de stoeprand bereikte.

Hoe was het mogelijk, alweer geluk, dacht ze. Ze trok de deur open en nam plaats op de achterbank. 'Waar gaat de reis heen, mevrouw?' vroeg de chauffeur over zijn schouder.

'Penn Station, alstublieft.'

De chauffeur knikte en schoof de plastic ruit dicht die de voorbank van de ruimte erachter scheidde. De taxi trok op en mengde zich in het drukke verkeer op Fifth Avenue. Carina keek door het raam naar het levendige straatbeeld. New York was een van haar favoriete steden. Ze hield van de energie die de stad uitstraalde, van de cultuur en de eindeloze variëteit aan mensen die de straten bevolkten.

Soms maakte ze zich zorgen dat ze zelf geen thuisbasis had. Ze was een kind van Europa en Afrika met wortels in beide continenten. Parijs was de stad waar ze woonde en werkte, maar ze was vaker onderweg dan dat ze thuis was. Ze verheugde zich op het verblijf in Austins botenhuis. Ze was helemaal weg van die onverschrokken, knappe Amerikaan en was jaloers op de manier waarop hij tussen het globetrotten en huiselijk leven een evenwicht had gevonden. Ze moest hem toch eens vragen hoe hij het beste uit die twee werelden zo perfect wist te combineren.

Carina rook een zoetige geur, alsof er een zwaar geparfumeerde vrouw in de auto was gestapt. Ze voelde zich duizelig van de indringende geur. Ze probeerde het raam open te draaien, maar de hendel klemde. De geur werd steeds sterker. Ze kreeg het zo benauwd dat ze dacht dat ze stikte. Ze leunde opzij over de bank en probeerde de hendel van het raam aan de andere kant. Ook vast.

Ze werd steeds duizeliger. Ze viel flauw als ze niet snel frisse lucht kreeg. Ze klopte op de scheidingsruit om de aandacht van de chauffeur te trekken. Hij reageerde niet. Ze keek op het legitimatiebewijs van de chauffeur en het viel haar op dat het gezicht op de foto niet overeenkwam met dat van de chauffeur. Het hart bonsde in haar keel en het koude zweet brak haar uit.

Moet... hier... weg.

Ze bonkte met beide vuisten op de plastic ruit. De chauffeur keek in de achteruitkijkspiegel. Ze zag zijn ogen. Emotieloos. Het beeld in de spiegel vervaagde.

Haar armen voelden loodzwaar aan. Ze kreeg haar vuisten niet meer omhoog. Ze zakte onderuit over de bank, sloot haar ogen en verloor het bewustzijn.

De chauffeur keek weer in de achteruitkijkspiegel. Toen hij zag dat Carina bewusteloos was, draaide hij met een schakelaar op het dashboard de gastoevoer naar de achterbank dicht. Hij sloeg een zijstraat van Fifth Avenue in en reed naar de oever van de Hudson.

Een paar minuten later stuurde hij de taxi naar een wachthuisje bij de ingang van een omheind terrein. De bewaker wenkte dat hij door kon rijden naar een helikopterplatform aan de rand van de rivier. Er stonden twee onguur ogende kerels bij een met loom rondzwiepende rotorbladen wachtende helikopter.

De taxi stopte vlak bij de heli. De mannen openden het achterportier en tilden Carina's slappe lichaam van de bank, waarna ze haar naar de helikopter droegen.

Een van de mannen nam op de stoel van de piloot plaats, terwijl de andere met een gasfles in zijn handen naast Carina ging zitten, klaar om haar zodra ze tekenen vertoonde dat ze bijkwam een nieuwe dosis bedwelmingsgas toe te dienen.

De rotorbladen versnelden tot een wazige cirkel. Na een korte slingerbeweging kwam de heli los van de grond en was binnen de kortste keren nog slechts een verre stip in de lucht.

38

'Ik ben nergens gelukkiger,' citeerde Gamay uit de reisgids. 'Jefferson stak zijn liefde voor Monticello niet onder stoelen of banken.'

'Kun je hem ongelijk geven?' Paul wees door de voorruit naar de bekende ronde, op zuilen rustende porticus met koepel die op een afgelegen heuvel hoog boven het groene golvende landschap van Virginia uittorende.

Het was minstens een jaar geleden dat Paul en Gamay Trout voor het laatst tijdens een van de uitstapjes die ze zo af en toe in hun Humvee maakten, een bezoek aan Jeffersons legendarische optrekje hadden gebracht. Over het algemeen zat Paul achter het stuur. Gamay las de kaart en leverde de achtergrondinformatie over de plaatselijke bezienswaardigheden, waarbij ze uit een keur aan reisgidsen de meest futiele feitjes citeerde. *Ad nauseum.*

'Aha!' zei Angela.

Trout kreunde. Angela, die op de achterbank zat, bleek Gamay in het opsommen van triviale reisweetjes naar de kroon te steken. Sinds ze die ochtend uit Georgetown waren vertrokken, hadden de beide vrouwen om beurten aan één stuk door feiten en wetenswaardigheden over Jefferson en Monticello ten beste gegeven.

'Te laat,' zei Paul in een poging de jonge vrouw de mond te snoeren. 'We zijn er.'

'Dit is echt belangrijk,' zei Angela. Ze zat met haar neus haast tegen de pagina's van het boek *The Life and Times of Thomas Jefferson* gedrukt. 'Dit gaat over het materiaal van Jefferson dat tijdens de bootreis naar Monticello werd gestolen.'

Trout spitste zijn oren. 'Lees voor.'

Daar had Angela geen tweede aansporing voor nodig. 'Jefferson schrijft aan zijn vriend dr. Benjamin Barton over het verlies van zijn Indiaanse vocabulaires. Barton was natuurwetenschapper en lid van het Filosofisch Genootschap. Jefferson noemt de diefstal een "onherstelbare tegenslag". Gedurende dertig jaar had hij de woordenschat van vijftig Indiaanse talen in kaart gebracht, maar de publicatie ervan uitgesteld omdat hij de gegevens die Lewis had verzameld er nog in wilde verwerken. Hij had het idee dat sommige Indiaanse woorden overeenkwamen met Russische. Hij wist nog een paar pagina's uit de rivier te redden, waaronder de vellen waarop woorden uit de taal van de Pani-indianen stonden die door Lewis waren opgetekend. En "een kort fragment in een andere...", lees ik hier in een facsimilé van zijn handschrift, maar er staat verder niet bij om welke taal het gaat.'

'Ik vraag me af of dit fragmenten in dezelfde taal zijn als de woorden op de plattegrond die als Fenicisch zijn geïdentificeerd,' merkte Gamay op.

'Zou kunnen,' zei Paul. 'Misschien heeft Jefferson Lewis in een brief verteld over de Fenicische woorden op de plattegrond. Daarop heeft Lewis ontdekt dat de woorden overeenkwamen met teksten die hij op een van zijn reizen had verzameld, maar niet aan Jefferson had doorgegeven.'

'Waarom zou hij dat materiaal hebben achtergehouden?' vroeg Gamay.

'Omdat hij het belang er niet van inzag. Nadat hij het bericht van zijn vroegere baas had ontvangen, liet hij alles voor wat het was en begaf zich stante pede naar Monticello met iets wat hij aan Jefferson wilde laten zien.'

'Dat houdt in dat die plattegrond heel belangrijk moet zijn,' zei Gamay. 'Die kaart heeft met de Feniciërs te maken en toont de locatie van Ofir.'

'Klinkt verleidelijk, maar zonder verdere informatie hebben we er niets aan,' zei Trout hoofdschuddend. 'Een kompasroos. Een schaalverdeling van de afstanden. Herkenningspunten in het landschap. Dat soort gegevens, daar kunnen we wat mee.'

Angela klapte haar aktetas open, bladerde het document van Jefferson door en trok de pagina met de kronkellijnen, stippen en Fenicische woorden tevoorschijn.

Ze hield het wapperend op. 'Zijn we het eens dat een deel van de kaart weg is gesneden?' vroeg ze.

'Klopt,' zei Paul. 'Dit lijkt een deel van een groter geheel te zijn.'

'Als dat waar is,' zei Gamay met een van opwinding trillende stem, 'zou wat Lewis aan Jefferson wilde laten zien wel eens de andere helft van de kaart kunnen zijn. Naar verluid had Lewis tijdens de expeditie naar de Grote Oceaan een goudmijn ontdekt.'

'Wauw!' zei Angela. 'Dus als onze theorie over de jonge slaaf klopt, wist Lewis waar de mijn Ofir zich bevond.'

'Hoho,' zei Paul grijnzend. 'Dan hebben we misschien toch een iets te voorbarige indruk gewekt. Gamay en ik hebben er een handje van om met onze ideeën te speculeren, maar we blijven wel wetenschappers. We handelen dus uitsluitend op basis van feiten. Nu zijn we aan het speculeren naar aanleiding van veronderstellingen die niet bewezen zijn.'

Angela keek beteuterd. Gamay probeerde de jonge onderzoekster weer wat op te vrolijken. 'Maar, Paul, je zult toch moeten toegeven dat het een opwindende gedachte is, ook al zijn er dan nog veel vragen onbeantwoord.'

'Ik ben de eerste om toe te geven dat het plausibel klinkt,' zei Paul. 'Misschien ligt hier ook het antwoord wel in besloten.'

Hij stuurde de Humvee een parkeerterrein op bij de Jefferson Bibliotheek, een imposant, tweeënhalve verdieping hoog gebouw van witte overnaadse planken op ongeveer een kilometer ten oosten van de hoofdingang van Monticello. Ze liepen de hal in, meldden zich bij de receptioniste en vroegen of ze de archivaris konden spreken met wie ze hadden getelefoneerd. Een paar minuten later verscheen er een lange man in een geelbruin kostuum in de hal die met uitgestoken hand op hen afkwam.

'Leuk om u te zien,' zei hij met een brede glimlach. Met het zachte, lijzige Virginia-accent zei hij: 'Ik ben Charles Emerson. Jason Parker, de archivaris met wie u hebt gesproken, heeft uw vraag aan mij doorgespeeld. Welkom in de Jefferson Bibliotheek.'

Emerson had een lage stem en de hoffelijke omgangsvormen van een echte heer uit de zuidelijke staten. Zijn lichtbruine gezicht was vrijwel helemaal glad op een paar lachrimpeltjes rond zijn ooghoeken na. In het strakke kostuum stak het lichaam van een fitnessfanaat, maar de staalgrijze kleur van zijn haar verraadde dat hij toch al in de zestig moest zijn.

Gamay stelde Paul en Angela voor. 'Dank u dat u even tijd voor ons hebt,' zei ze.

'Geen probleem. Jason zei dat u van de National Underwater and Marine Agency bent?'

'Paul en ik werken voor de NUMA. Mevrouw Worth is onderzoekster verbonden aan het Amerikaans Filosofisch Genootschap.'

Emerson trok een wenkbrauw op. 'Wat een eer. Wat de NUMA allemaal doet is algemeen bekend. En het Filosofisch Genootschap is een van de wetenschappelijke juwelen van ons land.'

'Dank u,' zei Angela, terwijl ze de hal rondkeek. 'Uw bibliotheek mag er ook zijn.'

'We zijn bijzonder trots op ons onderkomen,' zei Emerson. 'De bouw heeft vijfenhalf miljoen dollar gekost en we zijn in 2002 opengegaan. We hebben plankruimte voor 28.000 boeken en beschikken over een gevarieerd scala aan leeszalen en multimediale voorzieningen. Ik zal u rondleiden.'

Emerson liet hen de diverse lees- en studiezalen zien alvorens hij hen naar zijn ruime kantoor bracht. Hij nodigde zijn bezoekers uit plaats te nemen en ging zelf achter een groot eikenhouten bureau zitten.

'Ik heb geen idee waarmee onze bibliotheek u van de NUMA van dienst zou kunnen zijn. Ons prachtige landschap hier ligt nu niet bepaald aan zee.'

'Dat is ons opgevallen,' reageerde Gamay glimlachend. 'Maar misschien hebt u ons meer te bieden dan u denkt. Meriwether Lewis heeft in opdracht van Thomas Jefferson een expeditie naar de Grote Oceaan geleid.'

Indien Emerson deze uitleg nogal vaag vond, liet hij daar in ieder geval niets van merken. 'Meriwether Lewis,' zei hij peinzend. 'Een boeiende man.'

Angela kon zich niet inhouden. 'In feite zijn we meer in zijn bediende geïnteresseerd. Een zekere Zeb Moses, een jongeman die bij Lewis was toen hij stierf.'

'Jason zei dat u door de telefoon al naar Zeb had gevraagd. Dat is ook de reden waarom hij uw vraag aan mij heeft doorgegeven. Zeb was een verbluffende figuur. Geboren als slaaf heeft hij zijn hele leven in Monticello gewerkt. Hij was in de negentig toen hij overleed en heeft de officiële afschaffing van de slavernij nog meegemaakt.'

'Zo te horen hebt u zich in hem verdiept,' merkte Paul op.

Emerson glimlachte. 'Dat kon haast niet anders. Zeb Moses was een voorvader van mij.'

'Dat is een mooi toeval,' zei Paul. 'Dan bent u de uitgelezen persoon om de vraag te beantwoorden die ons bezighoudt.'

'Ik zal mijn best doen. Brand maar los.'

'Weet u hoe het komt dat Zeb al zo spoedig na zijn aankomst in Monticello een vrij man is geworden?'

Paul had de gewoonte om zijn hoofd als hij diep in gedachten verzonken was iets voorover te laten hangen en met zijn grote bruine ogen te knipperen alsof hij over de rand van een onzichtbare bril tuurde. Het was een misleidende eigenschap waarmee hij mensen soms overrompelde. Emerson bleek geen uitzondering.

Hij leek zijn houding van hartelijke openheid heel even te verliezen. Zijn glimlach bevroor tot een licht fronsende gezichtsuitdrukking, maar hij had zichzelf meteen weer in de hand. Zijn mondhoeken kromden zich omhoog tot een brede glimlach.

'Zoals ik al zei, mijn voorvader was een opmerkelijk mens. Hoe bent u er achter gekomen dat hij een vrij man was?'

'Dat hebben we in het archief van Monticello gevonden,' zei Paul. 'Bij Zebs naam staat "vrij" in het handschrift van Jefferson.'

'Nou, Jefferson heeft inderdaad een aantal van zijn slaven vrij verklaard,' zei Emerson.

'Niet erg veel,' zei Angela. 'Jefferson had zijn bedenkingen tegen slavernij, maar op uw eigen website is te lezen dat hij er altijd minstens tweehonderd tegelijk op nahield. Hij verkocht er meer dan honderd en gaf er vijfentachtig aan zijn familie. In zijn testament gaf hij er maar vijf de vrijheid en hoogstens drie, onder wie uw voorvader, tijdens zijn leven.'

Emerson schoot in de lach. 'Het is duidelijk dat ik met u niet in debat moet gaan, jongedame. U hebt groot gelijk. Maar mij gaat het erom dat hij tenminste wél slaven de vrijheid gaf, terwijl dat – helaas – maar heel zelden voorkwam.'

'Waarmee we bij mijn vraag terug zijn,' zei Paul. 'Waarom kreeg Zeb zo snel nadat hij in Monticello te werk werd gesteld de vrijheid en vervolgens een aantrekkelijke aanstelling in de huishouding?'

Emerson leunde achterover in zijn stoel en drukte de vingertoppen van beide handen tegen elkaar. 'Ik heb geen flauw idee. Hebt uzelf misschien een vermoeden?'

Paul wendde zich tot Angela. Hij had iets goed te maken na de wetenschappelijke les die hij de jonge vrouw had gelezen. 'Dat kan mevrouw Worth u het beste uitleggen.'

Angela sprong hier gretig op in. 'We denken dat de reis van Lewis in feite een geheime missie was om Jefferson van belangrijke informatie te voorzien. Dat was de reden waarom Lewis werd vermoord en Zeb Moses is naar Monticello doorgereisd om de missie te volbrengen. Jefferson heeft Zeb daarvoor beloond met een baan en de vrijheid.'

'Dat is nogal wat,' zei Emerson en hij schudde zijn hoofd op een manier die scepsis uitdrukte zonder grof te zijn. 'Wat voor informatie zou dan aan de jonge Zeb zijn toevertrouwd?'

Gamay wilde hun hand niet overspelen en kwam tussenbeide voordat Angela kon antwoorden. 'We denken dat het een kaart is geweest.'

'Een kaart van wat?'

'We hebben geen idee.'

'Dit is volslagen nieuw voor mij,' zei Emerson. 'Weet u wat, ik ga er achter aan. U hebt me echt nieuwsgierig gemaakt. Ik heb nooit vermoed dat Zeb bij dat soort spannende intriges betrokken is geweest.' Hij keek op zijn horloge en stond op. 'Excuseert u mij dat ik dit hoogst interessante gesprek moet afbreken, maar ik heb een afspraak met een mogelijke geldschieter.'

'Daar hebben we uiteraard alle begrip voor,' zei Paul. 'We appreciëren het zeer dat u tijd voor ons hebt vrijgemaakt.'

'Graag gedaan,' zei Emerson, terwijl hij zijn gasten naar de deur begeleidde.

Emerson mocht het onderhoud dan hebben beëindigd, maar dat gold nog niet voor Angela.

'O, dat was ik bijna vergeten, meneer Emerson,' zei ze. 'Hebt u wel eens van Jeffersons Artisjokken Genootschap gehoord?'

Emerson bleef met zijn hand op de deurklink staan. 'Nee,' zei hij. 'Nooit van gehoord. Heeft het met tuinieren te maken?'

'Mogelijk,' zei Angela met een schouderophalen.

'Dat is ook iets wat ik zal uitzoeken.'

Emerson keek vanuit de deuropening toe hoe zijn bezoekers in de Humvee stapten en wegreden. Op zijn gezicht lag een uitdrukking van diepe bezorgdheid. Met driftige passen liep hij terug naar zijn kantoor en toetste een nummer in op zijn telefoon.

Aan de andere kant van de lijn klonk een droge, broze mannenstem. 'Goedemorgen, Charles. Hoe gaat het ermee vandaag?'

'Het is wel eens beter geweest. De mensen die gisteren belden en naar Zeb Moses vroegen, zijn zojuist vertrokken. Een echtpaar van de NUMA en een jonge vrouw van het Filosofisch Genootschap.'

'Ik neem aan dat je ze met je onvolprezen conversatietalent keurig hebt afgewimpeld.'

'Ik dacht dat ik daar aardig in was geslaagd tot de jonge vrouw me naar het Artisjokken Genootschap vroeg.'

Het was enige tijd stil aan de andere kant van de lijn tot de kille droge stem ten slotte zei: 'Dan kunnen we maar beter even met z'n allen om de tafel gaan zitten.'

'Ik ga dat meteen regelen,' zei Emerson.

Hij hing op en staarde een ogenblik voor zich uit, waarna hij zich weer tot actie aanzette en uit het hoofd het eerste van een hele reeks telefoonnummers intoetste.

Terwijl hij wachtte tot er werd opgenomen, zag hij opeens een heel scherp beeld voor zich: een enorme kluwen draad die zich ontrolde.

'Eerste indruk?' vroeg Paul terwijl ze langs Monticello reden.

'Vriendelijk, maar toch ook ietwat gereserveerd,' reageerde Gamay.

'Hij verbergt iets,' vond ook Angela.

'Ik zag zijn reactie toen jij naar het Artisjokken Genootschap vroeg,' zei Paul. 'Het klassieke beeld van een hert dat in het licht van koplampen verstart.'

'Dat viel mij ook op,' zei Gamay. 'Die vraag van Angela raakte bij hem beslist een gevoelige snaar. Misschien moeten we eens wat dieper op dat genootschapje ingaan. Kennen wij iemand die veel van artisjokken weet?'

'Ik ken iemand die een boek over artisjokken aan het bestuderen is. Ik zal hem bellen.'

Stocker was thuis en reageerde verheugd toen hij hoorde dat het Angela was. 'Alles goed met jou? Ik heb over die moord bij jullie in de bibliotheek gehoord en geprobeerd om je thuis te bereiken.'

'Ik ben oké. Ik vertel het je nog wel. Maar ik wil je om een gunst vragen. Ben jij in jouw onderzoek ooit iets tegengekomen over een Artisjokken Genootschap?'

'Die geheime club van Jefferson?'

'Die bedoel ik. Weet je daar meer over?'

'Ik ben de naam tegengekomen in een artikel over geheime genootschappen aan de Universiteit van Virginia. Ik ben er niet verder op ingegaan, omdat het me niet van belang leek.'

'Weet je wie dat artikel heeft geschreven?'

'Een professor aan de UVA. Ik zal je zijn naam en telefoonnummer geven.'

Ze noteerde de gegevens, zei tegen Stocker dat ze binnenkort contact met hem zou opnemen en vertelde Paul en Gamay wat ze had gehoord. Gamay liet er geen gras over groeien en belde de professor meteen op.

'Goed nieuws,' zei ze nadat ze de verbinding had verbroken. 'De professor is gaarne bereid ons in de pauze tussen colleges te woord te staan, maar dan moeten we wel opschieten.'

Trout drukte het gaspedaal in en de brede terreinwagen trok grommend op.

'Volgende halte: de Universiteit van Virginia.'

39

De weduwe van de dode duiker woonde in een vierkant huis van drie verdiepingen dat er jaren geleden ongetwijfeld keurig had uitgezien, maar het gebrek aan onderhoud had een zichtbare tol geëist. De oude gele verf was verbleekt en op diverse plekken afgebladderd. De luiken hingen onder angstaanjagende hoeken scheef. Maar die uitstraling van verval stond in schril contrast met het gemaaide gazon en de verzorgde bloembedden onder langs de voorgevel.

Austin drukte op de voordeurbel. Omdat hij die niet hoorde overgaan, klopte hij met zijn knokkels op de deur. Geen reactie. Hij klopte nog eens zo hard als hij kon zonder daarbij de deur te beschadigen.

'Ik kom eraan!' Van om een hoek van het huis kwam een vrouw met witte haren op hen toegelopen. 'Sorry,' zei ze met een hartelijke glimlach. 'Ik was in de tuin bezig.'

'Mevrouw Hutchins?' vroeg Austin.

'Zeg maar Thelma, hoor.'

Ze veegde het vuil van haar handen, waarna ze Austin en vervolgens Zavala een hand gaf. Haar hand voelde eeltig aan, maar de druk was verrassend stevig.

Austin en Zavala stelden zich voor.

Ze versmalde haar harde blauwe ogen tot spleetjes. 'Toen u belde, hebt u er niet bij verteld dat u er zo goed uitzag, heren,' zei Thelma grijnzend. 'Als ik dat geweten had, was ik me gaan optutten en liep ik er nu niet als een slons bij. Dus u hebt de helm van Hutch gevonden.'

Austin wees naar de Cherokee die voor het huis stond. 'Hij ligt in de achterbak.'

Thelma stapte zelfverzekerd over de oprit en opende de achterklep van de auto. De algengroei was verwijderd en het geel- en roodkoper glom in het zonlicht.

Thelma streek met haar vingers over de bol van de helm. 'Dit is inderdaad Hutch z'n breinbeschermer,' zei ze, terwijl ze een traan wegveegde. 'Ligt hij daar nog?'

Austin zag de grijnzende schedel weer voor zich. 'Ik ben bang van wel. Wilt u dat we de Kustwacht waarschuwen, zodat zij het stoffelijk overschot naar boven halen voor een begrafenis?'

'Laat die ouwe waterrat met rust,' antwoordde Thelma. 'Dan stoppen ze z'n botten in de grond. Dat had hij vreselijk gevonden. Ik heb daarna nog twee kerels gehad, God hebbe hun ziel, maar Hutch was de eerste en de beste. Dat kan ik hem niet aandoen. Kom mee naar achteren. Wij gedenken hem wel op onze eigen manier.'

Austin wisselde een geamuseerde blik met Zavala. Thelma Hutchins was niet het broze oude vrouwtje dat ze hadden verwacht. Ze was lang en nog kaarsrecht; ze had niet de hangende schouders die je vaak bij oudere mensen ziet. Ze liep met energieke en allesbehalve onzekere passen voor Austin en Zavala uit naar een verweerde houten tafel onder een verbleekte CINZANO-parasol. Thelma zei dat ze zo terug was.

Aan de achterkant zag het huis er nog erger verwaarloosd uit, maar de tuin was zo verzorgd als de greens van een golfbaan. Er waren diverse bloembedden en een weelderige moestuin die groot genoeg was om een heel leger vegetariërs in leven te houden. Er kwam een lobbes van een labrador retriever aangekuierd die zijn kwijlende bek op Austins knie legde.

Thelma kwam uit het huis terug met drie flessen bier en verontschuldigde zich voor het goedkope merk.

'Ik ben Stella Artois gaan drinken nadat ze me op mijn bijstand hebben gekort. Ik zal het voorlopig met deze paardenpis moeten doen.' Ze keek naar de hond. 'Ik zie dat jullie ook al met Lush hebben kennisgemaakt.' Ze schonk wat bier op een bord en keek glimlachend toe hoe de hond erop afstapte en het schuimende vocht opslorpte. 'Op Hutch dan maar. Ik wist dat iemand die ouwe piraat op een goeie dag zou vinden.'

Ze klonken met de flessen en namen een slok.

'Hoe lang geleden is uw man verdwenen?' vroeg Austin.

'Mijn éérste man.' Ze sloeg nog een slok bier achterover en tuitte haar lippen. 'Dat was in de lente van '73. Waar hebt u hem gevonden?'

Austin vouwde de kaart uit die hij had meegebracht en wees op een met een pen aangebracht kruis.

'Krijg nou wat!' riep Thelma uit. 'Dat is kilometers van de plek waar ik dacht dat het schatwrak lag.'

'Schatwrak?' vroeg Zavala.

'Zo noemde Hutch het, de dwaas. Dat is z'n dood geworden.'
'Kunt u ons daar iets meer over vertellen?' vroeg Austin.
Er kwam een afwezige blik in haar ogen. 'Mijn man is hier aan de baai geboren en getogen. In de Tweede Wereldoorlog ging hij bij de marine, waar hij is opgeleid als duiker. En een verdomd goeie ook, van wat ik heb gehoord. Na afloop van de oorlog heeft hij zijn uitrusting gekocht. We zijn getrouwd en naast zijn werk deed hij commerciële duikklussen om wat te doen te hebben. Maar hij voer vooral op een vissersboot en zo heeft hij dat wrak gevonden. Er is een net aan blijven haken. Hij begreep helemaal niets van dat wrak.'
'Hoe kwam dat, Thelma?' vroeg Austin.
'Hutch kende alle wrakken in dit gebied. Hij heeft naar verschillende gedoken. Zijn hobby was geschiedenis. Hij heeft heel wat onderzoek gedaan. Maar hij heeft nergens een vermelding gevonden dat er op die plek een schip is vergaan.'
'Hij heeft u nooit verteld waar dat wrak precies lag?' vroeg Zavala.
'Mijn man was zo gesloten als een Chesapeake-oester. Hij was nog van de oude stempel. Voor hem waren vrouwen geboren roddeltantes. Hij zei dat hij het me wel zou vertellen als hij het goud voor me had opgedoken.'
'Hoe kwam hij erbij dat er goud in dat wrak lag?' vroeg Austin.
'De meeste mensen weten niet dat hier in de buurt ooit nogal wat goudmijnen hebben gelegen. Maryland. Virginia. Tot in Pennsylvania.'
'Dat verbaast me niets. Ik heb pas vorig jaar gehoord dat er in de streek rond de Chesapeake Bay veel belangrijke goudmijnen waren,' zei Austin. 'Ik kwam in Maryland een Goudmijn Café tegen en heb me toen laten vertellen dat het naar een verlaten mijn daar in de buurt was genoemd.'
'En uw man vermoedde dat er goud in het wrak lag?' vroeg Zavala.
'Het was meer dan een vermoeden, knapperd.' Ze frunnikte aan de ketting om haar hals. Aan de ketting hing een gouden hanger in de vorm van een paardenhoofd. 'Deze heeft hij bij zijn eerste duik gevonden. Hij heeft hem me gegeven met de belofte dat er meer zou volgen.' Ze zuchtte diep. 'O, Hutch toch,' zei ze, 'je was me meer waard dan welke schat dan ook.'
'Het spijt me dat we die herinneringen bij je losmaken,' zei Austin.
Op slag was haar warme glimlach terug. 'Maak je geen zorgen, Kurt. Vergeef me dat ik even afdwaalde.'
Zavala had nog een vraag. 'Kurt en ik hadden best wel moeite om die helm uit het water te krijgen. Met het borststuk eraan is dat ding knap

zwaar. Ik vroeg me af hoe je man in zijn eentje dat duikpak aan en uit kreeg.'

'O, maar hij was niet alleen. Hij had een bemanningslid toen hij het wrak ontdekte, een zekere Tom Lowry. Dus moest hij hem wel in het geheim inwijden. Zo is Tom zijn duikbuddy geworden. Hutch heeft hem beloofd dat ze alles fiftyfifty zouden delen.'

'Leeft die Tom nog?' vroeg Austin.

'Dat wrak is ook zijn dood geworden,' antwoordde Thelma. 'De Kustwacht ging ervan uit dat Hutch daar beneden in de problemen is gekomen. Misschien kwam zijn luchtslang klem te zitten. Tom was zo sterk als een os, maar niet bepaald iemand die het buskruit had uitgevonden, als je begrijpt wat ik bedoel. Hij ging door het vuur voor Hutch. Ik vermoed dat hij zonder te denken overboord is gesprongen en ook in de problemen kwam en is verdronken.'

'Maar heeft de Kustwacht de boot dan niet aangetroffen op de plek waar hij bij het wrak voor anker lag?' vroeg Austin.

'Er is een storm opgekomen. De boot is van het anker losgerukt en op drift geslagen. Toms lichaam en de boot zijn vele kilometers van de plek die jullie aanwezen gevonden. Ik heb de boot verkocht aan een vriend van Hutch, met wie ik later ben getrouwd.'

'Hebt u ooit iemand over die schat verteld?'

Ze schudde heftig met haar hoofd. 'Zelfs de Kustwacht niet. Dat ongelukswrak had al twee levens op zijn geweten. Ik wilde niet nog een keer weduwe worden en andere vrouwen wilde ik dat lot ook besparen.'

'Hoe vaak heeft Hutch naar het wrak gedoken?' vroeg Zavala.

'Hij is er twee keer naartoe gegaan.' Ze friemelde weer aan de hanger om haar hals. 'De eerste keer vond hij deze hanger. De tweede keer is hij nadat hij een kruik had gevonden nogmaals omlaaggegaan.'

Austin zette zijn bier neer. 'Wat is dat voor kruik, Thelma?'

'Een oud ding van ruw aardewerk. Groenachtig grijs en aan de bovenkant verzegeld. Ik heb hem in een opslagkist met scheepsspullen gevonden. Hutch en Tom hadden hem daarin weggelegd. Hij zat nog onder het zeewier. Er zat geen goud in, daar was hij te licht voor. En ik heb nooit de behoefte gehad om hem open te maken. Ik dacht dat dat alleen maar nog meer ongeluk zou brengen. Net als de doos van Pandora.'

'Mogen we die kruik eens zien?' vroeg Austin.

Thelma leek in verlegenheid gebracht. 'Ik wou dat jullie eerder waren gekomen. Ik heb hem een paar dagen geleden weggegeven aan een vent die langskwam. Hij zei dat hij een boek aan het schrijven was en dat hij in de stad vage verhalen over Hutch en zijn wrak had gehoord. Toen ik hem over de kruik vertelde, vroeg hij of hij hem mocht lenen om er röntgenfoto's van te laten maken. Ik heb gezegd dat hij hem mocht houden.'

'Heette die man Saxon?'

'Dat klopt. Tony Saxon. Knappe vent, maar niet zo knap als jullie. Ken je hem?'

'Vaag,' antwoordde Austin meesmuilend. 'Heeft hij gezegd waar hij logeerde?'

'Neuhhh,' zei ze na een ogenblik nadenken. 'Ik heb toch niks van waarde weggegeven, hè? Aan het huis moet een hoop gedaan worden.'

'Waarschijnlijk niet,' zei Austin. 'Maar de helm is van jou en die is wel veel geld waard.'

'Genoeg om dit krot wat op te lappen en te schilderen?' vroeg ze.

'En dan heb je misschien nog iets over voor een paar kratjes Stella Artois,' antwoordde Austin.

Hij sloeg een tweede biertje om dat heugelijke feit te vieren af. Met Zavala haalde hij de helm uit de Jeep en droeg hem naar de woonkamer. Austin zei tegen Thelma dat hij een in nautische spullen gespecialiseerde taxateur zou vragen contact met haar op te nemen. Ze bedankte hen allebei met een dikke zoen op de wang.

Toen Austin in de Jeep wilde stappen zag hij dat er een papiertje onder de ruitenwisser stak. Hij vouwde het briefje open en las de met balpen geschreven tekst:

Beste Kurt. Sorry vanwege de amfora. Ik zit tot zes uur vanmiddag in de Tidewater Grill. Ik trakteer. AS

Austin gaf het briefje aan Zavala, die het las en glimlachte.

'Je vriend zegt dat hij trakteert,' zei Zavala, terwijl hij instapte. 'Veel beter moet het niet worden.'

Austin stapte achter het stuur en reed terug naar de kade. Op de heenweg had hij ergens in het stadje een uithangbord met Tidewater Grill gezien en wist nog hoe hij bij het restaurant met uitzicht over de baai moest komen. Hij en Zavala stapten de bar binnen en zagen Saxon aan de toog zitten. Hij was met de barkeeper in een druk gesprek over vissen verwikkeld. Hij glimlachte toen hij Austin zag en stelde zich aan Zavala voor. Hij prees het bier van de plaatselijke brouwerij aan. Met hun pullen liepen ze naar een tafeltje in een hoek.

Austin kon niet goed tegen zijn verlies, maar hij vatte het sportief op. Hij hief toostend zijn pul op.

'Gefeliciteerd, Saxon. Hoe is je dit gelukt?'

Saxon nam een slok bier en veegde het schuim van zijn snor.

'Een hoop loopwerk en geluk,' antwoordde hij. 'Ik was toch al van plan me op dit gebied te concentreren. Nadat mijn replica was aangestoken, heb ik mijn aandacht van de westkust van Noord-Amerika naar de oostkust verlegd.'

'Waarom denk je dat het brandstichting was?' vroeg Austin.

'Een paar dagen voor de brand kwam er een handelaar die de boot wilde kopen. Ik zei dat de replica een wetenschappelijk project was en dus niet te koop. Nog diezelfde week is de boot in de fik gestoken.'

'Wie was die koper?'

'Je hebt hem ontmoet bij de onthulling van de *Navigator*. Viktor Baltazar.'

Austin herinnerde zich de woede in Saxons ogen toen Baltazar het depot van het Smithsonian binnenkwam.

'Vertel waarom je hier bij de Chesapeake Bay bent gaan zoeken,' zei Austin.

'Voor mij is de regio rond Chesapeake in mijn achterhoofd altijd een mogelijke locatie voor Ofir geweest, vanwege de vele goudmijnen in deze streek. De Susquehanna heeft me ook altijd geïntrigeerd. Een aantal jaren geleden zijn er in Mechanicsburg, dat iets verder stroomopwaarts langs de rivier in Pennsylvania ligt, een paar tabletten met mogelijk Fenicische schrifttekens erop gevonden.'

'Hoe ben je bij Thelma Hutchins terechtgekomen?'

'Nadat de *Navigator* was gestolen, zat ik helemaal stuk. Omdat ik absoluut niet meer wist wat ik moest doen, heb ik hier mijn heil maar gezocht en ben alle winkels met duikspullen en de historische verenigingen langsgegaan. De man van Thelma of, en dat is waarschijnlijker, die knecht van hem heeft toch zijn mond voorbijgepraat. Ik kreeg steeds meer geruchten te horen over een wrak met een schat. Zo kwam ik ook op de hoogte van het bestaan van Thelma en heb haar opgezocht. Ze zei zelf dat ik de amfora mee mocht nemen. Kennelijk viel ze voor mijn charme.'

'Kennelijk ja,' zei Austin. 'En hoe heb je ons gevonden?'

'Als je wilt dat de activiteiten van de NUMA onopgemerkt blijven, geef ik jullie de raad jullie auto's een iets minder in het oog vallende kleur te geven dan dat schitterende turkoois. Ik was wat laat voor het ontbijt en zag jullie auto langskomen. Ik ben jullie naar de jachthaven gevolgd en heb jullie je spullen zien uitladen. Daarna heb ik de auto goed in de gaten gehouden en ben later achter jullie aan naar Thelma's huis gereden. Mag ik jullie nu iets vragen? Hoe wisten jullie van dat wrak?'

Austin vertelde het hele verhaal over de tweede *Navigator* in Turkije en de op het beeld gegraveerde kaart.

Saxon gniffelde hoorbaar. 'Een kat, dat geloof je toch niet! Ik heb altijd gedacht dat er meer dan één beeld moest zijn. Twee stuks voor aan beide kanten van de tempelingang.'

'De tempel van Salomo?' vroeg Austin, die aan zijn gesprek met Nickerson terugdacht.

'Heel goed mogelijk.' Saxon fronste zijn voorhoofd. 'Ik vraag me af waarom de mensen die het oorspronkelijke beeld hebben gestolen, het wrak niet hebben gevonden.'

'Misschien zijn ze toch niet zo slim als wij,' reageerde Austin. 'Jij hebt die amfora. Wat ga je daarmee doen?'

'Ik heb hem opengemaakt en ben nu de inhoud aan het bestuderen.'

'Je laat er geen gras over groeien. Wat zat erin?'

'Of ik daar antwoord op geef, hangt van jou af, Kurt. Ik hoopte dat we samen iets konden regelen. Ik heb iets van de NUMA nodig, maar ik ben niet in goud of een fortuin geïnteresseerd. Alleen maar informatie, kennis. Ik wil Sheba vinden, dat is voor mij het allerbelangrijkste. Ik geef grif toe dat ik helemaal geobsedeerd ben door die dame.'

Austin perste peinzend zijn lippen op elkaar en wendde zich tot Zavala. 'Wat denk je, is er met die gladjanus een deal mogelijk?'

'Kom op, Kurt, je weet best dat ik verzot ben op een beetje romantiek. Mijn zegen heb je.'

Austin had al een besluit genomen. Die van de NUMA gevraagde hulp was een bescheiden prijs voor de expertise die Saxon in huis had. Daarbij had hij ronduit bewondering voor de vindingrijkheid en het doorzettingsvermogen van de man.

Hij keek Saxon recht in de ogen. 'We zijn unaniem voor, op twee voorwaarden.'

Saxons gezicht versomberde. 'En die zijn?'

'Dat je ons vertelt wat er in de amfora zat.'

'Een papyrusrol,' zei Saxon. 'En de tweede voorwaarde?'

'Dat je op nog een rondje trakteert.'

'Gadver, Austin. Wat kan jij zeikerig zijn tegen iemand die zo in de put zit,' zei Saxon aan een van zijn snorpunten draaiend.

Maar toen brak er een lach op zijn gezicht door, riep hij de barkeeper en stak drie vingers in de lucht.

40

Baltazars huisknecht liep door de met donker hout gelambriseerde gang en bleef staan bij een dikke eikenhouten deur. Met een dienblad op zijn hand balancerend klopte hij zachtjes op de deur. Geen antwoord. Zijn lippen weken vaneen tot een flauw glimlachje. Hij wist dat Carina in die kamer was, omdat hij haar bewusteloze lichaam daar zelf vanuit de helikopter naartoe had gedragen.

De huisknecht diepte een sleutel uit zijn zak op, draaide het slot om en duwde de deur open.

Carina stond met een van woede vertrokken gezicht met één stap op de drempel. Met beide handen hield ze de zware koperen voet van een tafellamp zonder kap omhoog alsof het een strijdhamer was. Ze had zich voorgenomen er de eerste de beste persoon die ze onder ogen kreeg, mee te lijf te gaan. Maar ze had niet iemand verwacht die haar op een dienblad thee in een porseleinen pot kwam brengen.

Zonder de lamp te laten zakken vroeg ze op strenge toon: 'Wie heeft me uitgekleed?'

'Een vrouwelijk lid van het huishoudelijke personeel,' antwoordde de huisknecht. 'Uw kleren worden gewassen. De heer Baltazar meende dat u zich in de tussentijd lekkerder zult voelen in schone kleren.'

'Vertelt u de heer Baltazar dat ik nu onmiddellijk mijn kleren terug wil.'

'Dat kunt u hem zelf zeggen,' antwoordde de huisknecht. 'Hij wacht op u in de tuin. Maar er is geen haast bij. Kom als u zover bent. Mag ik dit dienblad neerzetten?'

Carina keek de man dreigend aan, maar stapte toch opzij en liet de man door. Hij zette het blad op een bijzettafeltje. Met zijn ogen op de lamp gericht, stapte hij voorzichtig achteruitlopend de kamer weer uit en liet de deur openstaan.

Een paar minuten eerder was Carina wakker geworden in een vreemd bed. Ze herinnerde zich de zoete geur in de taxi. Toen ze de dekens van zich afwierp, werd ze zich opeens bewust dat ze daar in haar ondergoed lag. In de luxueuze slaapkamer had ze overal naar haar kleren gezocht. Maar in een kast hing alleen een lange, witte katoenen hemdjurk met een laag uitgesneden ronde hals.

Met de hemdjurk in haar hand had ze om zich heen gekeken. Afgezien van de tralies voor de ramen was het vertrek ingericht als een chique hotelkamer. Ze was net naar het raam gelopen dat uitkeek op een keurig onderhouden gazon, toen er werd geklopt. Daarop had ze de jurk op het bed gegooid en de lamp gegrepen.

Nadat de huisknecht de kamer had verlaten, stapte ze de gang in en zag hem nog net in een andere gang verdwijnen. Ze liep terug de slaapkamer in en smeet de deur achter zich dicht. Haar handen trilden van de spanning. Ze zette de lamp terug, liet zich in een fauteuil vallen en barstte in huilen uit.

De razernij die haar de moed had gegeven een aanval op de huisknecht voor te bereiden, was weggeëbd. Ze wreef haar tranen weg en liep naar de badkamer, waar ze haar gezicht waste en haar onverzorgde haren kamde. Ze nam een flinke slok thee, liep de gang in en volgde de route die ze de huisknecht had zien nemen tot ze bij een paar openstaande tuindeuren kwam. Ze stapte het felle zonlicht in en keek om zich heen. Ze stond in een binnenhof. Er borrelde water uit een fontein die was opgebouwd uit een naakte vrouw omringd door naakte cherubijnen. Maar haar ogen bleven rusten op Baltazar, die bloemen knipte in een van de perken rond de fontein.

Baltazar was eenvoudig gekleed in een witte wijde broek en een zwart hemd met korte mouwen. Aan zijn voeten droeg hij espadrilles, ofwel Spaanse touwsandalen. Hij keek haar glimlachend aan toen ze de binnenplaats opstapte en liep op haar toe om haar de bos bloemen te overhandigen.

Carina sloeg haar armen over elkaar. 'Ik wil uw bloemen niet. Waar ben ik?'

Hij liet het boeket zakken en legde het op een marmeren bank. 'U bent mijn gast, mevrouw Mechadi.'

'Ik wil uw gast helemaal niet zijn. Ik wil dat u me ogenblikkelijk vrijlaat.'

Nog altijd glimlachend nam Baltazar Carina op als een vlinderverzamelaar die een zeldzaam exemplaar heeft gevangen. 'Dwingend. Gebiedend. Veel meer dan je mag verwachten van een afstammeling van het Mekada-geslacht.'

Dit antwoord bracht Carina in verwarring. Haar woede maakte plaats voor verbijstering.

'Waar hebt u het over?'

'Ik doe u een voorstel.' Hij gebaarde naar een ronde marmeren, voor twee personen gedekte tafel. 'Eet een hapje met me mee, dan vertel ik u het hele verhaal.'

Carina liet haar blik over de tuin gaan. Er stonden twee in een zwart uniform gestoken mannen bij een deur, die waarschijnlijk een uitgang van het binnenhof was. Ontsnappen was onmogelijk. Zelfs als ze hier weg wist te komen, wat dan? Ze had geen flauw idee waar ze was. Het leek verstandiger op een betere gelegenheid te wachten. Ze liep naar een stoel en ging met rechte rug aan tafel zitten.

Als bij toverslag verscheen de huisknecht met een grote aarden kruik en schonk voor hen allebei een glas water in. Er volgden diverse gerechten. Carina nam zich voor terughoudend te zijn en niet te zeer op Baltazars gastvrijheid in te gaan, maar ze merkte dat ze uitgehongerd was. Ze at alles wat ze voorgezet kreeg, uitgaande van het besef dat ze haar krachten nog nodig zou hebben. De rosé raakte ze niet aan. Ze wilde haar hoofd helder houden om zo goed mogelijk te kunnen reageren op de dingen die nog komen gingen.

Het leek of Baltazar haar gedachten las. Hij was een sluwe mensenkenner en afgezien van een enkele vraag of het eten haar smaakte, deed hij verder geen pogingen een gesprek met haar te beginnen. Toen ze genoeg had gegeten, dronk ze haar glas water leeg en schoof het bord van zich af.

'Aan mijn deel van uw voorstel heb ik voldaan,' zei ze.

'Dat is zo.' Baltazar knikte. 'Dan zal ik nu mijn deel doen. Het verhaal begint drieduizend jaar geleden bij Salomo.'

'Koning Salomo?'

'Hij en niemand anders. De zoon van David, heerser over een rijk waartoe ook het gebied behoort dat we nu als Israël kennen. Volgens de Bijbel krijgt Salomo bezoek van de koningin van een land dat Sheba werd genoemd. Ze heeft verhalen over Salomo's wijsheid gehoord en is nieuwsgierig naar hem. Bij haar aankomst is het niet alleen zijn wijsheid die indruk op haar maakt, maar ook zijn rijkdom. Ze raken smoorverliefd op elkaar. Hij schrijft zelfs een reeks erotische gedichten, waarvan sommigen zeggen dat ze althans voor een deel aan haar zijn gewijd.'

'Het Hooglied,' zei Carina.

'Inderdaad. De vrouw in de gedichten stelt zichzelf voor als: "Ik ben zwart, maar mooi, dochters van Jeruzalem."'

'Ze kwam uit Afrika,' zei Carina.

'Dat schijnt zo te zijn, ja. In de Bijbel wordt er weinig over haar gezegd. De Koran gaat dieper op het verhaal in en de Arabieren en latere middeleeuwse kroniekschrijvers hebben de draad opgepakt. Sheba trouwt met Salomo; ze krijgt een zoon van hem en keert terug naar haar geboorteland. Hij heeft talloze vrouwen, concubines en kinderen. Zij wordt nog machtiger en rijker.'

'En die zoon?'

'Volgens de legende keert hij terug naar Afrika waar hij als een koning regeert.'

'Een mooi sprookje,' zei Carina. 'Maar dan zou ik nu graag zien dat u mij uw gastvrijheid niet verder opdringt en me laat gaan.'

'Maar dit was pas het eerste deel van het verhaal,' zei Baltazar. 'De buitenechtelijke relatie van Salomo met Sheba's dienstmaagd levert eveneens een zoon op. Hij sterft al vrij jong, maar zijn nageslacht leeft door. Ze verhuizen naar Cyprus, waar ze scheepsbouwers worden en in contact komen met de kruisvaarders van de Vierde Kruistocht. Na de plundering van Constantinopel vestigen ze zich in West-Europa en nemen een Spaanse naam aan.'

'Baltazar,' zei Carina.

'Klopt. Helaas ben ik de laatst overgebleven mannelijke afstammeling van het geslacht Baltazar. Als ik doodga, is het geslacht uitgestorven.'

Geen dag te vroeg, dacht Carina. Ze barstte in een weinig damesachtige lach uit. 'Wilt u hiermee zeggen dat u een directe nazaat van Salomo bent?'

'Ja, mevrouw Mechadi. En u ook.'

'U bent nog krankzinniger dan ik al dacht, Baltazar.'

'Laat me even uitspreken, voordat u zich verdere oordelen over mijn geestelijke gezondheid veroorlooft. De zoon van Salomo en Sheba werd koning van Ethiopië. Zijn familie heeft daar eeuwenlang geheerst.'

'Ik ben in Italië geboren, maar mijn moeder heeft me het verhaal over koning Menelik van Ethiopië verteld. Wat is daarmee?'

'Dan hebt u ook van de *Kebra Nagast* gehoord. In dat heilige document staat het verhaal over Sheba en Menelik.'

Voor Carina was dit minder bekend terrein. 'Ik heb erover gehoord, maar ik heb het nooit gelezen. Ik ben rooms-katholiek opgevoed.'

'Men zegt dat de *Kebra Nagast* in de derde eeuw na Christus in de bibliotheek van de Santa Sophia in Constantinopel is gevonden. Hij kan ook later zijn geschreven, dat doet er niet toe. Als u het boek had gelezen, wist u dat er het verhaal over Salomo en Mekada, de koningin van Sheba, in wordt verteld. Ik heb het geslacht Mechadi laten uitzoeken door een genealoog. En hij heeft kunnen aantonen dat uw naam van *Mekada* is afgeleid.'

'Dat bewijst niets! Dat is net zoiets als wanneer jongens die Jezus of Christiaan heten zouden beweren dat ze familie van de Messias zijn.'

'Dat zou ik ook denken, maar er is iets anders aan de hand. Het kopje waaruit u hebt gedronken op de receptie ter ere van de *Navigator* bevatte DNA van u. Dat heb ik, om iedere twijfel uit te sluiten, door drie verschillende laboratoria laten analyseren. Het resultaat is in alle gevallen identiek. Uw DNA en dat van mij vertonen overeenkomsten. En die gaan terug tot Salomo. Die van u via Sheba. Die van mij via haar dienstmaagd. Ik heb de laboratoriumuitslagen naar uw kamer laten brengen, zodat u het zelf kunt bekijken.'

'Laboratoriumuitslagen kunnen vervalst zijn.'

'Dat is waar. Maar dat is hier niet het geval.' Hij glimlachte weer. 'Dus zie dit niet als vrijheidsberoving. Beschouw het als een familiereünie. Bij onze eerste ontmoeting zei u nog dat u graag een keer met me uit eten wilde gaan. We eten om zes uur.'

Terwijl Baltazar wegliep, riep Carina luid: 'Wacht!'

Baltazar was niet gewend te worden gecommandeerd. Hij draaide zich om en er schemerde een nauwelijks verholen woede op zijn gezicht. 'Ja, mevrouw Mechadi?'

Ze plukte aan haar jurkhemd. Als Baltazar meende dat ze van een koningin afstamde, zou ze zich zo gedragen ook. 'Dit hier bevalt me niks. Ik wil mijn eigen kleren terug.'

Hij knikte. 'Ik heb ze naar uw kamer laten brengen.'

Daarna liep hij weg en verdween door een van de deuropeningen het huis in.

Verbluft bleef Carina achter, niet goed wetend wat ze moest doen. De huisknecht kwam naar buiten en zei, nadat hij de tafel had afgeruimd: 'De heer Baltazar laat weten dat u vrij bent naar uw kamer terug te gaan.'

Door het besef dat ze hier gevangenzat, schrok ze op uit haar trance. Ze draaide zich op haar hakken om en liep met driftige passen door de deur en de gang terug naar haar kamer. Wat nog maar kortgeleden een gevangeniscel was geweest, leek nu een veilige haven.

Ze sloot de deur en leunde er met stijf gesloten ogen ruggelings tegenaan, alsof ze zich op deze manier naar een andere plek kon verplaatsen.

Het was uitgesloten dat ze hetzelfde bloed in haar aderen had als die vreselijke kwal van een vent.

Alleen zijn aanwezigheid stootte haar al af en boezemde haar angst in. Maar nog veel angstaanjagender was de mogelijkheid dat wat hij vertelde inderdaad waar was.

41

Professor McCullough begroette zijn bezoekers op de traptreden voor het ronde hoofdgebouw van de universiteit van Virginia. Het uit rood baksteen opgetrokken bouwwerk in koepelvorm, gebaseerd op een ontwerp van Jefferson, vertoonde overeenkomsten met Monticello en het Pantheon in Rome. De professor stelde een wandelingetje voor door de met bomen omzoomde kruisgangen, waarvan de zuilen een groot terrasvormig gazon omsloten.

'Ik heb twintig minuten voor u, voordat ik weer als een haas naar mijn volgende college ethiek moet,' zei de professor, een grote gezette man met een dikke grijze, mosachtige baard. Erboven glommen twee appelrode wangen en hij liep met een licht schommelende gang die je eerder bij een gepensioneerde zeeman op de grote vaart zou verwachten dan bij een academicus. 'Ik moet u eerlijk zeggen dat ik knap nieuwsgierig ben geworden na uw telefoontje waarin u naar het Artisjokken Genootschap vroeg.'

'Het schijnt nogal mysterieus te zijn,' reageerde Gamay, terwijl ze langs de paviljoens liepen die rond het groene gras lagen.

McCullough bleef met een ruk staan. 'Het is zeker een mysterie,' zei hij, waarbij hij heftig zijn hoofd schudde. 'Ik ben het genootschap tegengekomen toen ik aan een verhandeling werkte over de ethiek van het lid zijn van een geheim genootschap.'

'Interessant onderwerp,' zei Paul.

'Dat dacht ik ook. Je hoeft niet aan een samenzwering tot het verkrijgen van wereldse macht deel te nemen om je voor je ethische normen te moeten verantwoorden. Zelfs het lidmaatschap van een volstrekt onschuldige organisatie kan daar ongewenste aanleiding toe geven. Exclusiviteit. Zij tegen ons. Vreemde rituelen en symbolen. Het elitair zijn. Het *quid pro quo* onder de leden. Het geloof dat alleen zij de waarheid in pacht hebben. Vaak zijn het pure mannenclubs. In sommige landen, zoals Polen, zijn geheime genootschappen verboden. Aan de ene kant van het spectrum heb je studentengezelschappen en aan de andere kant nazi's.'

'Hoe bent u daar zo in geïnteresseerd geraakt,' vroeg Paul.

McCullough vervolgde zijn kuierpas. 'De universiteit van Virginia staat bekend om het grote aantal geheime clubjes. Op de campus zijn er een kleine vijfentwintig. En dat zijn dan alleen degene waar ik het bestaan van weet.'

'Ik heb wel eens iets over de Club van Zeven gelezen,' zei Angela, die een onuitputtelijke voorraad aan esoterische feitjes paraat bleek te hebben.

'O ja. De Zevens zijn zo geheim dat we pas na de dood van iemand en de publicatie van zijn overlijdensbericht in de universiteitsannalen weten dat iemand er lid van is geweest. Op zijn graf wordt een bloemstuk van zwarte magnolia's in de vorm van een zeven gelegd. De klok in de toren van de universiteitskapel wordt gedurende zeven minuten om de zeven seconden met een valse toon geluid.'

'Was Jefferson lid van zo'n club?' vroeg Gamay.

'Hij werd lid van het Platte Hoeden Genootschap nadat hij zich aan het College of William and Mary had ingeschreven. Later werd het de Platte Hoeden Club.'

'Wat een rare naam,' zei Gamay.

'In dat grijze verleden droegen de studenten altijd een baret, niet alleen bij de promotie.'

'Net als Harry Potter,' zei Angela.

McCullough grinnikte om de gedachte. 'Geen Hogwarts voor zover ik weet, maar de Platte Hoeden hadden een geheime manier waarop ze elkaar een hand gaven. Ze kwamen regelmatig bij elkaar. Jefferson geeft toe dat de club zoals hij zelf zegt "geen nuttig doel" had.'

Gamay bracht het gesprek terug op het onderwerp waarvoor ze gekomen waren.

'Kunt u ons vertellen wat u over het Artisjokken Genootschap weet?' vroeg ze.

'Sorry dat ik zo afdwaalde. Ik heb mijn verhandeling in de universiteitsbibliotheek opgezocht en stuitte daarbij op een oud krantenartikel. De journalist beweert daarin dat hij, toen hij voor een interview met de ex-president naar het landgoed reed, John Adams uit een koets heeft zien stappen die voor de ingang van Monticello stond.'

'Een reünie van de stichters van de staat?' vroeg Paul.

'De journalist geloofde zijn ogen niet. Hij liep naar de voordeur van het landgoed en sprak met Jefferson zelf. Jefferson zei dat de journalist zich had vergist. De man die hij had gezien was een plantage-eigenaar uit de buurt die over nieuwe gewassen kwam praten. Op de vraag om wat voor gewassen het ging, antwoordde Jefferson glimlachend: "Artisjokken." Hij heeft het gesprek in zijn artikel opgenomen met de opmerking dat die kennis van Jefferson op Adams leek.'

'Wie heeft als eerste gesteld dat het Artisjokken Genootschap echt heeft bestaan?' vroeg Angela.

'Ik vrees dat ik de schuldige ben.' Er lag een schaapachtige uitdrukking op McCulloughs blozende gezicht.

'Dat begrijp ik niet,' zei Gamay.

'Ik ben van een "wat als"-veronderstelling uitgegaan. Stel dat er inderdaad een dergelijke ontmoeting heeft plaatsgevonden. Waarom zouden de stichters dan bij elkaar zijn gekomen? Het reizen was toen geen sinecure. Voor een universiteitsblad heb ik een humoristisch artikel geschreven gebaseerd op dat verhaal en de voorliefde voor geheime genootschappen aan de UVA. Ik was het zo goed als vergeten tot die met u bevriende schrijver me vorige week belde. Hij had een document van Jefferson over artisjokken afkomstig van het Amerikaans Filosofisch Genootschap onder ogen gekregen. Met wat googelen had hij mijn artikel gevonden.'

'Angela werkt voor het Filosofisch Genootschap,' zei Gamay. 'Zij heeft het document ontdekt.'

'Dat is toevallig,' zei McCullough. 'Dat heb ik de heer Nickerson ook verteld.'

'Wie is de heer Nickerson?' vroeg Gamay.

'Hij zei dat hij van het ministerie van Buitenlandse Zaken was. Hij heeft zich in het leven van Jefferson verdiept en had mijn artikel gelezen. Nu vroeg hij zich af of ik meer wist. Hij zei dat hij het zou uitzoeken, maar heeft zich daarna niet meer gemeld. Vorige week belde Stocker en toen u.' Hij keek op zijn horloge. 'Ojee! Het is een boeiend onderwerp, maar het is alweer bijna tijd voor mijn college.'

Paul gaf hem zijn visitekaartje. 'Zou u ons willen bellen als u nog iets te binnen schiet?'

'Doe ik.'

'Bedankt voor uw hulp,' zei Gamay. 'We zullen u niet langer van uw werk houden.'

McCullough schudde hen alle drie de hand en hobbelde weg naar zijn college.

Paul keek de professor na. 'In het dossier dat we in Woods Hole van Kurt ontvingen, schrijft hij dat iemand van Buitenlandse Zaken hem had gevraagd in die Fenicische kwestie te duiken, en dat was een zekere Nickerson. Hij had hem op een oud jacht op de Potomac gesproken.'

'Ik herinner me die naam ook. Denk je dat het dezelfde persoon is?'

Paul haalde zijn schouders op en klapte zijn mobiele telefoon open. Hij doorliep het adresboek tot hij het nummer van een medewerker op het ministerie van BZ vond met wie hij aan enkele juridische kwesties die met de zee te maken hadden, had gewerkt. Een paar minuten later beëindigde hij het gesprek.

'Nickerson is secretaris-generaal. Mijn kennis op Foggy Bottom kent hem niet persoonlijk, maar zegt dat Nickerson een ingewijde is en een volhouder. Hij wordt als een briljante, maar excentrieke figuur gezien en hij woont op een antiek jacht op de Potomac. Hij heeft me de naam van de jachthaven gegeven, maar niet van het jacht zelf. Wat dachten jullie ervan om daar op de terugweg een kijkje te gaan nemen?'

'Zou het niet gemakkelijker zijn als we de naam van dat schip wisten?' vroeg Angela.

'Als wij alleen dingen deden die gemakkelijk zijn, zouden we niet voor de NUMA werken,' zei Paul.

Het zoeken naar de boot van Nickerson bleek toch lastiger dan Paul en Gamay hadden verwacht. Er waren nogal wat schepen die je rustig oud kon noemen, maar er was er uiteindelijk maar één – een witte motorkruiser die *Lovely Lady* heette – die aan de omschrijving antiek voldeed.

Paul stapte uit de SUV en liep naar de boot toe. Er was niemand aan dek en ook verder was er geen enkel teken van leven aan boord. Hij liep de loopplank op en riep een paar keer hallo.

Vanuit het jacht kwam geen reactie, maar er verscheen een hoofd door een raam van het motorjacht op de ligplaats ernaast.

'Nick is niet aan boord,' zei hij. 'Hij is al een tijdje weg.'

Paul bedankte hem en haastte zich terug naar de auto. Onderweg wierp hij nog een blik op de naam van de boot en het viel hem op dat de spiegel witter was dan de rest van de romp. Hij liep terug naar Nickersons buurman en vroeg of de naam van het jacht soms onlangs was veranderd.

'Inderdaad, dat klopt,' antwoordde de man.

Een paar minuten later stapte Paul weer achter het stuur. 'Geen Nickerson,' zei hij.

'Ik zag dat je de naam van de boot bekeek,' zei Gamay.

'Ik was gewoon nieuwsgierig. Nickersons buurman zei dat het jacht vroeger *Distel* heette.'

Angela spitste haar oren. 'Weet je dat zeker?'

'Ja. Hoezo?'

'Artisjokken.'

'Alweer?' zei Trout.

'Ik ben het tegengekomen toen ik dossiers voor mijn vriend de schrijver uitzocht. De artisjok behoort tot de *distel*achtigen.'

42

Saxon draaide de deur van zijn gehuurde vakantiewoning aan de oever van de baai van het slot en deed het licht aan. Met een tandenblikkerende grijns zei hij: 'Welkom in het Saxon archeologisch conserveringslaboratorium.'

De stoelen en de bank in de muffe woonkamer waren aan de kant geschoven om ruimte te maken voor een plastic vuilnisbak en twee in de lengte tegen elkaar geplaatste uitvouwbare picknicktafels. Op de tafels lagen stapels dik papier tussen platen multiplex geklemd.

De amfora lag in twee stukken op de bank. Het gevlekte groene oppervlak van de slanke, taps toelopende vaas was met aanslag bespikkeld. De verzegelde bovenkant was bij de hals van de amfora gescheiden en lag er los naast. Austin pakte een beugelzaag van de tafel en bekeek het groenachtige stof op het zaagblad.

'Ik zie dat je met de allerbeste precisie-instrumenten werkt.'

'Uit de eigen gereedschapskist,' reageerde Saxon duidelijk gegeneerd. 'Ik weet dat je me een vandaal vindt. Maar ik ben behoorlijk ervaren in het onder primitieve omstandigheden conserveren van artefacten en ik had geen zin in de vragen van een nieuwsgierige conservator. Het was riskant, maar ik moest zo snel mogelijk weten wat er in die kruik zat, anders was ik gek geworden. Maar ik ben heel voorzichtig geweest.'

'Ik had precies hetzelfde gedaan,' zei Austin, terwijl hij de beugelzaag weer neerlegde. 'Hopelijk vertel je me nu dat hoewel de patiënt is overleden de operatie een succes was.'

Saxon spreidde zijn armen wijd uit. 'De goden van het oude Fenicië waren me gunstig gezind. Het succes overtrof mijn stoutste dromen. De amfora bevatte een grotendeels intact gebleven papyrusrol.'

'Hij heeft heel lang in het water gelegen,' zei Zavala. 'Was er dan nog iets van over?'

'Papyrus blijft het best bewaard in een droog klimaat zoals dat van de Egyptische woestijn, maar de amfora was goed verzegeld en de papyrus was in een leren huls verpakt. Ik heb goede hoop.'

Austin tilde het deksel van de vuilnisemmer. 'Nog meer hightech-apparatuur?'

'Dat is mijn ultrasone bevochtigingskamer. De vellen waren zo broos dat ze niet uitgerold konden worden zonder dat ze uit elkaar vielen en moesten dus bevochtigd worden. Op de bodem van de vuilnisbak ligt een laag water. De in vloeipapier gewikkelde papyrusrol heb ik in een emmer met gaten in de vuilnisbak gezet en het deksel daarna stevig dichtgemaakt.'

'En dat werkt?'

'In theorie wel. Maar we moeten afwachten.' Saxon keek naar de tussen multiplex platen gestapelde vellen op de tafels.

'Dan is dat zeker je super-de-luxe ionenontvochtiger?' vroeg Austin.

'Toen de rol vochtig genoeg was om uitgerold te kunnen worden, heb ik de vellen tussen lagen vloeipapier en Gore-Tex gelegd, een stof die vocht goed opneemt. Het gewicht van de multiplexplaten zorgt ervoor dat de vellen tijdens het drogen plat worden gedrukt.'

'Heb je gezien of er iets op het papyrus geschreven is?' vroeg Austin.

'Papyrus kan verkleuren als het aan licht wordt blootgesteld, dus heb ik bij het uitrollen de gordijnen dichtgedaan. Ik heb er met een zaklamp wel even naar gekeken, maar door de vlekken kon ik niet veel zien. Ik hoop dat de ondergrond door het drogen lichter wordt.'

'Hoe lang duurt het nog tot we het kunnen zien?' vroeg Zavala.

'Het zou nu moeten kunnen, theoretisch gesproken.'

Er welde een gniffelend lachje uit Austins keel op. 'Ik krijg steeds meer de indruk dat de heer Saxon perfect binnen het plaatje van de NUMA past, Joe.'

'Dat ben ik met je eens,' reageerde Zavala. 'Hij is innovatief, vindingrijk, niet bang om te improviseren en uiterst bedreven in de schone kunst van het EBD.'

'Pardon?' zei Saxon.

'Dat is Spaans voor Eigen Boontjes Doppen,' verklaarde Zavala.

Saxon draaide als een boef uit een zwijgende film aan de punt van zijn snor. 'In dat geval ben ik blij dat jullie er zijn. Als ik de boel verziek, hebben we het tenminste met z'n allen gedaan.' Hij deed de staande lampen uit. 'Heren, we gaan hier het bewijs zien dat de Feniciërs al eeuwen voor de geboorte van Columbus de kusten van Noord-Amerika bevoeren.'

Austin gleed met zijn vingers onder een multiplexplaat. 'Zullen we dan maar?'

Voorzichtig tilden ze de bovenste multiplexplaat van de stapel en legden hem weg, vervolgens verwijderden ze de Gore-Tex en het vloeipapier. Het papyrusvel was ongeveer vierenhalve meter lang en bestond uit losse stukken van zo'n dertig bij vijftig centimeter.

De gerafelde vellen waren opmerkelijk goed heel gebleven. Op het papyrus zaten donkere vlekken over het grootste deel van het dooraderde bruine oppervlak. Er was hier en daar een handschrift zichtbaar, maar het meeste ging in de vlekken verloren.

Saxon keek als een kind dat een paar sokken voor zijn verjaardag heeft gekregen. 'Verdomme! Het is beschimmeld.'

Hij was met zijn volle-kracht-vooruit-juichstemming keihard tegen een muur gelopen. Met een doodse blik in de ogen bekeek hij het papyrus, liep vervolgens naar een raam en staarde naar de baai. Austin was niet van plan om Saxon te laten vallen. Hij liep naar het keukentje en schonk drie glazen water in. Hij kwam terug, gaf Zavala en Saxon allebei een glas en hief het zijne op.

'We hebben nog niet gedronken op de man die het leven liet bij het uit het diepe opduiken van deze papyrusrol.'

Saxon begreep het. Zijn teleurstelling was niets vergeleken bij het lot van de duiker die het wrak had gevonden en de kruik had geborgen. 'Op Hutch en zijn lieftallige weduwe,' zei hij toen ze klonken. Ze posteerden zich weer rond het papyrusvel.

Austin raadde Saxon aan zich te concentreren. 'Zet het schrift nu eerst even uit je hoofd en vertel ons wat meer over de fysieke eigenschappen van papyrus.'

Saxon pakte een vergrootglas op en tuurde door de lens.

'Papyrus werd gemaakt van het reuzencypergras dat in het gebied rond de Nijl groeit,' verklaarde hij. 'Deze vellen zijn van topkwaliteit, waarschijnlijk gemaakt van plakken die uit het hart van de plant werden gehaald, platgestampt en in stroken gesneden die kruiselings over elkaar werden gelegd. Ook de inkt was van een uitstekende kwaliteit. De lijm is een soort stijfsel. Ze hebben pigment en gom gebruikt en de tekst is geschreven met een pen van riet, waardoor het schrift zo gelijkmatig en vloeiend is.'

'En het schrift zelf,' zei Austin. 'Is het inderdaad Fenicisch?'

Saxon bekeek de tekens nog eens heel rustig. 'Zonder twijfel. Het tweeëntwintig letters tellende Fenicische alfabet was de enige echt belangrijke bijdrage die hun cultuur de wereld heeft nagelaten. Het woord *alfabet* is een combinatie van de eerste twee letters. Het Arabisch, Hebreeuws, Latijn, Grieks en later zelfs het Engels zijn uiteindelijk allemaal schatplichtig aan de Feniciërs. Ze schreven van rechts naar links, achter elkaar door en gebruikten uitsluitend medeklinkers. Verticale streepjes fungeerden als interpuncties, om zinnen en woorden van elkaar te scheiden.'

'Vergeet wat we níét kunnen lezen,' zei Austin. 'Maar begin bij wat wél leesbaar is. Ook op de Rosetta-steen ontbrak een deel van de tekst.'

'Jullie zouden cursussen motivatietherapie moeten gaan geven,' reageerde Saxon.

Hij pakte een pen en een notitieblok met spiraalband op en boog zich over het uiteinde van de papyrusrol. Hij likte langs zijn lippen, krabbelde wat in het blok en ging door met het volgende fragment. De ene keer bestudeerde hij een enkel woord en dan weer een paar regels. In zichzelf mompelend werkte hij zo de hele lengte van de rol af.

Uiteindelijk keek hij met een triomfantelijke glans in zijn ogen op. 'O jongens, ik kan jullie wel zoenen!'

'Ik heb er een gewoonte van gemaakt nooit iemand te kussen met een snor, man of vrouw,' zei Austin. 'Vertel wat er staat alsjeblieft.'

Saxon tikte op het notitieblok. 'De eerste fragmenten zijn geschreven door Menelik, die zichzelf de favoriete zoon van koning Salomo noemt. Hij heeft het over zijn missie.'

'Menelik is ook de zoon van Sheba,' merkte Austin op.

'Dat zij niet wordt genoemd is niet zo verbazingwekkend. Salomo had ontelbare vrouwen en vriendinnen.' Hij wees op een paar regels tekst. 'Hier staat dat hij dankbaar is voor het vertrouwen. Dat is iets wat hij een paar keer herhaalt en dat is interessant.'

'In welk opzicht?' vroeg Austin.

'Volgens de legendes heeft Menelik toen hij nog vrij jong was, samen met een halfbroer, de zoon van Sheba's dienstmaagd, de Ark des Verbonds uit de tempel gestolen en naar Ethiopië gebracht, waar hij het koninklijk geslacht van Salomo heeft voortgezet. Sommige beweren dat dat met Salomo's medeweten is gebeurd en hebben ze ter vervanging een kopie van de Ark gemaakt. Er is een verhaal bekend waarin hij de Ark in het geheim naar Ethiopië heeft gebracht. In een ander maakt hij het weer goed. Geplaagd door wroeging brengt hij de Ark terug en Salomo vergeeft het hem.'

'Dan deed Salomo dus ook aan motiveringstherapie,' zei Austin. 'Wie kun je beter vertrouwen dan iemand die een gedane misstap wil goedmaken?'

'Dat Salomo bekendstond om zijn wijsheid was zeker niet voor niets. Er staan hier fragmenten op het papyrus waaruit blijkt dat Menelik iets van grote waarde vervoerde.'

'Verder niet iets specifiekers?' vroeg Austin.

'Helaas niet, nee. De rest van de tekst is voornamelijk een scheepsjournaal. Het is door Menelik geschreven, wat betekent dat hij de kapitein was. Ik kwam ook diverse malen het woord *Scythen* tegen. De Feniciërs namen vaak huurlingen in dienst voor de bewaking van hun schepen. Er is sprake van een "Grote Oceaan" en beschrijvingen van de weersomstandigheden, maar het journaal is door de schimmelinwerking grotendeels weggevaagd.'

'Nou is het jouw beurt om mij op te vrolijken,' zei Austin hoofdschuddend.

'Ik denk dat dat wel lukt,' reageerde Saxon. Hij wees op verschillende onaangetaste plekken. 'De rol was heel strak opgerold. De schimmel is er niet al te diep in doorgedrongen. In deze regels wordt een landing beschreven. De kapitein beschrijft dat ze een langgerekte baai in varen, haast als een kleine zee, waar hij de oceaan niet meer ruikt.'

Austin hing aan zijn lippen. 'De Chesapeake Bay?'

'Het zou kunnen. Het schip ging voor anker bij een eiland in de monding van een brede rivier. Hij omschrijft het water als eerder bruin dan blauw.'

'Het viel me op dat het water nogal troebel van de modder was toen we vanmorgen wegvoeren,' zei Zavala. 'Bij de Aberdeen Proving Grounds kwamen we langs een eiland.'

Austin had de in een plastic map verpakte kaart van de Chesapeake Bay nog steeds bij zich. Hij spreidde hem uit op de grond en streek de vouwen plat. Hij leende een viltstift van Saxon en zette een X bij Havre de Grace aan de monding van de Susquehanna. 'Hier hebben de Feniciërs dus een tijdje gelegen. Wat hebben ze met de lading gedaan?'

'In een goudmijn verstopt misschien,' opperde Saxon.

'In je boek staat dat Ofir in Noord-Amerika lag. Zeg je nu dat ze hun spullen in de mijnen van koning Salomo hebben verborgen?'

'Toen ik naar de mijn van Salomo zocht, heb ik me in eerste instantie op het gebied rond de Chesapeake Bay en de Susquehanna geconcentreerd,' antwoordde Saxon. 'Zo'n honderd jaar vóór het begin van de grote Californische Goudkoorts in 1849 werd er op loopafstand van Washington intensief goud gewonnen.'

'Dat is bekend,' zei Austin.

'Thelma Hutchins vertelde dat haar man van het bestaan van de goudmijnen op de hoogte was,' zei Zavala.

Saxon knikte. 'Rond de eeuwwisseling waren er tussen Georgetown en Great Falls minstens zes goudmijnen langs de Potomac. In Maryland werden aan beide zijden van de Chesapeake ruim vijftig goudmijnen geëxploreerd. Het goud werd gevonden in rotslagen van het Piedmont Plateau, dat van New York tot in South Carolina loopt.'

'Dat is een flink gebied om te onderzoeken,' zei Austin.

'Mee eens. Ik ben eerst naar bewijzen van Fenicische aanwezigheid gaan zoeken. Die heb ik niet in Maryland gevonden, maar verder naar het noorden, in Pennsylvania. Bij de hoofdstad van de staat. Bij Harrisburg hebben we een verzameling stenen met Fenicische schrifttekens erop ontdekt.'

'Wat waren dat voor stenen?' vroeg Austin.

'Een zekere W.W. Strong heeft bij Mechanicsburg in het dal van de Susquehanna zo'n vierhonderd stenen verzameld. Dr. Strong heeft de tekens als Fenicische symbolen geïdentificeerd. Volgens Barry Fell is het Baskisch en er zijn ook mensen die zeggen dat het natuurlijke inwerkingen op het gesteente zijn.'

'Hou dit even vast,' zei Austin. Hij liep het huis uit naar de Jeep en kwam terug met de steen die hij uit het wrak had meegenomen. Saxons mond zakte open tot op zijn adamsappel.

'Waar heb je die in hemelsnaam vandaan?'

'Die heb ik bij mijn duik naar het scheepswrak opgevist.'

'Waanzinnig!' zei Saxon. Hij nam hem van Austin over, hield hem vast alsof hij van breekbaar glas was en volgde de erin gegraveerde lijn met zijn vinger. 'Dit is *Beth*, het Fenicische symbool voor huis, dat later tot de Griekse *B* zou evolueren. Dit bewijst dat er een verband is tussen het wrak en Mechanicsburg.'

Austin zette een tweede X op de plek waar het wrak in de baai lag, en een derde bij de monding van de rivier. Hij trok een lijn van kruis naar kruis en trok die door tot in de rivier.

'Het spoor loopt dood in Mechanicsburg,' zei hij.

'Niet helemaal. Ik heb dat gebied jarenlang bestudeerd. Heb het voor een groot deel te voet en met de auto doorkruist. Als er een plek in aanmerking komt, dan is het hier.' Hij zette een snelle cirkel rond een gebied ten noorden van Harrisburg. 'St. Anthony's Wilderness heeft me altijd geïntrigeerd vanwege de verhalen over een verdwenen goudmijn. Er loopt zelfs een Gold Mine Road dwars door het gebied. In de streek doen talloze verhalen de ronde over spookstadjes en mijndorpen. Het landschap is er extreem ruig. Het is een van de weinige stukken grondgebied die niet in kaart zijn gebracht.'

'Verhalen zijn leuk,' zei Austin, 'maar feiten zijn me liever.'

Saxon richtte zijn aandacht weer op de papyrusrol. 'Hier is een onaangetaste plek waar ik de enige vermelding van een mijn heb gevonden. De omringende tekst is door de schimmel weggevaagd op één fragment na, waarin sprake is van een hoefijzervormige rivierbocht.' Saxons vinger volgde de loop van de rivier tot aan een U-vormige bocht in de Susquehanna. 'St. Anthony's Wilderness ligt ten oosten van de bocht.' Hij schudde zijn hoofd. 'Het is een enorm gebied. Daar kunnen we jaren zoeken zonder ook maar iets te vinden.'

Austin schoof een stukje papier uit de plastic kaartenmap en hield het naast de kaart. Een gebogen lijn op het papiertje kwam overeen met de rivierbocht op de kaart. Andere kronkellijnen hadden de vorm van bergen en dalen ten oosten van de rivier. 'Dit is een kopie van een Fenicische kaart van Salomo's mijn. Die is bij documenten van Thomas Jefferson gevonden.'

'Jefferson? Dat slaat nergens op.'

'Hopelijk komt dat nog. Wat vind je van deze plattegrond?'

Saxon las de Fenicische woorden op het papiertje. 'Hierop is de exacte locatie van de mijn ten opzichte van de rivier te zien.'

'Voordat we al te enthousiast worden, moet ik jullie nog wel op een probleem wijzen,' zei Austin. 'De Susquehanna is volgens de plaatselijke bevolking anderhalve kilometer breed en dertig centimeter diep. Hij zit vol met stroomversnellingen en eilandjes. Het is uitgesloten dat een schip van Tarsis de rivier stroomopwaarts heeft bevaren.'

'Maar de lading op zich wel,' reageerde Saxon. 'In het voorjaar is de rivier door al het smeltwater diep genoeg voor een sloep.'

'Riskant, maar als je er de juiste boot voor hebt, kan het,' gaf Austin toe.

'Die juiste boot bestond en werd een Susquehanna Ark genoemd,' zei Saxon glimlachend. 'In de negentiende eeuw voeren ze daarmee van Steuben County in de staat New York naar het stroomafwaarts gelegen Port Deposit in Maryland. Het waren voornamelijk grote pontonvlotten van ruim twintig meter lang en een meter of vijf breed. In het voorjaar maakten ze van de hoge waterstand vanwege het smeltwater gebruik om hun landbouwproducten naar de markt te brengen. De arken werden uit elkaar gehaald en het hout verkocht, waarna de bemanning te voet terugging. De vaart stroomafwaarts duurde acht dagen en de wandeling terug zes. Ze hebben zo voor miljoenen dollars aan goederen vervoerd tot de spoorwegen hen weg concurreerden.'

‘Een simpel maar briljant concept,’ zei Zavala. ‘De Feniciërs kunnen dus diezelfde techniek voor het transport van goud hebben gebruikt.’

Saxon moest daar hartelijk om lachen. ‘Rider Haggard draait zich om in zijn graf. Net als de rest van de wereld ging hij ervan uit dat de mijnen van koning Salomo zich in Afrika bevonden.’

Zavala had de kaarten nog eens goed vergeleken. ‘Dit hier is voor mij toch een probleem. De plek die op de oude plattegrond wordt aangegeven, ligt nu onder een plas water.’

Saxon bekeek de plek die Zavala aanwees. ‘Inderdaad. Dat maakt het er niet gemakkelijker op.’

‘Valt wel mee,’ zei Austin. ‘Ik stel voor dat we de Speciale Eenheid bijeenroepen en morgen een uitgebreid onderwateronderzoek starten,’ zei Austin. ‘Met een helikopter is het maar een kleine sprong naar St. Anthony’s Wilderness. We kunnen er morgenochtend vroeg meteen naartoe.’

‘Perfect!’ zei Saxon. ‘Dan neem ik de hele papyrusrol nog een keer onder de loep en ga al mijn onderzoeksresultaten nog eens na voor het geval ik iets over het hoofd heb gezien.’

Austin klemde zijn kin tussen duim en wijsvinger. ‘Salomo heeft wel héél veel moeite gedaan om dat relikwie voor de mensheid te verbergen.’

Zavala voelde de ernst in de stem van zijn collega aan. ‘Volgens mij ben je bang dat we mogelijk slapende honden wakker maken.’

‘Min of meer. Stel dat we dat ding vinden. Wat doen we er dan mee?’

‘Daar heb ik niet aan gedacht,’ antwoordde Saxon. ‘Religieuze artefacten kunnen sommige mensen tot rare reacties aanzetten.’

‘Dat bedoel ik,’ zei Austin op een zo vlakke toon dat Saxon zijn wenkbrauw optrok. ‘Salomo is waarschijnlijk een stuk wijzer geweest om het ding te verbergen dan wij die het gaan zoeken.’

43

Carina lag languit op het bed naar het plafond te staren omdat ze niets beters te doen had, toen ze een zachte klop op de deur hoorde. Ze ging kijken en zag dat iemand een rieten mand met haar kleren voor de deur had gezet. Ze pakte het briefje op dat boven op het keurig opgevouwen stapeltje lag.

Beste mevrouw Mechadi. Zou u zo vriendelijk willen zijn zodra het u gelegen komt de avondmaaltijd met mij te nuttigen? VB

'Wat onvoorstelbaar beschaafd,' mompelde ze, terwijl ze de deur weer sloot.

Carina trok onmiddellijk de witte jurk uit. In haar eigen kleren voelde ze zich een stuk zekerder. Ze wist dat het niet meer dan een illusie was, maar het voelde toch beter aan. Ze herlas het briefje nog eens. Het liefst verkeerde ze geen seconde meer in het gezelschap van Baltazar, maar ze realiseerde zich dat hij haar lot in handen had.

Ze trok haar schouders naar achteren en liep met ferme passen door de verlaten gang naar de binnenplaats. Daar werd ze opgewacht door een bewaker die haar naar de andere vleugel van het gebouw bracht. Ze werd een in Spaanse stijl gemeubileerde eetkamer binnengeleid. De met wandtapijten opgesmukte muren waren wit gestuct met bontgekleurde tegels langs de randen. In de hoeken stonden hoge terracotta urnen.

De huisknecht verscheen en verzocht Carina aan een met leer beklede tafel op smeedijzeren poten plaats te nemen. De tafel was voor twee personen gedekt en werd verlicht door een sierlijke ijzeren armkandelaar.

Een minuut later kwam Baltazar, gekleed in een smoking, helemaal in stijl voor een chic bal.

'Mevrouw Mechadi, wat vriendelijk van u dat u me gezelschap houdt,' zei hij op de hartelijke toon van een oude bekende.

Om Carina's mond speelde een vreugdeloos lachje. 'Had ik een keuze dan?'

'Keuzes hebben we altijd, mevrouw Mechadi.'

Baltazar knipte met zijn vingers en de huisknecht vulde hun wijnglazen met een stevige rioja. Hij hief zijn glas voor een zwijgende toost en het scheen hem niet te deren dat zij zijn gebaar negeerde. Ze at met kleine hapjes van haar salade en een geurige paella die het hoofdgerecht vormde. De flan die ze als toetje kreeg, schoof ze van zich af, maar nam wel een slok van haar espresso.

Tijdens het eten hadden ze geen woord gewisseld, als een al wat ouder echtpaar dat elkaar al jarenlang niets meer te zeggen heeft. Baltazar vroeg of de maaltijd en de wijn haar hadden gesmaakt. Carina antwoordde met een grom.

'Mooi,' zei hij. Hij haalde een dunne sigaar tevoorschijn en stak hem op, waarbij hij zijn ogen steeds op Carina gericht hield. 'Ik heb een vraag,' zei Baltazar, terwijl zijn hoofd in een paarse rookwolk verdween. 'Gelooft u in goddelijke voorzienigheid?'

'Ik begrijp niet wat u bedoelt.'

'Ik heb het over het idee dat onze levensloop vastligt, niet zozeer door onze daden, maar door ons lot.'

'Voorbeschikking lijkt me geen filosofie die bij u past.' Ze keek hem recht in de ogen. 'Ik geloof dat we állemaal verantwoordelijk zijn voor de gevolgen van onze gedragingen. Als u uit het raam van een hoog gebouw springt, heeft dat uw dood tot gevolg.'

'Daar hebt u helemaal gelijk in. Onze daden beïnvloeden ons leven. Maar ik vraag u in overweging te nemen of er geen ondoorgrondelijke krachten mogelijk zijn die maken dat ik uit dat raam wíl springen.'

'Waar wilt u naartoe?'

'Het is lastig onder woorden te brengen. Ik kan het u beter later zien.'

'Alsof ik een keus heb?'

'In dit geval niet, nee,' antwoordde hij, terwijl hij overeind kwam. Hij doofde zijn sigaar in een asbak en liep om de tafel heen om haar stoel naar achteren te schuiven. Vervolgens leidde hij haar naar de portrettengalerij.

'Dit zijn enkele van mijn voorouders,' zei Baltazar. 'Herkent u familietrekken?'

Carina bekeek de tientallen schilderijen die aan de muren van het reusachtige vertrek hingen. De meeste mannen waren in een decoratieve wapenrusting afgebeeld. Hoewel de gezichten op de portretten veelal weinig fysieke gelijkenis vertoonden, hadden de meesten, inclusief de vrouwen, diezelfde wolfachtige blik als Baltazar in de ogen, alsof ze allemaal dezelfde roofzuchtige instincten in hun genen hadden.

'Ja,' zei ze. 'Er zijn beslist familiale overeenkomsten.'

'Deze bevallige meid was een gravin,' zei hij op het achttiende-eeuwse olieverfschilderij van een jonge matrone afstappend. 'Zij is heel bijzonder.'

Hij ging met zijn gezicht tot op enkele centimeters voor het portret staan met zijn handen aan beide kanten om de sierlijst geklemd. Carina dacht dat hij het portret kuste. Toen hij de verwonderde uitdrukking op Carina's gezicht zag, legde hij haar uit dat er oog- en handsensoren in het schilderij verwerkt waren. Vervolgens leidde hij haar de trap af naar de stalen deur met het combinatieslot.

De deur zwaaide open. Met verbazing bekeek Carina de glazen uitstalkasten langs de wanden. 'Dit lijkt wel een bibliotheek,' zei ze.

'In deze ruimte bevindt zich het familiearchief van het geslacht Baltazar. In deze boeken is onze geschiedenis over een periode van meer dan tweeduizend jaar opgetekend. Dit is een informatiebron van onschatbare waarde over alle intriges in Europa en Azië gedurende die tijd.'

Hij liep naar de achtermuur van de bibliotheek en opende daar een andere deur. Uit een muurhouder pakte hij een fakkel, die hij met een sigarettenaansteker aanstak. De vlam van de fakkel verlichtte de gebogen stenen muren van een rond vertrek. Carina stapte de kamer in en zag het beeld dat haar met uitgestrekte armen begroette.

'Mijn god! Wat is dat?'

'Dit is een oud offerbeeld. Het is al duizenden jaren in de familie.'

Haar blik hechtte zich op de spitse neus en kin en de vuil grijnzende mond, die des te meer opvielen door de dansende schaduwen van de flakkerende fakkel.

'Wat afgrijselijk!'

'Er zijn mensen die dat vinden. Over smaak valt niet te twisten. Maar dat beeld is niet wat ik u wilde laten zien. Kijk hier, dit boek.'

Baltazar zette de fakkel in een hoge metalen houder en liep naar het altaar. Hij tilde het deksel van de met juwelen afgezette kist op en opende het houten kistje dat erin stond. Daaruit pakte hij de bijeengebonden vellen perkament.

Hoewel Carina Baltazar niet het genoegen van haar belangstelling gunde, kon ze haar nieuwsgierigheid niet verbergen.

'Die zijn ontzettend oud,' zei ze.

'Bijna drieduizend jaar. De tekst is in het Aramees en geschreven in de tijd van koning Salomo.'

'Door wie?' vroeg Carina.

'De vrouwelijke stichter van het geslacht Baltazar. Haar naam is verloren gegaan. Ze noemt zich "priesteres" en ook anderen noemen haar zo. Wilt u horen wat ze heeft geschreven?'

Carina haalde haar schouders op. 'Ik heb toch niets beters te doen.'

'Ik ken de inhoud uit mijn hoofd. Hier op de eerste pagina stelt ze zich voor. Ze was een heidense priesteres en een favoriete concubine van Salomo. Ze kreeg een kind van hem, een jongen die ze Melqart noemden. Zoals ik al eerder zei, Salomo was een wispelturig man. Hij werd verliefd op Sheba.'

'Míjn voorouder,' zei Carina.

'Inderdaad. Zij kregen een jongen die ze Menelik noemden. Salomo gaf Sheba de priesteres als dienstmaagd. Ze moest wel gehoorzamen. De jongens groeiden samen op, maar Menelik bleef de meest geliefde zoon. Toen ze tieners waren, haalde Melqart, op instigatie van zijn moeder, zijn halfbroer over om een uiterst kostbaar voorwerp uit de tempel te stelen. Menelik heeft het later teruggebracht, waarna hun vader het de beide jongens heeft vergeven, maar hij heeft ze via zijn vriend Hiram wel bij de Fenicische marine ondergebracht.'

'Wat was dat kostbare voorwerp?'

'De Ark des Verbonds. Maar belangrijker nog, ook de originele Tien Geboden die zich in de Ark bevonden.'

'De kleitabletten die Mozes van de berg meenam?'

'Nee. Deze waren van goud. In de Bijbel worden ze het Gouden Kalf genoemd. Men zegt dat Mozes ze heeft vernietigd, maar dat is niet zo.'

'Waarom zou Mozes ze hebben willen vernietigen?'

'De tabletten werden geschreven toen de oude religies zich nog voortdurend ontwikkelden. De tabletten zouden de interesse van de mensen kunnen wekken, voordat Mozes hen in de richting van de godsdienst had kunnen leiden die hij predikte.'

'Kennelijk zijn de kleitabletten dus niet vernietigd.'

'Tot in de tijd van Salomo waren ze verborgen. Hij zag ze als iets waar hij alleen maar problemen mee kon krijgen, maar zulke heilige voorwerpen durfde hij toch niet te vernietigen. Hij was bang dat de tabletten opnieuw gestolen zouden worden. Hij vroeg Menelik de Tien Geboden naar Ofir te brengen en daar te verbergen. Daarop stuurde de priesteres Melqart op pad om de gouden tabletten terug te halen. De halfbroers raakten slaags. Menelik doodde zijn halfbroer, nam zijn schip over en keerde naar huis terug, waar hij zijn vader over de strijd vertelde. Salomo verbande Melqarts moeder, die hij ervan verdacht dat ze haar ondergeschikten tegen hem ophitste en pogingen deed het oude heidense geloof in ere te herstellen.'

'En de *Navigator*?'

'De priesteres hoorde van haar informanten dat Salomo twee beelden van Menelik liet gieten met in het bronzen oppervlak gegraveerde plattegronden die de locaties van Ofir en de tabletten aangaven. Een meer gedetailleerde kaart, op vellum, is tijdens de broederstrijd verloren gegaan.'

'Waarom twee beelden?'

'Salomo was niet alleen een wijs, maar ook een voorzichtig man. Hij liet ze bij de ingang van de tempel neerzetten. Voor iedereen zichtbaar verborgen.'

'En de priesteres?'

'In ballingschap reageerde ze ziedend van woede op het bericht dat haar enige zoon door Menelik, het kind van Sheba, was gedood. Ze vond dat zij de vrouw van Salomo had moeten zijn en dat de Tien Geboden en de macht die hun bezit met zich meebracht, haar rechtmatige eigendom waren. Ze vertrouwde Melqarts zoon de taak toe de schat terug te vinden en wraak te nemen op de nazaten van Salomo en Sheba. Daar slaagde hij niet in, maar hij gaf de instructies door aan de volgende generatie. In de loop der tijd is het terugvinden van de tabletten voordat anderen het bestaan ervan ontdekken, het hoofddoel geworden. Er werd een wereldwijd systeem van Waarnemers opgezet om te voorkomen dat het geheim zou worden ontdekt.'

'En wat is uw rol in dit alles?'

'Mijn vader heeft die taak aan mij doorgegeven. Als de laatste van het geslacht Baltazar rust de taak om die eeuwenoude gelofte na te komen nu op mijn schouders.'

'Dus dát is het. U wilt wraak nemen voor een priesteres die al heel lang nog slechts een zak stof is. U denkt dat ik een afstammeling van Sheba ben en daarom wilt u mij doden.'

'Dat doe ik liever niet. Ik heb een voorstel. Ik wil het geslacht Baltazar graag voortzetten. En wat ligt er dan meer voor de hand dan dat wij onze stambomen met elkaar verenigen?'

Volkomen perplex staarde Carina hem met haar blauwe ogen aan. 'Dat meent u niet. U denkt toch niet dat ik...'

'Ik heb het niet over een liefdesavontuur,' onderbrak Baltazar. 'Zie het als een puur zakelijk voorstel.'

'En dan is het voor u ook een puur zakelijk besluit om mij te doden zodra ik uw zogenaamde erfgenaam heb geproduceerd.'

'Dat hangt geheel en al van uzelf af.'

'Dood me dan nu meteen maar. Alleen al de gedachte door u te worden aangeraakt, is weerzinwekkend.' Ze probeerde langs hem weg te glippen. Met een stap opzij verhinderde hij dat. Instinctief draaide ze zich om op zoek naar een manier om weg te komen. Haar blik viel op het gezicht van het beeld, dat in het flakkerende schijnsel van de fakkel oplichtte.

'Dat beeld. Ik herinner het me nu weer. Ik heb er zo een in Rome gezien. Het was tijdens de Punische Oorlogen uit Carthago weggehaald. De Carthagers offerden kinderen aan Baäl toen de Romeinen de stad aanvielen. Dát was de reden waarom uw heilige priesteres werd verbannen. Ze deed aan mensenoffers.'

'Salomo was een hypocriet,' snauwde Baltazar. 'Hij aanbad de oude goden, maar toen zijn priesters tegen hem in opstand kwamen, liet hij ze vallen.'

'Ik wil helemaal niets te maken hebben met u en die ellendige goden van u. Ik wil dat u me laat gaan.'

'Dat is onmogelijk.'

Er fonkelde een giftige glans in Carina's ogen. Ze graaide de fakkel uit de houder en haalde ermee uit naar Baltazars gezicht. Hij lachte om haar poging tot verzet.

'Doe dat ding weg voordat ik het afpak.'

'Als u me niet laat gaan, gaat uw mooie priesteres eraan!'

Ze tolde om haar as en hield de fakkel vlak bij de bijeengebonden perkamentvellen op het altaar.

Baltazars hand haalde uit met de snelheid van een cobra. Hij rukte de fakkel uit haar hand voordat de droge vellen vlam konden vatten, en zijn vuist trof haar vol in het gezicht. Ze klapte bewusteloos tegen de grond.

Baltazar keek op naar het beeld. De amandelvormige spleetogen schitterden in het licht; de armen gespreid alsof ze hem wilden omhelzen.

Hij keek omlaag naar Carina's roerloze lichaam en vervolgens weer omhoog naar het zwijgende beeld. Hij boog zijn hoofd opzij alsof hij ergens naar luisterde.

'Ja,' zei hij een moment later. 'Nu begrijp ik het.'

44

Austin zette de plunjezak met zijn duikspullen neer achter de deur van het botenhuis en liep door naar zijn werkkamer. Het rode lampje van het antwoordapparaat knipperde. Twee berichten. Hij drukte op het knopje. Het eerste bericht was van Carina.

'Hoi, Kurt. Ik ben rond half twee uit het museum vertrokken. De vergadering was een geweldig succes! Ik ga het je allemaal vertellen. Ik hoop dat de computerbewerkingen van de *Navigator* iets hebben opgeleverd. Ik neem nu een taxi naar het Penn Station. Dan kan ik aan het eind van de middag in D.C. terug zijn. Ik bel je nog. *Ciao*.'

Hij keek op de wandklok. Het was al na tienen. Het piepje dat het volgende bericht aankondigde, verbrak zijn gedachten. Hij verwachtte de stem van Carina te horen. Maar het was een kort en kil uitgesproken bericht.

'Goedenavond, meneer Austin,' zei een metaalachtig klinkende stem. 'We hebben de bestelling uit Italië in huis. U kunt het komen bezichtigen. Bel dit nummer terug.'

Door het gebruik van een stemvervormer klonk de beller als een robot. Uit het op het display weergegeven nummer bleek dat de beller zich buiten de regio bevond. Austin herinnerde zich wat Buck had gezegd tijdens hun confrontatie in het Topkapi Paleis.

Mijn werkgever heeft andere plannen met haar.

Carina was niet op het Penn Station aangekomen. Austin tuitte zijn lippen. In zijn hoofd ging hij Carina's stappen van die dag na in de hoop zo een houvast te vinden hoe en waar ze verdwenen was. Carina had tegen niemand gezegd dat ze naar het museum in New York zou gaan. Hij herinnerde zich dat hij 's ochtends had gehoord hoe ze via zijn telefoon op het laatste moment de afspraken met de mensen van het museum had gemaakt.

Austin pakte de telefoon om Zavala te bellen, maar zijn hand verstarde halverwege de beweging. Hij legde de telefoon terug alsof die opeens in een ratelslang was veranderd en liep naar buiten het terras op.

Er hing een scherpe, maar niet onaangename geur van modder en rottende planten in de lucht. Hopeloos verliefde kikkers kwaakten hun luide liefdeslied begeleid door het monotone krekelkoor. De rivier glinsterde spookachtig bleek in het schijnsel van een halvemaan. Hij herinnerde zich de snuffelaar die op de eerste avond dat hij hier met Carina had gegeten, naar het huis had staan loeren. De hoge eik waar hij de voetafdrukken had gevonden, stak scherp af tegen de bleke glans van de rivier.

Die loerder had meer gedaan dan loeren!

Austin liep door het huis naar zijn auto. Hij reed de lange oprijlaan af, draaide de weg op en stopte na een kilometer of acht. Hij pakte zijn mobieltje uit de houder op het dashboard en toetste uit zijn hoofd een nummer in.

Aan de andere kant van de lijn klonk een lage stem: 'Flagg.'

'Ik heb je hulp nodig,' zei Austin. 'Kun je naar mijn huis komen? Met een ontsmetter.'

'Twintig minuten,' antwoordde Flagg, waarna hij ophing.

Flagg was waarschijnlijk in Langley. Austin wist niet waar zijn vroegere collega woonde. Een goede kans dat hij geen andere woning had dan het hoofdkwartier van de CIA, waar hij vrijwel voortdurend verbleef wanneer hij niet op een van zijn missies was, die hem in zijn functie als troubleshooter naar de verste uithoeken van de aarde brachten.

Austin reed naar het botenhuis terug. Hij was kwaad op zichzelf dat hij Carina er niet van had weerhouden alleen op stap te gaan, maar waarschijnlijk was hem dat toch niet gelukt. Carina kende geen angst als het om haar eigen veiligheid ging.

Precies vijfentwintig minuten nadat Austin had gebeld, reden er twee auto's de oprijlaan op. Flagg stapte uit een Yukon. Uit een kleine bestelwagen met op de zijkanten de naam van een ongediertebestrijdingsbedrijf stapte een jongeman in een overall.

De ontsmetter stelde zichzelf voor als de Insectenman. In de werkkamer zette hij een aluminium koffer op de vloer en klapte het deksel open. Hij haalde er een apparaat uit dat nog het meeste weg had van een Buck Rogers-laserpistool en draaide met de klokvormige loop op de muren gericht op zijn hakken een volle slag in de rondte.

In hoog tempo werkte de Insectenman zo alle vertrekken op de begane grond af, waarna hij de wenteltrap naar de slaapkamer in het torentje opliep. Hij kwam een paar minuten later terug en begon zijn elektronische apparatuur weer in te pakken.

'Hier is niets besmet,' zei hij. 'Het hele huis is schoon.'

'En buiten?' vroeg Austin. Hij gebaarde met zijn duim naar het terras.

De Insectenman tikte met zijn wijsvinger tegen zijn rechterslaap. 'Ach ja, natuurlijk.'

Hij liep het terras op en was binnen een paar seconden terug.

'Ik vang iets op uit de richting van de rivier,' zei hij.

'Dan denk ik dat ik wel weet waarvandaan,' zei Austin. Hij pakte een zaklamp en leidde Flagg en de Insectenman via de terrastrap naar de voet van de hoge eik. 'Hier stond een paar nachten geleden iemand te loeren,' zei hij. 'Onder deze boom heb ik een voetafdruk gevonden.'

De Insectenman richtte zijn stralingsdetector op het netwerk van takken. Op het piepkleine led-schermpje verschenen cijfers en er klonken elektronische piepjes.

Hij nam de zaklamp over en vroeg Flagg en Austin hem een handje te helpen. Ze tilden hem naar de laagste tak, waarna hij tot halverwege de stam omhoogklom. Met een zakmes wrikte hij in een dikke tak en klauterde weer omlaag. Met de zaklamp bescheen hij zijn hand, waarmee hij een plastic doosje ter grootte van een spel kaarten ophield.

'Nieuwer dan het nieuwste van het nieuwste. Reageert op stemgeluid. Accu op zonne-energie. Dit dingetje pikte al uw telefoongesprekken op, zowel gsm als vaste lijn, en zond alles naar een afluisterpost door. Uw telefoongesprekken konden zo naar iedere plek ter wereld worden doorgezonden. Wat zal ik hiermee doen?'

Flagg had het hele detectieproces zwijgend gevolgd, maar nu kwam hij met een voorstel. 'Ik zou hem terugleggen. Het ding kan handig zijn om misleidende informatie te verspreiden.'

'Ik had eigenlijk gedacht om die luistervink via dit ding eens goed de waarheid te zeggen,' reageerde Austin, maar hij besefte dat Flaggs voorstel zo slecht nog niet was.

De Insectenman klom de boom weer in. Flagg keek omhoog naar de takken en zei: 'Iemand heeft zich een hoop moeite getroost om in jouw zaken te snuffelen. Ik dacht dat jij je, sinds je bij de NUMA bent, alleen nog met het tellen van vissen hoeft bezig te houden.'

'Je wilt niet weten wat voor gigantische vissen de zee onveilig kunnen maken,' zei Austin. 'Als je maat klaar is, pak ik een paar biertjes en krijg je het allemaal te horen.'

Nadat hij het elektronische afluisterapparaatje had teruggeplaatst, sprong de ontsmetter uit de boom. Hij zocht zijn spullen bij elkaar en vertrok in zijn bestelwagen. Austin haalde twee flesjes Sam Adams uit de koelkast, waarna Flagg en hij het zich in de leren fauteuils in de werkkamer gemakkelijk maakten. Een uur lang lichtte Austin Flagg uitvoerig in over alle ontwikkelingen die op de kaping van het containerschip waren gevolgd.

Om Flaggs brede mond speelde een fijn glimlachje op het verder roerloze gezicht. 'De mijnen van koning Salomo! Nou, Austin, vergeleken met wat jij doet, is die baan van mij niet spannender dan het werk van een postsorteerder.' Maar hij was meteen weer serieus. 'Dat zijn echt zware jongens met wie jullie te maken hebben. Denk je dat die Baltazar je vriendin te pakken heeft?'

'Vanaf het begin blijkt steeds bij alles wat er gebeurt dat Baltazar er achter steekt.'

'Wat kan ik doen?'

'Uitvinden waar Baltazar zich ophoudt.'

'Ik ga meteen aan de slag. Nog iets?'

'Luister.' Austin pakte de telefoon, drukte op de meeluisterknop en toetste het nummer van de anonieme beller in.

'We hebben op u gewacht,' zei de blikkerige stem.

'Ik was de stad uit. Wat is dat wat u uit Italië voor me hebt?'

'U kent haar als Carina Mechadi. Ze is ongedeerd. Voorlopig althans. Op de langere termijn kan ik niet voor haar gezondheid instaan.'

'Wat vraagt u voor haar?'

'Niet wat. Wie! We willen haar tegen u ruilen.'

'Gegarandeerd?'

'In een volmaakte wereld is die van u nu bijzonder onvolmaakt.'

'Wat moet er gebeuren?'

'Zorg dat u over exact negentig minuten voor het Lincoln Memorial staat. U bent alleen. Laat gps-apparaatjes achterwege. U wordt gescand.'

Austin keek naar Flagg. 'Ik zal er zijn.'

De verbinding werd verbroken.

'Dat moet een aantrekkelijke vrouw zijn,' zei Flagg. Hij stond op uit zijn stoel. 'Ik zou maar opschieten. Dan ga ik Baltazar lokaliseren.'

Austin sprak met Flagg af dat ze via Zavala contact zouden houden. Nadat zijn vriend was vertrokken, pakte Austin de telefoon weer op en belde Joe, waarbij hij de verleiding weerstond de onbekende meeluisteraar met een paar minder vleiende opmerkingen te bestoken.

'Hoi, Joe. Met Kurt. Ik kan morgen niet met je afspreken. Pitt wil dat ik nog vanavond bij hem langskom.'

'Dat moet dan wel iets belangrijks zijn.'

'Klopt. Ik bel je later nog wel.'

Toen hij een kwartier later over de ringweg naar Washington reed, belde hij Zavala opnieuw.

'Ik dacht al dat je nog een keer zou bellen. Ik zag niet hoe jij vanavond nog bij Pitt kon zijn. Het laatste wat ik heb gehoord, is dat hij ergens op de Japanse Zee zit.'

'Sorry voor de omweg. Maar er zat iemand mee te luisteren.'

Austin vertelde hem over Carina en zijn voornemen om aan de eisen van de kidnappers tegemoet te komen.

'Ik ga altijd mee met alles wat je zegt, Kurt, maar denk je echt dat je daar Carina mee kunt helpen?'

'Dat weet ik niet. Misschien kom ik zo dicht genoeg bij haar dat ik haar kan helpen. Het feit dat ik weet waar de mijn zich zou kunnen bevinden, geeft me althans iets van speelruimte.'

'Ik wil geen spelbreker zijn, maar wat doen we als ze jou alleen maar te grazen willen nemen en helemaal niet willen onderhandelen?'

'Over die mogelijk heb ik serieus nagedacht. Dat risico moet ik nemen. Ondertussen wil ik dat jij die mijn gaat zoeken. Dat zou een sterke troef kunnen zijn. Snel zijn is nu essentieel.'

'Ik heb al een helikopter geregeld en met Trout gesproken. Bij het eerste ochtendkrieken pikken we Saxon op. En jij veel geluk dan!'

'Bedankt,' zei Austin. 'Dat heb ik nodig.'

Austin liet Zavala nog weten dat Flagg contact met hem zou opnemen en hing op. Hij parkeerde de Jeep in de ondergrondse garage van de NUMA en nam een taxi naar het Lincoln Memorial. Daar arriveerde hij nog net een minuut voordat de anderhalf uur verstreken waren. Een paar seconden nadat de taxi was weggereden, stopte er een zwarte Cadillac Escalade SUV langs de stoep, waarvan het achterportier openzwaaide. Er stapte een man uit, die op de achterbank wees.

Austin haalde diep adem en stapte in. De man schoof naast hem, waardoor hij Austin tussen hem en een andere inzittende klem zette. De SUV scheurde bij het gedenkteken weg en voegde zich in de verkeersstroom.

De man aan zijn linkerkant stak zijn hand onder zijn jasje. Austin zag metaal glinsteren. Hij kon niet zien of het een mes of een vuurwapen was. Hij vervloekte zichzelf dat hij de situatie zo slecht had ingeschat. Ze brachten hem nergens naartoe. Ze zouden hem zonder meer meteen vermoorden.

In een afwerend gebaar tilde hij zijn arm op.

Hij voelde iets kouds tegen zijn nek en hoorde een zacht gesis. Vervolgens trok iemand een zwarte sluier voor zijn ogen. Zijn lichaam verslapte, zijn ogen vielen dicht en zijn hoofd knikkebolde voorover. Alleen de aanwezigheid van de twee mannen naast hem verhinderde dat hij omviel.

Binnen de kortste keren had de SUV de buitenwijken van de hoofdstad bereikt en reed met de maximaal toegestane snelheid in de richting van het vliegveld.

45

De McDonnell Douglas MD500-helikopter vloog met de turkooizen romp glanzend in het zachte licht van de opkomende zon hoog boven de Chesapeake Bay. Joe Zavala bestuurde het toestel. Gamay zat in het kuipstoeltje naast hem en Paul Trouts lange lijf lag uitgestrekt op de achterbank, die hij met een aantal tassen vol duikspullen moest delen.

Zavala tuurde door het getinte glas van de cockpit en gebaarde met zijn wijsvinger omlaag. 'Daar hebben Kurt en ik naar het wrak gedoken,' zei hij. 'Iets verderop ligt Havre de Grace.'

De witte spits van de vuurtoren van Concord kwam in zicht en daarna ook de spoorbrug bij de monding van de Susquehanna.

Zavala volgde de loop van de rivier, die zich als een modderig lint in noordwestelijke richting uitstrekte. De waterloop van de rivier was op diverse plaatsen door grillige eilandjes verbrokkeld. Beide oevers grensden aan een golvend akkerlandschap dat door Grant Wood geschilderd leek.

Met een kruissnelheid van tweehonderdveertig kilometer per uur had de heli de afstand naar Harrisburg al snel overbrugd. Op de wegen was nog maar weinig verkeer. Zo'n vijftien kilometer ten noorden van de koepel van het Capitool zwenkte de helikopter naar het oosten weg van de rivier de richting van een bergrug op. De helikopter vloog over dichte bossen en boerderijen tot hij ten slotte door de laag hangende ochtendnevel zakte om op een landingsstrip van gras te landen.

Aan de rand van het terrein stond Saxons tweedehands Chevy Suburban geparkeerd. Zodra het landingsgestel van de heli de grond raakte, startte Saxon de motor en reed het veld op. De Suburban stopte vlak bij de heli en Saxon sprong eruit. Met grote passen holde hij onder de zwiepende rotorbladen op Zavala en het echtpaar Trout af, die hij hartelijk de hand schudde. In zijn broek met afritspijpen, fotografenvest en een junglehoed waarvan de rand aan een kant was opgeslagen leek hij klaar voor een Afrikaanse safari.

'Waar is Kurt?' vroeg Saxon.

'Is onverwachts weggeroepen,' antwoordde Zavala. Zijn bezorgdheid over het verloop van Austins missie verborg hij achter een opgewekte glimlach.

'Wat vreselijk jammer,' zei Saxon teleurgesteld. 'Nou loopt Kurt het feestje mis als we de mijn vinden.'

'Je hebt er duidelijk vertrouwen in,' merkte Paul op.

'Joe weet uit ervaring dat ik de neiging heb nogal grootse uitspraken te doen. Propagandistische grootspraak hoort nu eenmaal bij mijn beroep,' gaf Saxon toe. 'Maar ik durf op Sheba's graf te zweren dat we de mijn binnen handbereik hebben. Ik zal het jullie laten zien.'

Saxon liep terug naar zijn auto en opende de achterklep. Hij klapte zijn versleten aktetas open en trok er een dik pak papier uit.

'Je hebt je best gedaan,' merkte Zavala op.

'Mijn ogen staan scheel van het de hele nacht doorwerken,' zei Saxon. 'Maar het is de moeite waard geweest. Dit is een topografische kaart van het bewuste gebied. En hier zie je de oude spoorlijn die voor de kolenmijnen werd gebruikt. Joe heeft het jullie waarschijnlijk al wel verteld,' zei hij tegen Paul en Gamay, 'maar door de aanhoudende geruchten over de aanwezigheid van een legendarische goudmijn en indiaanse grafgrotten ben ik me op deze plek gaan concentreren. Dit hier is de Gold Mine Road, die door het hele gebergte kronkelt, en dit is het verlaten dorp Gold Mine.'

Trout keek naar de bossen die de stille landingsstrip omzoomden. Hij knipperde met zijn grote bruine ogen, iets wat hij wel vaker deed als hij nadacht.

'Vergeef me mijn wetenschappelijke scepsis,' zie hij met de typische botheid van een New Englander, 'maar het gaat er bij mij niet in dat die Feniciërs van de andere kant van de wereld hier helemaal naartoe voeren om uitgerekend in dit lieflijke landschap van Pennsylvania een goudmijn te ontdekken.'

'Scepsis is heel gezond,' zei Saxon. 'Je moet het in de context bekijken. Wij zien voetpaden, ingeslapen dorpjes en boerderijen. Maar deze streek werd ooit bewoond door minstens vijf stammen in twintig dorpen. In 1600, toen de Europeanen hier arriveerden, leefden er bijna zevenduizend Susquehanna-indianen in deze heuvels en valleien.'

'Wat is jouw theorie over de eerste contacten?' vroeg Gamay.

'Ik denk dat de bemanning van een Fenicisch verkenningsschip op zoek naar koper van de indianen verhalen over goud hoorden. Met hun organisatietalent hebben de Feniciërs de plaatselijke bevolking ingehuurd om de mijn te openen en het goud te winnen, waarna ze land- en zeeroutes hebben uitgezet om het naar hun land te vervoeren.'

'Ingewikkeld maar niet onmogelijk,' zei Trout met een hoofdknikje. 'Begrijp ik goed dat je zei dat je ons naar die mijn kunt brengen?'

'Ik kan jullie naar de plek brengen waar ik denk dat de mijn zich bevindt. Stap maar in, dan gaan we een stukje rijden.'

Ze sjouwden hun tassen van de helikopter naar de Suburban. Vervolgens reed Saxon van het vliegveldje naar een kronkelige landweg. Na een paar kilometer draaide hij de weg af en volgde een uitgesleten dubbel spoor door de bossen.

'Welkom in St. Anthony's Wilderness,' zei Saxon terwijl de auto zich hotsend en botsend een weg langs de diepste kuilen zocht. 'Dit is het op twee na grootste wegenloze gebied van Pennsylvania. De Appalachian Trail loopt er dwars doorheen. Er ligt een bosgebied van ruim vijfeneenhalf duizend hectare tussen het Eerste en Tweede gebergte.'

'Ik heb nooit geweten dat de heilige Antonius in Noord-Amerika is geweest,' zei Gamay.

'Dat is hij ook niet. Dit gebied is genoemd naar een missionaris die Anthony Seyfert heette. De plaatselijke bevolking heeft het over Stony Valley. Het is hier nu zo stil als een graf, maar in de negentiende eeuw zwoegden hier honderden mannen en jongens in de kolenmijnen. Er liep een spoorlijn tot in het dorp Rausch Gap, die later voor het vakantieoord Cold Springs werd gebruikt. Nadat de mijnen uitgeput raakten, is bijna iedereen hier weer weggetrokken.'

'Bijna, zei je,' merkte Zavala op.

Saxon knikte. 'Een paar slimme projectontwikkelaars hebben een manier verzonnen om de goudmijnlegende te gelde te maken en hebben het Gold Stream Hotel gebouwd. De toeristen die in het hotel verbleven maakten boottochtjes naar een grot. Pennsylvania is vergeven van de grotten. Het hoogtepunt van het uitstapje was de mogelijkheid zelf naar goud te zeven.'

'Is er echt goud gevonden?' vroeg Gamay.

'Voldoende om de toeristen tevreden te houden. In het hotel kon je medaillons kopen om het goudstof in te bewaren. Het hotel is gesloten nadat de spoorlijn werd stilgelegd.'

'Dat goudstof moet ergens vandaan komen,' zei Paul.

Saxon grinnikte. 'Precies! Daarom denk ik dat dat hotel de sleutel is voor het oplossen van het mysterie.'

'Hoe dat zo?' vroeg Zavala.

'Dat zul je wel zien,' antwoordde Saxon met een raadselachtig lachje.

Terwijl de Suburban steeds dieper in de bossen doordrong, begon Saxon aan een verslag van de oorlogen tussen de indianen en de kolonisten en wees op de ruïnes van oude mijnwerkerskampen en torens die de mijnschachten markeerden. De weg eindigde abrupt aan de oever van een meer. Saxon bracht de Suburban tot stilstand.

'Welkom bij het Gold Stream Hotel,' zei hij.

Ze stapten de auto uit en volgden Saxon over een geleidelijk aflopende helling naar de rand van het meer. Op het spiegelgladde wateroppervlak was geen rimpeltje te zien.

'Ligt het hotel onder het meer?' vroeg Zavala.

'Het hotel stond oorspronkelijk in een dal,' zei Saxon. 'Na de sluiting van het hotel doken hier al snel de eerste goudzoekers op die naar de bron van het goudstof zochten. Ze hadden meer dynamiet dan hersenen. Ze hebben een natuurlijke dam opgeblazen en niet verhinderd dat het water van een beek het dal instroomde en het hotel onder water heeft gezet.'

Zavala liep naar de waterkant en keek uit over het meer. Hij schatte dat het ongeveer anderhalve kilometer breed was en ruim drie kilometer lang. Het werd aan alle kanten door dicht beboste heuvels omgeven. 'Hoe diep is het?'

'Op het diepste punt bijna dertig meter,' antwoordde Saxon. 'Het meer wordt door een bron gevoed.'

'De standaardprocedure voor een duik is altijd: plan de duik en duik volgens het plan,' zei Zavala. 'Het is een groot meer. Heb je enig idee waar we moeten beginnen?'

'Dat zal ik jullie laten zien,' antwoordde Saxon.

Terug bij de Suburban diepte Saxon een map uit zijn tas op, waaruit hij Zavala een vergeelde folder gaf waarop het hotel was afgebeeld als een twee verdiepingen hoog uit flagstones opgetrokken gebouw.

Van het hotel liep een voetpad naar een trap, die naar de lagergelegen grotingang liep, waar rondvaartboten klaarlagen. Op een tekening was te zien hoe mensen in victoriaanse kleding in wasgoten naar goud zeefden. Zavala richtte zijn blik van het hotel op het meer en probeerde zich er een voorstelling van te maken hoe het er onder water uit zou zien.

'Niemand heeft de mijn kunnen vinden toen het hotel nog hoog en droog stond,' zei hij. 'Waarom denk je dat dat nu onder water wel gaat lukken?'

'Dat heb ik me ook afgevraagd,' zei Saxon. 'Ik stond al op het punt om deze hele expeditie af te blazen, toen ik in een tijdschrift een artikel over een verloren gegaan hotel tegenkwam. Een van de mensen van het toenmalige keukenpersoneel vertelde over een luik in de keuken. Dat zat op slot, maar het keukenpersoneel heeft het slot opengebroken en er iets in laten vallen om te kijken hoe diep het er was. Ze hebben het niet horen neerkomen. De directie heeft het luik daarna met een sterker slot vergrendeld, omdat het keukenpersoneel er schillen in dumpte.'

'Het zou een ventilatieschacht van een mijn geweest kunnen zijn,' opperde Paul.

Saxon sloeg een schetsboek open op een pagina waarop hij het hotel van de brochure had nagetekend. Met twee verticale strepen had hij de ligging van de schacht aangegeven.

'Volgens mij is het hotel boven op de mijn gebouwd,' zei hij. 'De grot is ooit waarschijnlijk een deel van de mijningang geweest totdat het plafond ervan is ingestort. Daarna was wel de toegang tot de mijn geblokkeerd, maar niet de waterstroom met het goudstof erin. Als we in die schacht afdalen, komen we in de mijn. Denk je dat dat te doen is?'

Zavala bestudeerde de tekening en doorliep in zijn hoofd iedere stap van een mogelijke duik. 'Heb je een idee hoe groot het gat van de schacht was?' vroeg hij aan Saxon.

'In het artikel werd niets over afmetingen gezegd.'

Zavala was een voorzichtige duiker. Hij stelde een tweestappenplan voor. Hij en Gamay zouden eerst de grot verkennen en daarna de schacht. Gamay was een door de wol geverfde duiker. Ze had naar talloze wrakken in de Grote Meren gedoken en had later als marien archeologe gewerkt. Met haar slanke soepele lichaam kon zij misschien die schacht wel in.

Terwijl Paul een rubbervlot opblies, hesen de duikers zich in hun scuba-uitrusting. Saxon had de exacte ligging van het hotel op een in waterdicht plastic verpakte topografische kaart ingetekend.

Trout peddelde Gamay en Zavala het meer op. Op de juiste plek lieten ze een verzwaarde markeerboei in het water zakken. Alles was klaar. De duikers duikelden over de rand van het vlot het water in en verdwenen in de diepte, waarna alleen nog wat uitwaaierende rimpels de plek aangaven waar ze van de ene wereld een andere waren ingedoken.

46

Toen Austin bijkwam, voelde hij zich overrompeld en in de rug aangevallen. Hij was zo dwaas geweest om te denken dat ze hem ongedeerd en bij vol bewustzijn tot bij Baltazar zouden brengen. Hij had zich als de eerste de beste sukkel in de luren laten leggen.

Op nog geen meter afstand doemde er een mannengezicht voor hem op. De rechterkant van het gezicht was in een dik verband gewikkeld.

'Voelt u zich wat beter?' zei de man op een toon waaruit niet de minste belangstelling sprak voor wat voor reactie dan ook.

Austin had een verschrikkelijke hoofdpijn, zijn tong was rauw en er zweefde een waas voor zijn ogen.

'Vergeleken met een platgereden egel niet slecht,' antwoordde Austin. 'Wie bent u?'

'U kunt me Squire noemen. Ik werk voor Baltazar.' Hij bood Austin een glas met een heldere vloeistof aan. Toen hij Austin zag aarzelen, weken zijn lippen tot een brede grijns uiteen waarbij hij een onregelmatig gebit toonde. 'U hoeft niet bang te zijn. Als Baltazar u dood had gewild, had u allang onder de groene zoden gelegen. Dit is tegen de nawerkingen van het verdovingsmiddel dat ze u hebben toegediend.'

Austin nam een slok. De vloeistof was koud en had een kunstmatige zoete smaak. Het bonken in zijn hoofd nam af en het waas voor zijn ogen trok weg. Hij lag op een legerbrits. Zijn nieuwe vriend zat op een klapstoeltje. Ze bevonden zich in een grote langwerpige tent. Door het transparante rood-wit gestreepte doek drong afgezwakt zonlicht door.

'Ik ben de hele nacht buiten bewustzijn geweest,' concludeerde Austin.

'U hebt hem kennelijk goed nerveus gemaakt. Ze hebben u een dosis lachgas gegeven waarmee je een jonge stier plat krijgt.'

Austin dronk het glas leeg en gaf het terug. De man had de potige bouw van een beroepsworstelaar en droeg een overall van blauwe spijkerstof. Er stond een stel aluminium krukken tegen zijn stoel.

'Wat is er met uw gezicht gebeurd?' vroeg Austin.

De linkerhelft van zijn mond zakte omlaag tot een halve frons. 'Daar is iets mee gebeurd, ja,' antwoordde hij. 'Kom, opstaan.'

Squire drukte zich met behulp van zijn krukken in een staande positie. Steunend op zijn krukken keek hij toe hoe Austin loom zijn benen over de rand van het bed schoof en overeind kwam. Austin was nog wat duizelig, maar hij voelde zijn krachten snel terugkomen. Hij kromde zijn vingers tot vuisten en strekte ze weer.

Squire lachte om die onopvallende beweging. 'Voor het geval u erover dacht een geintje te kunnen uithalen, hou er dan wel rekening mee dat er twee bewakers bij de uitgang van de tent staan en die zijn lang niet zo aardig als ik. De heer Baltazar heeft me uitdrukkelijk toestemming gegeven ze op u af te sturen als dat nodig mocht zijn. Begrepen?'

Austin knikte.

Squire gebaarde naar de deur. Austin stapte naar buiten en knipperde met zijn ogen tegen het felle zonlicht. De bewakers stonden aan beide kanten van de deur. De middeleeuwse tunieken die ze droegen pasten niet bepaald bij de automatische wapens die ze op Austin gericht hielden. Er lag een valse lome blik in hun ogen, alsof ze blij zouden zijn als Austin hun de kans gaf eindelijk iets te doen wat hun verveling doorbrak.

Er stonden twaalf tenten in twee rijen van zes op een open, door bossen omringd veld. In het midden van de tegenoverliggende rij was een verhoogd inspectiepodium gebouwd. Het was overdekt en aan de zijkanten dichtgemaakt. De hoeken hadden de vorm van torens. Op de spitsen wapperden vaandels met een embleem in de vorm van een stierenkop.

Tussen de twee rijen tenten was een open ruimte van een meter of vijftien breed. Over vrijwel de gehele lengte werd de strook door een houten hek in tweeën gedeeld. Aan beide uiteinden zat een ridder in volle wapenrusting op een gigantisch paard. Ze hadden beiden een houten lans met een stompe metalen punt in hun hand. Ook de enorme dieren droegen een beschermend, in het licht van de ochtendzon glinsterend harnas.

Op het podium wuifde iemand met iets wat op een groene zakdoek leek. De ridders gaven hun paard de sporen en stoven met naar voren gerichte lansen op elkaar af. De aarde trilde door de kracht van de hoefslagen. Halverwege het hek beukten de ridders met een geweldig kabaal van op de schilden afketsend hout op elkaar in. De houten lansen versplinterden. De ruiters reden tot het einde van het scheidingshek door, draaiden hun paarden en stormden nu met opgeheven zwaarden op elkaar af. Austin kreeg de afloop van de tweede fase van de strijd niet te zien, want zijn bewakers leidden hem tussen twee tenten door weg.

Hij keek om zich heen en zag weidevelden en bossen. Tussen de bomen zag hij iets roods opdoemen. Het bleek een op hoge snelheid naderende auto. Pas op het allerlaatste moment trapte de chauffeur op de rem, waarop de Bentley met slippende banden op een paar centimeter voor Austins knieën tot stilstand kwam.

Het voorportier zwaaide open en Baltazar stapte van achter het stuur vandaan. In het zonlicht glansde een maliënkolder dat hij onder zijn eveneens met het stierenkopembleem versierde tuniek droeg. Op zijn gezicht lag een brede grijns. 'Altijd stalen zenuwen, hè, Austin.'

'Na de cocktail die ik van uw mannen kreeg, ben ik nog wat traag van beweging, Baltazar.'

Baltazar klapte in zijn handen. Squire bracht twee met leer beklede stoelen, die hij met de zittingen naar elkaar toe voor hen neerzette. Baltazar ging zitten en gebaarde Austin hetzelfde te doen.

'Wat vindt u van ons toernooiveld?' vroeg hij.

Austin wierp een onderzoekende blik op Baltazars wapenrusting en tuniek. 'Ik waande me even op de set van *A Connecticut Yankee in King Arthur's Court*.'

'Zie het als een reis in de tijd,' zei Baltazar. 'Het is een tot in de kleinste details nagebouwd toernooiveld uit het Frankrijk van de vijftiende eeuw.'

Austin keek naar de auto. 'Die Bentley ook?'

Baltazar beantwoordde Austins spottende opmerking met een fronsende blik. 'In de riddertijd werden dit soort toernooien georganiseerd om de mannen voor de oorlog te trainen en de dapperen van de minder dapperen te scheiden. Ik gebruik het met datzelfde doel voor mijn huurlingen. Dit neem ik heel serieus.'

'Leuk dat u zo'n mooie hobby hebt, Baltazar, maar we weten allebei waarom ik op uw uitnodiging ben ingegaan. Waar is Carina Mechadi?'

'Ze is voorlopig veilig, zoals ik door de telefoon al zei.' Hij staarde Austin aan alsof hij een laboratoriummonster bestudeerde. 'U moet wel heel erg verzot op die jongedame zijn dat u zich voor haar gevangen laat nemen.'

Austin glimlachte. 'Ik miste uw gezicht, Baltazar. Een uitgelezen kans voor een gratis bezichtiging.'

Baltazar stak zijn brede kin naar voren. 'En nou práten, beste meneer Austin. Nou wil ik eindelijk wel eens horen of u nog iets interessants te vertellen hebt.'

'Om te beginnen weet ik iets wat u graag wilt horen in ruil voor uw belofte om Carina te laten gaan.'

'Aha, een voorstel. En wat hebt u mij te bieden?'

'De locatie van de mijn van koning Salomo.'

'U bluft, Austin.' Baltazar zei het met een spottend lachje. 'Bovendien heb ik de originele *Navigator* met de plattegrond. Waarom zou ik dan nog met u onderhandelen?'

'Omdat er voor u, als u wist waar de mijn zich bevindt, geen enkele reden zou zijn om Carina te ontvoeren en haar als aas te gebruiken om mij te pakken te krijgen.'

'Misschien wilde ik me alleen maar van een lastige vlieg ontdoen, Austin. Maar u krijgt uw zin. Vertel me alles over de mijn. Wellicht hebt u met die informatie een onderhandelingstroef in handen.'

Austin trok een bedenkelijk gezicht alsof hij zich voor een pijnlijke keuze geplaatst zag. 'Het patroon van het vel van de bronzen kat blijkt een plattegrond te zijn. Met behulp van computervergrotingen hebben we een Fenicisch scheepswrak gelokaliseerd. Een uit dat wrak geborgen amfora bevatte een papyrusrol met bijzonderheden over de mijn.'

'En weet u ook wie die fabuleuze papyrusrol zou hebben beschreven?' vroeg Baltazar.

'Een zekere Menelik, een zoon van Salomo.'

'*Menelik?*' siste hij.

'Inderdaad. Hij heeft een heilig relikwie naar Noord-Amerika gebracht.'

Baltazars reactie was ingetogener dan Austin had verwacht.

'Uw poging om mij met uw kennis te overdonderen toont alleen maar aan dat u absoluut niets van de situatie begrijpt. Hebt u enig idee wat dat heilige relikwie zou kunnen zijn?'

'Waarschijnlijk kunt u me dat vertellen.'

Baltazar glimlachte. 'De originele Tien Geboden, gegraveerd op tabletten van puur goud.'

'Daar geloof ik niets van, Baltazar. De originele Geboden zijn van klei.'

'Uw opmerking verraadt alweer uw onwetendheid. Naar verluidt zouden er drie versies van de Decalogus bestaan, allemaal van klei. Maar in feite waren er víér. De eerste is ouder dan de andere. Die versie is gebaseerd op het heidense geloof van mijn voorouders, maar werd als te controversieel beschouwd. Men zegt dat die tabletten zijn vernietigd. Maar de waarheid is dat men ze heeft verstopt en later aan Salomo heeft overgedragen, die besloot dat ze naar een verre uithoek van zijn rijk moesten worden gebracht.'

'U bent rijker dan Croesus,' zei Austin. 'Wat maakt een paar pond goud voor u dan nog uit?'

'Die tabletten zijn het rechtmatig eigendom van mijn familie.'

'U lijkt mij helemaal niet zo'n familiemens, Baltazar.'

'Integendeel, Austin, dit is wel degelijk een familiekwestie. U kijkt om u heen en ziet geritualiseerd geweld en concludeert dat dat het geslacht Baltazar kenmerkt. Maar wij zijn niet erger dan de regeringen van wereldmachten. Waarom dacht u dat er nog altijd evenveel militaire conflicten zijn als vóór het einde van de Koude Oorlog? Onze omvangrijke militaire infrastructuur heeft het einde van de Koude Oorlog niet alleen overleefd, nee, is zelfs sterk gegroeid.'

'Wat goed is voor in de handhaving van orde en vrede gespecialiseerde bedrijven als de uwe?' merkte Austin op.

'Angst en spanning voldoen meer aan onze zakelijke interessen.'

'Indien geen angst of spanning voorhanden, creëert u ze gewoon.'

'Wij hebben geen behoefte om menselijke hartstochten op te hitsen,' zei Baltazar. 'De mensen staan elkaar naar het leven, dat heeft niets met ons van doen. Er staat hier heel wat meer op het spel dan van buiten zichtbaar is. De ontdekking van de tabletten zal een twijfel zaaien die de grootmachten en wereldgodsdiensten op hun grondvesten zal doen schudden. Er zullen overal onlusten uitbreken.'

'Te beginnen in het Midden-Oosten.'

'Het begint er, maar het zal er niet eindigen.'

'Het brengt u rijkdom en macht. En de volgende stap, Baltazar, de wereld?'

'Ik heb het absoluut niet als een of andere James Bond-boef op de wereldheerschappij voorzien,' antwoordde Baltazar. 'Zo'n regering zou me veel te ingewikkeld zijn.'

'Wat wilt u dan?'

'Een wereldwijd monopolie op de veiligheidsdiensten.'

'Dan hebt u een hoop rivalen. Er zijn tientallen instellingen in de zogenaamde vredessector actief, nog afgezien van alle nationale legers ter wereld.'

'Die zullen we allemaal wegvagen of overnemen tot er nog maar één over is: PeaceCo. Onze beveiligingstroepen en delfstoffenconcerns zullen elkaar bestuiven. De industrielanden kunnen hun geliefde legers en oorlogsvloten behouden. Onze privétroepen zullen voor de beveiliging worden ingehuurd in ruil voor de natuurlijke rijkdommen van de arme landen in Afrika, Zuid-Amerika en Azië. Ik zal een economisch-militair rijk opbouwen dat zijn weerga niet kent.'

'De machtigste rijken komen en gaan, Baltazar.'

'Dit zal heel lang blijven bestaan. Omdat ik geen erfgenamen heb, zal ik het wellicht aan Adriano nalaten. Hij is als een zoon van me.'

'U bent een slecht mens, Baltazar.'

'Gewoon een zakenman die zich verheugt op een reeks oorlogjes waar voorlopig geen eind aan zal komen. Een *Pax Baltazar*. Maar laten we beginnen bij het begin, Austin. We moeten die tabletten zien te vinden.'

'Dan kunnen we misschien toch tot een vergelijk komen. De locatie van de mijn in ruil voor mevrouw Mechadi.'

Baltazar hief zijn in een handschoen gestoken hand op. 'Zover zijn we nog niet. Vertel me wat u weet. Dan laat ik dat door iemand controleren.'

Austin schoot in de lach. 'Ik ben niet gek, Baltazar. U brengt me om zeep zodra u de bevestiging van de ligging van de mijn binnen hebt.'

'Nou, nou. U bent wel erg achterdochtig. Dan bied ik u een compromis aan. Een kans om aan mijn duivelse klauwen te ontsnappen. U hebt het voor een dame opgenomen. Volgens de wetten van het ridderschap bent u haar beschermheer en zult u zich als zodanig moeten gedragen.'

Austin dacht een ogenblik over deze vreemde wending van het gesprek na en concludeerde dat Baltazar volslagen krankzinnig moest zijn. Er verscheen een geforceerd glimlachje om zijn lippen. 'Waar denkt u aan?'

Baltazar stond op van zijn stoel. 'Dat zal ik u laten zien. We gaan met de auto.'

Hij opende het rechtervoorportier van de Bentley voor Austin en stapte zelf achter het stuur. Hij startte de krachtige motor en trok op tot ze met ruim honderdvijftig kilometer per uur over een kaarsrechte weg raasden.

Na een vrij korte rit nam Baltazar gas terug, remde af en bracht de auto op een paar meter van de rand van een diep ravijn tot stilstand.

De randen van het ravijn waren door een brug van aan elkaar geklonken stalen platen met elkaar verbonden. Deze overspanning was ongeveer twaalf meter lang en een meter of zes breed. Er waren geen zijleuningen. In het midden werd de brug door een houten hek in tweeën verdeeld. Het hout was nieuw, alsof het hek er pas kortgeleden was neergezet.

Ze stapten de auto uit en liepen naar de rand van de kloof. De wanden rezen vrijwel loodrecht omhoog van een bijna honderd meter lager gelegen met rotsen bezaaid bergriviertje.

'Deze plek wordt door de plaatselijke bewoners de Dead Man's Ditch genoemd,' zei Baltazar. 'Ik heb de brug laten bouwen om delen van mijn landgoed met elkaar te verbinden. Met het oog op uw komst heb ik wat aanpassingen laten aanbrengen.'

'Die moeite had u zich kunnen besparen,' zei Austin.

'Absoluut niet. Dit is mijn voorstel. Ik parkeer mijn auto met mevrouw Mechadi erin aan de andere kant van de kloof.' Hij wees naar een grasachtige weide. 'Ik sta tussen jullie in en speel de rol van de mythische draak. En dan strijden wij in een steekspel om de gunsten van de schone jonkvrouwe.'

Austin draaide zich om en keek naar de twee SUV's die hen waren gevolgd. 'En hoe zit het met dat stelletje bullebakken?'

'Ik zal mijn mannen instrueren zich er buiten te houden.'

'U stelt ons in de gelegenheid te ontsnappen?'

'U krijgt een sportieve kans en dat is meer dan u nu hebt.'

'En als ik uw aanbod afsla?'

'Dan laat ik u voor de verschrikte ogen van uw dame in de kloof gooien.'

'Ik zie dan ook geen redenen waarom ik een dergelijk genereus aanbod zou afslaan, Baltazar.'

Er krulde een onaangename grijns om Baltazars mond, terwijl hij Austin gebaarde weer in de Bentley te stappen. Met een huiveringwekkende snelheid stoven ze terug naar het toernooiveld. Hij zette Austin bij de tent af. Voor de ingang stond Squire hem op zijn krukken leunend op te wachten.

'Uw schildknaap zorgt ervoor dat u een behoorlijke uitrusting krijgt,' zei Baltazar. 'We dragen alleen een maliënkolder en een helm. Het zou niet van ridderlijkheid getuigen u met een volledig harnas op te zadelen. U krijgt een schild en een lans. De paarden zullen het zonder harnas moeten doen, dat maakt het spel een stuk sneller. Ik zie u op het veld.' Hij gaf gas en scheurde met over het gras doorslippende banden weg.

Squire keek Baltazar na en spoorde Austin aan de tent in te gaan. Hij hielp hem bij het aantrekken van een maliënkolder en overhandigde hem een tuniek zonder wapen erop. In de maliënkap was een gat voor het gezicht opengelaten. Squire trok een gebreide muts over Austins hoofd en keek of de helm paste. Hij zat wat ruim, maar het zou wel gaan, zei hij. Hij bond een riem met een zwaard om Austins middel en deed hem de sporen om. Ten slotte gaf hij hem een vliegervormig schild.

Terwijl hij Austin bekeek, spreidde hij zijn lippen tot een vuile grijns. 'Een sir Lancelot bent u nou niet bepaald, maar u zult het ermee moeten doen. Ga zitten, dan geef ik u nog wat tips.'

Austin zette de helm af en ging op zijn brits zitten.

'Luister goed. Baltazar doet de dingen altijd graag in drieën. Bij de eerste uitval speelt hij met u. En mist u volledig. Bij de tweede deelt hij een harde stoot uit, waarschijnlijk op het schild. De derde aanval is de doodsteek. Hij rijgt u als een varken aan het spit. Nog vragen?'

'Hoe kom ik hier aan een AK-47?'

Squire snoof verachtelijk. 'Die hebt u niet nodig. Baltazar heeft een lans met een metalen kern. En zijn tegenstanders krijgen een houten lans, die op zijn harnas verbrijzelt en met het schild kan worden afgeweerd.'

'Dat is niet erg ridderlijk van hem,' zei Austin.

'Dat is het ook niet! Maar deze keer krijgt u de lans met de metalen kern. Hem geef ik een Duitse lans van veel zwaarder hout. Hopelijk is hij zozeer op uw dood gebrand dat hij het gewichtsverschil niet merkt.'

'Waarom doet u dat, Squire?'

De man bracht zijn hand naar het verband om zijn gezicht. 'De klootzak heeft mij dit aangedaan met zijn valse lans. Volgens de artsen zal ik er altijd als een Quasimodo blijven uitzien. En er is in de hele wereld geen pil te vinden tegen de pijn in m'n benen. Vergeet mij alstublieft. De derde aanval is de doodsteek. Hij mikt op uw schild en gaat ervan uit dat de lans dwars door het leer en hout heen schiet. Mik op zijn middel. Dat is zijn grootste oppervlak. Mis niet!'

'Wat wordt er van u als ik dat doe?'

'Het gaat niet om mij. Hoe dan ook, ik ben hier toch weg. Misschien kan ik een baantje bij een bank krijgen.'

Een van de bewakers stak zijn hoofd in de tent. 'Tijd.'

Voor de tent stond een SUV. Onder begeleiding van een tweede auto vol bewakers reed Squire naar de brug, waar een feestelijke kermissfeer heerste. Aan vlaggenstokken wapperden vaandels met het stierenkopembleem. Het nieuws over het aanstaande steekspel had zich als een vuurtje onder Baltazars huurlingenkorps verspreid. Behalve de alomtegenwoordige bewakers had zich een dubbele rij mannen in middeleeuwse kostuums langs de rand van de kloof verzameld; allemaal benieuwd om te zien hoe Austin aan de lans werd geregen of een doodsmak in de kloof zou maken.

'U hebt me niet gezegd dat het een feest zou worden,' zei Austin.

'Baltazar is dol op publiek.' Squire wees naar twee enorme paarden die uit trailers werden geladen. 'Het grijze paard is van Baltazar. De appelschimmel is voor u. Hij heet Valiant. Baltazar wilde een oude knol voor u, maar ik heb ervoor gezorgd dat u een goed paard hebt. Val is degelijk en betrouwbaar. Zal niet bokken bij een aanval.'

Squire reed door tot vlak bij de paardentrailers. Austin stapte uit en liep naar het paard om kennis te maken. Van dichtbij leek het dier zo groot als een olifant. Austin gaf het dier wat klopjes op zijn flank en fluisterde in zijn oor: 'Zet 'm op, nog deze ene keer voor mij, Val, dan krijg je zoveel suiker als je hebben wil.'

Het paard snoof en schudde zijn hoofd, wat Austin als een ja interpreteerde. Hij liep naar de brug waarop het steekspel zou plaatsvinden. Op de smalle overspanning zouden de paarden elkaar rakelings passeren. Er was geen marge om de fout te herstellen als hij uit zijn zadel werd geworpen.

Austin hoorde uit de verzamelde menigte gejuich opklinken. De Bentley kwam op hoge snelheid aangeraasd. Met een zwarte Escalade in zijn spoor reed hij de brug over en stopte op een ruime honderd meter van het ravijn. Baltazar stapte uit en opende het portier van de SUV.

Er stapte een figuur in een witte jurk uit, vergezeld van twee bewakers. De figuur zwaaide even voordat ze haastig naar de passagierszijde van de Bentley werd geleid. Met zijn bewakers reed Baltazar terug over de brug.

Baltazar kwam met grote passen op Austin af. Hij wees op de Bentley. 'Daar zit uw dame. Ik heb aan mijn deel van de afspraak voldaan. Nu is het uw beurt.'

Austin stak zijn hand uit. 'De autosleutel.'

Baltazar tilde de helm die hij onder zijn arm had op. Aan een van de beide ijzeren hoorns die uit de kap staken bungelde een sleutelring.

'Zorg maar dat je 'm te pakken krijgt, Austin. We gaan het niet te gemakkelijk maken.'

'Ik heb een pen en papier nodig,' zei Austin.

Baltazar snauwde een bevel tegen een van zijn mannen, die naar de dichtstbijzijnde SUV rende en terugkwam met een dashboardblok en een eraan bevestigde balpen. Met de motorkap van de auto als ondergrond noteerde Austin een aantal richtingaanwijzingen en tekende er een kaartje bij. Tot slot onderstreepte hij het woord Goudmijn.

Baltazar stak zijn hand uit, maar Austin propte het papier in zijn helm.

'Zoals u al zei, Baltazar, we gaan het niet te gemakkelijk maken.'

Austin wist dat Baltazar zijn mannen opdracht kon geven hem te grijpen, het papier te pakken en hem de kloof in te gooien. Maar hij gokte dat Baltazar met zijn krankzinnige ego niets zou doen waarmee hij de show zou bederven die hij voor zijn mannen had opgezet.

'Tijd om je moed te bewijzen, Austin.'

Met een zo fel vlammende blik in zijn ogen dat hij er een bosbrand mee had kunnen veroorzaken draaide Baltazar zich op zijn hakken om en liep naar zijn paard. De manier waarop hij zich in het zadel slingerde verraadde een opmerkelijke lenigheid. Baltazars schildknaap hield het dier bij de teugels. Het was een forse man, gekleed in een scharlakenrood kostuum met capuchon. Hij stond met zijn rug naar Austin, maar hij draaide zich om en keek Austin aan, die hem onmiddellijk herkende als de moordenaar met de babyface. Glimlachend wees Adriano naar de Bentley.

Het was duidelijk wat hij bedoelde. Als Austin faalde was Carina voor Adriano.

Baltazar gaf zijn paard de sporen en galoppeerde de brug over. Daar aangekomen draaide hij zijn paard zodat hij recht tegenover Austin stond.

Austin liep naar Val en hees zich in het zadel. Austin was het gewicht van de maliënkolder niet gewend en aanzienlijk minder lenig dan Baltazar. Squire gaf hem zijn helm en zei dat hij zijn hoofd naar voren moest buigen om door de smalle oogspleten te kunnen kijken. Vervolgens gaf hij het schild en de lans aan en deed Austin voor hoe hij ze moest hanteren.

'Let op het vlaggetje aan het uiteinde van de lans,' zei Squire. 'Dan weet je waar de punt is.'

'Nog een goede raad?' Austins stem galmde in de helm.

'Ja,' antwoordde Squire. 'Laat uw paard het werk doen, denk aan de derde aanval en bid om een wonder.'

Hij gaf het paard een klapje op zijn flank, waarop het enorme dier in beweging schoot. Austin probeerde of hij met het paard een rondje kon lopen. Val reageerde goed op kniesignalen. Het gewicht van de wapenrusting was lastig, maar het zadel had een hoge ruggesteun die enig houvast bood.

Aan deze korte oefening kwam al snel een einde. Een man in het Lincoln-groene kostuum van een heraut blies een signaal op zijn trompet. De oproep voor de strijd. Austin bracht zijn paard in positie recht tegenover Baltazar. De tweede trompetstoot was het teken om de lans te richten. Een seconde daarna klonk de derde stoot.

Baltazar drukte net voor het signaal zijn sporen in de flanken van zijn paard.

Austin volgde nog geen seconde later.

De paarden stoven vooruit in een snelle galop waarbij de door de hoeven opgeworpen aardkluiten als opgeschrokken vogels hoog de lucht in spatten. De aarde schudde onder het geweld van de zware dieren die met de in metaal verpakte wezens op hun rug in een voortdenderende aanval op elkaar af vlogen.

47

Met de boeilijn als geleider hadden Gamay en Zavala hun duik met krachtige schaarbewegingen van hun benen versneld. De helderheid van het oppervlaktewater van het meer bleek bedrieglijk. De groenachtig bruine tint was tot een kleurloze sluier vertroebeld waarin het zicht tot een paar duistere meters beperkt was. De stralenbundels van hun elektrische duiklampen drongen niet ver meer in de duisternis door en zelfs het felle geel van hun wetsuit was op korte afstand nauwelijks zichtbaar.

Ze bleven ongeveer een halve meter boven de bodem hangen om te voorkomen dat er verblindende wolken slib opdwarrelden. Na een korte blik op hun kompas zwommen ze naar het westen tot er een donkere vorm uit de duisternis voor hen opdoemde. De lichtbundels van hun lampen streken over een verticaal oppervlak. Tussen de spinazieachtige begroeiing die het twee verdiepingen hoge hotel overwoekerde waren hier en daar stenen zichtbaar. Er schoten vissen door de ruitloze ramen die als de holle oogkassen van een schedel tussen het groen schemerden.

In de headset van Zavala's communicatiesysteem klonk een krakende Donald Duck-stem.

'Welkom in het mooie Gold Stream Hotel,' zei Gamay.

'Alle kamers hebben zeezicht,' reageerde Zavala. 'Kennelijk zijn we buiten het seizoen. Er is geen kip.'

Hoewel het gebouw niet erg groot was, straalde het door het mansardedak en de stenen constructie een grandeur uit die het groter deed lijken dan het was. Ze zweefden boven het brede voorportaal. De galerij was ingestort. Er lag een groene slijmerige uitslag op het rottende hout van de veranda, waarop gasten in een lang vervlogen tijd in schommelstoelen van de frisse berglucht hadden genoten.

Ze tuurden door de ingang naar binnen. Het was er pikkedonker en de kou die het hotel uitstraalde drong tot in hun wetsuit door. Ze zwommen naar de achterkant van het gebouw. Zavala wees met de straal van zijn lamp op een lager gedeelte dat daar aan het hotel was aangebouwd.

'Dat zou de keuken kunnen zijn,' zei Zavala.

'Zit er dik in,' zei Gamay. 'Ik zie een kachelpijp uit het dak steken.'

Ze gleden langs een geleidelijk aflopende helling, waarvan het gras door een woekerende zoetwatervegetatie was verdrongen, tot ze bij een brede stenen trap kwamen. Aan de voet van de trap was een stenen kade waaraan ooit de rondvaartboten lagen afgemeerd. De granieten meerpalen stonden er nog. De beide duikers zwommen de open muil in.

De stalactieten en stalagmieten in de grot waren als de tanden van een oude hond tot botte stompjes afgesleten en de vroeger zo felle kleuren waren door algengroei verbleekt. De meest schitterende rotsformaties gaven nog enige indruk van de vreemde wereld die de toeristen hier ruim een eeuw geleden te zien hadden gekregen.

Nadat ze ongeveer een halve kilometer tegen een lichte stroming waren in gezwommen, kwamen ze aan het einde van de grot. De doorgang werd door enorme rotsen geblokkeerd. Een scheur in het plafond leek de oorzaak van de instorting te zijn geweest. Omdat ze niet verder konden, keerden ze terug naar de ingang van de grot, wat door de stroming die ze nu in de rug hadden, een stuk sneller ging dan de heenweg.

Een paar minuten later waren ze de grot weer uit en terug bij het hotel. Zavala zocht de buitenkant van de aanbouw af tot hij bij een brede toegangsdeur kwam. Hij zwom naar binnen met Gamay op zijn hielen. Qua grootte had de ruimte de eetzaal geweest kunnen zijn. Zavala gleed langs de muren tot hij een deur vond, waardoor ze een volgende ruimte binnengingen. In het licht van hun zaklampen zagen ze lege keukenkasten en grote wasbakken van leisteen. Een roestige constructie in een van de hoeken was waarschijnlijk een smeedijzeren fornuis geweest. Ze onderzochten iedere vierkante centimeter van de vloer. Maar ze vonden niets dat op een luik leek.

'Ik vraag me af of we niet bij de neus zijn genomen,' zei Zavala.

'Nog niet opgeven,' zei Gamay. 'Die oude keukenhulp was behoorlijk gedetailleerd in zijn beschrijving. Laten we die volgende ruimte proberen.'

Door een opening zwommen ze een kleiner vertrek in dat nog geen kwart van de oppervlakte van de keuken besloeg. Aan de planken langs de muren te zien was het een voorraadkamer geweest. Ze lieten zich zakken tot ze met hun duikmaskers op enkele centimeters boven de vloer zweefden en na enige tijd zoeken vonden ze een rechthoekige, ietwat verhoogde vorm. Ze veegden het slib weg en ontdekten scharnieren en een verroest hangslot.

Zavala tastte in een waterdichte tas die aan een D-vormige bevestigingsring van zijn trimvest hing en trok een ongeveer dertig centimeter lang gebogen breekijzer tevoorschijn. Hij stak de staaf onder de rand van het luik, waarop het verrotte hout direct versplinterde. Hij scheen met de zaklamp in het gat. Donkerder kon het er niet zijn.

'Nu hoor ik je niet zeggen: mag ik eerst,' zei Gamay.

'Jij bent slanker dan ik,' reageerde Zavala.

'Daar ben ik blij mee.'

Gamays tegenzin was gespeeld. Ze was een onverschrokken duiker en had het graag met een partijtje armdrukken tegen Zavala opgenomen om hem de toestemming af te dwingen dat zij de mijn zou mogen zoeken. Daarnaast had ze vaak genoeg gedoken om te beseffen dat ze extra voorzichtig moest zijn. Grotduiken vereiste een ronduit akelige kalmte. Iedere beweging moest behoedzaam worden uitgevoerd en van te voren doordacht zijn.

Zavala bond een lange dunne lijn aan de poot van een kast en het andere uiteinde aan zijn breekijzer. Hij liet de staaf in de schacht zakken, maar hij bereikte de bodem niet, zelfs niet toen de lijn voor de volle vijftien meter was uitgerold.

Gamay onderzocht de met hout beklede wanden van de schacht. Het hout voelde zacht aan, maar ze dacht wel dat het nog stevig genoeg was. De opening was ongeveer een vierkante meter groot, waardoor er nog net voldoende ruimte was voor haar persluchtfles.

Gamay keek op haar horloge. 'Ik ga,' zei ze.

Haar lenige lichaam gleed over de rand van de opening en ze verdween in het zwarte vierkant. De fles sloeg galmend tegen de zijwand, waardoor er stukken hout afbrokkelden, maar de schacht bleef stabiel. Zavala zag het schijnsel van Gamays lamp in de diepte wegzakken.

'Hoe is het daar beneden?' vroeg Zavala.

'Als in het konijnenhol van Alice in Wonderland.'

'Zie je konijnen dan?'

'Ik zie geen donder... hallo!'

Stilte.

'Alles oké?' vroeg Zavala.

'Prima de luxe zelfs. Ik ben uit die dwangbuis. Ik sta in een gang of grot. Kom maar naar beneden. Zodra je de schacht uit bent, is het nog drie meter tot de bodem.'

Zavala liet zich in het gat zakken en voegde zich bij Gamay in de ruimte op de bodem van de schacht.

'Volgens mij is dit een voortzetting van de grot waarin de boten voeren,' zei Gamay. 'We zijn hier aan de andere kant van de instorting.'

'Geen wonder dat de hoteldirectie zich zorgen maakte. De hele keuken had met de rivier meegesleurd kunnen worden.'

Zavala ging weer voorop. Hij zwom de grot in en tastte met de stralenbundel van zijn lamp de wanden af. Na een paar minuten verdwenen de rotsformaties.

'We zijn in een mijn,' zei hij. 'Zie je die beitelsporen?'

'Het is goed mogelijk dat hier het goud vandaan kwam dat de hotelgasten uit het grind wasten.'

Zavala doorboorde de duisternis met zijn lichtstraal. 'Kijk!'

In de wand aan de linkerkant was de opening van een gang.

Van de hoofdgrot zwommen ze de zijgang in. Hij was een meter of drie hoog en ruim anderhalve meter breed. Het plafond had de vorm van een tongewelf en in de zijwanden waren nissen voor fakkels uitgehakt.

Na ruim honderd meter bereikten ze een kruising met een tweede gang die er haaks opstond. Het overleg over hun volgende stap was kort maar krachtig. Dit zou het begin van een labyrint kunnen zijn. Zonder duiklijn konden ze gemakkelijk verdwalen. Met hun beperkte hoeveelheid perslucht kon een verkeerde inschatting fatale gevolgen hebben.

'Zeg jij het maar,' zei Zavala.

'De bodem van de gang naar rechts is meer uitgesleten dan de andere,' zei Gamay. 'Ik stel voor dat we die ingaan. Als we na honderd meter nog niets hebben gevonden, gaan we terug.'

Zavala vormde met een gekromde wijsvinger en duim het oké-teken, waarna ze de gang in zwommen. Ze spraken niet meer om lucht te sparen. Ze waren zich allebei bewust dat het gevaar met iedere slag van hun vinnen groter werd. Maar door nieuwsgierigheid gedreven zwommen ze door en bereikten na een meter of vijftig het einde van de gang.

De gang kwam uit op een grote ruimte. Het plafond en de tegenoverliggende wand lagen buiten het bereik van hun lampen. Ze waren nu in het meest linke deel van hun duik. Het gevaar hier de richting kwijt te raken was levensgroot. Ze besloten om de verkenning niet langer dan vijf minuten te laten duren. Gamay zou bij de ingang van de gang blijven, terwijl Zavala de feitelijke verkenning op zich nam. Onder geen voorwaarde zou de ene duiker zich uit het zicht van het licht van de andere begeven.

Zavala zwom de duisternis in, waarbij hij dicht langs de wand bleef.

'Niet verder nu. Ik kan je haast niet meer zien,' waarschuwde Gamay.

Zavala stopte.

'Goed. Ik zwem nu weg van de muur. De bodem is zacht. In deze ruimte is veel bedrijvigheid geweest. Maar er is niets wat erop wijst waar hij voor diende.'

Gamay waarschuwde hem opnieuw dat hij uit het zicht dreigde te verdwijnen. Hij draaide zich om en richtte zich op haar licht. Hij volgde een zigzagpatroon waardoor hij een zo groot mogelijk grondoppervlak verkende.

'Al iets gezien?' vroeg Gamay.

'Nee... wacht!'

Hij zwom naar een vage vorm.

'Je raakt uit zicht,' waarschuwde Gamay weer.

Gamays baken was nog slechts een dof vlekje. Het zou zelfmoord zijn om nu nog veel verder door te gaan, maar Zavala was niet meer te stoppen.

'Nog een metertje.'

Daarna een diepe stilte.

'Joe. Ik kan je nauwelijks nog zien. Alles oké?'

Opeens schetterde Zavala's opgewonden stem in Gamays headset. 'Gamay, dit moet je zien! Laat je lamp als markering van de gang achter en kom naar mijn licht toe. Ik zwaai ermee.'

Gamay schatte dat ze nog net voldoende lucht hadden om door de gang terug te gaan, zich door de schacht omhoog te werken en naar de oppervlakte te zwemmen. 'We hebben geen tijd meer, Joe.'

'Dit is in een minuut gebeurd.'

Gamay was dit soort grootspraak wel gewend, maar ze hield haar bedenkingen voor zich. Ze legde de duiklamp op de grond en zwom op het bewegende licht af. Ze trof Zavala aan naast een ronde stenen verhoging van ongeveer een meter hoog en een doorsnede van bijna twee meter. Het oppervlak van het platform was bedekt met rottend hout en gele stukken metaal.

'Is dat goud?' vroeg ze.

Zavala hield een geel stuk metaal vlak voor haar duikmasker. 'Zou kunnen. Maar dit trok mijn aandacht.'

Door het hout weg te breken had Zavala een metalen kist van dertig bij twintig centimeter blootgelegd. De belettering op het deksel van de kist ging deels schuil onder een zwarte modderlaag, die Zavala met zijn handschoen ervan afveegde. Hij mompelde een Spaanse kreet.

Gamay schudde haar hoofd. 'Dit kan niet waar zijn,' zei ze.

Maar wat ze met eigen ogen zagen viel niet te ontkennen. Op het deksel stond in een sierlijk reliëf: THOMAS JEFFERSON

48

Het paard denderde als een op hol geslagen tank op de kloof af. Austin had de grootste moeite om in het zadel te blijven. Met zijn wapenrusting was hij topzwaar. Een van zijn voeten was uit de stijgbeugel geglipt. Zijn in staal verpakte hoofd bonkte op en neer als de kop van een knikkebolhondje. Zijn schild gleed langs zijn arm omlaag. De lange lans zwiepte alle kanten op maar niet in de richting die hij wilde.

Valiants hoeven kletterden op het ijzer van de brug. Door de oogspleten ving Austin een wazige glimp op van een glimmende lanspunt en het stierenkopembleem op Baltazars tuniek. Het volgende ogenblik bereikten de paarden de overkant en hadden weer een zachte grasachtige bodem onder de hoeven.

Austin blies de adem uit die hij had ingehouden en trok de teugels aan. Hij bracht het paard tot stilstand en maakte een draai, zodat hij weer tegenover Baltazar stond, die aan de andere kant van de kloof rustig afwachtte tot Austin de boel weer onder controle had. Baltazar tilde zijn helm van zijn hoofd en hield hem voor zijn borst.

'Goed gedaan, Austin,' riep hij, 'maar zo te zien heb je het vooral moeilijk met jezelf.'

Uit de toekijkende menigte klonk gelach op.

Ook Austin nam zijn helm af en wreef met de rug van zijn gepantserde handschoen het zweet uit zijn ogen. Hij negeerde de pijn van de nog maar half genezen kneuzing van zijn ribbenkast en riep uitdagend terug: 'Ik was afgeleid omdat ik aan mijn nieuwe Bentley dacht.'

Baltazar haakte de autosleutel van zijn helm en hield hem hoog boven zijn hoofd. 'Reken je niet rijk voordat je je Bentley geschoten hebt,' riep hij pesterig.

Austin trok uit zijn helm het opgevouwen briefje tevoorschijn en hield het als het Vrijheidsbeeld omhoog. 'Verkoop je goud niet voordat je het gevonden hebt.'

Met zijn kille grijns nog om zijn lippen haakte Baltazar de sleutel weer om de hoorn en zette de helm terug op zijn hoofd.

Austin draaide zich op zijn zadel om en keek naar de eenzame witte figuur in de Bentley. Hij zwaaide en de gestalte wuifde terug. Dat gebaar gaf hem nieuwe moed. Hij stak het briefje terug in de helm en trok de stalen pot over zijn hoofd tot op zijn schouders.

Er klonk weer een trompetsignaal.

Austin hield zijn schild tegen zijn zadel in evenwicht en tilde de lans een paar keer op om een beter gevoel voor de gewichtsverdeling te krijgen. Hij boog zijn hoofd naar voren en zag door de oogspleten dat Baltazar Adriano bij zich riep en opzij boog om iets tegen hem te zeggen.

De tweede trompetstoot schalde door de lucht.

Austin hield de lans schuin naar links, waardoor de punt op de baan van de tegemoetkomende ruiter was gericht.

De trompet klonk voor de derde keer.

Austin verontschuldigde zich tegenover Val en gaf hem de sporen. Door de zichtspleten zag hij de gestalte van Baltazar snel groter worden. Austin maakte zich klein achter het schild en hield zijn lans, zoals door Squire aangeraden, op Baltazars borst gericht. In zijn helm klonk zijn zware ademhaling als een zwoegende stoommachine.

Pas op het allerlaatste moment richtte Baltazar zijn lans. De punt trof Austins helm net onder de oogspleten, waardoor de stalen pot van zijn hoofd vloog.

En ze waren de brug alweer over.

Austin had zijn paard snel genoeg gedraaid om te zien dat zijn helm vlak bij de plek waar het brugdek op de rand van de kloof lag, tegen de grond kletterde. Adriano rende erop af en graaide de helm weg. Hij gaf de helm aan Baltazar, die het briefje er met een triomfantelijk gezicht uittrok. Hij las de tekst die Austin erop had gekrabbeld en gaf het briefje aan zijn huurmoordenaar. Adriano snelde naar een SUV, maar voordat hij wegreed, gaf hij de helm aan een bewaker, die de brug over rende en hem Austin toewierp.

'Pech gehad, Austin,' schreeuwde Baltazar. 'Maar de vrouw kun je nog redden als je wilt.'

De trompet overstemde Austins suggestie dat Baltazar beter meteen de brug af kon springen.

Beide mannen hadden maar net de tijd om hun helm weer op te zetten voordat de heraut het signaal gaf om de lansen te richten.

Squire had de derde aanval consequent de doodsteek genoemd.

Austin was geschrokken van het gemak en de precisie waarmee Baltazar de lans hanteerde. Daar stond tegenover dat de metalen kern in zijn lans voor hem een voordeel was. En Austin zou daar gebruik van maken ook. Hij klemde zijn kaken op elkaar en boog zijn hoofd.

En weer klonk de trompet.

De paarden stoven op elkaar af. Baltazar zat gebukt achter zijn schild, zodat alleen de hoorns op zijn helm zichtbaar waren. Austin richtte recht op het schild. Baltazars lans trof Austins schild precies in het midden. Zoals Squire had voorspeld, brak de schacht achter de punt af.

Austins lans schoot dwars door Baltazars schild heen alsof het van lucht was. De scherpe punt had Baltazar finaal doorboord als Austin beter had gericht. De punt trof het schild in een hoek, waardoor het met leer bespannen houten frame uiteenscheurde en Baltazar uit zijn stijgbeugels vloog.

Hij sloeg kletterend tegen de stalen brug en rolde over de rand.

Austin vloekte als een ketellapper. Hij had niet het minste medelijden met Baltazar, maar de man had de autosleutel bij zich.

Opnieuw kwam er een knetterende vloek over Austins lippen, maar deze keer van vreugde. Onverwachts priemden de twee hoorns op Baltazars helm boven de rand van de brug uit. Baltazar probeerde zich op te trekken. Door het gewicht van zijn maliënkolder en helm kostte hem dat de grootste moeite. Ook het schild hing nog aan zijn arm.

Austin trok de helm van zijn hoofd en wierp zijn lans weg, waarna hij zich uit het zadel liet zakken en de brug op rende.

Baltazar had zich met één schouder over de rand gehesen. Hij zag dat Austin zich over hem heen boog.

'Help me,' smeekte hij.

'Misschien is het zo iets minder zwaar voor je.' Austin graaide de sleutel van de hoorn. Even voelde hij de verleiding om Baltazar met een simpel duwtje van zijn voet de vergetelheid in te helpen. Maar Baltazars mannen waren van de schrik over zijn val van het paard bekomen en kwamen nu over de brug aangerend.

Austin draaide zich om en spurtte naar de auto.

Toen hij dichterbij kwam, zag hij dat Carina met haar hoofd op het dashboard lag alsof ze van spanning niet durfde te kijken. Hij riep haar naam. Het hoofd van de figuur op de passagiersstoel ging met een ruk omhoog. Onder de sluierachtige hoofdbedekking zag hij het ongeschoren gezicht van een van Baltazars mannen.

'Bedankt dat je me hebt gered,' zei de man met een gekunstelde vrouwelijke piepstem. Hij tastte onder de wijde stof van zijn jurk naar zijn wapen, maar raakte verstrikt.

Austin haalde met zijn gepantserde rechtervuist uit en legde al zijn woede in een verpletterende stoot vol op de kin van de man, die hij in één keer knock-out sloeg. Hij trok het bewusteloze lichaam de auto uit. Nadat hij achter het stuur was gesprongen, mompelde hij een schietgebedje dat Baltazar de sleutel niet verwisseld had. De motor startte.

Hij besloot niet bij de brug vandaan het onbekende terrein in te rijden. De bossen die hij in de verte zag, zouden wel eens een ondoordringbare barrière kunnen vormen.

Baltazar was door zijn mannen de brug opgehesen. Hij gilde naar zijn mannen dat ze achter Austin aan moesten. Een groep van zes bewakers kwam over de brug op hem afgerend. Austin ontfermde zich weer over de lans die hij had weggegooid. Vanuit de auto stak hij de punt door het zijraam schuin naar voren alsof hij het steekspel met de Bentley wilde voortzetten. Eerst reed hij weg van de brug, maar gooide opeens het stuur om en raasde recht op de brug af.

Baltazar zag de Bentley op zich afkomen en dook weg achter het middenhek, maar de lans maaide zijn mannen van de brug alsof ze als kruimels van een tafel werden geveegd.

Zodra Austin over de brug heen was, wierp hij de lans weg en gaf plankgas. De wielen slipten over het gras, maar Austin wist de naar links en rechts slingerende auto onder controle te houden en bereikte de weg die naar de tenten liep.

Hij keek in de achteruitkijkspiegel. Er zat een SUV op zijn nek. Iemand had het kamp gebeld, want hij zag ook een SUV uit het tentenkamp op hem afkomen. Austin stuurde de Bentley met vaste hand recht op de naderende auto af en hield zijn hand op de claxon gedrukt.

De chauffeur van de SUV ging er kennelijk van uit dat de zware terreinwagen dit zenuwenspel zou winnen. Op het allerlaatste nippertje zwenkte de Bentley opzij, waarna de SUV met een donderende klap op de achtervolgende wagen knalde.

Austin stoof langs het begin van een oprijlaan die naar een groot landhuis in de verte liep. Hij volgde de weg nog zo'n anderhalve kilometer tot hij bij een hek met een wachtpost kwam. Hij minderde vaart in de verwachting dat er een bewaker uit het schuilhok tevoorschijn zou springen, maar hij kon tot aan het hek doorrijden zonder dat er iets gebeurde. Austin concludeerde dat de bewakers toestemming hadden gekregen hun post te verlaten om het steekspel bij te wonen.

Hij stapte uit de auto en liep het hok in, waar hij de knop voor het openen van het dubbele smeedijzeren hek indrukte.

Toen hij het wachthok weer uitliep, hoorde hij het geluid van motoren. Er kwam een heel konvooi van zwarte SUV's op het hek afgeraasd. Hij reed door het geopende hek, stopte en liep terug naar het wachthok. Daar sloot hij het hek, pakte een zware stoel op en hakte met een van de poten net zo lang op het bedieningspaneel in dat het niet meer functioneerde.

De voorste SUV was geen driehonderd meter meer van het hek verwijderd.

Austin klom in een boom en kroop over een dikke tak die over het hek heen hing. Aan de andere kant van het hek liet hij zich vallen en kwam met een halsbrekende duikeling neer. Naar adem happend krabbelde hij in één beweging overeind. Hij sprong weer achter het stuur van de Bentley en spoot er als een prairiehaas vandoor.

Hij reed door een open landschap met groene weiden en akkers. In de verte staken de omtrekken van graansilo's tegen de horizon af. Er zat niemand meer achter hem aan. Hij keek naar de wolkeloze blauwe lucht en hij realiseerde zich dat Baltazar wellicht over een helikopter beschikte.

Vanuit de lucht vormde de felrode auto een gemakkelijk doelwit.

Hij draaide een smalle zijweg in. Het dichte bladerdek van de bomen aan beide kanten van de weg vormde een tunnel waardoor de auto van bovenaf niet meer zichtbaar was.

Even later zag hij een auto half in de berm geparkeerd staan. Er stond een man in een donker pak over de motorkap geleund, die van een kaart opkeek toen de rode auto voorbij raasde. Op datzelfde moment herkende Austin het langs flitsende gezicht van de man. Hij remde, schakelde in zijn achteruit en schoot terug naar de geparkeerde auto.

'Hé, Flagg,' zei Austin.

De CIA-man leek in zijn donkere pak met stropdas nogal misplaatst in deze landelijke omgeving. Toen hij Austin zag, verscheen er een brede halvemaanlach op zijn gezicht. Met zijn half dichtgeknepen ogen nam hij de Bentley en Austins maliënkolder op.

'Fraai karretje. De NUMA schijnt je het grote geld toe te schuiven. Dat pak staat je goed overigens.'

'Het is niet van mij, hoor,' reageerde Austin. 'Allemaal geleend spul van Baltazar. Wat doe jij hier?'

'Ik was er achter gekomen dat Baltazar hier ergens moest wonen. Toen ben ik wat gaan rondneuzen.'

Austin wees met zijn duim naar achteren. 'Dat is hier een paar kilometer terug. Waar zijn we?'

'In het noorden van de staat New York. Hoe is het met je vriendin?'

'Ik heb haar niet bereikt. Hoe snel kan jij wat hulptroepen optrommelen?'

'Ik denk dat de politie hier sneller is.'

'De plaatselijke hermandad heeft geen schijn van kans tegen Baltazars huurlingen.'

Flagg knikte en diepte een telefoon uit een binnenzak op. Hij toetste een nummer in en sprak een paar minuten voordat hij ophing. 'Er komt een snelle interventieploeg uit Langley. Binnen twee uur zijn ze hier.'

'Twee úúr!' riep Austin. 'Waarom geen twee jaar!?'

'Sneller lukt echt niet.' Flagg haalde zijn schouders op. 'Om hoeveel van die boeven ging het ook alweer?'

'Een man of vijfendertig, Baltazar meegerekend.'

'De bakens staan niet ongunstig voor een stel oude strijdmakkers,' zei Flagg. Hij opende het portier van zijn auto en haalde van onder de stoel een Glock 9mm-pistool tevoorschijn, dat hij aan Austin gaf. 'Deze heb ik als reserve.' Hij klopte op zijn borst. 'Ik heb er hier ook een.'

Austin herinnerde zich dat Flagg altijd al een wandelend wapenarsenaal was geweest.

'Bedankt,' zei Austin, terwijl hij het pistool aanpakte. 'Stap in.'

Flagg nam plaats op de passagiersstoel van de Bentley.

'Verdorie, Austin,' zei Flagg. 'Wat is mijn leven toch eigenlijk vreselijk saai geworden sinds jij bij ons bent weggegaan.'

Austin zette de Bentley in de eerste versnelling en maakte een scherpe draai van honderdtachtig graden.

'Hou je goed vast,' zei hij boven het gekrijs van de doorslippende banden uit. 'Het leven gaat spannende tijden tegemoet.'

49

'Hadden ze niet allang terug moeten zijn?' vroeg Saxon en hij klonk bezorgd.

'Maak je geen zorgen. Ze zijn allebei ervaren duikers,' antwoordde Trout.

Samen zaten ze in de rubberboot bij de markeerboei. Maar Trout was ongeruster dan hij liet blijken. Een paar minuten daarvoor had hij al ongeduldig op zijn horloge gekeken. Gamay en Zavala maakten optimaal gebruik van hun persluchtvoorraad en dat kon met het oog op de decompressiestops die ze moesten incalculeren behoorlijk krap worden. De meest verschrikkelijke scenario's maalden door zijn kop. Hij zag voor zich hoe ze ergens in de onbekende gangen onder het hotel verdwaald waren of hopeloos met hun flessen klem zaten.

Terwijl Trout met zijn ogen een blauwe reiger volgde die over de gladde waterspiegel van het meer scheerde, zag hij een beweging in het oppervlak.

Hij wees op de opborrelende luchtbelletjes. 'Ze komen omhoog.'

Hij greep zijn peddel en zei tegen Saxon dat ook te doen. Na een paar ferme slagen waren ze nog maar een paar meter van het eerste hoofd verwijderd dat door de waterspiegel brak. Gamay. Op enkele seconden gevolgd door Zavala.

Gamay blies haar trimvest op en liet zich op haar rug drijven. Ze nam het mondstuk van haar ademautomaat uit haar mond en zoog de frisse lucht op. Trout wierp zijn vrouw een lijn toe.

'Hé, schoonheid, zal ik je slepen?' riep hij.

'Het beste aanbod van de dag, dat sla ik niet af,' antwoordde Gamay vermoeid.

Achter Gamay greep ook Zavala de lijn vast. Zo sleepten Trout en Saxon de beide vermoeide duikers naar het ondiepe water aan de oever.

Nadat de duikers zich van hun persluchtflessen en vinnen hadden ontdaan, waadden ze naar de kant. Daar deden ze hun loodgordel af en klauterden de met gras begroeide oever op, waar ze gingen zitten om eerst wat uit te blazen.

Saxon trok het rubbervlot op het droge. Trout opende een koelbox en deelde flesjes koud water uit. Hij kon zijn nieuwsgierigheid niet meer voor zich houden. 'Hou ons toch niet zo in spanning. Hebben jullie de mijn van koning Salomo gevonden, ja of nee?'

Er krulde een flauwe glimlach om Zavala's lippen. 'Hij is jouw man,' zei hij tegen Gamay. 'Het lijkt me beter dat jij hem het slechte nieuws vertelt.'

Gamay zuchtte. 'Iemand is ons voor geweest.'

'Goudzoekers?' vroeg Trout.

'Niet direct,' antwoordde Zavala. Hij krabbelde overeind en pakte de duiktas uit het op de kant getrokken vlot. Hij trok er de tinnen doos uit tevoorschijn, die hij aan Trout gaf. 'Dit hebben we in de mijn gevonden.'

Met van ongeloof knipperende ogen staarde Paul sprakeloos naar de op het deksel in reliëf aangebrachte naam. Hij gaf de doos door aan Saxon.

Saxon reageerde uitbundiger. 'Thomas Jefferson!' riep hij uit. 'Hoe kan dat nou?'

Ondanks zijn opwinding ging Saxon uiterst behoedzaam te werk bij het vrijmaken van de verroeste sluiting. Het deksel was met was verzegeld, maar het ging vrij gemakkelijk open. Hij staarde een paar seconden in de doos en pakte er vervolgens twee vierkante velletjes vellum uit. De van oorsprong zachte stof was in waspapier verpakt en van lijnen, X'en en een in een strak handschrift geschreven tekst voorzien. Hij hield de beide vierkanten met de gerafelde zijkanten zo tegen elkaar dat ze één geheel vormden.

'Dit is het andere deel van de Fenicische landkaart,' fluisterde hij. 'Hierop zijn de rivier en de baai te zien.'

Gamay nam het vellum uit Saxons trillende handen over en bekeek zwijgend de markeringen alvorens ze beide vellen aan haar man doorgaf.

'De plot wordt steeds ingewikkelder,' zei ze.

'Déze plot begint zo onderhand een gordiaanse knoop te worden,' zei Trout hoofdschuddend. 'Waar heb je dit precies gevonden?'

Gamay vertelde over hun duik en hoe ze in de schacht en de grot waren afgedaald. Zavala vervolgde haar verhaal met een beschrijving van hun speurtocht door de mijngangen en de ruimte, waarin ze de doos op een stenen platform hadden gevonden.

Saxon was inmiddels van de schok bekomen en was weer tot meedenken in staat. 'Fascinerend,' zei hij. 'Nog iets wat op de aanwezigheid van goud wees?'

'We hebben niets gezien,' antwoordde Gamay.

Saxons ogen vernauwden zich. 'Ofwel er is nog goud zonder dat jullie het hebben gezien, ofwel de mijn was uitgeput en verlaten.'

'In beide gevallen blijft de vraag hoe dit hier in de verhalen over die legendarische goudmijn van koning Salomo past?' zei Trout. 'Is dit Ofir of niet?'

'Ja en nee,' antwoordde Saxon. Hij grinnikte om Trouts verbaasde gezicht. 'Sommige mensen denken dat Ofir niet zomaar één bepaalde plek is geweest, maar dat het een verzamelnaam voor diverse bronnen van het goud van de koning was. Dit is misschien een van zijn mijnen geweest.'

Gamay keek uit over het stille oppervlak van het meer. 'Geen betere plek om iets te verbergen dan een verlaten mijn die niets waardevols meer bevat.'

'En daarmee zijn we terug bij de Fenicische expeditie,' zei Saxon. 'Het doel daarvan was het verbergen van een heilige relikwie.'

'Vervolgens rijst de vraag: waar is die relikwie gebleven?' zei Trout.

Gamay pakte de metalen doos op. 'Misschien moeten we dat de heer Jefferson vragen?'

Saxon had de stukken vellum nog in zijn hand. Hij hield ze op om de markeringen beter te kunnen zien en zei: 'Dít is interessant! Volgens mij is deze kaart een palimpsest.'

'Een palim... wat?' vroeg Trout.

'Zo noemen we vellum dat dubbel is gebruikt,' antwoordde Saxon. 'Byzantijnse monniken hebben de techniek van het wassen en uitwissen van teksten op vellum zo geperfectioneerd dat het nog een keer kon worden gebruikt, maar het procedé op zich zou veel ouder kunnen zijn. Kijk maar, als je het tegen het licht houdt, kun je nog vage letters zien.'

Hij gaf het vellum door aan de anderen, zodat zij het ook konden zien.

'Jammer dat we die oorspronkelijke tekst niet kunnen terugbrengen,' zei Trout.

'Misschien kunnen we dat wel,' reageerde Saxon. 'De conservatoren van het Walters Art Museum in Baltimore hebben onlangs een duizend jaar oude tekst ontcijferd die in een palimpsest verborgen lag. Misschien kunnen ze hier ook iets mee. Ik wou dat Austin erbij was om deze waanzinnige ontdekking te zien. Wanneer is hij terug van zijn missie?'

Zavala had zelfs daar beneden op de bodem van het meer al aan Austin moeten denken. Austin was een overlevingskunstenaar, maar door zich te laten ontvoeren door die genadeloze Baltazar, was hij wel een erg diepe afgrond ingedoken. Terwijl hij opstond en wegliep om zijn duikspullen bijeen te zoeken, zei hij: 'Snel. Héél erg snel, hoop ik.'

50

Vanuit de Bentley, die met stationair draaiende motor voor de ingang van Baltazars landgoed stond, bekeken Austin en Flagg het toegangshek.

'Jij zei toch dat deze lieden niet al te gastvrij waren,' zei Flagg. 'Maar zo te zien worden we verwacht.'

'Dat vrees ik ook,' reageerde Austin.

Ze waren minstens een uur lang op zoek geweest naar een tweede toegang tot Baltazars grondgebied, maar waren steeds weer op ondoordringbare bossen en een elektrisch beveiligd hek gestuit. Ze waren in een web van ongeplaveide landweggetjes de weg kwijtgeraakt tot ze uiteindelijk weer voor de hoofdingang stonden. Het hek stond wijdopen.

Austin leunde op het stuur. 'Zo moet een kreeft zich voelen vlak voordat hij de val in kruipt. Carina is mijn vriendin, niet de jouwe. We kunnen wachten tot de versterkingen er zijn.'

'Versterkingen zitten ons toch maar in de weg,' bromde Flagg. Hij toverde een derde pistool tevoorschijn. 'Rij langzaam. Dan let ik op de roodhuiden in het struikgewas.'

Austin schakelde en reed door het hek. Flagg zat met in beide handen een pistool op de rugleuning van zijn stoel. Niemand probeerde hen tegen te houden. De weg liep het bos uit en Austin reed naar het toernooiveld. De tenten waren allemaal neergehaald. Het doek was gescheurd en bevlekt met bandensporen. Het inspectiepodium was onveranderd, al was er wel iets aan toegevoegd.

Toen ze dichterbij kwamen verstrakte Flagg. 'Wat is dat, verdomme?'

Aan de voorkant van het podium hing een menselijke figuur met het hoofd op de borst geknikt. Armen en benen bungelden los.

Austin omklemde de Glock in zijn hand en reed er langzaam op af.

'Wel verdomme,' zei hij.

'Een bekende?'

'Ik vrees van wel,' antwoordde Austin.

Het was Squire. Met een lans was hij als een vlinder in een uitstalkast tegen het hout geprikt.

Austin reed langs het podium met de macabere versiering door tot ze bij de SUV kwamen die hij in de luren had gelegd, en de auto waar hij bovenop was geknald. Ze waren alle twee zwaar beschadigd.

'Wat is hier gebeurd?' vroeg Flagg.

'Botsproeven,' zei Austin, waarna hij doorreed naar de kloof.

Het veld dat vol had gestaan met auto's en de mannen van Baltazar lag er verlaten bij. Zelfs de paarden en de trailers waren verdwenen. Er liepen diepe bandensporen door het gras, die erop wezen dat er met vrachtwagens was gereden.

Austin vertelde over het steekspel met Baltazar en zijn confrontatie met de stand-in voor Carina. Daarna keerde hij de Bentley en reed terug naar het podium. Hij zei tegen Flagg dat hij Squire nog een gunst schuldig was. Ze trokken de lans los en wikkelden Squire voorzichtig in een stuk tentdoek. Nadat ze het lijk op het podium hadden gelegd, verkenden ze een aantal zijwegen tot ze bij een lege hangar en een landingsstrook kwamen. Dit verklaarde Baltazars snelle aftocht.

Ze besloten om een kijkje in het landhuis te nemen, waarna Austin over de oprijlaan naar de villa reed. De twee verdiepingen hoge haciënda leek zo van het Spaanse platteland geplukt. De muren waren met een lichtbruine gladde pleisterlaag bestreken. Onder het met rode pannen bedekte dak liep een ronde sierbalustrade. Gewelfde ramen omgaven een grote, complex geconstrueerde veranda.

Austin parkeerde voor het huis. Nog steeds geen enkele reactie. Austin en Flagg stapten uit de auto en liepen over een erf naar een hoge dubbele, uit donkere houten panelen bestaande deur. Austin duwde de deuren open. Hij werd niet door zijn hoofd geschoten, waarop hij voorzichtig de ruime hal inliep.

Om beurten dekten ze elkaar bij het binnengaan van een volgend vertrek. Zo werkten ze de hele benedenverdieping af, waarna ze de eerste verdieping doorzochten. Ze vonden de kamer met het balkon. Het was een werkkamer met een groot bureau en leren fauteuils. Austin liep het balkon op, vanwaar hij een weids uitzicht over de omliggende gazons en weilanden had. Afgezien van een paar kraaien bewoog er niets in zijn gezichtsveld.

'Hé, Austin,' riep Flagg. 'Je vriend heeft een briefje voor je achtergelaten.'

Flagg wees op een vel van Baltazars postpapier dat met plakband aan een afstandsbediening was bevestigd die op een bijzettafeltje lag. Onder het logo met de stierenkop stond: *Beste Austin, bekijk dit filmpje alsjeblieft. VB*

'Te beleefd. Kan een boobytrap zijn,' zei Flagg.

'Dat denk ik niet. Baltazar martelt graag voordat hij toeslaat.'

Flaggs gezicht weerspiegelde hevige twijfel, maar hij pakte de afstandsbediening op en drukte op de ON-toets.

Een wegschuivend muurpaneel onthulde een groot televisiescherm. In beeld verscheen het glimlachende gezicht van Baltazar. De film was in de werkkamer opgenomen, want achter Baltazar was de deur naar het balkon zichtbaar.

'Dag, Austin,' zei Baltazar. 'Ik bied je mijn excuses aan voor dit nogal haastig opgenomen bericht, maar ik werd door familieomstandigheden weggeroepen. Mevrouw Mechadi is bij me. Jij wist niet dat zij een directe afstammelinge van Salomo en Sheba is. Ik moet me aan mijn familieverplichtingen houden en haar aan Baäl geven. Ik was van plan haar te sparen, maar Baäl heeft me jou als gesel gestuurd om me eraan te herinneren dat ik naar mijn familiewortels terug moet keren. Adriano zal teleurgesteld zijn, maar hij is wel door je geobsedeerd geraakt. Ik raad je aan goed over je schouder te blijven kijken. Bedankt, Austin. Het was een leuk steekspel.' Hij glimlachte. 'Je mag mijn auto houden. Ik heb er meer.'

Het beeld verdween.

Flagg fronste zijn wenkbrauwen. 'Die vent is goed mesjokke, zeg.'

'Helaas is hij levensgevaarlijk mesjokke. En hij heeft Carina. Jij hebt deze plek hier gevonden. Heb je toevallig niet nog een ander hol gevonden waarin hij zich zou kunnen verschuilen?'

'Om deze hut hier te vinden was al lastig genoeg,' antwoordde Flagg hoofdschuddend. 'We zijn er nog hard mee bezig, maar met alle dekmantelfirma's die hij heeft opgezet, is dat niet zo eenvoudig. Wie is die Adriano?'

'Een wandelende nachtmerrie.' Austin hield zijn hand op. 'Ik heb je telefoon nodig.'

Zavala klom de cockpit van de helikopter in toen hij het 'La Cucaracha'-deuntje uit de zak hoorde waar zijn telefoon zat. Hij hield zijn mobieltje bij zijn oor en hoorde een bekende stem.

'Je neemt nog op, dus neem ik aan dat je 'm nog niet met Salomo's goud naar Mexico bent gesmeerd,' zei Austin.

Zavala schoot in een grinnikende lach. 'En Baltazar is waarschijnlijk doodziek geworden van die kwinkslagen van jou, want je maakt ze nog steeds.'

'Zoiets ja,' reageerde Austin. 'Heb je de mijn gevonden?'

'Ja. Geen goud, Kurt, maar we hebben er wel een andere schat gevonden. Het ontbrekende deel van de vellumkaart, in een kistje dat volgens het opschrift van Thomas Jefferson is geweest.'

'Jefferson dus weer! Dan laat ik het aan jou en Trout over om daar verder achteraan te gaan. Baltazar heeft Carina nog steeds. Kun je me Saxon even geven.'

Zavala gaf het mobieltje aan Saxon. 'Kurt,' zei hij, 'dit geloof je toch niet?'

Austin hield het kort. 'Ik wil er alles over weten, maar nu even niet. Baltazar heeft een boodschap voor me achtergelaten. Ik laat 'm je nu horen. Zodra je uit iets kunt opmaken wat hij van plan is, hoe subtiel ook, moet je me dat meteen laten weten.'

Austin drukte op de afstandsbediening van de televisie en hield de telefoon omhoog zodat Saxon Baltazars huiveringwekkende afscheidswoorden kon horen.

Het was even doodstil aan de andere kant van de lijn tot de stomverbaasde Saxon uiteindelijk reageerde. 'Denkt hij echt dat Carina een afstammelinge van Salomo is?'

'Kennelijk. Wat bedoelt hij met die verwijzing naar Baäl?'

Saxon was snel van zijn verbazing bekomen.

'Hij zegt dat hij Carina aan Baäl gaat geven. Dat kan maar één ding betekenen. Hij gaat haar aan de god Baäl offeren! De klootzak! We moeten haar vinden voor het te laat is.'

'Jij kent de man langer dan ik. Heb je enig idee waar hij haar naartoe kan hebben gebracht?'

'Nee, niet direct.'

'Zijn bedrijf bezit een schip voor zijn huurlingen. Is dat een mogelijkheid?'

'Dan denk ik niet. Hij heeft het over familiewortels. Dat betekent vaste grond. Misschien bedoelt hij Spanje, waar de familie Baltazar zich na de kruistochten heeft gevestigd. Maar zijn voorouders hebben ook op Cyprus gewoond. Daar hebben ze heel lang een bloeiend bedrijf gehad. Het is Spanje of Cyprus. Daar durf ik mijn leven om te verwedden.'

'Wat is het, Saxon. Het gaat me nu even niet om jouw leven.'

'Sorry. Ehhh... wacht es. Nadat mijn boot in de fik was gestoken, heb ik me in de familie Baltazar verdiept. Een geheimzinnig zooitje. Maar in de geschiedenis van de tempelridders heb ik verwijzingen naar hen gevonden. De familie had banden met de Tempelorde, maar die werden kennelijk verbroken of ze werden er door de overige tempelieren uitgezet. Het symbool van de orde was een stierenkop. De stier was een van de verschijningsvormen van de god Baäl.'

De stierenkop!

Austin ging met zijn gedachten terug naar de helikoptervlucht die hij na de kaping van het containerschip met Joe had gemaakt. De heli was laag over een ertstanker gevlogen waarop ze voor het eerst het symbool met de stierenkop hadden gezien. Onder de naam van het schip stond de naam van de haven waar het schip geregistreerd was: Nicosia. Cyprus.

'Bedankt, Saxon. Je hebt me enorm geholpen. Zeg tegen Joe dat hij contact houdt.'

Austin verbrak de verbinding en vertelde de hoofdzaken van het gesprek aan Flagg.

'Cyprus,' zei Flagg. 'Dat is aan de andere kant van de wereld.'

'Niet ver van de Turkse kust. Als ik had geweten dat Baltazar daar waarschijnlijk nu weer naartoe gaat, was ik in Istanbul gebleven. Hebben jullie daar iemand?'

'We hebben daar iemand zitten die op het eiland is opgegroeid. En we hebben nog wat mensen in de regio. Ik zou een paar kerels kunnen optrommelen om dat heerschap op een warme ontvangst te trakteren.'

'Baltazar is levensgevaarlijk. Hij is niet iemand die zich zonder slag of stoot van zijn familiebestemming laat afhouden. Hij zal Carina doden voordat ook maar iemand de kans krijgt in zijn buurt te komen. Laat die mensen van jou hem opsporen en alleen in actie komen als het echt niet anders kan. Ondertussen kijk ik of ik een vliegtuig van de NUMA kan regelen. Dan heb ik maar een paar uur achterstand.' Austin schudde zijn hoofd. 'Helaas kan hij in die korte tijd een hoop onheil aanrichten.'

'Daarom zat ik te denken of je daar niet eerder dan hij zou kunnen zijn.'

Austin was niet in de stemming voor geintjes. 'Ik wist niet dat de CIA al over zulke geavanceerde teleportatieapparatuur beschikte.'

'Nee, zover zijn we nog niet. Ik dacht meer aan de Blackbird.'

Uit zijn tijd bij de CIA kende Austin de in luchtvaartkringen gebruikelijke bijnaam voor de SR-71, een extreem snel en hoog vliegend toestel dat de CIA voor geheime verkenningsvluchten gebruikte tot het aan het eind van de jaren negentig door radiografisch bestuurde toestellen en satellieten werd opgevolgd. Het legendarische vliegtuig vloog in twee uur de Atlantische Oceaan over.

'Ik dacht dat ze de hele vloot Blackbirds met pensioen hadden gestuurd,' zei hij.

'Dat is het verhaal naar buiten,' reageerde Flagg. 'We hebben er één bewaard voor het vervoer van personeel in noodgevallen.'

'Ik geloof dat we dit wel een noodgeval kunnen noemen,' zei Austin.

'Grote denkers zijn het altijd eens,' zei Flagg. Hij klapte zijn mobiel open. Hij werkte zich geduldig door de bureaucratische molen en stond nog druk te redeneren, toen ze het whoefff-whoefff van de rotorbladen van een helikopter hoorden.

Austin liep naar het balkon en zag twee helikopters boven het landhuis cirkelen.

'De cavalerie is gearriveerd,' zei Austin.

Flagg stak de telefoon in zijn zak. 'Ik ben altijd voor de indianen geweest, maar omdat ik in een goede bui ben, maak ik een uitzondering. Ik heb zojuist met een héél hoge piet gesproken. Het was niet gemakkelijk, maar ik heb een eersteklasticket voor de Blackbird voor je.'

Dat was goed nieuws, maar Austin bleef realistisch. Hij stond tegenover een geweldige overmacht.

De blik in zijn ogen verhardde. Als Carina ook maar een haar was gekrenkt, zou Austin zich tot en met het kleinste vezeltje van zijn lijf nog maar aan één taak wijden. En dat was Baltazar voorgoed het zwijgen opleggen.

51

Fred Turner zat op zijn knieën achter de bar bierpullen in te ruimen. Hij hoorde de deur open en dicht gaan. Er verscheen een frons op zijn blozende gezicht. Waarschijnlijk een vaste klant die zijn happy hour niet kon afwachten.

'We zijn gesloten!' bromde Turner.

Geen antwoord. Turner kwam overeind en zag een lange man in de deuropening staan. Het ronde gezicht van de vreemdeling was glad en kinderlijk. Turner was een gepensioneerde politieman en met zijn agentenintuïtie bespeurde hij een onuitgesproken dreiging achter die onschuldig ogende façade. Hij deed een stap naar het geweer dat hij achter de kassa bewaarde.

De vreemdeling keek om zich heen en zei: 'Waar komt de naam van deze tent vandaan?'

Turner gniffelde om de onverwachte vraag. 'De mensen denken dat ik het café naar een oude wildwestsaloon heb genoemd. Maar toen ik het kocht, herinnerde ik me dat ik ergens had gelezen dat hier vroeger nogal wat goudmijnen in de omgeving waren.'

'Wat is er met die mijnen gebeurd?'

'Zijn jaren geleden allemaal gesloten. Ze leverden niet meer genoeg goud op om ze open te houden.'

Nadat hij een ogenblik had nagedacht, zei de man: 'Bedankt.' Waarop hij zonder nog iets te zeggen wegging. Turner zette zich weer aan het inruimen van de glazen en concludeerde in zichzelf mompelend dat de wereld toch vreemde kostgangers had.

Adriano stapte weer in zijn auto, die op het parkeerterrein stond, en herlas de instructies die Austin naast de plattegrond op het briefje had gekrabbeld. Met een holle blik in zijn ogen staarde hij naar de neonletters die op het platte dak van het lage, langgerekte gebouw stonden:

GOUDMIJN CAFÉ. Vervolgens verscheurde hij het briefje, startte de auto en reed van het parkeerterrein de provinciale weg door het binnenland van Maryland op.

Na zijn vertrek van Baltazars steekspel was Adriano van het noorden van de staat New York via New Jersey naar Maryland gereden. Austins aanwijzingen volgend was hij in een landelijke omgeving niet ver van Chesapeake Bay verzeild geraakt, tot hij na een rit over diverse provinciale wegen uiteindelijk bij het Goudmijn Café was uitgekomen.

Hij pakte zijn telefoon en belde via een directe lijn met Baltazar.

'En?' klonk de stem van zijn werkgever.

Adriano vertelde Baltazar over het Goudmijn Café. 'Jammer dat Austin dood is,' zei Adriano. 'Ik had hem heus wel aan het praten gekregen.'

'Te laat,' snauwde Baltazar. 'Hij is ontsnapt. We moesten daar weg. Ga niet terug.'

'En de vrouw?'

'Die heb ik nog. Met Austin rekenen we later nog wel af. Ik wil zijn gezicht wel eens zien als we hem vertellen wat we met zijn lieve vriendin hebben gedaan.'

Adriano had gehoopt dat hij de laatste zou zijn die de vrouw in handen kreeg, maar hij wist zijn teleurstelling te verbergen.

'Wat wilt u dat ik nu doe?'

'Ik ben over een paar dagen terug. Hou je in de tussentijd gedeisd. Ik bel je als ik terug ben. Je krijgt een hoop werk te doen. De NUMA en iedereen die ermee te maken heeft, moeten uitgeroeid. Je krijgt alles wat je daarvoor nodig hebt.'

Met een brede glimlach om zijn lippen hing Adriano op. Hij had nog nooit een grote slachtpartij onder handen gehad en keek nu al verlangend uit naar de uitdaging van een massamoord.

Leven is mooi, dacht hij. Maar doden is beter.

52

De Boeing 737 met als logo een stierenkop op de romp landde op Larnaca International Airport en taxiede naar een gedeelte van het platform dat voor privéjets was gereserveerd. De mecaniciens die overdag aan de toestellen werkten, waren aan het begin van de avond naar huis gegaan. Baltazar had het tijdstip van zijn komst zorgvuldig uitgekiend en de kans was niet groot dat er iemand rondliep die meer dan terloopse aandacht zou besteden aan de figuur die op een brancard over de trap uit het vliegtuig werd gedragen.

Het hoofd van de betreffende persoon was in een verband gewikkeld dat alleen de ogen en neus vrijliet. Mannen in witte ziekenhuisjassen tilden de brancard in een wachtende helikopter. Kort daarna daalde ook Baltazar de vliegtuigtrap af, waarna hij onmiddellijk naar de helikopter doorliep. Even later steeg de heli op en vloog in westelijke richting weg.

Het toestel landde op een klein vliegveld bij het kuststadje Pafos. De wachtende ambulance reed meteen nadat de brancard was ingeladen het terrein af. Baltazar en zijn mannen volgden in een Mercedes.

Het uit twee wagens bestaande konvooi reed langs de rand van de stad rechtstreeks naar de doorgaande hoofdweg. Na enige tijd sloegen ze van de snelweg een kronkelige bergweg in. De weg versmalde tot twee banen en liep met haarspeldbochten langs stille bergdorpjes en vervallen hotels die ooit moderne vakantieoorden waren geweest tot de toeristen hun vertier liever aan de stranden gingen zoeken.

Het landschap werd, naar mate de ambulance met de volgwagen hoger in het gebergte doordrongen, steeds ruiger en desolater. Aan beide kanten van de weg rezen hoge naaldwouden op. Met de Mercedes trouw volgend sloeg de ziekenwagen een zandweg in die vrijwel volledig schuilging onder een woekerende begroeiing.

De auto's volgden de slechte weg vol kuilen en hobbels tot hij na een krappe kilometer zonder enig waarschuwingsbord plotseling doodliep. Tegen de sterrenhemel stak het plompe silhouet van een twee verdiepingen tellend gebouw af. Baltazar stapte uit de Mercedes en ademde de koele nachtlucht in. Het enige geluid was het huilen van de wind door de lege vertrekken van het oude kruisvaarderskasteel. Baltazar zoog de antieke aura in zich op en putte kracht uit de nabijheid van de ruïne, die ooit het woonhuis van zijn voorvaderen was geweest.

De staat had geprobeerd het historische bouwwerk te verwerven om er een toeristische attractie van te maken. Nadat de initiatiefnemers van dat plan brieven met doodsbedreigingen hadden ontvangen, ging het plan de ijskast in. Iets waar degenen die de afschrikwekkende geschiedenis van het kasteel kenden, absoluut niet rouwig om waren. De plaatselijke bevolking sprak nog altijd slechts fluisterend over de onvoorstelbare gruwelen die zich op deze plek zouden hebben afgespeeld.

Baltazar had het kasteel sinds het vorige offer aan Baäl niet meer bezocht. Hij herinnerde zich de voornamelijk op verdediging gerichte architectuur van het gebouw. Het was oorspronkelijk als fort gebouwd. De dakranden waren voor de dekking van de verdedigers van kantelen voorzien. De enige openingen in de verder dichte voorgevel waren spleten voor de boogschutters. Maar hem was het toch vooral om de Zaal te doen.

Hij beklom de traptreden naar de ingang. Met een antieke sleutel draaide hij de deur van het slot, die met klagend gekraak openzwaaide. De lege vertrekken waren als koelkasten waarin de hitte van de dag niet doordrong en de kou bleef hangen. Baltazar riep zijn mannen met het bevel de brancard naar binnen te brengen en voor een open haard neer te zetten die zo groot was dat een mens er rechtop in kon staan.

Er waren zes uit zijn beveiligingsfirma geselecteerde huurlingen. Tot de belangrijkste selectiecriteria behoorden gehoorzaamheid, wreedheid en het vermogen hun mond te houden. Hij zei hun rond het kasteel wachtposten uit te zetten. Zodra hij alleen was, drukte hij een combinatie van stenen in de schoorsteenmantel in. Hierop schoof er achter in de haard een verborgen deur open.

Hij knipte een zaklamp aan, stapte gebukt door de opening en liep een stenen trap af.

Van beneden walmde hem als uit een drakenmuil een verstikkende moerasdamp tegemoet. De bedompte grafgeur wekte associaties aan pijn en angst op en was van een zware olieachtige stank doordrenkt. Maar voor Baltazar was het een geur zo zoet als parfum. Hij bleef staan en stak een houten fakkel aan, die hij uit de muurhouder pakte om met de vlam nog een aantal fakkels in het korte gangetje aan te steken. Aan het einde van de gang bevond zich een volmaakt ronde ruimte met een doorsnede van zo'n dertig meter.

Op de muren aangebrachte plaquettes markeerden de laatste rustplaats van voorouders van Baltazar, die in het kasteel waren begraven nadat de familie naar Cyprus had moeten uitwijken. De zaal was rondom versierd met afbeeldingen van de verschillende incarnaties van de god Baäl.

In het midden van de ruimte stond een bronzen beeld dat leek op het beeld van steen in de kelder van zijn landhuis in de Verenigde Staten. Ook dit was een zittende figuur met gespreide armen en naar voren gekeerde handpalmen. Het beeld was minstens vier keer zo groot en stond op een bijna twee meter hoog voetstuk. In beide zijkanten waren een paar smalle traptreden aangebracht. Het gezicht van het kleinste beeld was haast vriendelijk vergeleken bij dit gelaat. Het was kwaadaardiger dan dat van de lelijkste waterspuwer.

Baltazar klom het trapje op en betrad een klein platform naast het beeld. Hier stonden in de oudheid de priesters om in een spreekbuis te praten die ze gebruikten om hun ongelukkige slachtoffers nog meer angst aan te jagen.

Hij haalde het familieboek uit zijn tas tevoorschijn en plaatste het op een speciaal daarvoor aangebrachte richel. Terwijl hij de rituele tekst uit het boek las, vouwde hij zijn vingers om een hendel die tussen de schouderbladen van de zittende figuur uitstak. Hij trok de hendel omlaag. Met het ratelende geluid van gewichten en katrollen die in beweging kwamen, schoof er in de vloer recht voor het beeld een luik weg waardoor er een ronde put zichtbaar werd.

Hij duwde de hendel omhoog. De armen van het beeld klapten bij de ellebogen omlaag en sprongen haast even snel weer terug.

Hij liep het trapje af en scheen met zijn lamp in de put. Hij was met olie bijgevuld na het vorige gebruik, toen het familiefortuin onder druk stond en een offer aan Baäl noodzakelijk leek.

Met het vooruitzicht van een goed betalende baan hadden ze een Oost-Europese vrouw zonder familie naar Cyprus gelokt.

Alles was gereed.

Hij liep terug naar Carina. De verbonden figuur op de brancard verstijfde. Mooi zo, dacht Baltazar. Hij wilde dat Carina zag wat haar te wachten stond. Hij maakte de riemen los waarmee ze op de brancard was vastgebonden en slingerde haar als een brandweerman over zijn schouder.

Baltazar hoorde Carina kreunen. Ze was helemaal bij.

Hij glimlachte. Spoedig zou ze in de lieftallige armen van Baäl liggen.

53

De stem van de piloot van de Britse jachtbommenwerper van het type Tornado klonk door de intercom.

`Welkom op het prachtige eiland Cyprus, geboorteland van Aphrodite, de godin van de liefde.'

Austin zat achter de piloot op een stoel die normaal voor de systeem-operator van het supersonische vliegtuig bestemd was. Het toestel maakte een wijde boog boven de Britse luchtmachtbasis bij de oude Romeinse stad Curium alvorens het een snelle afdaling inzette. Terwijl het landingsgestel van de straaljager bonkend de betonnen baan raakte, keek Austin na de nauwelijks negentig minuten durende vlucht vanuit Engeland naar de lichtjes langs de landingsbaan en bedacht dat de aarde verwonderlijk klein was geworden.

Slechts een paar uur daarvoor was hij met een helikopter van de CIA naar Albany meegelift. Vandaar was hij met een privéjet naar Andrews Air Force Base in Maryland gevlogen, waar de Blackbird in een speciale hangar stond en alleen voor nachtvluchten werd gebruikt.

De SR-71 was ontwikkeld als een strategische verkenner voor lange afstanden die snelheden van boven de mach 3 haalde, en dat op een recordhoogte van ruim vijfentwintig kilometer. De afgeplatte, donkerblauwe, haast zwarte romp was ruim dertig meter lang, nog afgezien van de anderhalve meter lange neusantenne. Aan de achterkant van het toestel staken als spitse haaienvinnen twee kielvlakken boven de romp uit. Een fors passagiersschip zou aan één van de beide krachtige turbojets met naverbrander ruim voldoende hebben.

Na een korte medische keuring had Austin een eiwitrijke maaltijd van biefstuk en eieren voorgezet gekregen en vervolgens hadden ze hem in een drukpak gehesen dat sterk leek op de ruimtepakken die de astronauten in de spaceshuttle droegen. Tijdens het aantrekken van het pak ademde hij pure zuurstof in om de gassen in zijn lichaam te zuiveren. In een bestelwagen werd hij naar de hangar gebracht, waar hij in een speciaal gebouwde passagiersstoel werd vastgegespt. Zeven minuten na het opstijgen werd het vliegtuig door een KC-135Q tanker in de lucht bijgetankt en nog geen twee uur later landde het vliegtuig op een basis van de RAF in Engeland.

Flagg had ervoor gezorgd dat er voor de laatste etappe van zijn tocht een straaljager klaarstond, omdat het niet voor de hand lag dat er een vliegtuig van de Amerikaanse luchtmacht op Cyprus zou landen, dat al heel lang een steunpunt van de Britten was.

Er reed een auto de baan op die achter het toestel aan racete tot de straaljager tot stilstand kwam. Er stapten drie mannen uit, gekleed in een wijde zwarte broek met coltrui en een zwarte baret op het hoofd, die Austin begroetten nadat hij uit het toestel was geklauterd.

'Goedenavond, meneer Austin,' zei de leider van de drie, een getaande Griekse Amerikaan, die zich als George voorstelde. Hij zei dat hij vanuit Athene hier naartoe was gebracht om zich bij de agenten uit Cairo en Istanbul aan te sluiten. Een vierde man, die voor de Amerikaanse ambassade in Nicosia werkte en het eiland goed kende, was vooruitgegaan om de situatie ter plekke te verkennen.

'Bent u gewapend,' vroeg George.

Austin klopte op een bobbel in de voorpand van zijn jas. Terwijl Austin naar Maryland vloog, had Flagg iemand van Langley gevraagd uit Austins botenhuis een schoon stel kleren en de Bowen-revolver op te halen en die naar Andrews te brengen.

George glimlachte. 'Dat had ik een ex-medewerker van de organisatie natuurlijk niet hoeven vragen. Maar dit zou wel eens van pas kunnen komen.' Hij overhandigde Austin een nachtbril en een baret.

Daarop werd Austin in de Land Rover gepropt. Een auto van de Britse luchtmacht begeleidde hen naar de uitgang, waar een bewaker gebaarde dat ze door konden rijden. Een tijd lang raasden ze met een snelheid van rond de honderdvijftig kilometer over een donkere snelweg tot de chauffeur afremde en een zijweg insloeg die de bergen inliep.

George gaf Austin een satellietfoto en een zaklamp. Op de foto stond een volmaakt vierkant gebouw op een afgelegen plek hoog op een berg waar slechts één weg naartoe liep.

De telefoon van George rinkelde. Hij luisterde een moment, waarna hij de verbinding verbrak. Hij wendde zich tot Austin. 'Er zijn zojuist een auto en een ambulance bij het kasteel aangekomen.'

'Hoe lang duurt het nog voordat we daar zijn?' vroeg Austin.

'Een klein uurtje. Op deze bergwegen schiet het niet erg op.'

'Dit is een kwestie van leven of dood,' zei Austin.

George knikte en spoorde de chauffeur aan sneller te gaan. De auto schoot vooruit en stoof met een heen en weer zwiepende achterkant wild slingerend door de haarspeldbochten.

Toen ze hun bestemming naderden, werd George nogmaals door de man die vooruit was gegaan gebeld. Hij had hun auto een naburige helling zien afdalen en vroeg of de chauffeur een signaal met de koplampen kon geven zodat hij zeker wist dat zij het waren. De chauffeur knipperde een paar keer met de dimlichten. Een paar seconden later zagen ze dat iemand aan de kant van de weg het signaal met een zaklamp beantwoordde.

De Land Rover stopte en George draaide het raampje open. Achter het zijraampje van de andere auto schemerde vaag het gezicht van de man die vooruit was gegaan.

'De weg loopt nog een meter of vijftig door,' zei de man.

'Dan gaan we te voet verder,' reageerde George. 'Gaat u voor, alstublieft.'

Austin stapte uit de Land Rover en zette de nachtbril op. Met de anderen volgde hij de vooruitgestuurde man met een snelle looppas langs de rand van de weg.

Baltazar droeg Carina de trap op en legde haar op de uitgespreide armen van het beeld.

Het bedwelmingsmiddel waardoor ze urenlang buiten bewustzijn was geweest, was zo goed als uitgewerkt. Ze ontwaakte met een vettige geur in haar neus. Nu het waas geleidelijk voor haar ogen wegtrok, zag ze het afschuwelijke gelaat van Baäl. Haar armen en benen waren bijeengebonden, maar ze kon haar hoofd bewegen. Ze tilde haar nek op en zag Baltazar onder aan het beeld staan.

'Ik raad je aan niet tegen te stribbelen, Sheba. Je ligt daar nogal wankel.'

'Ik ben Sheba niet, je bent hartstikke gestoord, man. Laat me gaan!'

'Je koninklijke waardigheid verraadt je,' zei Baltazar. 'Je bent een afstammelinge van Sheba. Je hebt Sheba's bloed in je aderen. Je hebt mij in verleiding gebracht, zoals je voorgangster Salomo verleidde. Maar Baäl heeft me Austin gezonden om me aan mijn familieverplichtingen te herinneren.'

'Je bent niet alleen gestoord, maar ook oliedom.'

'Mogelijk,' reageerde Baltazar.

Hij aanschouwde de verschillende onderdelen van het tafereel als een kunstenaar die over de mogelijkheden van een ingeving nadenkt. Hij wilde juist een fakkel uit de muurhouder pakken, toen hij iets hoorde wat op een pistoolschot leek.

Austin was aan de rand van de oprijlaan blijven staan en had zich op een knie laten zakken.

Hij had een lucifer zien opvlammen, waarna hem sigarettenrook tegemoet waaide. In het korrelige groene schijnsel van de nachtbril zag hij een gestalte op en neer lopen.

George tikte Austin op zijn arm. Hij wees op zichzelf en vervolgens op de wachtpost.

Austin antwoordde met het oké-teken. George bukte zich en sloop op de nietsvermoedende bewaker af. Austin zag hoe de beide figuren elkaar naderden. Er klonk een kreun, waarop de bewaker in elkaar zakte. George gebaarde de anderen dat ze door konden lopen.

'Slordig,' zei George, terwijl hij zich over de bewusteloze bewaker boog. 'Dat spijt me.'

Een paar van de bewakers hadden de kreun gehoord en kwamen poolshoogte nemen. Er klonk geschreeuw uit alle richtingen. George stond in het volle licht van een zaklamp. Hij hief zijn hand op om zijn ogen tegen het felle licht te beschermen. Austin gooide een steen waardoor George uit de baan viel van het spervuur dat volgde.

George krabbelde onmiddellijk weer overeind en vuurde een salvo met zijn machinepistool af. Het licht doofde en er klonken kreten van pijn.

Austin sprintte naar het kasteel en rende de brug over de droge slotgracht op. De huurling die de deur bewaakte, wist niet goed raad met het geschreeuw, de bewegende lichten en de schoten. In tegenstelling tot Austin had hij niet het voordeel in het donker te kunnen zien. Hij zag de figuur die met gebogen schouders op hem af rende dan ook pas toen het te laat was.

Austin raakte de man als een bowlingbal. De bewaker sloeg achterover met zijn hoofd tegen de kasteelmuur. Met zijn rug tegen de stenen gleed hij bewusteloos naar de grond.

Austin opende de zware deur en stapte de kilte van het kasteel binnen. Met de Bowen in beide handen voor zich uit gestoken doorzocht hij haastig de benedenverdieping en vond al snel de ruimte met de grote open haard. De deur achter in de haard stond op een kier, waardoor het schijnsel van de fakkels scheen.

Terwijl hij de nachtbril van zich afwierp, trapte hij de deur open en rende de trap af. Nadat hij door een gewelfde doorgang was gestapt, overzag hij het tafereel dat voor hem opdoemde. De ronde zaal met het groteske standbeeld. De vettige oliestank. Carina op de uitgespreide armen. En Baltazar die doodgemoedereerd naast het beeld stond alsof hij Austin had verwacht.

'Austin!' zei hij met een van woede verwrongen gezicht. 'Op de een of andere manier wist ik dat jij het was.'

Om te beginnen wilde Austin Baltazar uit de buurt van Carina weg hebben. Hij richtte de Bowen. 'Je bent gezien, Baltazar, kom rustig naar beneden!'

Baltazar dook achter het beeld weg en sprak in de spreekbuis. De holle stem leek uit de geopende mond van het beeld te komen.

'Te laat, Austin. Sheba rust al in de armen van Baäl.'

Austin hoorde een knarsend geluid onder zijn voeten en stapte naar achteren, terwijl het luik openschoof en de olieput zichtbaar werd.

Met van de concentratie opeengeklemde kaken plantte hij zijn benen iets uit elkaar, richtte de Bowen op het gezicht van het beeld en drukte af. Er spatten stukken metaal in het rond. Door het gat van de weggeslagen neus was de holle binnenkant van het beeld te zien. Austin schoot opnieuw. De zware kogel rukte een wang weg. Vervolgens schoot hij systematisch het hele gruwelijke gezicht aan gort.

Er klonk een gil van pijn, waarna Baltazar van achter het beeld tevoorschijn stapte. Zijn gezicht was door rondvliegende metaalscherven geraakt en zat onder het bloed. Hij stak een arm uit en graaide een fakkel van de muur. Austin schoot lukraak in zijn richting. Hij miste, maar in zijn haast om dekking te zoeken, liet Baltazar zijn fakkel van de trap vallen.

Baltazar liep de trap af om de brandende fakkel op te rapen. Austin was door zijn munitie heen. Hij stak het wapen in de holster en snelde naar de trap.

Baltazar had de fakkel te pakken en hield hem omhoog naar Austins gezicht. Austin dook weg en ramde zijn schouder in Baltazars maag. Baltazar liet de fakkel vallen, maar was fysiek niet de mindere van Austin en zijn woede gaf hem extra kracht. Worstelend rolden ze van de trap naar de rand van de olieput.

Baltazar gaf Austin een kopstoot, krabbelde overeind en trapte Austin tegen zijn ribben. Een volgende trap was op Austins gezicht gericht. Austin negeerde de helse pijn, greep Baltazar bij zijn voet en draaide hem een halve slag om. Op één been balancerend probeerde Baltazar tevergeefs zijn evenwicht te bewaren en viel met zijn hoofd voorover in de put.

Austin krabbelde vliegensvlug overeind en zag hoe Baltazar driftig zwemmend het hoofd boven de dikke vloeistof probeerde te houden. Zijn hoofd en gezicht glommen van de zwarte olie.

'Achteruit, Kurt!'

De boeien om Carina's enkels en polsen waren gedurende de reis uitgerekt. Ze had zichzelf kunnen bevrijden en was van de armen van het beeld geklommen. Nu stond ze met de fakkel in haar hand op de trap. Als een wraakengel, in haar witte jurk en met haar mooie, van woede vertrokken gezicht.

'Wacht!' riep Austin, terwijl hij naar de trap rende.

Carina aarzelde. Ze liet de fakkel iets zakken. Tot ze zag dat Baltazar uit de put probeerde te klimmen, wat door de olie op zijn handen nogal moeizaam ging. Hij worstelde met de rand als een uit de diepte opkrabbelend reptiel. Carina hief haar arm weer op en gooide de fakkel van zich af. Met een staart van vonken zeilde hij in een boog door de lucht en landde in het midden van de olieput.

Er klonk een luide *whoefff...*

Austin rende de trap op en greep Carina om haar middel. Hij duwde haar in de ruimte achter het beeld en wierp zich met zijn hele lichaam boven op haar.

Hoewel het beeld hen tegen de verzengende hitte beschermde, liepen ze het gevaar er te stikken in de dikke vettige rookwolken die tot aan het plafond walmden. Ondanks dat er veel rook door het schoorsteenkanaal in het plafond ontsnapte, was de zaal binnen enkele seconden met een verstikkende walm gevuld.

Toen Austin zijn arm steviger om Carina's slanke middel sloeg, voelde hij een hendel in de muur. Hij haalde de hendel over, waarop er een paneel uit de muur wegschoof. Door de rechthoekige opening stroomde frisse lucht naar binnen. Nauwelijks nog in staat ook maar enig geluid voort te brengen, slaagde hij er toch in Carina toe te roepen dat ze door het gat moest kruipen. Nadat hij haar was gevolgd, schoof hij het paneel weer dicht.

Austin viste een zaklampje uit zijn jaszak op en scheen ermee om zich heen. Ze bevonden zich in een ruimte die niet veel groter was dan een flinke bergkast. De lucht was er bedompt, maar vrij van rook. Hij vermoedde dat Baltazars voorouders zich hier verscholen als ze offers aan Baäl brachten.

Ze wachtten hier enige tijd tot de olie uit zichzelf was opgebrand.

Austin schoof de doorgang op een kier. Er hing een doordringende stank, maar de rook was grotendeels opgetrokken. Van losgescheurde flarden van Carina's gaasverband maakten ze geïmproviseerde mondmaskers, waarna ze achter het beeld vandaan kropen en via de trap zo snel mogelijk naar de deur renden.

Toen ze de nog narokende olieput passeerden, wendde Carina haar ogen af. Austin wierp een blik in de put alsof hij bang was dat Baltazar eruit omhoog zou kruipen. Maar er gaapte slechts een ondoordringbare duisternis in de peilloze diepte.

54

Na zijn haastige telefoongesprek met Baltazar was Adriano naar New Jersey gereden om zijn plannen voor de NUMA voor te bereiden.

Hij logeerde in een goedkoop motel, waar hij voor zijn aanval op de NUMA een ingewikkeld plan uitdacht, inclusief meervoudige moordaanslagen met autobommen, gifgassen en de meer vertrouwde middelen als geavanceerde sluipschuttersgeweren. Systematisch worstelde hij zich door personeelslijsten en concentreerde zich daarbij vooral op doelen en mensen die voor het functioneren van de organisatie het belangrijkst waren. Hij werkte ook de volgende dag door en verkaste naar een ander motel. In de loop van de derde dag zette hij de puntjes op de i van een plan waarmee hij dood en verderf zou zaaien. Daarna wachtte hij op een bericht van Baltazar.

Na twee dagen probeerde Adriano om Baltazar te bereiken, maar er kwam geen antwoord. Hij hing op nadat hij weer eens de ingesprektoon had gekregen en toetste een ander nummer in, waarmee hij verbinding kreeg met het opnameapparaat dat hij in de boom bij Austins huis had geïnstalleerd.

'Hallo, Joe,' hoorde hij de stem van Austin zeggen. 'Hoe staat het met jullie onderzoek?'

'We hebben de locatie van de mijn vastgesteld,' antwoordde Zavala. 'Op de papyrusrol staat precies aangegeven waar we de mijn kunnen vinden.'

Adriano trok een wenkbrauw op en spitste zijn oren.

'Schitterend! Ik wil er alles van weten.'

Zavala vertelde hem over het hotel op de bodem van het meer in St. Anthony's Wilderness en wijdde daarbij tot in de kleinste details uit over de schacht die vanuit de keuken naar de mijn liep. Hij gaf Austin de gps-coördinaten.

‘Wanneer kunnen we een verkenningsduik gaan doen?’ vroeg Austin.

‘Ik ben bezig met het samenstellen van een duikteam. Over achtenveertig uur kunnen we ter plaatse zijn.’

‘Perfect. Dan regelen we morgen wel hoe we het precies aanpakken.’

De twee mannen verbraken de verbinding nadat ze nog wat over koetjes en kalfjes hadden gesproken.

Het gesprek dateerde van eerder die dag. Adriano las de aantekeningen door die hij had gemaakt. Hij rekende zijn motelkamer af en reed naar een van de opslagruimtes die hij in de periferie van Washington had gehuurd. In dit magazijn lagen wapens, munitie, geld, kleding, identiteitsbewijzen en wat hij nu nodig had: een complete scuba-uitrusting, die hij in de achterbak van zijn auto laadde.

De volgende ochtend reed hij in de woest bonkende auto over de hobbelige landweg naar St. Anthony’s Wilderness. Hij parkeerde de auto aan de rand van het meer, hees zich in een wetsuit en omgordde het trimvest met de persluchtfles. Adriano was een ervaren duiker, opgeleid door de SEAL’s die voor Baltazar werkten.

Hij zwom naar een boei die op het meer dreef, las zijn positie van een draagbaar gps-apparaatje af en dook met een paar krachtige slagen van zijn vinnen naar het hotel. De keuken en ook de schacht had hij snel gevonden. Zonder aarzelen daalde hij in de schacht af. Ook als hij niet zo ongeduldig was geweest om in de mijn te komen, had hij hoogstwaarschijnlijk de plastic doosjes niet opgemerkt die tussen het puin rond de schachtopening lagen.

Toen Adriano de bodem van de schacht bereikte, zag hij tot zijn verbazing een plastic bordje hangen met een duidelijke pijl erop.

Hij volgde de richting die door de pijl werd aangegeven, tot hij bij een volgende pijl kwam die de hoofdgang van de mijn inwees. Hij volgde de gang tot de kruising. Ook hier weer een bordje met een pijl. Aan het einde van deze gang wees de pijl van een vierde bordje naar de grote ruimte met de verhoging.

Terwijl Adriano de uitgepeilde route volgde, doemden er aan de bosrand twee figuren op die zich stilletjes naar de waterkant begaven. Austin keek op zijn horloge. ‘Hij is nu een halfuur onderweg,’ zei hij.

‘Dan is hij ondertussen wel via de schacht in de mijn,’ zei Zavala.

Met het geënsceneerde telefoongesprek hadden ze Adriano in de val gelokt. Nu moest de val gesloten worden. Austin waadde tot zijn middel het water in. Hij had een waterdicht verpakte zender in zijn hand. Hij wachtte nog een paar minuten, waarna hij de zender onder water hield en op de knop drukte. Een paar seconden later verscheen er midden op het meer een woest borrelende schuimkraag aan het oppervlak.

Austin keek er met op elkaar geperste lippen naar tot de uitwaaierende rimpels tegen zijn borst klotsten. Ten slotte draaide hij zich om en waadde terug naar de kant.

Daar werd hij opgewacht door een nors kijkende Zavala. Hij gaf Austin een map aan die hij in de auto van Adriano had gevonden. Op de map stond NUMA.

In de diepte op de bodem van het meer had Adriano de explosies als doffe ploffen gehoord. Hij overwoog om terug te gaan, maar besloot dat niet te doen. Adriano beschikte over een robotachtige fixatie op het bereiken van zijn doel, wat hem tot een goede huurmoordenaar maakte. Nu had hij zijn zinnen onverstoorbaar op de mijn en het goud gezet.

De pijl volgend zwom hij de ruimte met het altaar in. Zijn hart klopte sneller bij het zien van de verhoging, waarop het kistje van Thomas Jefferson had gelegen.

Tussen de versplinterde houtresten lag opnieuw een plastic plaatje, dat ditmaal was voorzien van een handgeschreven tekst: ALS JE TER HELLE VAART, ADRIANO, DOE DAN DE GROETEN AAN BALTAZAR.

Weer die Austin!

Adriano staarde naar het bordje, wierp het van zich af en zwom zo snel mogelijk terug naar de schacht. Daar aangekomen stuitte hij op een berg puin, de enige aanwijzing dat zich daar een schacht had bevonden.

Hij keek op zijn persluchtmeter. Hij had nog een paar minuten. Zelfs als er een andere uitweg was, had hij niet voldoende lucht om ernaar te zoeken. Zittend op het puin wachtte Adriano tot de lucht opraakte. De laatste vertegenwoordiger van het roemruchte geslacht van officiële Spaanse wurgbeulen stierf in een ironische speling van het lot een verstikkingsdood.

55

'Ahoy, meneer Nickerson,' zei Austin, 'vraag permissie om aan boord van de *Lovely Lady* te komen.'

Nickerson stak zijn hoofd door de deuropening van de salon en glimlachte toen hij Austin zag. 'Die permissie hebt u, hoor.'

Austin liep de loopplank over en schudde de man van Buitenlandse Zaken de hand. Hij klopte op een zwarte plastic tas. 'Ik heb iets wat ik u wil laten zien. Hebt u een momentje?'

'Voor u heb ik áltijd tijd, meneer Austin. Kom binnen, dan zet ik koffie voor u. Met iets sterkers erin om de kou te verdrijven.'

'Het is tegen de dertig graden, meneer Nickerson.'

'Maakt niet uit. Het is altijd wel ergens koud,' reageerde Nickerson.

Ze liepen de salon in en Nickerson zette een pot sterke koffie, die hij met een flinke scheut Kentucky Bourbon aanlengde. Ze klonken met hun glazen, waarop Nickerson vroeg: 'En, wat hebt u daar voor mij?'

Austin opende de tas en haalde er de vierkante vellen vellum uit. Hij gaf er een aan Nickerson. 'Dit is het deel dat Jefferson van een indiaan kreeg. Op een van zijn reizen ontdekte Meriwether Lewis het andere deel. Samen vormen ze een plattegrond waarop de locatie van de mijn van Salomo in Pennsylvania is aangegeven.'

'Fantastisch! Ik wist dat u het kon. Hebt u de mijn bekeken?'

'Ja, dat hebben we. Daar hebben we deze vellen vellum gevonden. Thomas Jefferson had ze er neergelegd.'

'Dat kan toch niet! En de relikwie?'

'De gouden Tien Geboden? Volgens mij bent u degene die dat weet.'

'Ik vrees dat ik niet helemaal begrijp wat u bedoelt.'

'Er stond nog een tekst onder de plattegrond. Ogenschijnlijk gaat het om een versie van de Tien Geboden die nogal afwijkt van het origineel. Waarschijnlijk een afschrift van wat er op de gouden tabletten stond.'

'Ga door, meneer Austin.'

'Deze geboden werden doorgegeven door diverse heidense goden, onder wie een god die mensenoffers verlangde. Nu begrijp ik waarom u zich zo bezorgd toonde. De situatie in het Midden-Oosten was niet de werkelijke reden van uw bezorgdheid.'

'Inderdaad. De Tien Geboden worden als een onfeilbare morele gids beschouwd, afkomstig van een monotheïstische god. Ze vormen de basis van godsdiensten met miljoenen volgelingen en zijn het fundament van het officiële westerse gedachtegoed. Voor veel mensen zijn ze de inspiratiebron voor het rechtsstelsel van alle westerse landen. Als zou blijken dat de Tien Geboden gebaseerd zijn op heidense geschriften zou die toch al broze fundering wel eens nog verder kunnen verbrokkelen.'

Austin dacht aan Baltazars voorspellingen.

'Voor de wereld dus weer zo'n bron voor conflicten waar niemand op zit te wachten,' zei Austin.

'U slaat de spijker op z'n kop. Niemand weet wie de geboden op goud in plaats van klei heeft laten graveren, maar puur het feit van hun bestaan verleent ze gezag. Salomo wilde de gouden tabletten zo ver mogelijk uit zijn buurt hebben. In zijn tijd konden ze tot onrust leiden. En dat geldt tot op de dag van vandaag, kan ik daaraan toevoegen.'

'Tijdens uw eerste gesprek wist u al dat de tabletten zich niet in de mijn bevonden.'

'Dat kan ik niet ontkennen.'

'Waarom hebt u mij dan toch op zo'n gevaarlijke reis gestuurd?'

'We weten waar de tabletten *zijn*, maar niet waar ze *waren*. In de oude geschriften staat dat een Navigator de weg naar Ofir zal wijzen. Toen we over de poging tot diefstal van het beeld van de *Navigator* hoorden en de ontdekking van het Artisjokkendocument, waren we bang dat iemand de mijn zou vinden en zo op het spoor van de tabletten zou komen.'

'Met dat *we* bedoelt u het Artisjokken Genootschap?'

'Klopt. Toen we hoorden welke rol u bij de kaping had gespeeld en vervolgens ook over de reputatie van uw team waren ingelicht, leek u ons de meest geschikte man voor dit karwei.'

'Dan bent u mij toch een introductie bij die Artisjokken schuldig, meneer Nickerson.'

'Ja, ik vrees van wel.'

Hij pakte zijn telefoon. Na een kort gesprek zei Nickerson. 'Hoe snel kunt u uw team bijeentrommelen?'

'Nu meteen als het moet. Waar zal ik zeggen dat ze naartoe moeten?'

Nickerson glimlachte. 'Een bescheiden oord dat we als Monticello kennen.'

Later die dag wandelden Austin, Zavala en het echtpaar Trout met Angela langs de zuilen van het voorportaal van Jeffersons landhuis. Emerson en Nickerson stonden hen daar op te wachten en vergezelden hen naar binnen.

Emerson wachtte tot er een groep toeristen was gepasseerd. 'Hierbij wil ik me verontschuldigen voor het feit dat ik niet helemaal oprecht over deze zaak ben geweest,' zei hij.

'Excuses aanvaard,' zei Gamay. 'Mits u de omissies voor ons invult.'

Emerson knikte. 'U was op het goede spoor. Meriwether Lewis had op een van zijn reizen de ontbrekende helft van de kaart met de mijn gevonden. Hij was ervan uitgegaan dat het om een locatie in het westen handelde. Tot hij zijn vergissing inzag en de kaart naar Jefferson wilde brengen, waarbij hij onderweg werd vermoord door lieden die de mijn geheim wilden houden. Zeb bracht het ontbrekende deel ten slotte naar Monticello. Nu Jefferson de volledige kaart in handen had, wist hij de mijn op te sporen, inclusief de tabletten. De kaart heeft hij in de mijn achtergelaten. Net als Salomo besloot hij dat de tabletten het beste ongezien konden blijven en richtte een organisatie op om dat te waarborgen.'

'U zei toch dat het Artisjokken Genootschap niet bestond?' vroeg Angela.

'Als lid van het genootschap ben ik tot geheimhouding verplicht. Tot de oorspronkelijke Artisjokken behoorden ook enkele stichters van de staat. Toen ze ouder werden, rekruteerden ze nieuwe leden om hen op te volgen. U zou beslist verbaasd zijn als u de namen van de huidige leden hoorde.'

Austin schudde zijn hoofd. 'Wat dit onderwerp betreft verbaas ik me over helemaal níéts meer,' zei hij. 'Wat is er met de tabletten gebeurd?'

'Jefferson richtte een werkgroep op waartoe ook mijn voorvader Zeb behoorde,' zei Nickerson. 'Zij hebben de mijn gevonden en de tabletten hiernaartoe gebracht.'

'Naar Monticello?' vroeg Angela. Ze keek om zich heen alsof ze verwachtte dat de tabletten daar ergens in het zicht lagen.

Emerson tikte met zijn schoen op de grond. 'Onder onze voeten. Goed weggestopt in een geheime kamer.'

Van verbazing viel er een korte stilte, die Trout met een vraag verbrak. 'Denkt u dat dat ooit nog eens wereldkundig wordt gemaakt?'

'Dat is aan de Artisjokken,' antwoordde Emerson. 'Misschien komt er in de toekomst een moment dat de leden tot de conclusie komen dat de tijd er rijp voor is.'

'We zijn altijd op zoek naar nieuwe leden,' zei Nickerson. 'Van uw team is iedereen van harte welkom.'

'Bedankt, maar wij zijn nogal vaak van huis,' zei Austin. 'Wel weet ik iemand die uw club met jeugdig bloed en intelligentie kan versterken.'

Hij keek daarbij naar Angela, die een paar passen van hen was weggelopen en strak naar de vloer staarde alsof ze er dwars doorheen kon kijken.

Er verscheen een brede glimlach op het gezicht van Nickerson. 'Ja, bedankt voor de suggestie. En voor al uw hulp. Ik hoop dat het niet al te ongelegen kwam.'

Austin keek om zich heen naar de leden van zijn team. 'Helemaal niet. We hebben ons prima vermaakt, ja toch?'

Paul Trout knipperde een paar maal met zijn ogen en zei met een pokerface: 'Als ik dan nu maar snel aan mijn opstel "Wat ik in mijn vakantie deed" kan beginnen.'

Epiloog

Austin trok de schoot van het grootzeil van zijn katschip aan, er zo voor zorgend dat het zeil scherp aan de wind bleef staan. Carina zat aan het roer en richtte de brede boeg op een turkooizen onderzoeksschip dat in de buurt van een eiland in de Chesapeake Bay voor anker lag. Toen de zeilboot bijna langszij het schip was, draaide ze de boot met een ruk aan het roer met de neus in de wind, waardoor ze vrijwel onmiddellijk stillagen.

'Keurig, hoor!' zei Austin.

'Bedankt. Dat heeft mijn zeilinstructeur me goed geleerd.'

Anthony Saxon leunde over de reling van het NUMA-schip. Hij vouwde zijn handen als een toeter voor zijn mond. 'Kom aan boord. Ik heb hier een hoop dingen die ik jullie wil laten zien.'

Ze lieten het anker zakken en stapten in de sloep van het katschip. Austin roeide hen naar het turkooizen vaartuig, dat als een kleinere versie van de reusachtige onderzoeksschepen vooral voor projecten in ondiepe wateren en aan kusten werd ingezet.

Toen ze aan boord gingen, verscheen Zavala aan de oppervlakte, waarna hij zich op een aan het schip bevestigd duikplatform hees. Hij zag Austin en Carina, ontdeed zich van zijn scuba-uitrusting en klom aan boord om zijn vrienden te begroeten.

'Goedemorgen,' zei Zavala. 'Komen jullie ook wrakduiken?'

'Vandaag niet,' antwoordde Austin. 'We komen kijken wat je hebt gevonden.'

'Ontzettend mooie dingen,' zei Saxon.

Hij bracht hen naar een bak waarin minstens twaalf amfora's onder een laag water lagen om ze goed te houden. 'We hebben ze alvast geröntgend. Deze vazen zitten vol met perkamentrollen. Dat gaat een geweldige bron van informatie worden. De Feniciërs hebben alle zeeën ter wereld bevaren. Ik hoop dat er ook kaarten tussenzitten waarop te zien is waar en met wie ze handel dreven, en journaals van hun reizen.'

'Dat klinkt alsof er heel wat geschiedenisboeken herschreven moeten worden,' zei Austin.

'Dit is nog maar het topje van de ijsberg, Kurt,' zei Zavala. 'Het wrak barst van de artefacten.'

Austin keek naar het water. 'Hoe is mevrouw Hutchins onder alle commotie?' vroeg hij.

'Toen we Thelma over de berging vertelden, gaf ze toe dat Hutch intussen wel behoorlijk doordrenkt zou zijn,' antwoordde Zavala. 'Ze heeft erin toegestemd dat zijn stoffelijke resten aan land worden gebracht, waar ze haar vent dan meteen ook wat dichter bij zich heeft.'

Austin feliciteerde alle aanwezigen met het succes. Daarna roeide hij met Carina terug naar het katschip. Toen ze het anker ophaalden en het zeil hesen, riep Saxon: 'Tot zaterdag, Carina!'

Ze wuifde bevestigend terug en enkele minuten later sneed de boot met een stevige bries uit het zuidwesten in de zeilen door het water van de baai. Voor de lunch zochten ze een rustige inham op. Austin liep de hut in en kwam terug met een fles champagne en twee glazen, die hij volschonk met het mousserende vocht. Ze klonken.

'Ik moet je iets vertellen,' zei Carina.

'Dat vermoedde ik al na wat Saxon riep.'

'Saxon heeft nieuwe aanwijzingen gevonden waar Sheba's graf zich zou kunnen bevinden, in Jemen. Hij heeft me gevraagd of ik hem bij de zoektocht wil helpen. Ik geloof nog altijd niet dat ik een afstammelinge van Sheba ben, maar haar laatste rustplaats zou ik dolgraag willen vinden. Ze was een bijzondere vrouw. Ik heb ja gezegd.'

'Ik zal je missen, maar het klinkt als een mooi avontuur,' zei Austin. 'Wanneer vertrek je?'

'We vliegen over drie dagen.'

'Nog suggesties waarmee ik Hare Koninklijke Hoogheid in de tussentijd mag behagen?'

'Je hebt tweeënzeventig uur om het uit te vinden,' zei Carina met een uitdagende glimlach. 'Dat moet voor jou toch méér dan voldoende zijn.'

Austin zette zijn champagne neer en nam het glas uit haar vingers. Hij gebaarde naar de hut en zei: 'Stel niet uit tot morgen wat je vandaag nog kunt doen.'